KAREN WHITE

Após a Tempestade

Ela teve sua vida transformada por uma tragédia.
Mas a vida oferecerá um novo começo.

Tradução
Frank de Oliveira
Helena Maria Nascimento

Editora Novo Conceito

Esta é uma obra de ficção. Os nomes, personagens, lugares e acontecimentos descritos são produtos da imaginação do autor. Qualquer semelhança com nomes, datas e acontecimentos reais é mera coincidência.

1ª Impressão — 2013

Edição: Edgar Costa Silva
Produção Editorial: Alline Salles, Lívia Fernandes, Tamires Cianci
Preparação de Texto: Solange Monaco
Revisão de Texto: Camila Fernandes
Diagramação: Vanúcia Santos
Impressão: Intergraf Ind. Gráfica Ltda.

Este livro segue as regras da Nova Ortografia da Língua Portuguesa.

Dados Internacionais de Catalogação na Publicação (CIP)
(Câmara Brasileira do Livro, SP, Brasil)

White, Karen
Após a tempestade / Karen White; tradução Frank de Oliveira, Helena Maria Nascimento. -- Ribeirão Preto, SP : Novo Conceito Editora, 2013.

Título original: The beach trees.
ISBN 978-85-8163-223-0

1. Ficção norte-americana I. Título.

12-14195 CDD-813

Índices para catálogo sistemático:
1. Ficção : Literatura norte-americana 813

Editora Novo Conceito
Rua Dr. Hugo Fortes, 1.885 — Parque Industrial Lagoinha
14095-260 — Ribeirão Preto — SP
www.editoranovoconceito.com.br

Dedicatória

Este livro é dedicado aos moradores da Costa do Golfo e de Nova Orleans, que sabem melhor do que ninguém o porquê de reconstruirmos.

Agradecimentos

Um imenso obrigado à minha universidade, Tulane University, e aos queridos amigos nascidos em Nova Orleans, Nancy Mayer Mencke e Lynda Ryan Casanova, por me mostrarem a Crescent City, toda a sua beleza e alguns de seus segredos. Obrigada também a meu pai, William Lloyd Sconiers, da turma de 1950 da Biloxi High School, por muitas coisas, mas especialmente pelas histórias de quando cresceu em Biloxi, no Mississippi, e por me ensinar a pronúncia correta de "Tchoutacabouffa".

À amiga e construtora Julie Kenney, da Kenney-Moise, Inc., por tirar fotografias do golfo no inverno e descrever as respectivas fauna e flora a longa distância — sem mencionar os detalhes específicos da construção de uma casa na praia —, minha eterna gratidão.

E, com certeza, obrigada a Wendy Wax e Susan Crandall, por todas as ideias e críticas maravilhosas e por lerem este livro quase no mesmo ritmo em que o escrevi!

Ao divisar a mão cruel do tempo que apaga
A soberba dos ricos graças à decadência da idade;
Quando, por vezes, torres imensas são destruídas,
E do metal o escravo eterno à ira mortal jogado;
Ao ver o mar faminto ganhar
Vantagem sobre os domínios das encostas;
E a terra firme forçar o braço de água,
Equilibrando-se entre ganhos e perdas;
Ao ver essa mudança de situação,
Ou a própria condição confundida, a decair
Assim a ruína me ensinou a pensar:
Que há de vir o tempo e levar meu amor.
Pensamento mortal, sem opção outra
Senão lamentar possuir o que se receia perder.

William Shakespeare, Soneto 64

Capítulo 1

O pequeno junco, curvado pela força do vento, reergueu-se logo depois que a tormenta passou. — Esopo

Julie

Setembro de 2010

Morte e perda nos devastam. Assim como as lembranças. À semelhança da batida incessante do rio Mississippi de encontro aos diques, elas escalam com uma doçura enganosa antes de tomarem conta de nosso coração e de puxá-lo para baixo. Ao menos, foi o que Mônica me contou. Mônica fora a guardiã das lembranças do grande rio lamacento que banhava a Crescent City, da água espumante do golfo e da casa branca luminosa situada à frente dele.

Minha família se estabeleceu em Massachusetts cerca de cem anos depois dos Peregrinos[1], e a criação rígida que tive na Nova Inglaterra deixou-me despreparada e um tanto pasma em relação a Mônica, com seu sotaque estranho, que enrolava algumas palavras e pronunciava outras mal, que não era nem sulista nem do Norte, porém uma estranha combinação dos dois. As histórias que contava sobre sua infância eram temperadas com os altos e baixos do sotaque, quase me fazendo esquecer que ela tinha

[1] Primeiros colonos ingleses que foram para a região da Nova Inglaterra em 1650 (N. E.).

virado as costas abruptamente para aqueles lugares que existiam de forma tão vívida em suas lembranças e jamais voltara. Assim como eu, Mônica era órfã por opção, morando e trabalhando na cidade de Nova York, as duas tentando empenhadamente fingir que pertencíamos àquele lugar.

Recostei-me no assento do motorista da minivan e, pelo retrovisor, olhei para Beau, o garotinho órfão de mãe de Mônica; o medo e a ansiedade que vinham me seguindo tomaram conta de novo. Durante os dois últimos meses, eu passara de uma workaholic — que trabalhava em uma conceituada casa de leilões, sem nenhuma outra responsabilidade a não ser o aluguel mensal e as contas do dia a dia — à guardiã de um menino de 5 anos, desempregada e falida, dona de uma minivan caindo aos pedaços e, aparentemente, proprietária de uma casa de praia em Biloxi, no Mississippi, com o nome duvidoso de River Song[2]. Apesar de ter passado quase a vida inteira colecionando coisas, me sentia confusa para explicar minhas aquisições recentes.

Beau se remexeu e eu me vi torcendo para que ele continuasse dormindo por pelo menos mais uma hora. Embora tivéssemos parado para pernoitar em Montgomery, no Alabama, ficar escutando horas intermináveis de música da Disney era demais para meus nervos já em frangalhos. Por quase 20 horas, vínhamos rodando para o sul em uma van fabricada durante o governo Reagan, passando por cidades e por um cenário que me faziam pensar se eu não tinha tomado uma direção errada, indo parar em um país estrangeiro. Depois de recordar algumas das histórias que Mônica me contara sobre ter crescido no Sul, me dei conta de que eu provavelmente tinha.

— Mamãe?

Olhei pelo retrovisor e diretamente para os olhos azuis esverdeados, tão parecidos com os da mãe, compensados por cílios longos e escuros. Mônica havia dito que os cílios eram resultado do molho de Tabasco que as mães na Luisiana colocavam na mamadeira dos bebês para acostumá-los à comida apimentada. A lembrança me fez sorrir até que Beau olhou de novo para mim, os olhos repetindo a pergunta.

— Não, queridinho. Sua mamãe não está aqui. Lembra-se do que já conversamos? Ela está no céu, protegendo você como um anjo, e quer que eu tome conta de você agora.

---

[2] Em inglês, "Canção do Rio" (N. T.).

O rosto dele estampava aceitação e eu desviei a vista antes que ele pudesse ver a fraude que eu realmente era. Eu sabia menos sobre o céu e os anjos católicos de Mônica do que sobre a criação de crianças pequenas. Havia algo no conjunto dessa experiência que parecia um treinamento funcional para uma carreira que eu jamais escolhera.

Beau colocou o polegar esquerdo na boca, hábito novo que adquirira logo depois da morte da mãe. Na mão direita, ele segurava o chapéu vermelho de tricô de Mônica, que encostava no rosto, e começou a fazer um buraco na malha. Era seu companheiro constante, junto com as dezenas de carrinhos Matchbox e os LEGOs que ele cuidava de esconder nos bolsos, na mochila e na fronha do travesseiro. Embora tivesse apenas cerca de 5 anos, o comportamento dele aparentava ter regredido para quase 3 anos desde a morte da mãe, e eu não sabia o que fazer primeiro para consertar aquilo. Deixá-lo ficar com o chapéu da mãe me parecia simplesmente uma necessidade.

— Julie?

Meus olhos encontraram novamente os dele pelo retrovisor.

— Quero fazer xixi.

Dei uma olhada no GPS de segunda mão comprado no eBay. Estávamos em um lugar chamado D'Iberville, no Mississippi, a apenas 30 minutos do destino final. Eu podia desenhar mentalmente com grande precisão a casa de praia que Mônica descrevera: a varanda larga, as cadeiras de balanço, as colunas que sempre me haviam feito pensar em braços acolhedores. Pisei mais fundo no acelerador.

— Você pode segurar só mais um pouquinho, Beau? Já estamos quase chegando.

Franzindo as sobrancelhas, ele assentiu e começou a esfregar o chapéu da mãe com vontade.

Concentrei-me novamente na estrada à minha frente e comecei a perceber as placas que indicavam os cassinos de Biloxi: Beau Rivage, Isle of Capri, Treasure Bay. Nenhuma das histórias de Mônica mencionara os cassinos, levando-me a imaginar se fora por eles terem sido construídos depois que Mônica partira ou porque eram tão estranhos à Costa do Golfo quanto seus nomes.

Peguei a saída para Biloxi, deixando a Interestadual 10 e entrando na Interestadual 110, e o GPS mostrou a van em uma faixa estreita de estrada, cercada de água pelos dois lados, ao cruzarmos a Back Bay de Biloxi na direção da península aninhada entre a baía e o Mississippi Sound. Eu sentia calor apesar do ar condicionado, o coração batendo um pouco mais acelerado quando, de repente, me ocorreu a enormidade daquilo que eu estava fazendo. Penetrar no desconhecido com uma criança de 5 anos de idade não mais parecia o refúgio que eu imaginara a princípio, quando me sentara no escritório do advogado na avenida Lexington e ele me entregara um molho de chaves de casa, além da identificação e do endereço de uma mulher com o nome incomum de Ray Von Williams. Cerca de 320 quilômetros atrás, tudo tinha parecido tão mais promissor do que a desolação da situação atual. Morte e perda nos devastam. Suspirei, finalmente começando a entender o que Mônica tinha querido dizer.

O sol de setembro saltava e dançava por sobre a água, enquanto a estrada retumbava sob os pneus da minivan, o ritmo constante nada fazendo para dissipar meu batimento cardíaco acelerado. A voz engraçada do GPS, que Beau apelidara de Gertie, me orientou para pegar o Beach Boulevard, com o Mississippi Sound correndo paralelo à estrada.

Edifícios e cassinos dominavam a paisagem ao leste. Dirigindo pela esquerda, passei pelos hotéis e restaurantes com estacionamentos vazios, devido, presumi, à época do ano. Uma larga faixa de areia unia o braço de mar à minha esquerda à medida que eu continuava indo para o oeste, onde, do lado direito da estrada terrenos vazios ocupados apenas por árvores mirradas e degraus que levavam a nada postavam-se ao lado de casas com teto novo e cercas brilhantes, floridas. As cores chamativas pareciam afrontosas em contraste com os quintais de grama raquítica e as janelas de compensado dos vizinhos. Um farol alto e branco repousava entre as duas pistas de sentidos opostos da rodovia, ligeiramente inclinado para o interior.

Lembrei-me de uma foto de Mônica com o irmão e diversos primos dispostos em pirâmide em frente à base. Uma foto que poderia pertencer a qualquer álbum de família — qualquer família, menos a minha própria.

Nervosa, reparei na bandeira do GPS sinalizando que me aproximava do destino à direita e meus pensamentos foram confirmados pela voz entusiasmada de Gertie. Acionando a seta, virei cegamente em uma entrada de garagem e parei. Tínhamos chegado.

Pisquei, olhando através do para-brisa, para compreender o que estava vendo; tentando entender se as tábuas lisas das molduras eram novas em folha ou esquadrias ocas de uma casa que antes ocupava o lugar, as colunas da varanda como braços acolhedores.

Sem olhar para baixo, procurei na carteira pelo pedaço de papel em que tinha escrito o endereço da casa, para me certificar de que havia digitado corretamente no GPS: Beach Boulevard, 1.100.

Na tentativa de acalmar meu pânico, me virei, encarando Beau com um sorriso forçado:

— Preciso verificar uma coisa. Você pode tomar conta da van para mim por um minuto?

Ele hesitou por um segundo antes de concordar e, tirando o polegar da boca, disse:

— Ainda quero fazer xixi.

Dei uma batidinha no joelho dele por sobre a calça jeans.

— Eu sei. Vou rapidinho, tá?

Deixando a van ligada, desci sobre o passeio de conchas quebradas e bati a porta atrás de mim com força demais. Senti então o cheiro da água: salgada e algo mais, que eu não conseguia identificar. Algo que me fez lembrar meu próprio desespero.

Dei um sorriso encorajador para Beau e fui até o ponto de encontro entre a calçada e a estrada, procurando por uma caixa de correio, um número pintado — qualquer coisa que me dissesse que ali não era onde eu devia estar. Não que esse mesmo pensamento não tivesse me ocorrido por inúmeras vezes desde que subira na van em Nova York no dia anterior.

Havia um terreno vazio ao lado, com pequenos degraus de cimento levando a nada, a não ser o vazio, e uma placa de "Vende-se" pendurada no quintal estéril e arenoso. No lado oposto a ele, situavam-se uma modesta cabana de madeira amarela com grama nova e uma calçada varrida há pouco. Mais importante ainda, tinha uma caixa de correio no final da rua. Andando rápido, fui até a beira da estrada, espichando a vista até conseguir enxergar o número da casa: 1.105.

Com a mão servindo de proteção para os olhos, contei os terrenos para me certificar de que realmente tinha encontrado o número 1.100. Dei uma olhada na outra rua, perpendicular ao Beach Boulevard, percebi placas de "Vende-se" em retângulos vazios de terra aninhados ao lado de casas de meados do século 20 com árvores esquálidas e varandas novas. Um terreno vazio próximo à esquina tinha tijolos empilhados despontando do solo arenoso como lápides de túmulos, formando sombras na paisagem.

Ao olhar para trás, para a rua onde tinha deixado a van, localizei o velho carvalho, a antiga árvore das histórias e das pinturas de Mônica. Antes, houvera ali um balanço feito de pneu, pendurado em um galho grosso com ramos folhosos garantindo sombra nas tardes quentes do Mississippi. Ele ainda estava de pé, mas os galhos se mostravam tosquiados e atrofiados, as poucas folhas fazendo a árvore parecer a cabeça calva de um homem vaidoso demais para raspar o cabelo todo.

Voltei trôpega para o carro, a enormidade de minha situação colidindo com o pesar contido e os anos gastos na busca de tudo o que eu havia perdido. Aquilo me cegou, eu mal podia enxergar a maçaneta da porta e tateei por três vezes antes de, finalmente, conseguir abrir a porta e me jogar no assento do motorista. Agarrei a direção, estranhamente aliviada por achar algo sólido nas mãos, imaginando — e esperando — que eu pudesse desmaiar e despertar em algum outro lugar menos ali.

— Julie? — a vozinha veio lá do banco de trás. — Não preciso mais fazer xixi.

Foi então que senti o cheiro, o fedor ácido da urina, encharcando o pequeno espaço dentro da van. Fiquei ali sentada, em silêncio pelo choque, por um longo momento, e aí, comecei a rir, por ser a única coisa que pude pensar em fazer.

Capítulo 2

Landfall: a intersecção do centro da superfície de um ciclone tropical com a linha costeira.
— Centro Nacional de Furacões

Depois de usar quase uma caixa de lenço de papel inteira para limpar o assento e Beau, de vesti-lo com calças limpas enquanto me desculpava por não tê-lo levado ao banheiro da primeira vez que ele tinha dito que precisava ir, eu me acalmei o suficiente para pensar. Dei ao garotinho uma caixinha de suco e um pacote de bolachas Goldfish e remexi a carteira, encontrando de novo o papel com o nome e o endereço de Ray Von. Queria que tivesse um número de telefone ali, também, já que aparecer assim, sem avisar, à porta de uma estranha com um menininho a tiracolo não era algo para que minha educação neoinglesa tinha me preparado.

Ao digitar o endereço no GPS, pensei de novo no quanto estava longe de casa e em como fazer o que antes eu considerava impensável tornara-se uma opção, simplesmente por não existir um plano B.

Voltei com a van para a estrada e dirigi para o leste, conforme mapeado pelo GPS, a voz alegrinha de Gertie fazendo-me trincar os dentes. Eram muitas as construções novas desse lado, a maioria parecendo condomínios sofisticados, misturados aos grandes cassinos, e fiquei imaginando o que teria acontecido com todas aquelas casas que um dia haviam estado ali, perto da água, antes de o jogo ser legalizado e antes da tempestade.

Virei à esquerda na rua Bellman e a área voltou a ser residencial, com tantas casas quanto terrenos vazios de ambos os lados da estrada. Ao comando de Gertie, encontrei-me diante de uma casinha rosa claro, com uma única porta frontal pintada de amarelo brilhante e coberta por um pórtico encimado por telhas e sustentado por dois postes de ferro batido. Uma guirlanda de flores roxas, amarelas e verdes enfeitava a porta da frente, conferindo à pequena casa um toque de nobreza. Havia vasos com flores radiantes, cujos nomes eu não saberia dizer, espalhados em canteiros e nas floreiras da janela. Isso me relaxou um pouco; entendi que qualquer um que pudesse fazer aquelas coisas tão lindas tinha de ser alguém que não se importaria com estranhos pedindo ajuda.

Ajudei Beau a sair de seu assento e levei uns bons minutos retirando farelos de biscoito de laranja do rosto e da camiseta dele, antes de pentear o cabelo. Molhei o polegar, assim como vira Mônica fazer centenas de vezes, e limpei com ele a tinta verde da caneta colorida no queixo de Beau. Sabia que era melhor não pedir a ele para deixar o chapéu na van; em vez disso, estendi a mão para que ele a segurasse ao seguirmos para a porta da frente.

Fiquei ali em pé, por um bom tempo, sentindo o ar cálido de setembro que parecia saturado com o cheiro da água salgada e da vegetação úmida. Não encontrei uma campainha, daí bati de leve na madeira amarela e esperei. Um miado alto chamou minha atenção e me virei. Vi um gato preto gordo em uma das floreiras, fitando-nos com olhos verdes calculistas.

— Um gatinho — disse Beau, com o polegar na boca.

O gato olhou para ele silenciosamente antes de saltar de seu posto, fazendo uma pausa para se esfregar nas pernas de Beau, antes de bater em retirada pela lateral da casa.

— Você não deve deixar um gato preto cruzar seu caminho.

Beau e eu nos viramos ao som da voz entrecortada com dicção perfeita, expondo uma anciã de pele da cor de carvão, de pé em frente à porta de entrada aberta. Pela curvatura das costas, pelos braços e pernas muito finos, que eram mais ossos do que carne, ela devia ter, no mínimo, 90 anos. Não estou segura do que estaria esperando, mas certamente não era uma mulher negra idosa que não parecia nada surpresa em me ver.

Envolvi os ombros franzinos de Beau com o braço, sentindo-me protetora.

— Desculpe incomodá-la, mas estou procurando por Ray Von Williams.

Ela não pareceu me ouvir. Olhava para Beau tão intensamente que o garotinho pressionou o rosto contra minha perna, cobrindo a face com o chapéu.

Os olhos da mulher se aguçaram, mas a voz dela era suave ao falar.

— Esse menino é um Guidry. — Ela tocou no ombro de Beau e ele encolheu-se para trás. Embora ele já fosse bem alto e pesado, eu me inclinei e o peguei no colo.

— A senhora é Ray Von?

A mulher olhou fixamente para mim, com olhos que me lembravam contas verde-claras.

— Sim, sou eu. — Ela olhou meio torto, inclinando-se para a frente. — Você é Julie Holt?

Eu comecei a falar, ao mesmo tempo que sentia um alívio inesperado: alívio por ver que não estava sozinha naquele lugar vazio de terrenos aplainados e de placas de imobiliárias. Alívio por me dar conta de que alguém sabia quem eu era. Nem mesmo me ocorreu imaginar ou tampouco me importava saber como a idosa sabia meu nome.

— Sim, sim, sou eu. E este é o filho da Mônica, Beau.

A mulher sorriu, a dentadura aparecendo entre os lábios.

— Tenho uma coisa para você.

Sem mais uma palavra, ela virou-se, entrando na pequena casa, deixando a porta aberta. Sem ter realmente qualquer outra opção, apertei Beau contra mim e segui Ray Von.

Fechei a porta atrás de nós e entramos em uma pequena sala de estar, onde a TV transmitia uma novela e uma coleção de máscaras de papel machê cobria a parede próxima à grande janela da frente. Ao seguir a velha senhora até os fundos da casa, parei por um instante, sem conseguir identificar o que estava faltando.

O próximo aposento era a cozinha, com uma fileira de potes e panelas brilhantes penduradas no teto, ao lado de ramalhetes de ervas secas, folhagens e flores. Algo borbulhava no fogão, e o aroma me fazia recordar as tardes de doming no apartamento de Mônica. Meu estômago roncava, lembrando que eu não tinha comido desde o café da manhã e que Beau ia precisar de algo além de suco e bolachas.

Ray Von já estava empilhando listas telefônicas em uma forte cadeira de madeira à mesa, com movimentos rápidos e decididos, que escondiam sua idade.

— Coloque o menino da srta. Mônica aqui que vou lhe trazer um pouco de feijão-vermelho e arroz.

Instalei Beau na cadeira depois de ter garantido a ele que eu ficaria por perto, aí me sentei à mesa. Tudo parecia tão surreal, mas eu me senti entregando os pontos à medida que relaxava, reclinando-me no encosto da cadeira, deixando escorrer o peso das responsabilidades e das incertezas, me permitindo ser cuidada, ainda que por pouco tempo.

Ray Von estava à beira do fogão usando uma grande concha para servir os feijões-vermelhos sobre camadas de arroz que ela já havia distribuído em dois pratos. Quando ela os colocou em nossa frente, percebi que o prato de Beau era de plástico velho decorado com imagens desbotadas de Mickey Mouse e de Pato Donald e, de repente, me dei conta do que estava faltando na sala de estar: fotos de família. Fiquei olhando o prato por um bom tempo, os personagens das historinhas em contraste com a cozinha rústica e a velha senhora sem fotos de família.

Ray Von encheu dois copos de plástico com água de um filtro elétrico perto da porta e colocou-os junto dos nossos pratos.

— Soprem primeiro, ouviram? Eu volto já.

Com o estômago roncando ruidosamente agora, inclinei-me e mexi bem rápido o prato de Beau e soprei sobre ele, tentando não inspirar muito fundo o vapor carregado do aroma forte que subia do prato, porque isso me deixaria ainda mais faminta do que já estava. Depois de experimentar o prato de Beau e de me assegurar de que já estava bom para comer, enfiei o garfo em meu próprio prato e comi depressa, queimando a língua e tendo que tomar um gole d'água para esfriá-la. Mas isso não importava. Nada parecia importar mais.

Quando Ray Von voltou, nós dois já tínhamos praticamente limpado os pratos. Depois de deixar um pacote retangular do tamanho de um serviço americano, embrulhado em papel pardo, encostado em um armário baixo, Ray Von recolheu os pratos e serviu-os com novas porções antes de trazê-los de volta à mesa.

Ray Von sentou-se e cruzou as mãos.

— Por que você está aqui com o filho dela, mas sem a srta. Mônica?

Minha última garfada de feijão-vermelho com arroz ficou entalada em algum ponto no final da garganta. Lentamente, tomei um gole de meu copo, ganhando tempo para formular uma resposta. Não tinha me ocorrido que teria de contar a história de novo. Dei uma olhada para Beau, que acabara de comer e que estava quase dormindo na cadeira, o dedinho fazendo um buraco no chapéu vermelho.

Respirei fundo, deixando o ar preencher o lugar em que o pesar e a perda haviam se alojado há tanto tempo, e, em seguida, permiti que o ar saísse de novo.

— Mônica morreu há quase três meses.

Algo fez Ray Von pestanejar, mas ela não desviou o olhar. Finalmente, disse:

— Suspeito que tenha sido o coração.

Olhei para ela, surpresa.

— Como soube disso?

O rosto dela ficou impassível, mas o lábio inferior tremia.

— Ela começou a morrer no momento em que nasceu. Acho que isso acontece com todos nós, mas alguns estão programados desde o começo.

— Não entendo.

— Ela sempre foi frágil daquela forma. Eles chamavam de "doença cardíaca congênita" e não foi a primeira vez que a família passou por isso.

Eu me recostei na cadeira, a respiração tão acelerada que me senti zonza novamente.

— Então, ela sabia que tinha o coração fraco? E não fez nada?

— Ah, não sei se ela sabia, mas eu, sim. Eu estava lá quando ela nasceu e pude perceber mesmo que os médicos não pudessem. A mãezinha dela mandou examiná-la e os tais médicos ainda assim não viram nada.

Ray Van levantou-se e levou os pratos sujos para a pia antes de prosseguir.

— Alguns conseguem perceber assim que nascem. Mas outros só descobrem quando já são mais velhos e aí o coração já está tão arruinado que precisam de um novo. Estou pensando aqui que a srta. Mônica não conseguiu um novo para ela a tempo.

Pensei sobre o último ano de vida de Mônica, em como ela se tornara fraca e frágil devido à espera pelo novo coração. De como fora dormir certa tarde e nunca mais acordara. Entretanto, Mônica sabia do problema muito tempo antes disso, era o que eu constatava agora. Ela soubera e não me dissera nada até quando não pudera mais esconder.

Olhando para o embrulho, um pensamento me aturdiu.

— Como sabia meu nome?

Uma sobrancelha fina se ergueu.

— A srta. Mônica enviou-me isto com um bilhete. Ela dizia que o pacote era para Julie Holt e me pedia que o conservasse comigo até que você pudesse vir pegá-lo.

Uma risada eclodiu vindo da televisão no cômodo ao lado.

— Quando foi que ela mandou o pacote?

Ray Von virou-se para me encarar, as costas apoiadas na pia, a cabeça oscilando, esforçando-se para se manter de pé apesar dos ombros curvados.

— Em fevereiro passado. Eu não tinha uma notícia dessa moça havia dez anos, então chegou esse pacote com um bilhete dizendo que não devia abri-lo e que Julie Holt viria buscá-lo em algum momento.

Arrastei a cadeira para trás.

— Posso ver o que é?

Sem responder, Ray Von dirigiu-se até a cadeira de Beau, que dormia com a cabeça caída para trás e a boca ligeiramente aberta. Com suavidade, ela afastou o cabelo da fronte dele.

— Amei o avô dele como se fosse meu e depois a mãe dele e o irmão dela também. Gente cabeça-dura, mas eu os amava. Especialmente a srta. Mônica, que era mais cabeça-dura ainda que os outros. Tinha uma noção de certo e errado capaz de fazer um santo passar vergonha. Ela não dava uma segunda chance a ninguém que não correspondesse a seus altos padrões morais. — Ela pegou meu copo e foi até o filtro elétrico para completá-lo. — Especialmente aqueles a quem ela mais amava.

Ray Von se manteve de costas para mim por um momento, como se tentando decidir se me contaria mais alguma coisa, aí se virou e colocou o copo em cima da mesa antes de sentar.

Fechei os olhos, tentando reunir todas as perguntas que me percorriam a mente, incontáveis.

— Mônica me contou histórias sobre a família dela. Sobre você. Eram todas histórias alegres, lembranças boas. Elas me ajudaram a esquecer... — Sacudi a cabeça, sem querer enveredar pelo velho caminho. — Mas ela nunca disse por que tinha ido embora para nunca mais voltar. Ou por que cortou o contato com todo mundo.

Ray Von ficou calada por um tempo eu esperei, na expectativa de uma resposta que ao menos explicasse por que eu dirigira para tão longe a fim de achar algo que não existia mais. Em vez disso, Ray Von disse:

— Ela costumava pintar. Primeiro, era apenas a casa dos Guidry aqui, a praia e o farol. Depois ela começou a pintar pessoas... qualquer um que posasse para ela por tempo suficiente. Não sei o que aconteceu com todas aquelas pinturas.

Engoli em seco, lembrando todas as paisagens e retratos que Mônica tinha pintado de memória, como ilustrações para suas histórias.

— Acho que ela estava prestes a despontar para o sucesso. Tinha programado uma grande exposição em uma galeria importante em Nova York quando ficou doente. Tiveram que cancelá-la.

Beberiquei a água, precisando botar para baixo a perda que se instalara lá no fundo de minha garganta.

— Nós duas adorávamos arte. Foi como nos conhecemos, na realidade, em uma exposição de retratistas norte-americanos do início do século 20. Meu bisavô, Abe Holt, era um dos expositores e um dos favoritos da Mônica. — Sorrindo pela lembrança, continuei. — Eu estava em um terrível encontro às cegas, aí ela apareceu e derramou a bebida dela no cara. — Um risinho se precipitou em minha garganta. — Ela me fazia lembrar tanto da minha irmãzinha, tão *petite* que as roupas sobravam nela. Eu meio que a adotei de imediato, então, porque ela parecia alguém que precisava de quem cuidasse dela.

— E o garoto? Onde está o pai dele?

Fiz uma pausa.

— A Mônica não sabia. A relação foi... passageira. Ele não fez parte da vida dela. — Juntei as mãos bem apertadas à minha frente, mas cuidei de olhar Ray Von nos olhos. — Por que ela foi embora? Ela me convenceu a dirigir todo esse caminho até aqui apenas pelas histórias que tinha me contado sobre este lugar. Sobre sua família. Mas jamais me disse por que os deixou.

Ray Von desviou o olhar, os olhos se anuviaram novamente.

— Não posso lhe dizer, porque não sei.

Olhei fixamente a velha senhora, não muito segura de que acreditava nela. Por fim, aquiesci, compreendendo que não obteria outra resposta. Quase me vi em lágrimas de novo, depois de ter viajado tantos quilômetros, sem chegar mais perto de meu destino do que antes da partida.

— A Mônica me deixou a casa dela aqui em Biloxi e a tutela do Beau. Não estou bem certa da razão, porque sei que ela tem família. E a casa... —

parei, sem querer revisitar a imagem nem mesmo em pensamento. — Acho que o furacão Kat...

Ray Von colocou o dedo sobre os lábios e balançou a cabeça.

— Nós não pronunciamos esse nome alto aqui. Nunca.

Eu concordei. Mesmo cinco anos depois, resquícios do furacão estavam por toda parte.

— Pensava poder apenas me mudar com o Beau, arranjar um emprego e viver feliz para sempre. — Pressionei a mão contra a boca. A exaustão dos últimos meses pesou-me na cabeça e no coração, meu isolamento repentinamente intolerável. Mônica se confessava toda semana, e pela primeira vez pude entender por quê.

Ergui a vista, relembrando a Ray Von das histórias de Mônica, uma Ray Von que ouvia sem julgar, e não pude mais conter a necessidade de desabafar.

— Jamais fiz algo tão sem planejar ou de forma tão descuidada em minha vida. E agora tenho esse garotinho para cuidar e trouxe-o aqui para onde nem mesmo temos uma cama para dormir. Como pude ser tão irresponsável? — Mordi o lábio, querendo agora que não tivesse dito nada.

Ray Von inclinou-se para mim, o sotaque se acentuando à medida que a dicção tropeçava.

— Você não tá morta ainda, então sua tarefa não acabou.

Ela se levantou e pegou o embrulho de papel pardo, mostrando alguma dificuldade com o peso dele. De alguma forma, eu sabia que Ray Von resistiria a qualquer ajuda e fiquei sentada.

— Não abra isso aqui, agora. A srta. Mônica não queria que eu visse e eu não quero perturbar os espíritos.

Ela apontou Beau, cujos olhos estavam agora abertos, ainda que turvos, quando ele olhou à volta da cozinha como se estivesse imaginando como fora parar ali. Quase ri ao pensar que eu poderia estar com a mesma aparência.

A velha senhora colocou o pacote na minha frente.

— Você tem família por aqui?

Balancei a cabeça, incapaz de encontrar palavras que explicassem de forma sucinta minha família ou por que ficara tão ansiosa por adotar Mônica — uma moça tão perdida quanto eu.

— Então você tem que levar este menino para Nova Orleans para ver a bisavó dele, Aimee. Ela vai saber o que fazer.

Arranquei com o dedo as pontas da fita adesiva e reconheci a delicada caligrafia na frente do pacote.

— Mas tinha de haver uma razão pela qual a Mônica não contou a eles sobre o Beau. E se ela não quisesse que eu o levasse lá? Ela me mandou para cá, para Biloxi, não para Nova Orleans.

Ray Von inclinou-se, aproximando-se mais, os olhos profundos.

— Vai levar esse garoto para dormir num terreno baldio? O menino da Mônica merece mais do que isso. Leve-o para casa primeiro, depois descubra o que fazer.

Fiquei ali sentada, ouvindo o vozerio da televisão no cômodo ao lado, e soube que não tinha escolha.

— Não tenho o endereço.

Ray Von se aprumou e mostrou os dentes brancos.

— É o número 1.520 da rua Primeira. No Garden District. A casa vitoriana rosa com um lindo jardim e uma estátua.

Respirei fundo e me levantei.

— Obrigada. Pela comida. Por isto. — Apontei o pacote. — Pelos conselhos. A Mônica sempre falou com muito carinho sobre a senhora, então entendo que não mentiria para mim.

Ray Von não sorriu.

— Ela me deixou para trás como fez com todos os outros. Estou pensando no menino. Ele não merece ser separado da família dele.

Franzi a testa.

— Será que não vai ter problema, bom, que... — eu não sabia ao certo como continuar.

— Ele não ter um pai? Alguns podem se importar, mas não a sra. Aimee. Ela vai adorá-lo como se fosse um príncipe só por ele ser filho da srta. Mônica.

Retirei Beau da cadeira, minhas costas doentes.

— Que bom ouvir isso.

Ray Von inclinou-se para pegar o embrulho, mas eu a impedi.

— Não, por favor, não faça isso. Já fez o suficiente por mim. Vou deixar o Beau no carro e volto logo para pegá-lo.

Primeiro, parecia que a velha ia recusar, mas ela levantou o queixo e assentiu. Quando voltei, Ray Von estava na sala de estar assistindo a outra novela, a ausência de qualquer tipo de foto ou de recordação de família estranhamente incômoda. Passei por ela em direção à cozinha para apanhar o pacote, sentindo a madeira sólida de uma moldura por baixo do papel. Hesitei por um momento na soleira da porta.

— Obrigada novamente, Ray Von. Fico grata por toda a ajuda que me deu.

Ray Von não tirou os olhos da televisão, onde uma loira de lábios excessivamente brilhantes começava a chorar.

— Uma última coisa — eu disse. Ela não levantou a cabeça. — Gostaria de saber se a senhora teria a escritura da casa em Biloxi. Se a Mônica a teria enviado junto com o pacote. Ela entregou apenas as chaves ao advogado.

— Entreguei a você tudo o que eu tinha. — Ela pegou o controle remoto e aumentou o volume. — Pode fechar a porta quando sair.

Sabendo que nada mais havia a dizer, equilibrei o peso para segurar a maçaneta e a puxei, fechando a porta. O gato preto que dera as boas-vindas ao chegarmos estava sentado próximo a uma das jardineiras, com o rabo balançando preguiçosamente, ali a postos, para se certificar de que iríamos embora.

Dei as costas para o gato e descarreguei o embrulho no banco de trás da van; em seguida, saí da entrada de Ray Von, ansiosa por escapar da estranha casinha e da mulher, mais estranha ainda. Relembrando as indicações para o que restara da casa de praia, voltei para a rua prosseguindo pela calçada, incapaz de me colocar novamente a caminho. Deixei o carro ligado com o ar-condicionado funcionando e me espichei até o banco de trás perto de Beau e peguei o embrulho, colocando-o no colo.

Com muito cuidado, deslizei o dedo sob uma dobradura e com jeito rasguei a fita adesiva e desdobrei a aba superior colada. Espiei dentro e pude identificar a parte de cima de uma moldura dourada grossa, nada mais. Coloquei-a sobre meu colo e continuei descolando suavemente a fita adesiva e retirando o papel até ele ficar totalmente desembrulhado. Vi-me olhando para o verso de uma tela emoldurada. A coisa toda não passava de 40 por 50 centímetros, mas surpreendentemente pesava muito em meu colo. Segurei, com cautela, as bordas da moldura e a virei.

Observei o retrato, sem compreender exatamente o que estava vendo, me dando conta de que esperava encontrar uma pintura da casa de praia conforme Mônica tinha se lembrado dela, e não os escombros que ela era agora.

A decepção diminuiu, no entanto, quando me fixei no retrato da mulher bonita de cabelos negros e olhos azuis, pele sedosa e um sorriso de Mona Lisa. O retrato mostrava a mulher apenas da cintura para cima, mas era evidente que vestia um tipo de traje de gala, de tecido brilhante azul-escuro, um colar incrível no pescoço longo e elegante, brincos de safiras e diamantes nas orelhas. Ainda mais notável era o broche impressionante do que pareciam esmeraldas e esmalte verde escuro na forma de um jacaré, com uma cauda com ponta exagerada e pedras vermelhas brilhantes nos olhos.

Era um retrato marcante que parecia capturar a essência da mulher desconhecida, fazendo-a parecer viva, com pensamentos atuantes, enquanto o meio sorriso, meio afetado, me fitava da tela. Havia ali alguma coisa a mais também, algo familiar para mim que eu não conseguia situar bem. Tentei com mais empenho, procurando espantar o pensamento errante que não cessava de me pairar na cabeça, como um peixe se debatendo em terra seca. Foi aí que meu olhar pousou sobre a assinatura do artista.

Levantei mais alto a moldura para enxergar melhor pela luz da janela dei uma olhada na assinatura floreada em tinta vermelha, não para vê-la melhor — minha visão estava perfeita —, mas porque eu estava segura de que havia algo de errado.

— Julie, tô com sede.

A voz parecia vir de muito, muito longe, enquanto eu colocava a pintura de volta em meu colo e olhava para o garotinho sentado perto de mim, sem vê-lo, na verdade.

Abe Holt. As linhas de um vermelho vibrante da assinatura bem conhecida de meu bisavô dançavam por minha visão periférica. Abe Holt.

Eu sabia por experiência pessoal na casa de leilões que a pintura, supondo-se que fosse um Abe Holt original, valeria uma quantia considerável. Mas por que estava em poder de Mônica? Ela vivia sempre dura; certamente teria vendido a tela em algum momento. Como quando ela e Beau foram despejados do apartamento por falta de pagamento do aluguel. E por que a teria deixado para mim? Mônica sabia de minha ligação familiar com o artista; ela certamente teria me falado sobre a existência da tela. A não ser que houvesse alguma razão para não fazê-lo.

Lentamente, comecei a embrulhar a pintura, com ainda mais cuidado, agora que compreendia seu valor monetário. Por quê?, era a pergunta que continuava a ecoar em minha cabeça. Deslizei o quadro com cautela para baixo do assento dianteiro do carro, então dei a Beau uma caixa de suco.

— Quero ir para casa.

Afastei o cabelo louro escuro de Beau da testa.

— Eu sei, querido. Eu, também. Mas ainda não terminamos nossa aventura, tá? Mas vai ser logo.

Sem conseguir me erguer para ver o olhar de decepção dele, passei para o assento do motorista e acionei o GPS. Com muito cuidado, inseri o endereço em Nova Orleans que Ray Von tinha fornecido. Uma hora e meia até o destino. Depois de colocar o carro em movimento, segui em frente pela estrada, partindo novamente em direção a um lugar estranho para mim e para longe de um passado que, eu começava a descobrir, não queria ser deixado para trás.

Capítulo 3

Que venha a chuva ou a enchente, não há lugar como nosso lar.

— Parada das Musas do Mardi Gras[3], 2006

Certa vez, um velho detetive de polícia me disse que não é a montanha à frente que desgasta o caminhante, mas o grão de areia no sapato. Na época, pensei que tinha compreendido o significado, mas logo vi que, na realidade, não tinha. Porque o grão de areia é diferente para cada um e algumas pessoas podem jamais vir a entender o que seja.

Não tinha certeza se era a visão da casa de praia demolida, ou os sinais ainda visíveis da passagem do Katrina conforme me aproximava de Nova Orleans ou o telhado brilhante do Superdome, visível da autoestrada, que haviam feito com que eu me lembrasse daquelas palavras, mas me vi pegando o celular e digitando números conhecidos.

— Detetive Kobylt.

Podia ouvir os sons de outros telefones tocando e pessoas conversando ao fundo, uma familiaridade que em nada contribuía para acalmar o pânico doentio que eu sentia toda vez que ouvia aquilo. A primeira vez tinha sido quando, aos 12 anos de idade, entrara na delegacia de polícia para comunicar a alguém que não estava encontrando minha irmãzinha.

— Alô, detetive. É a Julie Holt.

Houve uma breve pausa.

— Alô, Julie. Não temos notícias suas há um bom tempo.

---

[3] Uma festa carnavalesca que ocorre todo ano em Nova Orleans (N. E.).

— Eu sei. Passei por algumas... mudanças. Não estou mais em Nova York, pelo menos não no momento. Na realidade, estou viajando, é por isso que estou ligando. Queria ter certeza de que, se precisasse falar comigo, não usaria o telefone fixo, porque foi desligado. Você ainda tem o número do meu celular, não tem?

Eu o ouvi expirar antes de responder.

— Sim, Julie. Sei que temos. Vou providenciar um registro nos arquivos quanto a seu antigo número.

— Obrigado.

Pisei no freio quando um sedã marrom enferrujado, ainda mais velho que meu próprio carro, trocou de faixa, dando uma guinada em minha frente sem sinalizar.

— Estava pensando se você fez um acompanhamento daquele artigo que lhe enviei. Aquele a respeito de uma garota abduzida em Worcester. Não fica longe da minha cidade natal, e a menina era da mesma idade da Chelsea.

— Acompanhei, sim. O rapaz em Worcester estava preso quando a Chelsea foi levada, então o álibi dele é quente.

— Ah — assenti ao telefone. — É que, bom, pensei que me ligaria para me informar.

A voz do detetive Kobylt parecia cansada.

— Olhe, Julie, tenho outros casos em que estou trabalhando. Não significa que não esteja mantendo o caso da Chelsea aberto... porque estou. Só que não tenho tempo de ligar para você cada vez que chegar a um beco sem saída. Sei que o detetive Johnson fazia isso antes de se aposentar e de eu ficar encarregado do caso da sua irmã. Mas as coisas estão diferentes agora. Eles fundiram departamentos e dobraram minha carga de trabalho. Porém, não me esqueci de você. Nem da Chelsea. Prometo entrar em contato se houver algo novo.

— Eu sei. Desculpe. É só que, bom, já passou um bocado de tempo.

— Tudo bem. Olhe, tenho que ir.

— Está certo. Obrigado por me atender.

— É meu trabalho. E... Julie?

— Sim?

— Continue me enviando informações. Nunca se sabe se deixei algo passar ou se não fiquei sabendo de alguma coisa que poderia ser uma pista.

Sorri ao telefone.

— Obrigada. Mando, sim. Tchau.

Desliguei o telefone e, então, saí da autoestrada e segui as placas que indicavam a avenida St. Charles. Por alguns quarteirões, dirigi emparelhada a um bonde de janelas abertas e passageiros com expressões entediadas. Um turista se debruçou na janela para tirar uma foto, então se recolheu rapidamente para dentro para não ser atingido por um poste de iluminação.

As residências e os comércios estavam mais intactos do que tinha visto nos bairros, perceptíveis a partir da autoestrada, ao me aproximar da cidade. No entanto, tive que me desviar de buracos enormes na estrada, fazendo Beau rir no banco de trás. Fiz outro desvio exagerado apenas para ouvi-lo rir de novo.

Os prédios comerciais cederam lugar a casas majestosas conforme adentrei a área residencial do Garden District. Entrei à direita na rua Primeira, cruzando os trilhos do bonde no canteiro central gramado e a pista em sentido contrário, quase levando uma batida de um Jeep Cherokee com placa de Nova York e um adesivo de Tulane na janela. Apesar da temperatura mais fria, me vi suando. Quatro anos em Manhattan sem um carro tinham me deixado sem prática para as manobras evasivas necessárias ao trânsito em uma cidade.

As copas dos grandes carvalhos na rua Charles abriram caminho para jardins cercados com árvores e arbustos floridos, nenhum dos quais eu reconhecia, decorando as mansões por trás deles como aventais com babados. Diminuí a velocidade para absorver aquilo tudo, aceitando que meu conhecimento de Nova Orleans se constituía principalmente do que vira nas notícias sobre o Furacão Katrina e das referências de Mônica às festas do Mardi Gras, assim como a seus anos no Sagrado Coração. Mas nada disso havia me preparado para essa fantasia. Não podia pensar em outra palavra que pudesse descrever adequadamente a paisagem surreal, exótica e histórica que estava vendo.

Um carro buzinou atrás de mim e compreendi que havia parado bem no meio da rua de mão única. Segui adiante, procurando o número da casa, aí parei em uma vaga junto ao meio-fio ao me aproximar da quadra certa. Portões de ferro com desenhos de rosas e flores-de-lis no topo separavam os jardins das calçadas desniveladas e rachadas, com as raízes dos carvalhos próximos mostrando sua impaciência com a invasão humana, pressionando a pavimentação de lajota e tijolo.

Abaixei a janela alguns centímetros e inspirei, cheirando o ar que era verde, úmido e perfumado. Pela primeira vez na vida, desejei poder pintar, desenhar ou de alguma forma capturar essa rua com seus caminhos estragados e passarelas, as casas imaculadas com jardins excêntricos em uma abundância de flores e folhagens. Chelsea poderia fazer isso. Chelsea teria sabido traduzir toda a ambiência no papel ou na tela.

Olhando para o outro lado da rua, vi o azulejo azul lascado com os números incrustados na calçada: 1.520. Deveria ter reconhecido a casa pela descrição de Ray Von, que falara de uma casa vitoriana rosa com um lindo jardim, mas eu estava ocupada demais para notar, espiando estupefata. Largos degraus frontais davam em uma graciosa varanda circundante, cheia de cadeiras de balanço de vime e mais plantas que pendiam do teto da varanda. Uma parelha de torres iguais na frente da casa, como parênteses, dava a falsa impressão de um castelo. Grandes portas duplas de madeira dispunham-se no meio, com janelas compridas retangulares em cada folha da porta polida como olhos caídos, olhando cautelosamente para o jardim à frente.

Desligando a ignição, virei-me para olhar Beau, que tinha adormecido com o polegar na boca e o chapéu da mãe transformado em travesseiro para repousar a bochecha. Na expectativa de resolver primeiro a situação, decidi deixá-lo dormindo mais um pouco. Cuidadosamente, entreabri os vidros, então, abri a porta e a tranquei com cautela para não acordá-lo. Verificando o trânsito, atravessei a rua em direção à casa e parei. Mônica nunca tinha pintado essa casa para mim, pelo que me sentia grata. Porque, se soubesse de antemão o que me esperava, com certeza não teria coragem de estacionar em frente à casa, ir até a porta e bater.

Não foi apenas a grandeza que achei imponente. Era intimidadora, sim — mas eu tinha lidado bastante com investidores ricos no negócio de leilões de arte. Porém, as notícias que trazia comigo, da morte de uma neta ausente e da existência de um bisneto, me fizeram parar na calçada do lado de fora do portão. Uma fonte tilintava suavemente no meio do calçamento de lajotas, acalmando meus nervos em frangalhos.

Um som desviou minha atenção para o jardim da frente. Um homem de macacão desbotado e chapéu de palha, agachado em frente a um canteiro de flores, retirava hastes de flores secas e murchas. Ele não usava luvas de jardinagem, e a pele das mãos e dos braços era de um marrom caramelo.

Como se sentisse que estava sendo observado, o homem virou o rosto para mim. A primeira coisa que me surpreendeu foi ele ser muito mais velho do que eu pensara. Então, me ocorreu que o estava encarando e que ele me encarava de volta — com seu único olho bom, de um verde penetrante. O outro olho era invisível sob a pele cicatrizada e manchada da pálpebra, que parecia derreter na pele desfigurada da face.

Sentindo-me desconfortável, levantei a mão em um cumprimento, então voltei para a calçada antes de virar e pular de volta dentro da van. Pelo canto do olho, vi o homem retomar a jardinagem, enquanto eu subia os vidros e dava partida no motor.

Olhei para o banco de trás e dei com Beau me observando calmamente enquanto chupava o polegar. Ele já era velho demais para fazer isso, mas tinha perdido a mãe havia muito pouco tempo e eu não o faria parar agora.

— Quero ir para casa — ele disse com o polegar na boca.

Se apenas eu soubesse onde era. Pela milionésima vez, imaginei como chegara ali, como a meticulosa Julie, com todos os seus planos, se tornara essa mulher cuja única casa parecia ser uma van antiga, cujas perspectivas de melhorar sua posição atual eram poucas.

— Vamos passar a noite em um hotel. Não vai ser divertido?

Beau continuou chupando o polegar sem falar; seu silêncio era incriminador. Voltando a consultar o GPS, pressionei o botão "lugares próximos" em busca de um hotel. Havia vários hotéis de pernoite e café da manhã no Garden District, mas senti que precisava ir para mais longe da casa na rua Primeira, mais distante do olhar penetrante do homem com o rosto deformado e o olho verde-claro.

Após selecionar uma cadeia de hotéis de beira de estrada cujo nome eu conhecia, retomei o caminho pelo qual tinha vindo até a avenida St. Charles, em direção ao centro da cidade. Desviei de grandes buracos quando fiz o contorno do Lee Circle e da estátua do General Lee. Mônica, certa vez, comentara que a estátua do general confederado faceava sempre o Norte, porque uma vez dissera que jamais viraria suas costas para o Norte novamente.

As casas cederam lugar aos negócios, à medida que atravessei as duas principais avenidas do distrito comercial central, a Poydras e a Canal; em seguida, entrei na famosa rua Bourbon e no Bairro Francês. Dirigi lentamente, sem querer atropelar pedestres, que não apenas pareciam achar que podiam atravessar as ruas em qualquer lugar com impunidade, mas que também pareciam se deslocar sem pressa, com movimentos suaves e fluidos, tão diferentes dos pedestres de Manhattan. Um quarteto de sopro tocava jazz na esquina das ruas Bourbon e Iberville, uma caixa de trombone em frente a eles com algumas moedas espalhadas no fundo. A música parecia uma trilha sonora para minha estranha e nova aventura.

Virei à direita na rua Royal e encontrei o estacionamento para o carro. Conforme carregavam o carrinho com a bagagem, fiz Beau segurar meu cinto com uma mão, enquanto eu segurava a pintura embrulhada nos braços. Olhei ao redor, tentando me orientar e encontrar o T.G.I. Friday's que vira no caminho. Beau adorava frango empanado, e eu achava que ele merecia algum tipo de prêmio após ficar mais de dois dias em uma van sozinho comigo e com minhas patéticas tentativas de fazê-lo acreditar que tudo ficaria bem.

Fixei o olhar na vitrine da loja do outro lado da rua, uma parede de janelas com arte emoldurada e iluminada com competência. Mesmo nunca tendo estado em Nova Orleans, conhecia a rua Royal, por sua variedade de lojas de antiguidades mundialmente famosas e galerias de arte. Essa loja em particular, a Mayer & Ryan, parecia ser uma mistura de ambos. Sentindo o peso da pintura em meus braços, virei de costas para a loja e entrei no hotel.

Nosso quarto era pequeno, mas limpo, e o preço mostrava-se razoável. Ainda mais com minhas finanças abaladas, teria que vislumbrar meu próximo passo rapidamente. Depois de colocar o quadro por baixo de minhas roupas dentro da mala, levei um Beau sorridente e com o chapéu de sua mãe ao T.G.I. Friday's, onde ambos comemos frango empanado e, em seguida, voltamos para o hotel e fomos cedo para a cama.

Beau adormeceu imediatamente, mas, apesar da exaustão, minhas pálpebras pareciam mantidas abertas por molas. Eu tossia e me virava na cama, os números brilhantes do relógio de cabeceira zombaram de mim conforme as horas avançavam.

Finalmente, pulei da cama e coloquei uma cadeira próxima à janela baixa. Afastei as cortinas e pude ver a rua Royal, não completamente deserta mesmo com a hora avançada. Era reconfortante para mim, fazendo-me lembrar de meu apartamento em Nova York e da correria da cidade que nunca dormia. Isso me fez sentir solidária com todas aquelas almas lá embaixo nas calçadas, acordadas como eu, evitando a escuridão que rondava seus sonhos noturnos.

Retirei a pintura da mala e a desembrulhei, voltando, então, para a cadeira próxima à janela. O brilho fraco da iluminação pública jogava sombras sobre o retrato, apagando todas as características da mulher, exceto o brilho das pedras do broche de jacaré e os olhos azuis penetrantes. A mulher parecia estar me olhando, me provocando em minha indecisão.

Coloquei o retrato contra as pernas da cadeira, pousei os cotovelos no parapeito da janela e encostei a testa no vidro gelado. As janelas da Mayer & Ryan ainda estavam acesas, as pinturas com molduras douradas e a mobília de madeira escura brilhando como uma miragem.

Eu sabia que tinha escolhas a fazer, decisões acerca de meu futuro. O futuro de Beau. Referentes a dinheiro, a um emprego e às ruínas de River Song. Mas, antes que pudesse tomar quaisquer decisões, tinha que saber o que eu queria. Esse era o verdadeiro problema. Desde meus 12 anos, só havia uma coisa que eu queria e pela qual rezava diariamente, uma coisa que me permitia nutrir esperanças. Tinha medo de que um desejo diferente pudesse enfraquecer minha vontade de encontrar Chelsea, pudesse me desviar para uma direção completamente errada.

Tudo o que fizera ou conseguira nos últimos 17 anos fora acidental e circunstancial. Desde a escolha da faculdade para dar início à minha carreira, tudo fora uma casualidade, porque eu nunca me permitira querer.

Olhei para o retrato, em direção ao canto inferior direito, onde sabia que estava a assinatura esparramada de meu bisavô sobre a tela. Se pudesse vendê-lo, a renda poderia significar segurança, mais tempo para permitir que a oportunidade certa aparecesse, dinheiro para sustentar a mim e a Beau por um tempo. Ao embrulhar a pintura novamente com cuidado, pensei em Mônica, morta inacreditavelmente aos 28 anos, e tentei imaginar por que ela teria deixado a pintura para mim.

Se tivesse uma vida mais estável, com casa própria e alguém permanente com quem compartilhar a existência, poderia entender que Mônica quisesse que ficasse com ela: como um investimento e como parte de minha história familiar em um só pacote. Algo para impressionar convidados para o jantar.

Mas não tinha nenhuma dessas coisas. Mesmo a presença de Beau em minha vida era temporária, compreendia-o agora. Apesar do que quer que tivesse afastado Mônica da família e da casa, suas orientações em relação à guarda do filho e o presente para mim, River Song — tal qual era —, deveriam ter sido uma indicação de que ela queria Beau ali, no Sul. E o retrato talvez fosse um meio temporário de sustento.

Para mim, não havia tal refúgio. Jamais me permitira esperar que houvesse um: um refúgio para minha busca sem fim por algo que parecia se tornar cada vez mais inatingível.

Levantei-me e coloquei a pintura de volta em minha mala, sentindo-me mais confortável agora que tinha tomado uma decisão, confiante com relativa certeza de que chegara à mesma conclusão que Mônica, quando ela decidira deixar a pintura para mim.

Tendo resolvido as coisas em minha mente, voltei para a cama, com a esperança de dormir algumas horas antes que Beau acordasse. Deitei-me na cama próxima à dele, olhando seu rosto, e adormeci ouvindo o ruído ocasional de seu dedo fazendo um furo no chapéu vermelho da mãe.

Às 10 horas da manhã seguinte, levei Beau e a pintura para o outro lado da rua e, uma hora e meia mais tarde, saí com um contrato por escrito para venda da pintura por comissão. A negociação com uma das proprietárias, Nancy Mayer, foi direta, uma vez que ela compreendeu que eu tinha conhecimento não apenas acerca da pintura e de seu autor, mas também de seu valor. A srta. Mayer eximiu-se de apresentar garantias sobre quando ela pensava que seria vendido, citando a economia e o número reduzido de turistas, mas eu vir o entusiasmo nos olhos dela quando me disse que tinha uma quantidade de clientes de longa data que poderiam se interessar pela tela. Também prometeu colocá-la na vitrine, já que as cores chamavam a atenção e o broche de jacaré poderia atrair gente do lugar, assim como turistas.

Ao ficarmos ali de pé na calçada, olhando para nosso hotel, pensei em entrar na van e voltar à casa vitoriana rosa na rua Primeira para confrontar Aimee Guidry com notícias que ela não gostaria de ouvir. Mas hesitei, sentindo a mão macia de Beau na minha enquanto estávamos na calçada, esperando para atravessar a rua. Por alguma razão, Mônica fizera de mim tutora de Beau, sua protetora. A ironia disso é que era difícil escapar. E por mais que eu me achasse despreparada para a tarefa, eu queria descobrir quem eram esses Guidry antes de lhes apresentar Beau.

Eu conhecia os Guidry pelas histórias de Mônica: seus nomes, hobbies, comidas favoritas, o passado deles. Mas não sabia o que tinham feito para Mônica partir, para forçá-la a ir embora sozinha aos 18 anos. Mônica passara os dez anos seguintes de sua vida recriando as partes boas de seu passado com histórias e fotos, mas nenhuma delas jamais explicou o imperdoável. Apesar do que Ray Von me havia dito, aquele motivo sem explicação era razão suficiente para eu ser cautelosa no que se referia a Beau.

Rumamos para o hotel e para o escritório onde havia computadores para uso dos hóspedes. Busquei no Google o nome de uma cadeia de creches horistas que Mônica usava em emergências em Nova York. Não era barato, mas era seguro, e eu fiquei aliviada ao ver que havia uma na rua Magazine, não muito longe da rua Primeira.

Após eu preencher toda a papelada necessária e ter certeza de que ele não seria separado do chapéu, Beau me deu um tchau choroso. Prometi que o compensaria. De alguma forma.

Dirigi em torno do Garden District tanto por curiosidade quanto por um desejo admitido de protelar. Havia mansões grandiosas diante de calçadas rachadas, restaurações gregas posavam confortavelmente próximo às vilas italianas e vitorianas estilo Rainha Anne. Perdi-me na rede de ruas de mão única, terminando na rua Washington, perto de um cemitério, com túmulos altos que faziam lembrar uma cidade para os mortos.

Lentamente, fiz meu caminho de volta até a rua Primeira e estacionei a van no mesmo local junto ao meio-fio onde parara no dia anterior. Permaneci sentada dentro dela por vários minutos, o sol através das janelas aquecendo minha pele. Fiquei olhando a casa do outro lado da rua. Após respirar fundo, saí da van, arrumando a saia e blusa, na esperança de estar apresentável. Beau me dissera que eu estava bem, mas ele tinha 5 anos.

Parei no portão do jardim e espiei dentro do pátio, aliviada por ele estar vazio, exceto pela fonte e pela estátua de um garotinho. A maçaneta girou com facilidade e o portão abriu sem protestar, como se me desafiando a encontrar outro motivo para não ir em frente. Após fechar o portão atrás de mim com cuidado, fiquei em pé no jardim tranquilo, encantando-me de novo com a mistura de cores nos vasos e nos canteiros, e ouvi quando um carro passou na rua por trás de mim.

Subindo os degraus da varanda, imaginei poder sentir o peso do ar, inerte e úmido, com muitas memórias que não me pertenciam. Um crescendo de som de insetos veio da cerca baixa, alinhada com a calçada, mas eu não fui capaz de traduzir o que tentavam me dizer.

Achei a campainha em uma placa rebuscada de latão e levantei a mão, então parei. O que diria? "Olá, sou amiga da sua neta há muito desaparecida. Ela morreu, mas estou com o filhinho dela, porque ela me fez tutora dele. Sei que o lugar dele é com vocês e não comigo, mas não sei que tipo de pessoas vocês são. E não sei realmente se posso abrir mão dele."

Esta última parte veio como uma surpresa para mim. Eu amava Beau, mas nunca havia pensado nele como meu. Eu colecionava coisas: xícaras de chá, colheres, máquinas de costura como uma que minha mãe tivera uma vez — tudo agora empacotado em um depósito em Nova Jersey. Mas nunca as quisera o suficiente a ponto de não ser capaz de me separar delas. Imaginei que, inconscientemente, tinha sido uma coisa deliberada. No entanto, com Beau eu poderia sentir o estrago, como um pano rasgado, que acompanharia sua partida.

Minha mão pendeu ao lado do corpo e me vi olhando para a madeira envernizada da porta e imaginando, distraidamente, quantas camadas tinham sido passadas naquele clima para manter a porta daquela forma. Perdi a noção do tempo em que fiquei ali, ouvindo o ritmo incansável de milhares de asas invisíveis de insetos, enchendo minha mente com tanto barulho que não podia pensar direito. Dei um passo para trás, me virei e desci os degraus antes de parar novamente. Precisava de mais tempo. Beau precisava de mais tempo. Mais um dia. Mais um dia de indulgência com a família Guidry, de me iludir acreditando que eles ficariam melhor sem saber. Porque eu tinha consciência, pelos longos anos de busca, que eu daria qualquer coisa apenas para saber.

Quase tinha alcançado o portão do jardim quando ouvi a porta atrás de mim se abrir. Coloquei a mão na maçaneta e a girei, irracionalmente esperando que não tivesse sido notada, já me vendo atravessar a rua correndo em direção à van.

— Em que posso ajudar?

A voz masculina me surpreendeu. Eu imaginara de alguma forma, que Aimee Guidry morava sozinha. Virei-me devagar e contemplei o homem à minha frente. Ele tinha mais ou menos minha idade e me olhava com a mesma expressão de curiosidade que imaginei estampada em meu próprio rosto. Ele segurava uma xícara de café quente e tinha um jornal dobrado, debaixo do braço. Vestia uma camisa social por dentro da calça, uma gravata desfeita sobre os ombros e mocassins escuros. Mas o cabelo dele era de um castanho-claro com mechas da cor do sol, os olhos de um azul-esverdeado diferente. Como os de Beau. Como os de Mônica.

Sabia que seu nome era Wesley John Guidry III, mas que o chamavam de Trey, que ele amava jazz e tinha tocado trompete na adolescência, mas nunca fora muito bom nisso. Adorava pesca e cerveja caseira e tinha ido para Tulane para se formar. Era um ás no xadrez, odiava perder, gostava de esconder insetos e pequenos répteis onde podiam ser encontrados inesperadamente. Era o irmão mais velho de Mônica.

Eu gelei, retendo todas as coisas que queria dizer. "Você sente falta dela? Alguma vez procurou por ela? Então, por que a fez partir?". Inesperadamente, disse:

— Não. Desculpe. Acabei de perceber que estou na casa errada.

— Conheço todos os vizinhos. Se você me der o último nome, posso lhe indicar a casa.

Abri o portão, minha mão tremendo, sem saber ao certo por que perdera a coragem. Talvez porque, como tinha ficado olhando para a porta, os imaginara levando Beau, sem que eu nunca mais pudesse vê-lo.

— Não se preocupe, vou encontrar.

O portão se fechou ruidosamente às minhas costas, enquanto eu corria para a van e entrava. Mantendo o olhar distante da casa rosa, dei partida no carro e voltei para a rua. Com um olhar final, percebi que a porta da frente estava fechada, que o velho que vira no dia anterior estava no canto da cerca rebuscada, me observando com seu rosto deformado, com seu único olho me seguindo conforme descia a rua.

Capítulo 4

Quando perder as velas, reme. — Provérbio Romano

Um facho de luz perpassava o pé de bordo no pátio lateral da casa de minha infância, pousando na grama entre mim e Chelsea, irrequieto ao sair dali novamente, levado pelo primeiro vento de outono. Observei-o agitando-se pelo gramado e dentro da caixa de areia, já infantil demais para nós, embora ainda permanecesse no mesmo lugar sob o deque de madeira vermelha, juntando folhas, pás e cabeças de Barbies — os restos de uma infância feliz.

Chelsea apontou para uma nuvem bem lá no alto, a força de sua brancura contra o azul-escuro do céu, as laterais em camadas e formando ângulos.

— Parece um homem segurando um bebê, não parece?

Eu olhei com atenção.

— Não. Parece uma nuvem.

— Veja... lá é o rosto dele. — Chelsea apontou, mas eu ainda não via. Nunca vi. — Ele usa um daqueles chapéus antigos e um casaco comprido. A cabeça do bebê está sobre o ombro.

Sentei-me, frustrada. Chelsea sempre parecia viver em um mundo à parte: melhor e mais colorido. Eu via em preto e branco onde Chelsea enxergava um arco-íris.

— É só uma nuvem boba. — Levantei-me e me encaminhei para casa, cansada da brincadeira sem graça. — Vou entrar.

Chelsea virou a cabeça, tapando o sol com a mão.

— Mamãe disse que você deveria tomar conta de mim.

— Então venha para dentro. Quero ver TV.

Chelsea voltou a estudar as nuvens.

— Mas está tão bom aqui fora. E logo vai esfriar e a gente não vai mais poder ficar aqui fora.

Hesitei, olhando para cima de novo, tentando ver qualquer coisa além de gotas de água condensada. Eu sabia que isso era tudo o que formava as nuvens, porque tinha aprendido na aula de ciências. Mas nunca fui capaz de convencer Chelsea: Chelsea, com sua imaginação ousada, em que nada era realmente o que parecia. Olhei com vontade novamente, mas vi apenas o céu.

— Vou entrar — eu disse, me afastando sem esperar para ver se Chelsea me seguia.

De repente, porém, meus pés pareciam presos na lama, cada passo era mais difícil que o anterior, minhas pernas impossibilitadas de erguer os pés o suficiente para seguir em frente. Ouvi o telefone tocar em algum lugar e virei para ver Chelsea, para perguntar a ela se também tinha ouvido, mas Chelsea não estava mais ali, a grama sobre a qual estivera movendo-se silenciosamente sob o vento. O som do telefone ainda tocando e tocando.

Sentei na cama do hotel, os olhos arregalados, a camisola grudada nas costas, o sentimento onipresente de ter perdido algo importante — a mão ou o pé —, o sentimento de que esse algo ainda estava ali, mas, toda vez que eu o tentava alcançar, agarrava apenas o ar.

O sol passava por entre as cortinas, iluminando o quarto com a luz do dia. Tateei a mesa de cabeceira, buscando o celular e olhando para o relógio que marcava 8h30. Pisquei os olhos, imaginando como poderia ter dormido até tão tarde, e aí me lembrei de que não tinha adormecido até pouco depois da última vez que olhara o relógio, às 4h. Sentei ao sentir o telefone vibrar na mão, então me virei para Beau e dei com ele me mirando, os olhos azul-esverdeados pensativos enquanto chupava o polegar e arranhava o chapéu vermelho empolado.

Sorri para ele, em seguida senti a conhecida taquicardia ao me dar conta de que a única pessoa que poderia ligar para meu celular seria o detetive Kobylt. Minha agitação passou para curiosidade quando olhei o telefone e reconheci o código de área 504 de Nova Orleans.

— Alô?

— É a Julie Holt? Aqui é a Nancy Mayer, da Mayer e Ryan. Desculpe por ligar tão cedo, mas tenho ótimas notícias, que não poderiam esperar.

Foram necessários alguns instantes até eu acordar completamente. Por fim, consegui.

— Notícias animadoras?

— Sim. Temos alguém fortemente interessado pela pintura de Abe Holt que você trouxe ontem. Eu sabia que colocá-la na vitrine seria um chamariz. — Pude ouvir o riso da mulher em suas palavras, mas havia ainda outra coisa em seu tom. Não tive de esperar muito para descobrir por quê. — Há, porém, um pequeno contratempo.

Prendi a respiração.

— Sim?

— Ela gostaria de encontrá-la primeiro para conversar sobre o retrato. Não creio que será uma venda difícil, você é mais versada do que eu em relação à pintura, então tenho certeza de que se trata apenas de uma formalidade. Mas a mulher é nossa cliente antiga e assídua, daí eu esperar que você se dispusesse a um encontro.

Olhei para Beau, cujo dedo agora saía pelo primeiro buraco que ele tinha feito no chapéu, e que no momento estava muito ocupado tentando fazer outro.

— Sim. Claro. Posso fazer isso. Quando?

Houve uma pequena pausa, fazendo-me sentir desconfortável.

— Na verdade, ela está aqui agora e gostaria de se encontrar com você o quanto antes. Sei que está hospedada do outro lado da rua, em frente à loja. Você poderia estar aqui em 15 minutos?

Olhei para o relógio, depois para Beau.

— Ela está aí agora?

Um risinho estridente veio pelo telefone.

— Conforme eu disse, a sra. Guidry não só é uma cliente, mas também uma amiga de longa data. Ontem, ela ligou para minha casa tarde da noite, pedindo para contatá-la e acertar esse encontro o mais cedo possível.

Minha mão congelou no telefone.

— Sra. Guidry?

— Sim. Ela pertence a uma família tradicional de Nova Orleans, então você deve reconhecer o nome. Aparentemente, ela é fã do sr. Holt e está intrigada com a ligação de sua família com o pintor.

— Ela está aí agora? Em sua loja?

— Sim. Você poderia estar aqui em 15 minutos?

Forcei a voz a permanecer calma, meu olhar fixo em Beau enquanto falava.

— Em vez disso, será que ela poderia vir aqui no hall do hotel?

Após uma breve pausa, Nancy Mayer disse:

— Tenho certeza de que não será problema.

— Ótimo. Então, me dê 20 minutos e a encontrarei lá embaixo na recepção.

Nós nos despedimos, desliguei o telefone, meus pensamentos girando e perguntas ecoando na mente. Como se no piloto automático, rapidamente lavei o rosto e escovei os dentes e, em seguida, coloquei as mesmas roupas que tinha vestido no dia anterior, porque ainda estavam no espaldar da cadeira.

Remexendo a bolsa, encontrei uma barra de chocolate que tinha comprado em Nova York antes de partirmos e a dei a Beau.

— Você pode comer chocolate de café da manhã. Não é ótimo?

O rosto de Beau se iluminou ao olhar para mim, um raro sorriso mostrando a falha de um dente inferior na frente. Fiz um agrado em seu cabelo, pensando comigo mesma que o almoço dele seria saudável. Ajoelhando-me em frente a ele, disse:

— Beau, tenho que ir lá embaixo por alguns minutos para conversar com alguém, mas preciso que fique aqui sozinho. Tudo bem?

O sorriso dele desapareceu e o polegar foi direto para a boca. Ele concordou lentamente.

— Bom. — Escrevi o número de meu celular em algarismos bem grandes no bloco ao lado da cama e o coloquei perto do telefone. — Vou ficar com o telefone ligado, então, se precisar de qualquer coisa, me ligue, tá bem? Você tem que digitar o número nove primeiro, só depois aperte todos os números no telefone na ordem em que os escrevi.

Esperei que ele estudasse os números e o papel antes de voltar a atenção para mim.

— Vou ligar a TV para você assistir a uns desenhos animados e quero que fique sentado na cama, com seu chocolate, até eu voltar. Se alguém bater na porta, não responda. Colocarei um aviso na porta para que o pessoal da limpeza não abra. Você fica aqui parado até eu voltar, entendeu? Prometo que não vou demorar.

— Tá bom, Julie — disse ele, então voltou a chupar o polegar. Olhei para ele sentado lá com aquele pijama do Bob Esponja, o chapéu vermelho da mãe colado no rosto. Não achei certo deixá-lo, mas ele nunca fora uma criança rebelde, mesmo quando começara a andar. Ele sempre parecera feliz em atender à mãe. Além disso, me convenci de que um perigo maior poderia estar esperando por ele lá embaixo.

Tocando na bochecha dele, eu disse:

— Obrigada por ser um bom menino. Prometo que as coisas vão melhorar. — "Porque elas não podem piorar."

De pé, remexi novamente no cabelo dele e, aí, liguei a televisão no Nickelodeon. Pus a bolsa no ombro e a chave do quarto em meu bolso externo, beijei a testa de Beau e afixei o aviso de "Não Perturbe" na maçaneta externa. Puxei a porta, fechando-a.

As palmas das mãos suavam enquanto o elevador descia bem mais lentamente de que eu me recordava. Ele se abriu no térreo e quase fechou de novo antes que eu saísse.

Eu poderia ter reconhecido Aimee Guidry mesmo sem saber seu nome pelos quadros que Mônica pintara de suas histórias, suas tornando-se personificação das pessoas que ganharam vida em minha mente. A sra. Guidry era o que antes se chamava de uma mulher vistosa, com traços fortes e uma testa grande. Imaginei que tivesse sido bonita quando jovem, o cabelo antes ruivo agora desbotado para um amarelo apagado, a pele recoberta por uma rede de rugas finas. Mas os olhos muito azuis eram límpidos e penetrantes, a mão visível apoiada no topo da bengala rija e eficiente, sendo esta o único indício de seus 72 anos.

Minha tentativa de sorrir falhou completamente quando o homem de pé, próximo à sra. Guidry e de costas para mim, se virou. Sua face registrou a mesma surpresa que eu senti.

— Você? — disse ele com voz ríspida.

Não estava preparada para responder e fiquei ali de pé calada, imaginando por que estaria esperando que ele não notasse que eu vestia a mesma roupa que ele vira no dia anterior.

Ignorando o neto, Aimee Guidry estendeu a mão livre.

— Você deve ser a Julie Holt. Sou Aimee Guidry e este é meu neto, Trey Guidry.

Estendi lhe a mão e ela a apertou gentilmente, a pele parecendo papel lustroso. Trey manteve as mãos ao lado do corpo e eu não fiz nenhuma menção de que sabia exatamente quem eles eram.

— Espero que você não se importe por eu me fazer acompanhar, mas não dirijo mais e o Trey se ofereceu para me trazer. — Ela indicou o sofá e duas cadeiras na outra extremidade do hall pela porta da frente. — Vamos?

Assenti e permiti que a sra. Guidry, com a mão livre apoiada no cotovelo de Trey, me guiasse até a área dos assentos.

Depois que os dois se acomodaram no sofá, sentei-me em uma das cadeiras. Ela se inclinou para a frente, preparando-se para falar, mas Trey a deteve com a mão em seu braço.

— Onde você arranjou essa pintura? É por isso que esteve em nossa casa ontem?

A sra. Guidry, cujos olhos eram cautelosos, mas não indelicados, interrompeu:

— Na volta do salão de beleza, vi o quadro na vitrine da loja. Você não pode imaginar a surpresa...

Trey a interrompeu.

— Você sabia que a pintura é propriedade roubada?

— O quê? — Fiz um movimento para me levantar, mas Aimee ergueu a mão.

— Por favor, espere. — Ela franziu o cenho para o neto. — Lamento. O Trey é advogado, acho que está acostumado demais a acarear testemunhas hostis.

Acomodei-me de novo na cadeira.

— Veja, não tinha ideia de que foi roubado. Foi... dado a mim. Por uma grande amiga.

— Por quem? — Trey estava sentado na ponta do assento, as mãos sobre as coxas, como se estivesse pronto para saltar.

Meu olhar se deslocou de um rosto esperançoso para outro zangado, sabendo que o que estava para lhes dizer poderia modificá-los para sempre. Olhei em direção à janela em que se podia ver o lado de fora, agora cinza-

-esverdeado, o vento batendo nos cabelos dos transeuntes. Uma tempestade estava a caminho. Eu os encarei de novo.

— Por Mônica Guidry.

A mão de Aimee apertou a de Trey.

— Você a viu? Ela está aqui?

Balancei a cabeça.

— Não. Desculpe. Isso é o que queria lhes contar ontem. Mas eu... — Não pude continuar. Não havia modo fácil de admitir a covardia. Respirando fundo, disse: — A Mônica morreu há quase três meses. Em Nova York.

Aimee soltou um suspiro, levando a mão à boca. Trey a segurou e repousou o rosto dela no ombro. Desviei o olhar, incapaz de testemunhar a única coisa que me havia sido negada em todos aqueles anos.

— Lamento muito — eu disse, sentindo-me extremamente inadequada.

A voz de Trey era grossa ao falar.

— Preciso de alguma prova. Um atestado de óbito. Alguma coisa.

Meneei a cabeça positivamente e, então, tirei um cartão de visitas de minha bolsa.

— Este é o nome do advogado da Mônica, que cuidou de tudo. Tenho certeza de que ele está habilitado a lhes dar todas as informações que necessitarem.

Aimee ergueu a cabeça, os olhos abalados.

— Vamos querer trazer o corpo dela, também. Ela precisa voltar para casa.

Trey arrancou o cartão de minha mão.

— Vovó, nós não sabemos...

Ela apertou a mão dele, silenciando-o.

— Obrigado, Julie, por nos contar.

Eu bati as mãos, uma contra a outra.

— Mas a pintura. Ela não foi roubada. A Mônica nunca pegaria algo que não pertencesse a ela. E a deixou para mim, juntamente com River Song.

Trey me olhou com uma surpresa contrariada, mas foi o pequeno sorriso nos lábios de Aimee que achei mais intrigante. Estava a ponto de lhes dizer que podiam verificar minhas alegações com o advogado de Mônica, mas parei quando vi o rosto de Trey relaxar, pois parecia ter visto algo por cima de meus ombros.

Segui o olhar dele e localizei Beau no meio do hall. Ele estava descalço e ainda vestia o pijama de Bob Esponja, agora manchado, assim como seu rosto, de chocolate derretido. Ele agarrou o chapéu amarfanhado com a mão direita e, ao se dar conta de que as pessoas o olhavam, levou devagar o polegar à boca, o que inadvertidamente o fez parecer mais órfão do que de fato era.

— Beau — eu disse, cobrindo a distância entre nós tão rápido quanto podia. Ignorei o chocolate que o cobria e peguei-o no colo. — Por que você desceu? Eu disse para ficar no quarto.

Ele olhou solenemente para mim através dos cílios espessos como os do tio.

— Eu me sujei de chocolate e eu precisava de uma toalha, mas não consegui pegar. Então, fui procurar você para pegar para mim.

Fechei os olhos, sentindo um enjoo no estômago, e o apertei mais forte. "Meu Deus". Como tinha sido tão idiota?

— Oh, Beau. Estou feliz por ter me encontrado. Mas me prometa que nunca, nunca mais vai a parte alguma sem mim de novo. Prometa-me.

Ele colocou as palmas das mãos em minhas bochechas, esfregando o chapéu vermelho em uma delas.

— Eu prometo, Julie. — Ele deu um tapinha em minhas bochechas como se tentasse me confortar, o que quase me fez rir. Quase.

— Beau?

Ambos viramos para Trey, que se aproximara de nós. O menino e o homem se encararam com olhos idênticos, os cabelos do mesmo tom de louro escuro exceto pelo fato de que o de Trey tinha mechas douradas espalhadas, como se passasse muito tempo exposto ao sol.

Aimee se levantou e veio até nós.

— Esse é o filho da Mônica, não é? — Ela estendeu as mãos trêmulas para alcançá-lo, mas Beau enterrou a cabeça em meu pescoço.

Eu encaixei a criança pesada em meu quadril.

— Beau tem passado por muita coisa ultimamente. Em geral, ele é muito dado.

Beau levantou cabeça e estendeu a mão, separando todos os dedos.

— Eu tenho 5 anos — disse, antes de enfiar a cabeça na curva de meu pescoço.

A brandura que envolvia os olhos e a boca de Trey enquanto observava Beau desapareceu tão logo ele se virou para mim.

— Deixe-me adivinhar. A Mônica deu o Beau para você também, junto com o quadro roubado e uma casa.

Fechei os olhos, tentando me controlar, nem que fosse por causa de Beau, já traumatizado demais por ora.

— Olha, não pedi nada disso e não vou ficar aqui discutindo com o senhor se o que a Mônica fez foi certo ou errado. Agora, preciso limpar e trocar Beau e tentar imaginar o que fazer em seguida.

— Nem pense em tirá-lo de nossas vistas.

Nunca pensei que pudesse ficar mais zangada, mais exausta ou mais perdida. Beau se contraiu em meu colo, eu sabia que ele sentia minha tensão. Respirando fundo, falei calmamente e com palavras pensadas.

— Eu amava a Mônica como a uma irmã, sinto falta dela todos os dias. O que estou tentando fazer aqui é dar sentido aos últimos desejos dela da melhor forma possível. Se você pudesse deixar de ser um advogado por um minuto, seria capaz de ver a situação em que estou e em que o Beau está e nos dar um tempo.

Um aplauso discreto desviou nossa atenção para Aimee, que fazia o melhor que podia para bater palmas com a bengala ainda presa a uma das mãos.

— Bravo, Julie. Finalmente alguém que não é intimidada pelo Trey. Acho que a Mônica fez a escolha certa.

Eu resisti a sorrir de volta, ainda insegura sobre quem era meu aliado ali. Aimee continuou:

— Por favor, volte conosco para casa para que possamos falar sobre isso de uma forma civilizada. — Ela tocou meu braço com a mão leve. — Por favor. Eu amava a Mônica e acabo de saber que nunca mais vou vê-la. — Ela olhou para Beau. — Mas este é o filho dela, quero conhecê-lo. E quero que ele saiba sobre a mãe dele. — Seus olhos azuis me fitaram candidamente. Por favor, venha conosco. Há tanto que precisamos saber.

Maravilhada mais uma vez diante da inevitabilidade que vinha marcando minha vida havia tanto tempo, assenti, com minhas escolhas reduzidas a zero.

— Tudo bem. Dê-me mais ou menos uma hora e vamos para lá. Sei o endereço.

— Obrigada. — Aimee apertou meu braço e então deixou cair a mão.

Tomei a direção ao elevador.

— Vamos o mais rápido possível.

Tinha quase alcançado o elevador quando Trey gritou:

— Você está errada sobre uma coisa, sabe?

Virei e olhei para ele, minha sobrancelha arqueada, inquisitiva.

— Você não é proprietária da casa da praia. Eu tenho a escritura e posso lhe mostrar.

Senti a raiva crescer de novo dentro do peito.

— O que isso significa? A Mônica me deixou as chaves por intermédio do advogado dela, com instruções para que eu tomasse posse.

Ele balançou a cabeça.

— Metade dela me pertence. Nosso avô a deu para a Mônica e para mim. Para nós dois.

"Então, por que está em ruínas?", quis perguntar, mas fiquei calada. Ao contrário dele, recusei-me a fazer um julgamento precipitado, a pressupor coisas mesmo quando todas as evidências contrárias pareciam não existir.

Nossos olhos se cruzaram, me pareceu que ele estava me instigando, me provocando para fazer a pergunta final que não queria calar.

Finalmente, após um bom tempo, eu disse:

— Você alguma vez a procurou?

Os olhos dele se arregalaram por um segundo, permitindo-me ver a mesma mágoa e a mesma raiva que via em meus próprios olhos toda vez que me preocupava em me olhar no espelho.

— Todos os dias. Não se passou um dia sequer desde sua partida em que não tivesse procurado por ela.

Mantive o olhar no dele por mais um tempo antes de me virar de novo para o elevador, imaginando como era finalmente encontrar algo que ele estivera procurando. Entrei no elevador e apertei o botão para o nosso andar, olhando o irmão de Mônica e sua avó desaparecerem devagar enquanto as portas se fechavam entre nós.

Capítulo 5

Alerta de tempestade: um alerta de 1 minuto quanto a ventos de superfície de... 90 km/h.... ou mais, em andamento ou previstos, não diretamente associados a ciclones tropicais.

— Centro Nacional de Furacões

Dirigi lentamente, esperando que meus pensamentos me acompanhassem e procurando lembrar algo que Mônica me dissera certa vez — alguma coisa sobre o rio Mississippi ter uma memória de suas antigas margens, antes de o homem tentar modificá-las, e como, vez por outra, o grande rio procurava reivindicar o que antes fora seu.

Passei por varandas suntuosas, por pequenas torres e sacadas de ferro batido, tudo em vários estágios de reconstrução ou de decomposição. Cheiros misturados de madeira nova e de deterioração estagnada permeavam as ruas, um perfume singular para uma cidade que eu não conseguia definir com facilidade. Nova Orleans era símbolo da morada e do banimento de Mônica, mas, quando dirigi novamente para a construção na rua Primeira, só podia enxergá-la como minha própria última chance.

Tinha levado quase duas horas me preparando e adiando até finalmente conseguir estacionar a van mais uma vez na rua Primeira. Trey esperava por nós em uma cadeira de balanço, ao fecharmos o portão do jardim e nos encaminharmos para a varanda. Ele se levantou, sem esconder no rosto uma total surpresa por termos aparecido de verdade. Os ventiladores rodavam vagarosamente no teto, trazendo-nos pelo ar os odores verdes e maduros vindos do jardim.

Trey restringiu o sorriso a Beau.

— Oi, amigão. Sou o Trey.

Ele olhou para mim como se esperasse autorização para falar mais. Ajoelhei-me na frente de Beau.

— Ele é seu tio Trey. Irmão da sua mãe.

Beau parecia confuso, conforme imaginei que qualquer um pareceria depois de saber pela primeira vez que a mãe tinha um irmão. O garotinho fitou demoradamente um rosto adulto e depois o outro como para se assegurar de que não estávamos mentindo. Por fim, exclamou:

— Ah!

Com uma das mãos no bolso, Trey ergueu a outra em direção ao menino, hesitando um pouquinho antes de mexer levemente no cabelo dele.

— Sua mãe adorava sorvete e aposto que você adora também.

Beau enfiou o rosto em minha perna e então concordou.

— Ótimo. Porque tem um bocado de sorvete esperando por você na cozinha. Pensei que você poderia ir até lá tomar um pouco, enquanto eu e a Julie conversamos por um tempinho.

Lembrando-me da barra de chocolate recheada que Beau comera de café da manhã, eu disse:

— Na verdade, ele precisa almoçar primeiro. Alguma coisa saudável.

— Posso arranjar isso. Mas o sorvete também, com certeza.

Ele piscou para Beau e abriu a porta alta de madeira. Aí, deu um passo atrás, indicando para que eu e Beau passássemos à frente dele.

Pude notar os assoalhos de madeira encerados, os candelabros reluzentes e a mobília lustrosa e escura. A meio caminho do enorme saguão, uma grandiosa escadaria com um patamar projetado erguia-se à direita, um espelho dourado de três metros refletindo-a na parede oposta. Um par de cadeiras Rainha Anne estava escondido em um nicho formado pela curva da escada, e o que pareciam ser trabalhos artísticos de criança estava enquadrado em molduras douradas sofisticadas na parede por dentro da porta, acrescentando certo calor ao espaço e em nada contribuindo para depreciar as pinturas majestosas das outras paredes. Havia um conjunto de diversas peças de cerâmica disposto sobre um console perto da porta.

Sem pensar, aproximei-me para ver melhor, reconhecendo o brilho quase iridescente e a inacreditável finura das pequenas tigelas e do jarro.

— São peças de George Osh?

Trey colocou-se perto de mim.

— Sim. "O Ceramista Louco de Biloxi". Ouviu falar dele?

— Claro. Ele é muito conhecido no mundo das artes. Além de ser formada em História da Arte, trabalhei em uma casa de leilões em Nova York. De tempos em tempos, recebíamos peças dele. São lindas.

— Não são minhas prediletas, mas a Aimee e a Mônica adoravam e foram comprando estas ao longo dos anos.

Uma mulherzinha completamente grisalha, por volta dos 50 anos, trajando saia jeans e camiseta, surgiu de uma porta no fundo do saguão. Trey a apresentou.

— Esta é Kathy Wolf. Ela toma conta da minha avó e da casa. Também faz um sanduíche razoável de queijo pimento e é muito generosa nas colheradas de sorvete. Acho que ela pode servir você na cozinha, Beau. O que acha?

— O que é queijo apimentado? — Beau e eu perguntamos em uníssono.

— O paraíso na terra — Kathy respondeu, estendendo a mão para Beau com um sorriso.

Depois de um gesto de aprovação dado por mim, Beau deixou-se conduzir até a porta pela qual Kathy tinha entrado. Fiz uma recomendação a eles.

— O chapéu vermelho... não tem problema se ele não quiser soltá-lo, ok?

Kathy assentiu e fez um sinal de positivo com o polegar, levando Beau pela porta.

Voltei-me para Trey.

— O chapéu era da Mônica. Ele não o perdeu de vista desde que ela morreu. Não sou psicóloga infantil, mas acho que o Beau precisa dele neste exato momento.

Com um gesto discreto de cabeça, ele me conduziu a uma entrada próxima à base da escada e permitiu que eu entrasse à sua frente no recinto. Do lado esquerdo da sala, um bonito arco emoldurava uma bancada de assento e uma janela e, do lado oposto, uma lareira de mármore com acabamento de madeira. O teto alto era iluminado, destacando as portas francesas do chão até em cima que davam para um jardim lateral. As paredes eram decoradas por pinturas, e precisei me conter para não observar cada uma em detalhe. Entretanto, duas delas sobre a lareira me fizeram parar. As crianças deviam ter entre 5 e 6 anos nos retratos, ambas com cabelo loiro claro e olhos azuis-esverdeados, matreiros, junto com um meio sorriso combinando.

— São a Mônica e você, não?

Trey concordou, o rosto inexpressivo.

— O meu foi feito ao vivo, mas o da Mônica teve de ser feito a partir de uma fotografia, porque ela não parava quieta.

— É bem a cara da Mônica — observei, com um leve sorriso. — E seu retrato poderia ser do Beau. — Lembrando as pinturas do vestíbulo, perguntei: — O trabalho artístico no vestíbulo... eram peças da Mônica?

— Sim. A Aimee sempre foi a maior fã da Mônica. Mesmo quando ela tinha 5 anos de idade, mais ou menos a época em que as pinturas foram feitas. A Aimee queria que a Mônica se habituasse a ter a arte dela exposta.

Senti um vazio de novo. Sentei-me em um sofá de cor creme que Trey me indicou, imaginando o que ele pensava sobre a semelhança familiar entre ele e Beau e também se ele era sempre tão enigmático.

— Onde está a sra. Guidry?

Trey sentou-se no sofá do lado oposto sem se recostar, parecendo um leão pronto para atacar.

— Ela estava exausta depois por levantar tão cedo, esperar pelo encontro com o Beau e ouvir falar da Mônica. Disse a ela para repousar um pouquinho que eu a chamaria quando você chegasse.

Olhei para ele, erguendo as sobrancelhas.

— Estou aqui, agora.

— Queria falar com você a sós primeiro. Esclarecer algumas coisas. — Ele ergueu as sobrancelhas, combinando com as minhas. — Não se preocupe. Eu não mordo.

Franzi o cenho, sem muita certeza se acreditava nele. Tinha ouvido muitas histórias de Mônica sobre como o irmão era chegado a brigas de soco, o que o fizera ser expulso da escola mais de uma vez. E como, certa vez, ele arrastara um menino até a porta de Mônica para fazê-lo se desculpar por ter rompido com ela usando um bilhete deixado no armário dela na escola. Senti o lábio retorcer ante a lembrança, enquanto eu tentava conciliar aquele menino e irmão protetor com o jovem e frio advogado sentado do lado oposto ao meu. Sem conseguir. No entanto, podia compreender por que aquele garoto das lembranças de Mônica tinha mudado. A busca pelos desaparecidos causa estragos naqueles que estão à procura. Eu sabia disso simplesmente por olhar no espelho.

A porta se abriu e Kathy apareceu com uma bandeja com um bule de café, xícaras, colherinhas, creme e açúcar. Reconheci o aroma peculiar de nozes do café que Mônica sempre fazia, o mesmo café que antes eu rejeitava e que agora me via querendo muito.

— Achei que gostaria de um café — disse Kathy, colocando a bandeja sobre a elegante mesa de centro entre os dois sofás. Ela se endireitou, as mãos nos quadris. — E aquele menino está gostando mesmo do queijo apimentado. Diga-me se quiser a receita. Era da minha avó, mas receitas são feitas para repassar.

— Obrigada — eu disse.

Parecia que Kathy não tinha terminado de falar, mas Trey a olhava com as duas sobrancelhas levantadas.

— Bom, então. Acho que é melhor eu ir ver o Beau.

— Obrigado, Kathy — disse Trey, levando a xícara à boca e bebericando um gole.

Temperei o forte café de chicória com creme e açúcar, antes de arriscar-me a prová-lo, reconhecendo a porcelana como um modelo antigo de Haviland Limoges.

— Você já ligou para o advogado da Mônica?

— Claro.

— Então, sabe que estou dizendo a verdade.

— Sobre algumas coisas, sim.

Trey esvaziou a xícara e pousou-a, a porcelana tilintando no pires. Tamborilou os dedos sobre as pernas e levantou-se.

— Como conheceu a Mônica?

Contei a ele a história que relatara a Ray Von, sobre o encontro com Mônica na exposição de quadros de Abe Holt.

— Ela estava em Nova York fazia cinco anos, naquela época, e começava a ter o nome reconhecido.

— Como Mônica Armstrong. — Ele disse o nome com um riso torto. — Não sabia que tinha trocado de nome até falar com o advogado dela esta tarde.

— Eu nem mesmo sabia que esse não o seu nome verdadeiro dela até... até que ficou doente e me contou.

— Assim era mais fácil para ela se esconder — ele disse suavemente.

— Por que ela desejava isso? — Fiquei segurando a xícara, como se à espera de uma resposta dele, o suave tique-taque do relógio sobre o console da lareira como único indício da passagem do tempo.

— Não sei — disse ele, com voz cansada, como se tivesse feito e respondido a pergunta muitas vezes antes, e eu quase pude acreditar que Trey estivesse dizendo a verdade.

— Preciso que você me conte como ela morreu. Seja o mais sincera possível e eu decidirei o quanto devo dizer à minha avó. Isso já tem sido muito pesado para ela, quero poupá-la o mais que puder.

Tomei outro gole de café, o aroma da chicória fazendo-me recordar Mônica e a primeira vez que me observou experimentando-o e que eu quis cuspir fora.

— Foi o coração. Uma doença cardíaca congênita que ela não descobriu até ser tarde demais. Estava na fila para o transplante... — Minha voz foi se apagando ao me dar conta de que não tinha contado a ele o que realmente queria saber. — Ela morreu em paz. Durante o sono. Mas não sozinha. A Mônica e o Beau moraram comigo durante o último ano, porque ela não tinha como pagar o aluguel e estava muito... fraca. Precisava de ajuda com o Beau. Eu ficava em um futon na sala de estar, ela e Beau ficavam com o quarto. Um dia fui acordá-la e... — Parei, impossibilitada de continuar. — Sinto muito. — Pelo que, eu não tinha certeza. Por ele ter perdido a irmã? Por tê-la finalmente encontrado, mas já ser tarde demais? Ou sentia muito por ser eu e não Mônica que voltava a Nova Orleans?

Coloquei cuidadosamente minha xícara na bandeja e disse:

— Quanto ao retrato. Você disse que foi roubado.

— Sim, de certa forma foi. Pela Mônica. Ele estava há anos no corredor do andar de cima. Daí que, quando minha avó o viu na Mayer and Ryan, reconheceu-o e me ligou.

— Está dizendo que a Mônica o levou quando foi embora?

— O quadro desapareceu quando ela se foi, portanto a conclusão era óbvia. Meu avô, marido da Aimee, nos disse que ela o havia levado por segurança. Conforme provavelmente deve saber, ele é muito valioso.

Todos nós presumimos que a Mônica o teria vendido há anos, embora não tivéssemos encontrado o menor vestígio dele depois. Agora sabemos por quê.

Franzi a testa.

— Na verdade, não. Tudo o que sabemos é que ela não o vendeu e que deixou o quadro para mim quando morreu. — Olhei para cima, encarando Trey. — Imagino que a Mônica o tenha deixado para mim pela mesma razão pela qual você presume que ela o tenha levado. Por segurança. — Engoli em seco, decidindo ser sincera. Afinal, ele era um advogado. — Preciso do dinheiro. Para Beau — respirei profundamente, forçando-me a continuar. — De repente, me vi desempregada e, para ser clara, falida. Preciso saber se o quadro é meu, para ser vendido ou não.

Os olhos azul-esverdeados me analisaram.

— E quanto ao Beau? Ele é negociável também?

Fiz um movimento para me levantar e meu joelho esbarrou na beirada da bandeja, fazendo tudo tilintar de indignação.

— Eu sou a tutora do Beau, não você. Devo presumir que existe uma razão para que a Mônica tenha agido dessa forma. Eu esperava poder permitir que ele conhecesse a família da Mônica... dele, também... enquanto tentava decifrar o que a tinha feito partir tão depressa e para tão longe de todos vocês. E, até que eu descubra, não há nada neste mundo que me faça negociar qualquer coisa em que o Beau esteja envolvido. Se quiser ter acesso a ele, vai ter que ser por meu intermédio.

Externamente, ele parecia tranquilo, mas percebi o tique do maxilar ao trincar os dentes, coisa que a irmã fazia também.

— Ele tem uma família. Tem um lar. Aqui, conosco. E você — ele fez um gesto brusco em minha direção — o deixou sozinho num quarto de hotel. — Os olhos dele eram duros.

As palavras de Trey feriam, porque eu ainda me debatia com essa questão, mas recusei-me a baixar os olhos.

— Porque a Mônica fugiu de vocês. Eu não tinha a menor ideia de que tipo de gente vocês eram e estava fazendo o melhor possível para proteger o Beau. A Mônica confiou em mim para ser tutora dele. Não em vocês. E vocês todos são estranhos para ele. Não vou fazer disso uma batalha em que o único a perder é o Beau.

Trey ficara imóvel por todo o tempo em que eu falava. Aquilo me enervou, mas não me sentei de novo.

Lentamente, ele também se levantou, olhando do alto, com facilidade, para os meus 1,56 m de altura.

— E a casa da praia? Já descobriu o que vai fazer com ela? Sou meio dono, lembre-se.

Inflei os pulmões, imaginando que poderia sentir o cheiro da água de novo, os carvalhos quebrados e os degraus da varanda fantasma.

— Tenho esperança de que o terreno valha alguma coisa, porque, conforme estou certa de que sabe, nada mais há ali a não ser areia, sujeira e um carvalho.

As palavras dele foram diretas.

— Eu vi o lugar. Mais vezes do que posso contar. E há muito mais coisa ali do que apenas areia, sujeira e uma árvore, mas eu não esperaria que você compreendesse isso.

Ouvi a forma como ele formava as palavras, o jeito peculiar de arredondar as vogais, o que me fez sentir falta de Mônica mais uma vez, reforçando minha raiva.

— Faz cinco anos que o Katrina aconteceu, mas nada foi reconstruído no terreno. Você pensou que ela não voltaria e que portanto não importava reconstruir, certo?

O tique continuava no maxilar de Trey e, por um momento, pensei que ele não fosse responder, mas me recusava a baixar os olhos. Com o passar dos anos, fui me acostumando a fazer perguntas difíceis para pessoas em posição de autoridade. Era fácil fazer isso quando não se tinha nada a perder.

— Fiquei esperando que ela voltasse. — Ele fez uma pausa. — Assim, poderíamos reconstruir juntos. Não me pareceu correto fazê-lo sem ela.

Senti o coração se apertar um pouco dentro do peito, compreendendo exatamente o que ele queria dizer, compreendendo que sua relutância em reconstruir sem a irmã tinha tudo a ver com a mesma razão pela qual eu nunca mais estudara as nuvens novamente.

Limpei a garganta.

— Se isso lhe serve de consolo, não acho que a Mônica soubesse que a casa já era. Nunca cheguei a concluir se isso acontecia porque ela era uma otimista ou porque preferia viver no mundo da fantasia. Todos nós acompanhamos a cobertura do noticiário sobre o furacão. A maior parte ficou concentrada aqui, em Nova Orleans, mas reparamos nas histórias da Costa do Golfo por causa de Biloxi e da casa lá. Acho que ambas supúnhamos que, como River Song era tão antiga e tinha suportado outras tormentas, teria sobrevivido ao Katrina.

Trey cruzou os braços sobre o peito, como se sustentando alguma coisa ali.

— Eu apostaria no mundo da fantasia. Ela se colocava a si e aos outros diante de padrões inatingíveis. A maior parte de nós não conseguia acompanhá-los. — Como se previsse minha próxima pergunta, ele mudou de assunto repentinamente. — Eu gostaria de arrematar sua metade do terreno. E, porque acho que Mônica gostaria que eu o fizesse, vou lhe pagar acima do valor de mercado. Como pode imaginar, um terreno com uma casa dentro seria mais valioso, mas estou ciente da sua situação e de que não dispõe de tempo para esperar pela reconstrução da casa.

Fixei o olhar nele, de volta, mas seus olhos eram impenetráveis. Pensei na desolação que tinha visto na costa, todos os terrenos vazios, as árvores raquíticas, e tentei imaginar a reconstrução de uma casa em uma praia que já o traíra antes. Seriam necessárias audácia e fé cega, coisas que eu sabia muito bem que eu não possuía. Até mesmo o pensamento de tudo o que ainda precisava ser feito me deixava exausta. E Trey estava me oferecendo uma saída.

— Você quer comprar minha parte na casa de Biloxi. A um valor acima de mercado.

— Sim.

Desviei o olhar, envergonhada do quanto queria dizer sim. Algo, porém, me deteve. Talvez simplesmente por saber que Mônica tinha amado aquela casa e quisesse algum dia levar seus filhos para lá. Ou talvez porque a imagem da casa branca na praia tivesse sido o símbolo de uma felicidade no futuro para ambas. De dias ao sol, quando as pressões para sobreviver financeiramente, a doença e a busca infindável não mais existiriam.

Trey tomou a palavra.

— Pense nisso por alguns dias, mas acho que vai se dar conta de que é a melhor opção que tem no momento. — Ele se virou e dirigiu-se para a janela, afastando a cortina para olhar lá fora. — O pai do Beau... — ele faz parte da situação?

Olhei para baixo, percebendo pantufas no lugar do discreto escarpin preto de salto alto, que eu tinha comprado para um emprego que não tinha mais. Balancei a cabeça.

— Ele foi... um relacionamento passageiro. — Forcei-me a olhá-lo nos olhos. — A Mônica não sabia o sobrenome dele. Quando ela percebeu que estava grávida, ele já tinha ido embora havia muito tempo. Mas ela queria o bebê. Imensamente, embora seu médico a tivesse aconselhado a não tê-lo.

— Por causa do coração?

Eu assenti, recordando-me.

Ele continuou a observar a rua pela janela, mas eu poderia dizer que a postura dele era de uma indiferença estudada, que cada palavra sua era planejada e que eu precisava ser muito, muito cuidadosa.

Ele prosseguiu.

— Estou curioso sobre uma coisa. Você sabe quem é a mulher no retrato?

Um calafrio correu-me a espinha quando balancei a cabeça.

— Não. Meu bisavô pintava muitos retratos por encomenda, muitos deles jamais foram expostos. Parece ser de meados da década de 1950, pelo tipo de penteado e pelo vestido, mas é tudo o que sei. — Estreitei os olhos. — Por quê?

Ele voltou-se para me encarar, com uma expressão quase de orgulho.

— É o retrato de minha bisavó, Caroline Guidry. E foi pintado por seu bisavô, Abe Holt, em 1956. Estranha coincidência, não?

O som de uma corrente de ar pareceu me envolver enquanto fiquei ali fitando o irmão de Mônica, sem entender o que ele estava me dizendo. Quando eu era pequena, Chelsea e eu colocávamos a cabeça para fora da janela do carro e tentávamos conversar com o vento batendo no rosto e enchendo a boca. Eu me sentia assim agora, incapaz de falar ou de respirar, sufocando apenas por entreabrir os lábios. Sentei-me pesadamente no sofá, tentando articular palavras que fariam a pergunta certa.

— Eu não tinha ideia...

A porta se abriu e Kathy Wolf entrou.

— O Beau está repetindo o sorvete. Espero que não seja problema. Ele comeu os palitos de cenoura com o sanduíche, se isso a faz sentir-se melhor. Ele está adorando o crocante das amêndoas caramelizadas, parece até que nunca comeu isso antes.

Expressei um sorriso tímido.

— É porque ele nunca comeu. Obrigada, Kathy. — Meu estômago dava voltas, daí me dei conta de que não tinha comido o dia inteiro e sabia também que ele não conseguiria aceitar comida agora, de qualquer jeito.

Kathy deu uma olhada para Trey.

— A artrite da sra. Aimee está incomodando demais para que ela desça, mas ela quer falar com a Julie.

Trey saiu da janela.

— Posso levá-la lá em cima.

Kathy balançou a cabeça.

— Não. Ela quer ver a Julie sozinha. Sugeriu que você fique um tempo com Beau enquanto elas conversam. Disse que isso pode demorar.

Por um momento, pareceu que Trey ia protestar, mas ele assentiu.

— Muito bem. Vou mostrar à Julie por onde ela deve ir e encontro você na cozinha com o Beau.

Kathy sorriu rapidamente para nós e saiu, pisando silenciosamente com o tênis pelo assoalho de madeira maciça.

— Por aqui — disse Trey, indicando a entrada. Eu me levantei, sentindo como se minhas pernas pertencessem a outra pessoa, e segui rumo ao saguão. Dei uma olhada na direção da porta da cozinha, querendo me certificar de que Beau estava bem.

— Ele está bem com a Kathy — disse Trey, como se lesse meu pensamento. — Ela é enfermeira diplomada e pode lidar com qualquer emergência.

Eu assenti, reconfortada.

— Apenas diga a ele que estou lá em cima, que não fui embora. Às vezes, ele fica ansioso.

Trey pareceu querer dizer mais alguma coisa, mas em vez disso apontou para a grande escadaria.

— Suba o primeiro lance de escada e vire à direita, é a segunda porta à esquerda. Apenas bata primeiro, para que ela saiba que você está ali.

Meu nervosismo me deixou zonza.

— Não tem medo que eu roube a prataria da casa?

Ele retorceu o lábio, porém sem sorrir.

— Está no seguro.

Virei as costas e comecei a subir os degraus, ciente de que ele não se movera.

— Como você perdeu o emprego?

Dei meia-volta e ergui os ombros.

— O Beau precisava de mim. Eu não tinha como deixá-lo com uma babá depois do que tinha passado. Infelizmente, meu chefe não concordou.

Eu não queria ver a expressão dele de dúvida ou de descaso, então, virei e continuei a subir até alcançar o patamar e a sacada que dava para o saguão, com uma grande janela em vitral tomando quase toda a extensão da parede de fora.

— Obrigado — ele disse, por trás de mim.

Subi mais devagar.

— Pelo que fez pelo Beau. Mas isso não vai mudar nada. Minha oferta para arrematar sua metade da casa está de pé. Você e eu sabemos que você não pertence a este lugar. Somos gratos por ter trazido o Beau de volta para a família dele, mas ele não é seu nem nunca será.

Um calor tomou conta de meu rosto, enquanto minha garganta travava e meus olhos ardiam, e, por um instante aterrador, pensei que fosse chorar. Mas, concentrei-me em subir cada degrau, mantendo as costas eretas e o queixo empinado, continuando até o topo sem olhar para trás uma única vez.

A porta do quarto de Aimee estava entreaberta. Bati de leve e entrei em um quarto de um branco suave, que brilhava com a luz vinda das janelas, as quais iam do chão ao teto e se estendiam por duas paredes do quarto. Do lado esquerdo da porta, uma alcova abobadada abrigava a cama ornamentada com quatro hastes, uma pequena mesa de cabeceira e uma poltrona. Aimee Guidry, vestindo a saia e a blusa que usara mais cedo, porém sem o casaco, estava sentada, de meias, por cima dos lençóis, apoiada nos grandes travesseiros, os pequenos óculos de leitura sobre o nariz. Perto dela, sobre a cama, uma grande caixa de madeira de tampa articulada estava aberta como uma boca.

A velha senhora sorriu quando me aproximei da cama.

— Sente-se, por favor — disse ela, indicando a poltrona bem acolchoada, forrada com um tecido amarelo e branco.

Tudo no quarto era refinado, desde a mobília antiga e sofisticada até as paredes, com pinturas à mão, e o medalhão rebuscado no teto. Exatamente como a mulher recostada na cama, ele era bonito, confortável e elegante. Tudo aquilo que eu gostaria de ter em meu próprio quarto, caso algum dia eu viesse a pensar nisso, caso algum dia viesse a querer algo permanente como uma casa com meu próprio quarto. Sentei-me e cruzei as mãos no colo, insegura quanto à recepção de Aimee, as palavras ferinas de Trey ainda frescas na memória.

— Pedi à Kathy para trazer o Beau aqui para cima assim que terminarmos, mas queria que tivéssemos uma longa conversa sozinhas primeiro.

Cautelosamente, assenti.

— Ficarei feliz em responder quaisquer perguntas sobre a Mônica. Ela sempre se referiu à senhora com muito carinho.

Aimee sorriu tristonha.

— Vamos, vamos sim. Mas primeiro gostaria de falar sobre você.

Eu me remexi, sentindo-me desconfortável na cadeira.

— Tudo bem, mas não há muito o que contar.

Aimee me observou por sobre os óculos, fazendo-me sentir como um besouro em um microscópio, esticado para ser examinado.

— Meu neto estava muito ocupado com o telefone e o computador enquanto esperávamos pela chegada de vocês. Ele encontrou uma série de artigos de jornais de 1993, quando você tinha 12 anos.

A refrigeração central zumbia, levantando as pontas das diversas fotografias espalhadas sobre as roupas de cama perto da caixa. Olhei para elas, esperando achar palavras para me defender, mas sabendo que, depois de anos tentando encontrá-las, elas não estavam ali.

— Muito triste para você. Tão jovem, apenas 12 anos quando sua irmã se foi. Imagino o quanto se culpou.

Ergui os olhos, ouvindo a compreensão na voz de Aimee.

— Claro que sim. Minha mãe tinha me pedido para tomar conta da casa e olhar minha irmãzinha enquanto ela ia correndo à mercearia comprar leite e ovos. — Fiz uma pausa e então me forcei a continuar. — Era meu aniversário e ela estava fazendo o bolo.

Com cuidado, Aimee retirou os óculos, deixando-os no colo.

— E sua família, onde estão eles agora?

Apoiei as mãos nos braços da cadeira, pronta para ir embora.

— Não tenho a intenção de ser rude, mas isso não é da sua conta. Precisamos falar sobre o Beau e o retrato. A casa de praia. E nada do que aconteceu com minha família tem alguma coisa a ver com isso.

A velha senhora sorriu, fazendo uma pequena ruga na testa.

— Eu discordo. Seu passado tem tudo a ver com o porquê de estar aqui agora.

Recostei-me na cadeira, confusa.

— Não vejo como.

— Permita que uma velha senhora faça suas divagações. Agora, diga-me, onde está sua família?

Momentos depois, respondi.

— Minha mãe morreu há dez anos, vítima de um aneurisma cerebral. Meu pai mora na selva canadense com uma sucessão de namoradas e meu irmão mais velho, da última vez que falei com ele há cinco anos, estava morando na Califórnia e trabalhando como garçom. Agora, me diga quanto disso está relacionado com o Beau e tudo o mais. — Não me preocupei em esconder o tom cortante em minha voz.

Aimee nada disse. Em vez disso, estendeu a mão, pegou duas fotos e as passou para mim.

— Sabe o que é isto?

Peguei as fotos para examiná-las, virando-as um pouco para fugir do reflexo da luz do sol vinda das janelas. A primeira foto era de River Song, exatamente como Mônica havia pintado: as colunas graciosas, a varanda frontal cheia de cadeiras de balanço de todos os tamanhos, o quintal arenoso da frente com o carvalho. Até mesmo o balanço de pneu estava no mesmo galho que Mônica pintara. Havia seis pessoas distribuídas pelos degraus da entrada da varanda, variando em idade desde a de Beau até adolescentes mais velhos. Reconheci uma versão mais jovem de Mônica, bronzeada e feliz, de pé por trás do grupo e encostada em uma coluna, uma criancinha apoiada nos quadris.

Sem tirar os olhos da foto, eu disse:

— Mônica pintou a casa para mim e me falou tanto sobre os verões e fins de semana que tinha passado ali que eu quase sentia como se tivesse estado lá também. — Fiz uma pausa momentânea, engolindo em seco. — Ela tinha grandes sonhos de voltar um dia para lá com os filhos dela.

Com um leve sorriso preenchendo a voz, Aimee disse:

— Ela amava aquela casa. Gostava da visita dos primos e dos amigos. Era seu refúgio da cidade e da escola. Da briga entre seus pais. Ela odiava essas coisas. No entanto, a casa e a praia eram como uma oração para ela. Acalmavam a alma dela como nada mais.

Passei a fotografia para trás da segunda e me vi baixando-a para o colo, sem querer vê-la tão detalhadamente. Era a mesma casa, sem as pessoas, o teto, a maior parte do segundo andar. Troncos de árvore e lixo espalhados sobre o gramado, um carro velho em condições precárias de cabeça para baixo perto do carvalho, como se alguém o tivesse colocado ali por diversão.

Estendi a fotografia para Aimee.

— Isto foi depois do Katrina?

— Não. Foi em agosto de 1969. Furacão Camille.

— Camille?

— Você era muito nova. Desde a época do Katrina, as pessoas tendem a pensar nele como o único furacão a atingir a Costa do Golfo. O Camille, entretanto, foi um furacão de categoria 5, assim como o Katrina. Ele atingiu diretamente Pass Christian, mas Nova Orleans não sofreu a enchente catastrófica daquela vez. A costa do Mississippi foi devastada naquela época como o foi com a passagem do Katrina.

Coloquei as fotos sobre a colcha perto da caixa, ansiosa por vê-las longe de mim.

— Por que está mostrando estas fotos para mim?

— Trey se ofereceu para arrematar sua parte na propriedade, não foi?

— Sim.

— E o que você disse?

Deixei minha cabeça pender para trás, no encosto da cadeira.

— Não dei uma resposta para ele, porque honestamente eu não sei.

— E se você não ficar para reconstruir, o que fará? O que o Beau fará?

Não havia recriminação na voz de Aimee, mas eu sabia que precisava avançar com cautela. Olhei Aimee nos olhos e disse a ela a verdade.

— Não tenho a menor ideia. Apesar do voto de confiança da Mônica, deixando o Beau sob meus cuidados, não tenho emprego, nem casa, nem família, para dizer a verdade. Não é uma situação favorável. — Tentei sorrir, mas senti os lábios tremerem.

— Fiquei aqui em cima sentada, enquanto Trey a interrogava lá embaixo, pensando muito seriamente sobre essa situação. Primeiro, eu tinha que me dar conta do fato de que nunca mais vou voltar a ver a Mônica. — Ela fechou os olhos por um segundo. — Meu pesar, porém, é aliviado ao saber do Beau. É como se ele estivesse aqui para nos dar a todos uma segunda chance. Inclusive a você.

Comecei a protestar, a dizer a ela que eu não era o tipo de pessoa que merecia segundas chances, mas ela ergueu a mão e prosseguiu.

— Você possui metade de uma propriedade à beira-mar e tem a guarda de um garotinho que a ama e que, acredito, você ama também. Não a conheço bem, mas sei que a Mônica julgava bem um caráter e era sempre seletiva ao escolher os amigos. Essa é a razão pela qual acho que deveria ficar aqui e reconstruir River Song. Isso daria a você e ao Beau tempo suficiente para se acostumarem com um lugar, para decidirem se é onde querem ficar.

— Eu? Reconstruir? — balancei a cabeça negativamente. — Primeira coisa contra: não sei nada sobre construção ou reconstrução. E, segunda: já esteve lá? Viu como está? São tantos os que não voltaram ou que não reconstruíram, eu entendo completamente. Por que investir tanto tempo e dinheiro se cada temporada de furacões significa uma nova ameaça?

Aimee me fitou fixamente com aquele olhar azul.

— Por que levantar arranha-céus em São Francisco que podem vir abaixo em um terremoto? Por que construir fazendas no Kansas ou em Oklahoma que podem ser varridas por um tornado? — Ela bufou, o que pareceu tão improvável para uma senhora idosa elegante que quase caí na risada. — Para onde queriam que fôssemos, afinal? Eu acho que, se ainda respiramos, temos de continuar. Portanto, nós reconstruímos. Começamos tudo de novo. É exatamente o que fazemos. Imagino que era isso que ela desejava para o Beau: um sentimento de pertencimento, de ter um lugar para o qual voltar, estivesse onde estivesse. Um lugar para ele chamar de lar por senti-lo assim, respirá-lo. Saboreá-lo.

Aimee inclinou-se para a frente, as faces rosadas.

— Você não tem tido um lugar para chamar de lar há muito tempo. Se tivesse, quem sabe compreenderia. — Os ombros dela se ergueram e pude vislumbrar rapidamente a jovem Aimee Guidry que fora um dia. Ela tocou nas fotos, dizendo: — Quem você acha que restaurou River Song depois do Camille? Eu. Porque me afastar não era uma opção a considerar.

Fechei os olhos por um momento, tentando lembrar o que Ray Von tinha dito. Repeti, baixinho:

— Se você ainda não morreu, você ainda não acabou.

— Ah, você conheceu a Ray Von. — Aimee sorriu de leve, perdida em pensamentos secretos.

Eu assenti.

— Então, por que a Mônica foi embora? Se tudo isso significava tanto para ela, por que deixaria tudo para trás sem nunca mais voltar?

— Eu não sei.

A resposta dela veio temperada com um desgaste igual àquele dado por Trey à mesma pergunta, e fiquei imaginando mais uma vez se podia acreditar nela.

Aimee continuou.

— O que sei é que quaisquer que fossem as razões da Mônica para ir embora, ela gostaria que o Beau voltasse, que vivenciasse uma infância feliz em River Song, da mesma forma que ela.

Finquei os cotovelos sobre os joelhos, acomodando o queixo nas mãos.

— Então, talvez eu deva permitir que o Trey arremate minha parte e reconstrua ele mesmo.

Aimee franziu o cenho como se estivesse falando com uma criança teimosa.

— Por que acha que a Mônica deixou a parte dela para você e não para o Trey? Faria sentido ele ficar com a propriedade toda. Portanto, deixá-la para você foi intencional. Ela pode não ter tido noção do tamanho da devastação da casa, mas deve ter achado que ela sobreviveria a algum estrago. E, conhecendo bem o irmão, também teria imaginado que ele nada faria até que ela voltasse.

Remexi-me na cadeira, insegura quanto a aonde aquilo iria levar.

— Então, o que está querendo dizer?

— Estou dizendo que ela queria que você restaurasse River Song do jeito que era antes.

— Mas por que eu?

O rosto de Aimee suavizou-se enquanto ela me fitava.

— Talvez porque ela pensasse que você teria mais a reconstruir do que apenas uma casa.

Sentei-me bruscamente, enraivecida, sem saber muito bem com quem.

— Não se zangue, Julie. Estou pesarosa por minha neta e tentando aceitar e compreender os desejos dela, coisa difícil de fazer quando a beneficiária desses desejos é uma estranha e uma protagonista relutante. Mas, em nome dela e do Beau, vou tentar convencer você a ficar e restaurar River Song.

Ela inclinou-se para a frente, com as mãos fortemente unidas no colo, como se estivesse muito empenhada em conter as emoções.

— Já pensou no que vai acontecer quando encontrar sua irmã? Para que casa você vai levá-la quando a achar?

Apoiei a testa na palma das mãos, fechando os olhos bem apertados.

— Não sei. Nunca pensei no que vem a seguir.

Aimee começou a juntar as coisas por cima da colcha e a colocá-las dentro da caixa, deixando de fora as fotos da casa.

— Não quero ser óbvia, Julie, mas agora você tem uma criança a considerar. Uma criança que precisa de um lar. E de um futuro. É tempo de você começar seriamente a pensar no que vem a seguir.

Eu queria rebater, mas sabia que Aimee estava certa. "Quando encontrar sua irmã." Ela dissera aquilo como se acreditasse ser verdade e me animei com ela.

— Não tive condições de olhar à frente por muito tempo. Era sempre encontrar a Chelsea. E ainda acho que vou conseguir. Fé cega, eu presumo, mas não deixo de ter esperança.

Aimee deslizou as fotos para mim.

— Acredite-me. Sei muito bem o que é fé cega.

Esfreguei as mãos na saia novamente, ainda insegura do que deveria fazer. Sabia, sem sombra de dúvida, que reconstruir River Song estava fora de questão. Levaria muito tempo, era desgastante demais... permanente demais. Tudo o que eu não precisava e tudo de que Beau precisava.

Aimee me observava como se pudesse ouvir meus pensamentos. Depois de respirar fundo, eu disse:

— Tenho que pegar Beau agora.

Como se não tivesse me escutado, Aimee disse:

— O Trey lhe disse quem estava no retrato que a Mônica lhe deixou?

— Sim, ele contou. Fiquei surpresa, na verdade. Era sua sogra, certo? Fiquei me perguntando... uma porção de coisas. Como o fato da Mônica me encontrar na exposição do Abe Holt. Fui levada a acreditar que nosso encontro não foi inteiramente uma coincidência. Mas não consigo descobrir por quê. — Desconfortável, levantei-me. — Vou buscar o Beau.

Os olhos azuis de Aimee me fitaram, penetrantes.

— Quando a Mônica foi embora, não foi a primeira vez que esta família teve que lidar com um desaparecimento.

O sopro da refrigeração jogou um ar frio em meu rosto, fazendo-me estremecer.

— O que quer dizer?

— Caroline Guidry, a mulher do retrato, desapareceu também. Em 1956. Não muito tempo depois que seu avô pintou o quadro.

Forcei-me a dizer alguma coisa, a boca seca.

— O que aconteceu com ela?

Aimee recostou-se nos travesseiros.

— É uma longa história.

Olhei o relógio, ansiosa por sair.

— Tenho que pegar o Beau. Já estamos aqui há um bom tempo.

— Aonde precisa ir? O Beau é meu bisneto e você, a tutora dele. São bem-vindos para ficar o tempo que quiserem. Além disso, o Trey está com o Beau neste momento. E se existe alguém necessitado do tipo de enquadramento de atitude que só uma criança pode proporcionar, esse alguém é ele.

Senti a boca expressar um meio sorriso.

— Pode apenas me dizer se algum dia a encontraram?

Meu braço se arrepiou quando estremeci de novo, minhas palavras ecoando na cabeça. "Fui levada a acreditar que nosso encontro não foi inteiramente uma coincidência."

Os olhos azuis me fitavam tranquilamente.

— Isso seria um salto à frente. Além disso, você precisa saber da história toda. O que lhe dará uma noção do tipo de gente que reconstrói sempre, mesmo tendo à frente outro furacão.

Sentei-me devagar, sentindo o tecido fresco de novo.

— Tudo bem. Mas só por um tempinho. Tenho que voltar para o Beau.

Aimee fechou os olhos novamente e começou a falar.

Capítulo 6

Não são as casas de telhados sofisticados ou as paredes de pedra bem construídas, tampouco os canais e os estaleiros que fazem uma cidade, mas os homens capazes de aproveitar oportunidades.

— Alceu

Aimee

Verão de 1950

Ainda hoje, passados todos esses anos, quando sinto o cheiro da grama do verão e o odor forte da água lamacenta do rio Mississippi, penso no Gary e nos verões de nossa juventude. Os verões quando o peso da idade adulta ainda não havia nos atingido. E lembro-me da primeira vez em que me apaixonei.

Ao longo de toda a minha vida, os verões eram passados em Nova Orleans e, por fim, em Biloxi também. Sempre sozinha, sem meu pai. Minha mãe morreu quando eu tinha 3 anos de idade e meu pai mudou-se conosco para a Filadélfia e para longe de Nova Orleans e de tudo aquilo que o fazia lembrar-se dela. Acho que ele teria me deixado também, pela mesma razão, exceto pelo fato de que eu era sangue dele assim como dela. Eu herdara dela os cabelos, de um ruivo profundo, e sabia que ele se lembrava de minha mãe cada vez que me olhava. Meu pai jamais voltou à cidade onde nasceu. Em vez disso, todos os verões ele me mandava para a velha casa de minha avó no Garden District, como uma espécie de oferenda de paz à mãe, que jamais o perdoara por ter levado embora sua única neta.

Minha avó era uma mulher extraordinária, baixa e magérrima, cabelos grisalhos sempre presos num coque. Eu costumava rondá-la nas mais diferentes horas do dia ou da noite para ver se encontrava algum fio solto. Sempre me frustrava. Ela era austera, correta, consciente de seu status na sociedade de Nova Orleans e sempre preocupada com que minha formação ianque me transformasse em uma pessoa rude demais para ser uma verdadeira dama sulista. Ela me amava, à sua maneira — quase tanto quanto eu amava a velha casa e minha cidade natal. E, mais tarde, nossos vizinhos de porta.

No verão de meus 12 anos, conheci os Guidry. Eu já conhecia o sr. Guidry — ele e minha avó eram amigos e era nosso convidado para jantar quase toda noite. Um homem alto, magro, de olhos escuros e com um sorriso triste, que às vezes falava da mulher e dos dois filhos. Perguntei à minha avó por que eles nunca o acompanhavam para o jantar e ela me disse que eles moravam em Atlanta. Daí ela me calou, dizendo que se tratava de coisa que não se discutia.

A casa do sr. Guidry era outra mansão vitoriana da rua Primeira, porém tinha uma varanda em volta e duas pequenas torres. Quase todo verão, os pintores, em escadas altas, davam uma demão de tinta e as cadeiras de balanço de vime branco ganhavam almofadas novas, mas as janelas estavam sempre imersas na escuridão. Eu olhava o vidro negro, elas me fitavam de volta como olhos vazados. Ficava imaginando o que acontecera naquela casa para torná-la tão triste.

No começo daquele verão, quando o carro de minha avó virou na rua arborizada, eu sabia que havia algo diferente na casa ao lado. Os arbustos crescidos demais que, em geral, escondiam a casa e o jardim da rua tinham sido arrancados, permitindo a visão do chafariz com o garotinho fazendo xixi. Ao longo da cerca de ferro trabalhado, os hibiscos de um vermelho vibrante pareciam o bordado na bainha dos guardanapos de minha avó. Assim que o carro parou, fui correndo para a calçada quando vi o sr. Guidry saindo de ré pela entrada da garagem com seu Chevy Bel Air, as bandas brancas dos pneus brilhando sob a luz do sol.

Acenei para ele, fazendo-o parar o carro.

— Olá, sr. Guidry. Cheguei para a temporada de verão.

Percebi meu reflexo destorcido desaparecer quando ele baixou totalmente o vidro da janela.

— Bom dia, Aimee. Que bom ver você.

Senti um cheiro forte de colônia. Dei um passo para trás e fiz um gesto com a cabeça indicando o jardim dele.

— Gostei do que o senhor fez com as flores.

— Foi minha mulher que fez isso. Ela veio com um de nossos dois garotos. O mais velho virá juntar-se a nós quando terminar o semestre na escola. — Ele sorriu, os olhos, porém, continuavam sombrios. — Tenho que ir trabalhar agora. Vejo você mais tarde, Aimee.

Ele subiu o vidro da janela e saiu de ré até a rua Primeira, os pneus cantando no asfalto ao virar o carro na direção da rua Magazine.

Mais tarde, perguntei à minha avó por que a sra. Guidry tinha voltado, mas ela ignorou a pergunta, dizendo:

— O passado é melhor quando esquecido. Precisamos fazer com que a sra. Guidry se sinta bem-vinda para o bem do sr. Guidry.

Os lábios dela empalideceram com a pressão para mantê-los cerrados, ao bater a gaveta da cristaleira, chacoalhando toda a sua prataria bem arrumada.

Minha avó cumpriu a palavra e convidou formalmente a sra. Guidry para um chá na semana seguinte. Sentei-me no sofá amarelo de tecido áspero no salão de visitas de minha avó, usando uma gola alta e engomada que irritava o pescoço e me forçava a manter a cabeça ereta, os olhos fitando sempre em frente. Mas ela permitiu que eu usasse as pérolas de minha mãe; me senti muito adulta.

Quando Caroline Guidry adentrou a sala, pude sentir o perfume almiscarado antes que me virasse na cadeira para vê-la. Era a fragrância que eu tinha sentido no carro do sr. Guidry, algo estranhamente familiar. Adornando a cabeça, havia um chapeuzinho faceiro, ela trajava um vestido cinza de um tecido brilhoso e enrugado com uma gola avantajada e um cinto enorme na cintura delicada.

Acho que parei de respirar. Era a mulher mais bonita que eu já tinha visto, incluindo minha mãe. Senti-me meio culpada com esse pensamento, mas a sra. Guildry sorriu para mim, apagando todos os pensamentos de minha cabeça. O cabelo dela era negro, os olhos felinos azuis pareciam não perder nada e aquele sorriso acolhedor me fez sentir como se tivesse sido escolhida. Para o que, eu não tinha muita certeza, mas sabia que queria fazer parte daquilo.

De braço dado com ela, um menino mais ou menos de minha idade. Ao entrarem na sala, percebi quão frágil ele parecia. Os ossos da face saltavam das bochechas bronzeadas e cada passo seu era lento e intencional, como se fossem contados. Ele tropeçou e a mãe o segurou. Ele afastou a mão dela, zangado, e eu vi, de relance, os olhos dele — olhos desconfiados de um animal selvagem preso em uma jaula. Olhos de um azul-acinzentado, adornados por cílios pretos e cheios de fogo. Reconheci algo em seu interior e sorri.

Minha avó se levantou e caminhou na direção deles.

— Caroline, Garrick, permitam-me apresentar-lhes minha neta, Aimee Mercier.

Caroline Guidry sorriu para mim novamente com seus olhos de gato, olhando-me como se já me conhecesse. Pegou as pontas de meus dedos e apertou-os.

— Não é uma coisinha preciosa? E é a cara estampada da mãe.

Ela cheirava a cigarro e perfume forte. Shalimar. O mesmo perfume que minha mãe costumava usar. Eu sabia por causa do velho frasco sobre a penteadeira no quarto de meu pai. O líquido havia muito já tinha uma cor laranja-dourado, mas eu ainda o sentia nas roupas dela no closet dele. Pendi ligeiramente a cabeça para o lado.

— A senhora conheceu minha mãe?

Ela ergueu uma sobrancelha elegante.

— Éramos as melhores das amigas.

Os olhos dela se desviaram, ao dirigir-se para a cadeira ao lado daquela em que minha avó estava sentada. Ela se sentou e cruzou as pernas na altura dos tornozelos, expondo os sapatos de salto agulha que, tenho certeza, minha avó não aprovava.

Notei, então, o broche no corpete do vestido, na forma de um jacaré. Os olhos eram rubis e as escamas brilhavam com o esmalte e as pedrarias. A cauda terminava com uma ponta triangular afiada.

— Gosto do seu broche, sra. Guidry.

Ela o apertou de leve com a mão enluvada, como se estivesse tocando um amuleto da sorte ou algo parecido.

— Obrigada, querida. Foi sua mãe quem me deu, eu o considero minha marca registrada. Adoro jacarés, sabe. Eles me fazem lembrar de mim, suponho... muitas vezes mal compreendida.

Ela olhou de relance para minha avó, mas ela estava concentrada em servir o chá em suas valiosíssimas xícaras de porcelana húngara.

"Minha mãe." Eu queria perguntar mais coisas sobre isso a Caroline Guidry e por que minha mãe tinha dado o broche a ela, mas o menino ao lado dela inclinou-se levemente num cumprimento, a expressão séria.

— Como vai? — disse eu, num tom muito estudado e treinado comigo por minha avó, na véspera. Na verdade, o tom fora tão praticado que aquilo saiu com um sotaque britânico forte o suficiente para orgulhar a própria rainha.

O menino sorriu de forma afetada e retribuí do mesmo jeito. Bati com a mão na cadeira perto de mim, dizendo:

— Garrick, pode sentar-se aqui.

Quando ele se sentou, eu passei meu prato para ele.

— Tome um doce — eu não dizia aquilo para ser rude, mas minha avó tirava sempre essas coisas de meu prato para que eu não engordasse. E engordar era algo de que aquele garoto precisava urgentemente.

Ele pegou o doce e deu uma mordida e o creme espirrou de trás da crosta folhada, caindo em cima do casaco azul-marinho dele. Surpresos, os olhos azuis-acinzentados se ergueram, fitando-me.

Foi mais a expressão do que o creme caído no casaco que me fez rir e coloquei a mão na boca para que minha avó não visse. Ainda olhando para mim, Garrick raspou a porção de creme com o dedo e rapidamente limpou-o na frente de meu vestido de renda.

Olhei para baixo, vendo o creme espalhado, e observei, surpresa, que ele escorria lentamente pela frente do vestido, caindo em meu colo. Olhei para Garrick e ele sorriu. Eu sorri de volta e dei uma risada. Logo estávamos os dois às gargalhadas, empurrando o ombro um do outro, até que eu caí do sofá.

Minha avó apertou meus braços ao me erguer do chão. Garrick parou de rir.

— Aimee, será que já não é bem velhinha para agir dessa maneira?

Fiquei de pé, na frente dela, calando o riso. Ela se inclinou para mim e disse bem baixinho:

— Vá se limpar e, quando voltar, espero ver uma pequena dama amadurecida.

Minha avó me soltou rapidamente e eu senti os braços doloridos. Ela olhou de forma inquisitiva para a sra. Guidry, que tentava esconder um sorriso. Uma máscara pareceu encobrir-lhe o rosto e ela olhou para Garrick com dureza.

— E, Garrick, espero que você se comporte como um jovem cavalheiro.

Escapei pelas escadas, arriscando uma olhadela para trás. A sra. Guidry e Garrick olhavam para mim. Ela pestanejou, lembrando um gato despertando de um sono prolongado.

Gary e eu nos tornamos inseparáveis depois disso — passando todas as tardes juntos naquele longo verão de Nova Orleans, até eu voltar para a escola na Filadélfia. Na maior parte dos dias, descíamos de bicicleta a avenida St. Charles — devagar para que Gary não se cansasse demais —, atravessando o Audubon Park, cruzando a Magazine e os trilhos do bonde até a barragem, para ver o que encontraríamos flutuando no rio. Nos dias em que a chuva despencava sobre os carvalhos cheios de vida na St. Charles, subíamos até o ponto mais alto da casa de minha avó para assombrar um ao outro com histórias de fantasmas. Sentávamos no escuro com uma bandeja de crocantes de amêndoa e Coca-Colas, trazidas por Tia Roseanne pelos degraus íngremes e estreitos.

Tia Roseanne trabalhava para minha avó desde muito antes de eu nascer e era como uma parte do mobiliário, assim como as janelas com esquadrias de ferro. Nós a chamávamos de Tia Roseanne, embora eu jamais tenha sabido que tia era aquela. A pele dela era tão negra quanto os olhos de minha boneca de pano. Ao colocar a bandeja entre os dois com um olhar questionador, ela nos alertava sobre a invocação de espíritos. Eu queria que ela explicasse, que me dissesse como invocar espíritos para que eu pudesse falar com minha mãe de novo, para entender a morte dela. Mas Tia Roseanne só sacudia a cabeça, se benzia e me deixava com todas aquelas perguntas por responder.

Certa tarde, uma semana antes de eu partir, Gary apareceu para ver se eu queria apostar corrida de bicicleta até a barragem. Ambos tínhamos ganhado Schwinn Phantoms de aniversário; a dele era vermelha e a minha, preta, já que minha avó achava a vermelha muito chamativa para uma menina, e íamos a toda parte com elas o verão inteiro. Ela até me dera permissão para comprar uma calça jeans, porque concluíra que era mais decente do que uma saia para andar de bicicleta.

Relutante, abri a porta. Em uma tentativa frustrada de me tornar parecida com minha atriz de cinema favorita, Rita Hayworth, eu mesma tinha cortado meu cabelo. Jamais me ocorrera que cabelos ruivos, naturalmente encaracolados, não pareceriam com os dela.

Gary ficou ali na minha frente em silêncio, chocado. A boca aberta, porém sem palavras pela primeira vez desde que nos conhecêramos, os olhos fixos em meu cabelo. Bati a porta na cara dele antes que ele encontrasse algo para dizer e me afastei dela. Ele abriu a porta, com voz de riso.

— Nossa, Aimee, eu não quis encarar você. Só que você parece meio... diferente.

Fiquei magoada. O cabelo da mãe de Gary era exatamente igual ao de Rita Hayworth, exceto pela cor, e eu queria que o meu parecesse com o dela. Entretanto, enquanto o dela era negro como tinta e caía ondulado, emoldurando-lhe o rosto, o meu parecia mais com uma peruca de palhaço.

Sem conseguir fugir dele dentro de minha própria casa, corri, passando por ele e atravessando a porta. Agarrei a bicicleta, pulei nela e voei para a rua, pedalando o mais rápido que podia para chegar até a barragem. Gary veio atrás de mim numa perseguição desenfreada, tossindo e rindo. Gostei de ouvi-lo tossir. Queria que ele sufocasse até morrer.

Subi o meio-fio com a bicicleta e segui pela grama esparsa do parque, cerrando os dentes para evitar que quebrassem. Ao me aproximar da subida da barragem, saltei da bicicleta, deixando-a cair no chão. Furiosamente, pisei com vontade na direção do rio, subindo pela inclinação da barragem até chegar ao topo.

Um gato inchado jazia do lado, o pelo dele coberto de lama e moscas sobrevoando-o. Os olhos felinos enevoados estavam abertos, olhando sem conseguir ver aquele dia de verão. Andei lentamente até o gato e inclinei-me, as mãos apoiadas sobre os joelhos suados. As moscas zumbiam esfaimadas sobre a cara dele, a boca aberta, paralisada num sorriso felino estático.

Gary arrastou-se até onde eu estava, empurrando a bicicleta, respirando com dificuldade. Ele parou, numa tentativa de respirar profundamente.

— Aimee...

Eu ainda ouvia a risada na voz dele, uma ideia de vingança passou alegremente por minha cabeça. Sem pensar duas vezes, abaixei e peguei o gato pelas duas patas dianteiras. Com um gemido surdo, ergui-o no ar e rodopiei com ele, soltando-o assim que deu meia-volta no ar. Ele atingiu Gary no estômago e olhos dele se arregalaram, estranhamente semelhantes aos do gato morto.

Gary soltou a bicicleta e caiu de costas, os braços girando como um moinho de vento, com uma mancha de algo pegajoso na camiseta listrada de azul e branco. Ele balançou na beira da barragem, os braços abertos tateando, aí deslizou pela encosta rochosa na direção da água. Ficou deitado no lugar onde parou, olhando para o céu — rindo.

— Cala a boca!

Ele não parou. Eu ergui a bicicleta dele, arrastei-a pelas pedras abaixo e a tela aramada e aí atirei-a dentro da água. Gary sentou-se, finalmente em silêncio.

— Por que diabos você fez isso? — Ele se pôs de pé, cambaleando um pouco e olhando o guidão afundando lentamente na água lamacenta, a roda traseira ainda visível.

Toda a minha raiva se fora e eu caí em mim, consciente da coisa horrível que tinha acabado de fazer.

— Gary... Me perdoe. Vou compensar você... de alguma forma. Vou lhe dar a minha.

A bicicleta embicou para a frente, a roda de trás caindo sobre a dianteira conforme ela mergulhou mais fundo na água. Um grande galho de árvore emergiu como uma mão vingativa e agarrou-se nos raios da roda dianteira, interrompendo a descida da bicicleta pela forte correnteza do rio.

Gary deu um passo à frente sobre as pedras grandes, a água pelo tornozelo.

— Não vá, Gary! Lá é fundo... e a correnteza está forte de verdade.

Ele olhou furioso para mim.

— Eu sei nadar. E não está tão longe. — Deu mais um passo adiante, afundando até os joelhos. Eu não conseguia mais enxergar os pés dele.

— Por favor, pare... ninguém consegue nadar nessa correnteza.

Gary ignorou minhas súplicas e continuou entrando na água. Quando já estava na altura do pescoço, ele deu um impulso para nadar até a bicicleta.

Imediatamente, o rio impeliu-o para fora do curso. Ao ser empurrado, passando pela bicicleta, ele esticou uma das mãos e agarrou uma parte do galho, que saía de dentro da água marrom, escuro e escorregadio. A cabeça dele desapareceu debaixo d'água, aí reapareceu com os cabelos cheios de dejetos da poluição do rio. A água corrente formava redemoinhos em volta de Gary e da bicicleta. Se ele tentasse lutar contra o rio e voltar nadando para a barragem, o rio o venceria.

Ouvi passadas fortes na barragem atrás de mim e me virei para ver um menino de uns 17 anos correndo em nossa direção. O alívio fez meus joelhos fraquejarem e tropecei, mal me segurando para não juntar-me a Gary dentro da água. O garoto mais velho devia ter visto o que tinha acontecido, porque ele me afastou e foi direto para a beira da barragem.

— Garrick! Aguente firme! Vou tirar você daí!

O menino virou-se, os braços caídos ao longo do corpo, as mãos abrindo e fechando, enquanto vasculhava a área procurando por qualquer coisa que ajudasse Gary a ser puxado de dentro da água. Sem pensar duas vezes, desabotoei a blusa, os dedos suados escorregando nos botões de plástico. O garoto mais velho olhou fixo para mim e, então, seus olhos se arregalaram, compreendendo. Nem mesmo pensei em ficar constrangida. Eu ainda não amadurecera e meu bustiê de algodão branco era um simples estímulo.

Tirando pela cabeça a camisa abotoada até embaixo, ele pegou minha blusa e amarrou as duas peças de roupa. Sem hesitar, ele abriu o cinto e retirou-o das calças, juntando-o às roupas, criando uma única e comprida corda.

Fincando os pés nas pedras, ele arremessou a corda salvadora improvisada na água. Fiquei perto dele em cima das pedras escorregadias, alheia à água que encharcava meus sapatos. Vi minha blusa sob a superfície da água, avançando vagarosamente na direção de Gary como uma cobra d'água desbotada. Os dedos pálidos dele agarravam o galho e a cabeça pendia para trás dentro da água para manter a boca aberta. Os olhos dele estavam fechados e senti os primeiros tremores de pânico.

— Gary! Abra os olhos! Não está na hora de cochilar! — minha voz saiu quase gritando.

Ele abriu os olhos e deu um leve sorriso para mim. Deixei escapar um suspiro.

O garoto mais velho falou novamente:

— Gary, quero que você agarre essa blusa. Mas não solte o galho até que tenha segurado bem a corda, ouviu?

Gary assentiu, os olhos apenas duas fendas, um tom azulado ao redor da boca.

A mão dele se estendeu para alcançar a blusa e a perdeu, o braço balançando sem rumo dentro da água.

Eu me estremeci toda, minha voz esganiçada.

— Gary. Você tem de tomar impulso até poder ver a blusa. Dê tudo o que puder! Até vou deixar você me bater quando sair da água, ok? *Tente.*

A cabeça dele surgiu de dentro da água o suficiente para que seus ombros alcançassem a superfície por um breve momento. Ele avistou a manga da blusa, agarrou-a com uma das mãos e soltou o galho. A cabeça dele desapareceu na água lamacenta e eu me aprumei.

— Gary! — meu estômago embrulhou. Dei uma olhada de lado para o menino junto de mim e decidi que preferiria morrer do que me desgraçar ainda mais vomitando.

A cabeça dele reapareceu e eu improvisei uma Ave-Maria em silêncio antes de me dirigir para o lado do menino mais velho para ajudá-lo a içar Gary. Nós dois gememos em uníssono ao puxarmos. Ele estava muito mais pesado do que deveria. Gary era pequeno e provavelmente pesava apenas uns 40 quilos, encharcado e de sapatos. Foi então que percebi sua outra mão agarrada na bicicleta.

Eu gritei.

— Solte a bicicleta, Gary... vai ser mais fácil.

Ele abanou a cabeça e chutou as pernas para a superfície, mas continuou agarrado ao guidão da bicicleta. Segurando a corda improvisada, começamos a andar para trás, quando Gary se aproximou do lado da barragem. O menino mais velho virou-se para mim, seus olhos se estreitaram.

— Você pode ficar aqui e segurar firme isto para mim? Vou chegar um pouco mais perto.

Eu assenti, desafiando meu corpo a fraquejar. Meus ombros foram puxados para a frente quando ele soltou, fazendo com que meus pés calçados com tênis deslizassem pelas pedras escorregadias e pela tela de arame, mas consegui firmar os pés. O garoto começou a puxar a corda com Gary pendurado na ponta. Ouvi um grito de triunfo quando ele agarrou Gary pela camisa.

O menino mais velho ergueu Gary e a bicicleta e ora os carregava, ora os arrastava pela encosta pedregosa até o topo da barragem. Ele atirou a bicicleta de lado e deitou Gary onde o gato tinha estado. Os olhos de Gary estavam fechados e ele era sacudido por uma tosse incontrolável, ansiando por ar. Eu engatinhei até ele e o virei de lado. Recuei ao ver borbulhas de água lamacenta saindo do canto de sua boca.

O garoto mais velho estava ocupado tentando desatar as calças ensopadas da corda improvisada. Ele se sentou de cuecas e camiseta branca, o cabelo preto molhado formando um "v" na testa. Por meus olhos semicerrados, ele se parecia com fotos que eu tinha visto de Bela Lugosi no filme *Drácula*. Não sei se foi uma reação de choque natural, mas ver um vampiro sentado na barragem de roupas de baixo me pareceu escandalosamente engraçado.

O primeiro acesso de riso estourou como uma bolha; o resto, veio aos borbotões. Eu nem podia respirar, então me deitei no asfalto ao lado de Gary, o sol queimando minha pele. A poça d'água que se formou ao redor dele escorreu em minha direção e acumulou-se no assento, molhando meu jeans. Ainda rindo, me virei para encarar Gary. Os olhos dele permaneciam fechados, mas eu pude perceber a sombra de um sorriso nos lábios dele.

— Por que diabos você está rindo? Podia ter matado meu irmão!

A palavra "irmão" enxugou minha risada como uma esponja. Eu me sentei, olhando para a sombra projetada que me encobriu quando o menino mais velho se levantou. Ele tinha conseguido colocar as calças molhadas e os cabelos para trás da testa, desfazendo todos os meus pensamentos vampirescos. Eu o fitei, estupefata. Aquele era Wesley, irmão mais velho de Gary, devia ter chegado naquele dia da escola secundária no norte. O mesmo irmão sobre quem Gary tinha falado com tanto temor, que eu estava meio convencida de que não existia, apesar de a casa dos Guidry estar repleta de fotos dele.

Entretanto, o menino na minha frente não parecia com aquele das fotografias planas, unidimensionais. Wesley, em carne e osso, era algo que realmente merecia ser visto. Com apenas 17 anos, media mais de 1,80 m, com ombros largos e pernas musculosas. Eu podia enxergar um pequeno tufo de cabelo escuro saindo pelo decote da camiseta, e a voz dele era profunda como a de meu pai. Pisquei duas vezes, pensando em como ele se parecia com os artistas de cinema de quem Tia Roseanne sempre falava na revista *Life*.

— Tome. — Ele empurrou a blusa encharcada em minha direção.

Eu a agarrei e agachei, sentindo o formigamento revelador em torno dos olhos. Minha avó sempre dizia que eu parecia o Frankenstein quando chorava, eu não deixaria que ele me visse daquela forma. Engoli com força antes de falar, virando-me e enfiando os braços na camiseta molhada.

— O que quer dizer? Ele é que foi idiota o suficiente para pular dentro do rio. — Olhei Gary com uma expressão zangada. — Caramba, Gary... como pôde ser tão burro? — Ajoelhei-me perto dele.

Gary tinha conseguido se sentar e abraçar os joelhos. Descansou a testa sobre eles e disse com voz fraca:

— Verdade, Wes, foi culpa minha. Por favor, não a meta em confusão. — Ele respirou fundo, num sorriso aberto. — Além disso, peguei a bicicleta.

Wes olhou para mim e depois para Gary.

— Ainda acho que temos que contar aos pais dela. — Os olhos dele vaguearam até meu peito achatado. — Não é tão velha assim para escapar de uma boa surra, a meu ver.

Desafiante, espichei o queixo.

— Você não pode contar a meus pais. Eles não moram aqui e eu tenho praticamente 12 anos.

Gary olhou para cima.

— É mesmo. Ela está na casa da avó dela... a sra. Mercier, a vizinha ao lado.

— Gary! — Eu o atingi com um olhar ferino.

Ele voltou com a cabeça para os joelhos.

— Desculpe — a voz dele soou abafada.

Wes me olhou de volta, os olhos azuis brilhantes sob as sobrancelhas escuras. Os cílios molhados tornaram-se pontinhos por sobre os olhos, como uma coroa. No canto da boca, um sorriso retorcido.

— Você com certeza não parece ter 12 anos. — Balançou a cabeça, como que tentando se recompor. — Tudo bem. Mas você tem que prometer que será mais cuidadosa com ele. Ele é, bom, ele é frágil.

— *Não sou*! — Gary levantou a cabeça e eu fiquei aliviada de ver sinais vivos de cor nas bochechas dele. — Apenas fico cansado, às vezes... não é como se tivesse uma doença.

Wes agachou-se sobre os quadris em frente a Gary.

— Não foi o que eu quis dizer. É só que você se cansa com facilidade... e seus amigos precisam saber disso. — Ele me olhou de relance. Wes colocou Gary de pé. — Vamos. Vou levando sua bicicleta até em casa para você.

Gary deu um empurrão em Wes.

— Não sou um inválido. — Ele encaminhou-se de modo arrogante em minha direção, o cabelo crespo arrepiado. Ao se aproximar, afastou o braço para trás e atingiu meu ombro com um soco forte.

Eu cambaleei para trás.

— Aiii! Por que você fez isso? — toquei o ombro machucado e fiquei imaginando como ia explicar a mancha roxa para minha avó.

— Porque não sou um inválido. — Ele esfregou os dedos articulados e sorriu de leve para mim. — Além disso, você disse que eu poderia fazer isso.

Wes jogou a cabeça para trás, numa gargalhada.

— Ela disse mesmo!

Eu queria ficar brava com Wes por não se colocar do meu lado. Ele era mais velho e sabia muito bem que um cavalheiro não deveria bater em uma dama. Não me ocorreu que talvez ele não tivesse visto uma dama quando olhara para mim. Ao contrário, vira uma criança esquelética, de peito achatado, de pernas longas e finas e um cabelo ruivo que não sabia ficar preso num rabo de cavalo. No entanto, não consegui ficar zangada com ele. Minha voz estancou na garganta. Eu pude sentir um fogo crepitando por meu pescoço até as maçãs do rosto ao olhar para ele, de camiseta molhada colada no peito.

Envergonhada com meus pensamentos e ainda mais perturbada que ele pudesse notar minha cor, que eu sabia que me fazia parecer um rabanete azarado de cabelo vermelho, marchei à frente dos dois. Agarrei minha bicicleta e botei para fora o insulto de aspecto mais adulto que pude encontrar.

— Espero que as bolas de vocês caiam na noite de núpcias! Dos dois!

Pulei na bicicleta e pedalei o mais rápido que pude até não conseguir mais ouvir o som das risadas deles.

Julie

Depois de bater à porta, Kathy Wolf entrou no quarto trazendo uma pequena bandeja com um copo d'água e uma pequena xícara de plástico com duas pílulas brancas dentro.

— Está na hora de tomar suas pílulas, sra. Aimee.

Aimee tocou de leve em Kathy.

— Não sou uma idosa frágil. Cometi o erro de dizer a meu médico que meu quadril doía, agora tenho de tomar esse remédio. Não gosto disso. Ele me deixa cansada e não acho que esteja pronta para ficar passando tardes na cama.

Kathy deu-lhe as pílulas.

— Sra. Aimee, a senhora tem uma consulta na próxima semana, então poderá falar de suas preocupações. Por ora, tem que tomar as pílulas.

Eu me espichei da posição em que estava na cadeira e observei Kathy ministrando a medicação, percebendo como sentia as bochechas doendo como se estivesse sorrindo por muito tempo, enquanto escutava Aimee falar.

Quando entregou o copo d'água a Aimee, Kathy disse:

— Está pronta para receber o Beau agora? Acho que o Trey o cansou bastante brincando de pega-pega lá fora.

— Gostaria de ter visto isso — disse Aimee, colocando o copo de volta na bandeja, ecoando pensamentos. — Sim, por favor, mande o Beau aqui para cima.

Com um sorriso, Kathy saiu e eu me vi ainda perdida em um dia quente de verão, 60 anos atrás.

— Então, se a Caroline Guidry era sua sogra, com qual dos filhos a senhora se casou: Wes ou Gary?

Os olhos de Aimee pareciam mais escuros, como se eles também ainda estivessem vendo pessoas e acontecimentos de longa data. Ao falar, ela não respondeu à minha pergunta, e só mais tarde me ocorreu imaginar se aquilo tinha sido intencional.

— Depois daquele primeiro verão, a maior parte dos verões que passei com os Guidry foi em Biloxi.

Ela olhou para as mãos pousadas no colo, uma aliança de ouro puro na mão esquerda como única joia.

— Acho que as pessoas gostam de um lugar por causa daqueles que encontram ali. Amo Nova Orleans, em grande parte porque minha mãe amava e agora porque é meu lar. Mas eu amava River Song pela mesma razão que a Mônica. Porque o lugar fazia com que nos sentíssemos felizes. — Ela fez uma pausa por um momento. — E seguras.

Inclinei-me para frente.

— Por que a senhora e a Mônica precisavam se sentir seguras?

Uma nova batida na porta e Beau entrou correndo, jogando-se em cima de mim. Eu o abracei, sentindo o cheiro de garotinho suado e xampu de bebê. Olhei para cima, alarmada, quando vi que ele não estava com o chapéu vermelho. Antes que eu dissesse alguma coisa, Trey entrou na alcova da cama, segurando o chapéu no alto.

— Não se preocupe, estou com ele. O Beau me entregou para que pudesse colocar as duas mãos no chafariz.

Tentei ficar calma.

— Você o deixou se aproximar do chafariz?

Ele me olhou com desdém.

— E consegui mantê-los a salvo, tanto o garoto quanto o chapéu. Acho que isso significa que não sou totalmente incapaz.

— Olha o que o tio Trey me deu!

Beau desvencilhou-se impacientemente de meus braços e, com o lábio inferior apontando para baixo, olhou para o peito e para o colar cheio de contas cintilantes, aparentemente de metal, douradas, vermelhas e roxas. Da ponta do colar, pendia um medalhão de plástico parecendo um deus romano com uma taça de vinho e cachos de uvas contornando o círculo. Embaixo, impressas as palavras: Krewe of Bacchus 1987. [Parada de Baco 1987]

— É muito bonito, Beau. Você disse "obrigado"?

Beau assentiu.

— Sim. E ele disse que toda vez que repartir meu chocolate com ele eu vou ganhar outro desses.

Levantei o olhar para Trey. Ele ergueu os ombros.

— A Kathy não me diz onde guarda as guloseimas, portanto, tenho que recorrer a métodos escusos para obter o que quero.

As palavras dele foram ditas com leveza, mas senti a parte de trás da nuca formigar. Levantei-me e peguei Beau pela mão.

— Beau, esta é sua bisavó. Ela e sua mãe se gostavam muito.

Aimee deu um tapinha do lado da cama.

— Venha sentar-se, querido, vamos conversar um pouquinho. E você pode me chamar de sra. Aimee como todo mundo.

Por um momento, pareceu que Beau hesitava. Aguardei, com a mão no ombro dele, até que ele se adiantou e voluntariamente subiu os pequenos degraus ao lado da cama alta. Trey entregou-lhe o chapéu.

Observei Aimee colocar sua mão na de Beau. O rosto dela brilhava como se estivesse reconhecendo alguém que não via há muito tempo.

— Qual é a sua cor favorita, Beau? — Aimee perguntou com voz cativante.

Sem hesitar, ele disse:

— Vermelho. — Apesar do polegar que conseguira manter enfiado na boca.

Trey tocou em meu cotovelo, fazendo-me virar. Ele cruzou os braços e falou devagar.

— Ela convenceu você a vender para mim?

— Nem um pouco.

Fechei os olhos por um momento, relembrando o que Aimee me havia dito. "Talvez porque ela pensasse que você teria muito mais a reconstruir do que apenas uma casa." Respirei fundo e disse:

— Ela acha que a Mônica gostaria que eu reconstruísse River Song. Para o Beau. E não acredito que esteja dizendo isto, mas penso que ela pode estar certa.

O olhar de Trey endureceu.

— Sou irmão da Mônica. Sou mais do que capaz de reconstruir a casa como herança dela para o Beau. Não consigo pensar em nenhuma razão para que qualquer das duas ache que você seria mais capaz do que eu.

Eu o encarei.

— Talvez porque eu esteja lidando com o desconhecido há muito mais tempo do que você, mas às vezes acho que é menos importante saber por que e, em vez disso, talvez tentar se concentrar em seguir em frente.

— Percebo como, até agora, isso funcionou bem para você. Ficou tão concentrada em encontrar sua irmã que me parece que deixou o resto da sua vida se perder.

Raios de luz pipocaram em minha cabeça, a raiva profunda quase me cegando. Ele não tinha ideia do que tinha sido tudo aquilo, do que era ser a única a estar ainda procurando. Eu sabia que não queria reconstruir River Song, sabia que não tinha interesse nem experiência, sabia que não era o tipo de pessoa que conscientemente desafiaria o destino e construiria sobre areia movediça próximo ao mar aberto. "Talvez porque ela pensasse que você teria muito mais a reconstruir do que apenas uma casa."

— Julie?

Voltei a atenção para Beau.

— A sra. Aimee disse que já acabamos por ora, mas amanhã ela vai me deixar brincar no chafariz e a estátua fazer xixi em mim.

Eu controlei a respiração, achando mais fácil me acalmar se desse as costas para Trey enquanto ele saía do quarto, a raiva dele esquentando a atmosfera.

— Isso parece divertido. — Forcei um sorriso. — Embora possamos não estar aqui amanhã...

— Eu estava só pensando — Aimee interrompeu — que talvez você e o Beau devessem ficar aqui comigo. Faz muitos anos que esta casa não vê crianças e quero ficar o máximo de tempo possível com o Beau, para compensar os primeiros cinco anos de vida dele.

— Não creio que...

Aimee ergueu a mão.

— Você não precisa decidir de imediato. Pense sobre isso à noite no hotel e diga-me amanhã. Entendo que você precisará de um lugar para o Beau ficar quando estiver envolvida com River Song.

Franzi o cenho.

— Eu não...

— Você não tinha que fazê-lo. Pude ver pela expressão do Trey. Por favor, seja paciente com ele, Julie. Ele sofreu um terrível abalo. Ele e a Mônica eram unidos como gêmeos.

Baixei a cabeça, tentando conter a raiva para Aimee não perceber. Beau inclinou a cabeça sobre meu quadril e começou a chupar o polegar de novo.

— Ligo para a senhora amanhã com uma resposta. E para falarmos sobre o retrato. Peguei Beau pela mão e o levei até a porta, o chapéu vermelho imprensado entre nós dois. — Sra. Aimee, a senhora nunca respondeu à minha pergunta. Sobre a Mônica e a senhora precisarem de um lugar onde se sentissem seguras.

Os olhos azuis da velha senhora se tornaram sombrios.

— Acho que você vai ter que voltar para ouvir o resto da história.

— Ela vai me dizer por que a Mônica foi embora?

Aimee ergueu levemente os ombros.

— Talvez. Espero que você tenha as peças que faltam para que possamos juntá-las.

— Mas e se eu não voltar?

Aimee virou a cabeça sobre o travesseiro e fechou os olhos, um leve sorriso pairando nos lábios.

— Você vai, sim.

Fitei-a por um longo momento antes de me virar e sair do quarto, fechando a porta silenciosamente atrás de mim.

Capítulo 7

Efeito Fujiwhara: a tendência de dois ciclones tropicais próximos orbitarem um em torno do outro.

— Centro Nacional de Furacões

Julie

Dois dias mais tarde, mal havia amanhecido quando voltei à familiar vaga de carro no meio-fio da rua Primeira e, delicadamente, ergui um Beau sonolento do banco de trás. Trey nos encontrou no portão do jardim, mantendo-o aberto com uma das mãos e segurando uma xícara de café fumegante com a outra. Ao som da fonte no jardim, Beau levantou a cabeça para olhar a estátua do garotinho fazendo xixi.

— Sem grandes ideias — avisei, enquanto subia as escadas da frente para a porta aberta.

Aimee estava lá dentro usando jeans, Keds branco, camisa xadrez de manga comprida e um chapéu de palha de aba larga. Ela abriu os braços para Beau e, quando o coloquei no chão, ele correu para ela.

— Lembre-se do sorvete que me prometeu, sra. Aimee!

— Eu lembro — ela disse antes de se virar para mim. — Vamos fazer um pouco de jardinagem hoje. Gosto de ficar ao ar livre antes que o sol fique muito forte. O Xavier deve chegar logo.

— Xavier? — perguntei.

— Sim. O filho da Ray Von. Pensei que ela o tivesse mencionado. Ele trabalha para os Guidry desde o Furacão Camille, o que o torna mais velho que a poeira, suponho. — Ela desarrumou o cabelo de Beau. — Ele é um mágico quando se trata de flores e paisagismo, e, enquanto disser que é novo demais para se aposentar, tem um lugar aqui.

Lembrei-me do homem com a cicatriz no rosto e um único olho verde e contive um tremor. Aimee continuou: — Imagino que vamos nos exaurir até a Kathy chegar, às onze e meia; aí, vamos almoçar e tirar um longo cochilo de modo que ele esteja restabelecido e bem quando você e o Trey voltarem da visita a Biloxi. Mandei a Kathy arrumar um quarto para vocês do outro lado do corredor, em frente ao meu. — Ela piscou para Beau. — Você me disse ontem que gostava de LEGO, então seu tio e a Kathy gastaram muito tempo rodando a cidade para ter certeza de que o quarto seria de seu agrado.

Beau retribuiu o sorriso quando olhei de soslaio para Trey, tentando imaginá-lo indo a lojas de cama e mesa e brinquedos para fazer um menino órfão de 5 anos feliz.

Aimee olhou de novo para mim.

— Sei que vir aqui é um voto de confiança de sua parte. E estou agradecida.

— Não completamente.

Corei. Gostava de Aimee, não apenas pelo que Mônica tinha me contado. Gostava dela pela forma como aceitara Beau sem questionar. Pelo modo como me aceitara. Mas a questão quanto à partida de Mônica pairava entre nós como um tigre adormecido, manso até ser acordado.

— Liguei para meu advogado e ele me assegurou que a guarda do Beau é um vínculo jurídico. Posso ser contestada em um tribunal de justiça, o que levaria tempo. E, se tal coisa ocorresse, poderia ter a custódia até que... ou a menos que... haja uma decisão no sentido de invalidar o testamento da Mônica. — Desviei o olhar, incapaz de encarar Aimee. — Ele também fez uma verificação dos antecedentes e me disse que não achava que houvesse risco de fuga por parte de vocês.

— Não, não imagino que haja. — Olhei e vi um pequeno sorriso surgindo no canto da boca da velha senhora. — Você trouxe sua bagagem?

— Sim, está na van. Vou pegá-la.

Trey me entregou a caneca de café.

— Segure aqui, eu vou buscar a bagagem. A van está destrancada?

— Sim. Não há muita coisa lá... provavelmente você trará tudo em uma viagem.

Ele me olhou, os olhos rasos.

— Não deixe seu carro destrancado. Nem por um minuto. Assim como em Nova York. — Ele olhou para a caneca em minha mão. — Tem mais café e canecas na cozinha. Sirva-se.

Ele abriu e fechou a porta rapidamente, deixando entrar uma lufada de ar cálido que refrescou minhas bochechas quentes. Brincando com a caneca, virei-me para Aimee.

— Insisto em lhe pagar um aluguel... tenho algum dinheiro na poupança e terei mais tão logo o quadro seja vendido. — Fiz uma pausa por um momento. — Tem certeza de que não tem objeções quanto a isso? Se a Mônica o levou sem sua permissão, então legalmente ela não poderia dá-lo para mim em testamento, porque ele ainda pertence a você.

Olhei quando Beau se dirigiu ao console da entrada, onde estavam dispostas várias peças George Ohr. Enquanto examinava com atenção um pequeno jarro, ele mantinha as mãos unidas atrás das costas, conforme tinha ensinado a ele nas frequentes visitas a casas de leilões com Mônica.

— A Mônica deve ter querido que ficasse com o quadro, Julie, porque o deixou para você. Eu ficaria feliz em saber que os desejos dela foram atendidos.

— Mas é um retrato de sua sogra, a bisavó do Trey. Com certeza, quer mantê-lo na família.

Com desdém, Aimee realizou um aceno com a mão feita em salão de beleza.

— Meu marido jamais gostou. Odiou o quadro quando o pendurei em casa. E seu pai, antes dele, o escondera no sótão. Não posso dizer que haja nenhum sentimento pelo quadro. Conheci a Caroline, claro, mas ela sempre foi um enigma para mim. — Os olhos dela se estreitaram levemente. — Ela não era... benquista em todos os lugares. Tinha muitos gostos e ideias cosmopolitas para uma mulher sulista dos anos 1950. Conformismo não a atraía, e naquela época conformismo era tudo.

Ela começou a ir na direção da cozinha e com voz serena, disse:

— Acho que é por isso que a Mônica levou o retrato... por saber que tinha grande valor monetário, mas não sentimental.

Acompanhei-a até a cozinha brilhante com gabinetes de madeira frisada, utensílios de aço inoxidável e bancada de granito preto.

— Então, se vendê-lo, pagarei pela estada até que possa arranjar uma situação mais permanente para o Beau e eu. Ele é um menino de 5 anos, só começará o jardim de infância no próximo outono. Seria bom que isso nos desse tempo suficiente para solucionar tudo.

Ouvimos Trey entrar com a bagagem e encaminhar-se para as escadas. Ensaiando uma certa leveza, gritei:

— A sacola do LEGO e a mochila são do Beau; a mala marrom é minha.

Ele parou por um momento.

— Vá e tranque a van para que não seja roubada. Sairemos na minha caminhonete.

— Ele é sempre tão amigável? — perguntei enquanto me servia de uma xícara de café depois de Aimee ter recusado.

— Apenas quando ele está triste ou se considera ameaçado; acho que neste momento devem estar acontecendo as duas coisas — disse Aimee, conforme nos encaminhávamos de volta ao vestíbulo.

Franzi o cenho e fui até Beau, que estava de pé muito próximo a uma tigela rasa, com um brilho metálico como pérola, refletindo um arco-íris de luzes e cores.

— Quando conversamos ontem, o Trey me disse que queria que fôssemos a Biloxi hoje "para manter a bola em jogo" e que tínhamos um encontro com um construtor às dez horas da manhã. Mas você sabe exatamente aonde ele planeja me levar? Tenho para mim que, se eu não voltar com ele, você saberá o que dizer à polícia.

Os olhos de Aimee brilharam.

— Uns amigos nossos de longa data, os Kenney, possuem uma empresa de construção em Biloxi, a Kenny-Moise Construtores, Inc. Na verdade, a mesma família que ajudou a restaurar River Song após o Camille, embora agora sejam o filho e a nora da família e não mais o pai. O Trey vai querer discutir os planos da construção, o valor do seguro, os cronogramas e esse tipo de coisa. E acho que ele espera desencorajá-la do projeto como um todo.

— E nisso ele está certo — disse eu, afastando Beau da mesa. — Mas estou trazendo um dos pequenos quadros da Mônica de River Song e algumas fotografias para orientar o projeto. Não creio que ela gostaria de mudá-la e espero que o Trey ache o mesmo.

Trey desceu as escadas.

— Devemos estar de volta pela hora do jantar, caso contrário, telefono. — Ele beijou Aimee no rosto e passou a mão pelo cabelo de Beau. — Não se divirta muito sem mim agora, ouviu?

Beau deu um risinho e Aimee sorriu.

— Vamos tentar.

Ajoelhei-me em frente a Beau.

— Você decorou o número do meu celular, né? Qualquer coisa, ligue. — Abracei e beijei Beau antes de me dirigir para a porta da frente. Antes de chegar do lado de fora, virei-me para Aimee. — Algum dia você vai me dizer com qual dos irmãos você casou?

— Imagino que sim. Conversaremos de novo quando você voltar. Há tanta coisa que preciso lhe dizer...

Concordei.

— Está certo. Então a verei na volta.

Segui Trey porta afora, e, quando a fechei atrás de mim, pensei ter ouvido Aimee dizer algo. Só quando estava subindo no assento do carona na caminhonete de Trey que compreendi o que era. "Há tanta coisa que você precisa saber..."

Quando eu tinha 10 anos e Chelsea em torno de 8, nossos pais nos levaram, junto com nosso irmão mais velho, para Cape May, Nova Jersey, para ver o oceano pela primeira vez. Fiquei descalça na praia, sentindo a areia desconfortável entre meus dedos dos pés, cada dedo se contorcendo para escapar. A arrebentação batia, me fazendo recuar, insegura e com medo. Mas Chelsea correu em direção a ela, a face exposta ao sol, e se jogou na água. Ela emergiu com o cabelo colado à pele, com histórias de como era calmo e tranquilo sob as ondas, quão escuro, lembrando-a de um mundo secreto onde todos os erros passados eram esquecidos e tudo que era antigo se renovava. Mas eu só conseguia pensar na imensidão do oceano e achar que, se fosse longe o suficiente, cairia da borda. E como tinha sentido os pés muito, muito gelados enquanto tentava escapar dele.

A hora e meia de viagem até Biloxi foi silenciosa, exceto pela constante mudança de estações no rádio que Trey fazia, alternando entre rock clássico, country e informações. Parecia ter menos a ver com seu gosto pela programação e mais com sua relutância em falar comigo.

Passei o tempo olhando pelo vidro aberto, apreciando o calor de setembro e a paisagem que não visualizara completamente em minha viagem anterior, por estar dirigindo.

Ele atravessou o lago Pontchartrain, um nome que queria saber pronunciar, mas decidi não perguntar a Trey, e em seguida passamos por pântanos e florestas de pinheiros, conforme a interestadual seguia a linha da costa. Em determinado ponto, em um estirão da autoestrada do qual eu não conseguia ver nem o começo nem o fim, algo comprido e estreito se estendia à frente no acostamento, refletindo a luz do sol. Conforme nos aproximamos, semicerrei os olhos, tentando obter uma visão melhor do que estava na lateral da estrada, pensando por um momento que fosse um veado grande.

Estiquei o pescoço enquanto passávamos por ele, surpresa por ver o grande focinho e o dorso enrugado de um jacaré, com uma mancha de sangue na parte inferior, pálida e parcialmente exposta. Trey nem virou a cabeça.

— Era um jacaré atropelado?

Trey meneou a cabeça afirmativamente, tomando um gole de café que comprara em um McDonald's *drive-through*.

— Vemos isso de tempos em tempos.

Recostei-me, comprimindo a cabeça contra o assento.

— Lá no norte só tem veados e vez por outra um cachorro ou gato no acostamento.

A lateral do rosto dele enrugou-se.

— É, bom, as coisas são um pouco diferentes aqui embaixo.

Senti o peito apertar ao me lembrar de Mônica dizendo a mesma coisa.

Passamos por placas indicativas de cidades cujos nomes soavam familiares: Waveland, Long Beach, Baía de St. Louis. Não sabia ao certo por que me eram familiares, mas calculei que Mônica os teria mencionado ou eu os ouvira na cobertura televisiva pós-Katrina. Mas quando os li quis dizê-los em voz alta, para deixar os nomes saírem de minha boca como uma receita muito saboreada e ansiosamente aguardada. Em vez disso, permaneci em silêncio, ciente da presença preocupada de Trey no assento ao lado e de como me sentia muito deslocada no meio de jacarés e lugares com nomes estranhos.

Deixei que minhas pálpebras se fechassem e meu corpo se embalou com o ritmo dos pneus na estrada. Quando acordei, não tinha noção de quanto tempo tinha dormido ou por que Trey e eu não deveríamos estar conversando. Mas me lembrei de meu sonho; ainda era tão vívido ao acordar que, quando olhei pela janela da caminhonete, esperava ver a casa, com suas colunas brancas refletindo a luz do sol de modo a quase me cegar.

— Por que a casa se chamava River Song? — perguntei, fechando os olhos para protegê-los da luz do sonho.

Ele não respondeu de imediato. Finalmente, disse:

— A Mônica escolheu o nome. Achava que precisava de um, imagino. A casa existia desde os idos de 1840 sem um nome, mas isso não servia para a Mônica. E nem era uma casa tão grandiosa ou uma que necessitasse de um nome. Apenas uma casa rústica típica, construída mais para conforto do que para exibição.

— Isso é o que ela amava no lugar — eu disse, esquecendo-me por um momento de com quem estava conversando.

Trey olhou para mim, com olhos inquisitivos.

— Sim. Ela gostava disso. — Ele concentrou-se na estrada à frente quando falou novamente. — Ela lhe contou muito sobre si mesma e a família, imagino. Muitas coisas pessoais.

Mexi-me no assento.

— Sim. Ela contou. E eu contei-lhe muito sobre mim e minha família. Nós duas levamos vidas bem isoladas. Imagino que tenha sido por isso que nos unimos inicialmente. Mas nós parecíamos compreender o que poderíamos compartilhar e o que não deveríamos discutir.

Ele ficou em silêncio por um longo tempo.

— Alguma vez ela lhe disse por que tinha ido embora?

Passamos por uma placa na autoestrada que indicava a saída East Beach Boulevard. Balancei negativamente a cabeça.

— Não. Perguntei a ela... várias vezes. Ela nunca quis falar sobre isso. — Olhei fixo para a lateral do rosto de Trey. — Sei que vocês dois eram próximos. Que a Aimee e a Mônica eram mais como mãe e filha, que a Aimee praticamente criou vocês dois. Não posso acreditar que nenhum de vocês saiba por que a Mônica simplesmente empacotaria suas coisas um dia e partiria sem explicação nenhuma.

— Nem eu — disse ele calmamente. Sem olhar para mim, acrescentou: — No entanto, é interessante. Porque também acho difícil acreditar que alguém que ela conhecesse bem o suficiente para confiar a guarda do próprio filho não merecesse confiança suficiente para saber a verdade.

Senti uma raiva familiar começar a queimar na garganta como bile, mas me mantive firme.

— Imagino que isso nos torne quites, então, não?

Ele tomou um gole do café como se não tivesse me ouvido. Quando finalmente falou de novo, foi sobre a casa.

— O rio Pascagoula não é muito longe daqui e é chamado de Singing River. É de onde veio o nome.

— Isso é bonito. Mas por que se chama assim?

— Porque próximo ao anoitecer, e no final do verão e no início do outono, faz o som de um enxame de abelhas. Como ninguém foi capaz de dar uma explicação científica, então as pessoas consideram a lenda verdadeira. Eu sei que a Mônica acreditava.

— Na lenda?

Ele dobrou no sinal e entrou na pista mais distante, preparando-se para sair na interestadual.

— Eles dizem que os índios da tribo Pascagoula escolheram se afogar no rio em vez de serem mortos ou escravizados por seus inimigos mortais, os biloxis. Eles cantavam conforme caminhavam para a morte, homens, mulheres e crianças, e esse é o cântico que as pessoas dizem ouvir.

— E a Mônica acreditava nisso?

— Ela disse que acreditava. Quando a Ray Von lhe contou a história, isso a fez chorar por dias. E foi somente depois que a Aimee permitiu que ela desse um nome à casa em sua homenagem que ela parou. Mas essa era a Mônica. Não podia tolerar injustiça ou desonestidade de nenhuma espécie. Acho que temos que agradecer a nossos pais por isso.

— Por causa do divórcio deles.

Ele me olhou rapidamente.

— Sim, e por tudo aquilo que aconteceu antes disso. Eles nunca se contiveram, mesmo com a Mônica na sala. Eu reagia socando a primeira pessoa que me olhasse de modo errado. A Mônica reagia... bom, tornando-se uma boa criança de verdade. Honesta e justa. Era como se ela sentisse que, se fosse boa, eles não gritariam tanto um com o outro.

Recostei a cabeça no assento e fechei os olhos por um momento, lembrando-me de minha própria família e de como cada membro reagia de modo tão diferente quando defrontado com a mesma calamidade.

— Ela ainda era assim. Em Nova York. Mesmo quando não podia pagar o aluguel, ela nunca passava por um mendigo sem dar algo a ele.

Ele desligou o rádio, então esperou um momento antes de falar, como se cada palavra tivesse que ser medida e pesada primeiro.

— Você alguma vez falou com a Mônica sobre sua irmã?

Senti como se uma pedra rolasse sobre meu coração, vendo pela primeira vez o homem próximo a mim não apenas como um adversário, mas como alguém que conhecesse uma menina perdida e buscasse por ela, não sabendo por anos para onde ela tinha ido.

— Sim. Falei. Muito, no início.

Um tique apareceu no maxilar.

— E ainda assim você não a persuadiu a nos procurar?

O peso interior foi posto de lado quando me virei para ele.

— É claro que tentei. Por isso paramos de falar a respeito. Não havia nada que eu pudesse dizer ou fazer que a convencesse do contrário.

Fiquei constrangida ao sentir as lágrimas pressionando minhas pálpebras e virei a cabeça para o lado, olhando os pinheiros altos a passar por nós. Mesmo zangada como eu estava, podia ouvir a desolação na voz dele, a completa perda e falta de compreensão, e pela primeira vez comecei a acreditar que talvez Trey não soubesse o porquê.

— Perdoe-me — ele disse, com voz baixa.

Muito perto das lágrimas, apenas assenti.

Saímos da interestadual e nos dirigimos para Beach Boulevard, a autoestrada de quatro pistas divididas que corria paralelamente à praia. Em minha viagem anterior, eu estava muito nervosa e exausta para notar algo além dos nomes das ruas e o endereço da casa que eu ainda não sabia que não existia mais. Não me lembrava de ver a areia branca e o brilho da água, nem as imponentes casas que desafiadoramente faceavam a praia — casas imprensadas entre lotes vazios com degraus que levavam a lugar nenhum.

Virei para Trey.

— Estamos indo ao local da casa primeiro? Ainda temos mais de uma hora antes de nosso compromisso com os empreiteiros.

— Mais tarde. Apenas imaginei que você precisasse conhecer mais Biloxi para realmente avaliar no que está se metendo.

Olhei para a lateral do rosto dele, a estrutura determinada de seu queixo lembrando-me bastante Mônica e Beau. Uma vez que se decidissem, havia muito pouca esperança de dissuadi-los. Mas eu era da Nova Inglaterra e sabia uma coisa ou outra sobre teimosia que mesmo mulas ainda não tinham descoberto — algo que o detetive Kobylt me dissera mais de uma vez.

— Se você acha que me mostrar os efeitos do furacão mais de uma vez vai me fazer mudar de ideia, está errado. Já concluí que a reconstrução em zona de furacões é míope e de certa forma egoísta, na melhor das hipóteses. Estou fazendo isso pela Mônica. Ela tinha sonhos de trazer os filhos dela aqui um dia e foi incapaz de realizá-los. Então, ela os confiou a mim, por algum motivo. Quando isso se concretizar, vou embora. Não creio que algum dia ela tenha desejado que a casa fosse minha, era para eu mantê-la para o Beau. Mas calculo que você possa fazer isso da mesma forma.

Trey contraiu o queixo levemente e parou a caminhonete.

— "Míope e de certa forma egoísta?" — Ele destravou o cinto de segurança. — Não posso acreditar que eu tenha esperado todo esse tempo para reconstruir River Song com minha irmã e minha paciência seja recompensada tendo que lidar com alguém que não compreende o que é viver aqui. Ou o que é fazer parte de um lugar que sobreviveu a coisas muito piores do que pessoas como você, que querem — ele levantou o braço e gesticulou como que incluindo os barcos na água, os carros, os carvalhos, o farol, as casas — que partamos. Deixe-me dizer uma coisa: temos pescado, construído, produzido, crescido, vivido aqui por centenas de anos. E não vou deixar alguém como você, alguém sem raízes, sem uma casa, sem nenhuma compreensão do que seja ter ambas essas coisas, me diga que estou sendo "míope e de certa forma egoísta".

Ele abriu a porta e bateu-a atrás de si. Eu bati a minha atrás dele, sentindo-me em uma cilada.

— Olhe, me desculpe. Não pretendia ofender você. Compreendo que eu seja uma estranha e suponho que isso me torne um pouco insensível. Prometo conter meus sentimentos enquanto procuramos trabalhar juntos nesse projeto. Farei o melhor para tentar pensar como a Mônica faria e deixar meus próprios pensamentos fora disso.

— E o Beau? Você simplesmente vai embora quando a casa estiver pronta?

— Eu não... não. Nunca poderia fazer isso. Poderia criá-lo por conta própria? Não sei. Preciso que você aceite que estamos todos em um compasso de espera agora, sem respostas claras. Não posso lhe dizer que deixar o Beau com a família dele em vez de ficar comigo seja a escolha certa. Não até eu conhecer vocês melhor. Mas, mesmo assim, o Beau sempre será parte da minha vida. — Respirei fundo, saboreando o sal e sentindo a verdade de minhas palavras. Esse fora o primeiro pensamento claro que tivera em meses.

Ele não disse nada, mas cruzou os braços e olhou para o mar aberto, observando as gaivotas com seus gritos estridentes acima de nós vasculhando a água e a areia abaixo. Ficamos em um estacionamento em forma de "U" que se projetava sobre uma praia quase deserta. Sabia que, embora as primeiras temperaturas do outono fossem relativamente cálidas, a água não deveria estar assim. Atrás de nós, no canteiro do meio na autoestrada dividida, ficava o Farol de Biloxi. Reconheci-o pelas fotografias que Mônica me mostrara: as fotos de uma Mônica sorridente ainda pequena com o irmão e os primos.

— A Mônica amava esse farol. Ela dizia que, em suas viagens para a costa, tão logo o via, sabia que estava em casa. Nem posso acreditar que ele sobreviveu ao Katrina. — Olhei por sobre o ombro, lembrando o que Ray Von me dissera sobre não dizer o nome em voz alta, imaginando quem mais poderia ouvir.

— Sobreviveu ao Katrina. E ao Camille. E a todas as tempestades desde que foi construído em meados do século 19. Está inclinado devido ao repentino aumento de água em mais de nove metros, resultante da tempestade após o Katrina, mas ainda está de pé. — Ele colocou os óculos escuros, em cujas lentes se via o farol duplicado. — Eles já concluíram a restauração principal, então imagino que possa suportar mais furacões. E um derramamento de petróleo.

Olhei para ele de forma contundente.

— Imagino que vocês daqui não precisavam disso depois de tudo que já tinham sofrido.

— Não, com certeza não. — Ele apontou para o local de uma construção do outro lado da rua. — Aquele é o novo centro histórico. Ali costumava ficar uma casa que fora construída nos idos de 1850.

— Antes do Katrina.

Ele assentiu.

— Tudo que restou foram oito janelas com vitrais encontradas intactas no meio de uma pilha de escombros. É interessante o que sobreviveu e o que não. Sem nenhuma explicação, ao que parece.

Uma forte brisa me empurrou, fazendo-me puxar o suéter para mais junto do pescoço. Olhei em volta, em direção à água, e vi ao longe uma pequena faixa de terra.

— O que é aquilo lá?

— Ship Island. Hoje, West Ship Island. Costumava ser uma única ilha grande até que o Camille, em 1969, partiu-a ao meio, de modo que agora temos Leste e Oeste. O Katrina levou muito do que restara de East Ship. Há um antigo forte na extremidade da ilha e é possível visitá-la de barco. Era um de meus programas favoritos quando menino.

Observei Trey, tentando imaginá-lo uma criança como Beau, entusiasmado ao pegar um barco para ver um forte, mas não consegui. Nem tampouco conseguia imaginar o tipo de tempestade que poderia dividir uma ilha pela metade.

— Temos tempo para uma caminhada?

Ele deu de ombros.

— Por que não?

Olhei para ele por um momento, querendo muito gostar dele, lembrar o tipo de irmão que tinha sido para Mônica e como todas as histórias, as boas lembranças dela giravam em torno dele.

Ele tirou os sapatos e eu, as sapatilhas, então o segui, ultrapassando a pequena barreira na beira do asfalto para a areia da praia. Fiquei parada por um momento, lembrando-me de um dia, muito distante no tempo, quando estive na praia em Cape May com Chelsea. Mas a arrebentação aqui era mais suave, a água, mais marrom, a areia, mais branca. Era familiar, mas não igual, como tomar um sorvete de chocolate e descobrir que tem gosto de morango.

— O que há de errado? — Trey tinha parado para me olhar, mais atrás, seu rosto com um sorriso inesperado sob os óculos escuros.

— Nada. É só que... a areia. É tão branca. E fina... quase como sal.

Concordando, Trey se virou e começou a descer para oeste na praia.

— Sim, é um tipo de exclusividade daqui. Assim como o jacaré atropelado. — Podia sentir o riso em suas palavras.

Acompanhei o passo dele e andamos uma pequena distância, passando por um barracão fechado com jet skis e guarda-sóis, ficando longe da arrebentação na praia e mais perto da Beach Boulevard. Mantive a cabeça baixa, procurando por conchas, parando aqui e ali para pegar uma e colocando-a no bolso do suéter. Sempre colecionando coisas. Mônica dissera tantas vezes isso para mim que eu parara de ouvir. Ou de imaginar por que me sentia compelida a juntar objetos em pequenas coleções.

Parei por um momento, retirando a areia fina das mãos.

— Você pode construir castelos com essa areia?

Ele arqueou uma sobrancelha por trás dos óculos.

— Com certeza. — Ele deu alguns passos. — Talvez o Beau possa lhe mostrar um dia.

Olhei para ele, tentando ver se estava oferecendo uma reconciliação, e aí, parei, observando um tipo de escultura no canteiro central da estrada.

— O que é aquilo? — perguntei apontando.

Ele seguiu meu olhar e, em seguida, começou a andar em direção à estrada.

— É uma árvore do Katrina. Venha cá, vou lhe mostrar.

Apressei o passo para acompanhá-lo e rapidamente bati a areia dos pés antes de calçar os sapatos de novo quando chegamos à estrada. Esperamos um carro passar antes de atravessarmos para o canteiro central, onde me vi de pé sob o que parecia ser um grupo de golfinhos esculpidos em madeira bruta, agora pintada e envernizada de marrom.

Trey ficou perto de mim e olhou a escultura, o rosto sem expressão.

— Este era um dentre as centenas de carvalhos enfileirados na Beach Boulevard antes do furacão. Muitos deles morreram devido à enchente repentina causada pela tormenta que trouxe a água salgada e os matou. Os que sobreviveram foram descascados até a madeira. Mais tarde, as folhas cresceram de novo nos vivos, mas era muito doloroso olhar para os que estavam mortos. — Ele tirou os óculos escuros e prendeu-os no colarinho da camisa. — Veio um rapaz da Flórida e decidiu transformar as árvores mortas em esculturas diferentes. E sei que pelo menos outro artista juntou-se a ele e os dois transformaram uma porção de árvores mortas. Há mais de uma dúzia delas... a maior parte na Beach Boulevard.

Examinei a escultura mais detidamente, o gracioso arco formado pelos golfinhos conforme nadavam por ondas invisíveis, em direção ao céu. O grupo estava dividido em um "V", cada perna uma fileira de golfinhos interligados, o da ponta se equilibrando no nariz do golfinho atrás dele. A escultura projetava uma estranha mistura de fragilidade e força, como uma teia de aranha tecida em aço.

— E isso não é doloroso demais de se olhar?

Ele me encarou, os olhos frios.

— O que você quer dizer?

Fechei a boca, insegura. Não entendia a necessidade de apegar-se ao que sobrara de uma lembrança dolorosa, considerando isso um desvio desnecessário. Como meu pai, que ficava por horas no quarto de Chelsea, apenas chorando. Foi minha mãe, depois eu, quando ela morreu, que continuamos a busca, sabendo que nossa família só poderia ser completa novamente se ela fosse encontrada.

— Acho que as pessoas poderiam querer cortar as árvores e plantar outras novas. Ou construir um muro alto ou... alguma coisa. Talvez plantar as árvores nos terrenos vazios em vez de reconstruir casas passíveis de novo desmoronamento. Qualquer coisa, realmente, que pudesse ajudá-las a solucionar o problema em lugar de recriá-lo.

Ele olhou para mim como se eu tivesse falado, de repente, em mandarim fluente sem esperança de tradução.

— Por que você está aqui, Julie? O que você quer?

Eu o encarei de volta, tentando pensar uma forma de explicar como tinha excluído a palavra "querer" de meu vocabulário muito tempo atrás, substituindo-a por "precisar". Isso tornava a vida tão mais fácil, afastando toda a confusão desnecessária e que nos tira do foco do propósito da vida, assim como uma tempestade varrendo qualquer coisa que não fosse forte o suficiente para suportar a luta.

— Nada — eu consegui dizer. — Estou aqui para fazer o que a Mônica queria, porque ela não pode. E isso é tudo.

Olhei para os golfinhos de novo, para os quase sorrisos e corpos como se estivessem se esticando para a frente em direção... a quê? Olhando para o relógio, disse:

— É melhor voltarmos para a caminhonete.

Virei as costas para Trey e para o carvalho morto. Caminhei com dificuldade pela lateral da estrada em direção ao farol, deixando cair as conchas que tinha catado, uma a uma, até esvaziar os bolsos.

Capítulo 8

Aquele que, tendo perdido um ideal, se recusa a dedicar coração e alma a outro ainda mais nobre é como um homem que desiste de construir uma casa sobre a rocha porque o vento e a chuva arruinaram sua casa sobre a areia. — Constance Naden

Julie

O caminho de volta para Nova Orleans, no escuro, foi mais silencioso que a ida para Biloxi. Nem mesmo o rádio conseguiu fazer com que Trey parasse de ruminar a raiva pela conversa que tínhamos tido sobre os carvalhos nem conter minhas próprias incertezas. Conforme continuamos noite adentro, passando por pântanos e florestas com matas fechadas, imaginei todos os répteis rastejantes do lado de fora de minha janela, mas nenhum deles me assustou tanto quanto o pensamento de reconstruir a casa de Mônica. Apenas não tinha certeza do que me assustava mais: falhar na tentativa de realizar o sonho de outrem ou descobrir que meu desvio pudesse ser mais permanente do que eu esperara.

Meu telefone tocou lá pelas 7h30. Era Nancy Mayer, da Mayer e Ryan, informando-me que recebera uma oferta generosa de um comprador anônimo para adquirir o retrato. Aceitei a oferta sem pensar, ansiosa por provar a Trey que podia arcar com as despesas de Beau e com as minhas. Mas também queria deixá-lo sofrer um pouco mais, daí guardei os detalhes da conversa para mim, deixando-o imaginar e esperando que perguntasse. Ele não perguntou.

Conforme nos aproximamos da cidade, olhei para a escuridão do lado de fora da janela, vendo o cintilar das luzes ficar mais perto. Nova Orleans usava a noite como uma máscara de Carnaval, escondendo suas imperfeições sob os arcos de luz complacentes e esporádicos. Ela ainda era muito estranha para mim, eu estava ansiosa por conhecê-la por mim mesma e não pelas histórias de Mônica ou pelos jornais vespertinos.

Estava morrendo de fome e tinha certeza de que Trey também, já que não havíamos comido desde o almoço frugal com o pessoal da Kenney-Moise. Mas Trey e eu parecíamos estar em disputa para ver quem ficava mais chateado com o outro, ambos permanecendo em silêncio e famintos até entrarmos na rua Primeira. Isso não provou nada mais, a não ser que a teimosia da Nova Inglaterra se encontrava à altura da rabugice dos nascidos no Sul.

A porta da frente se abriu e Aimee ficou nos esperando, enquanto Beau, vestido com o pijama da LEGO, se jogou em cima de mim, quase me derrubando ainda no primeiro degrau, onde o abracei.

— Ei, amigão. Também senti saudades de você. — Peguei-o no colo e, conforme ele repousou a cabeça em meu ombro, senti o cheiro de sabão e xampu de bebê.

— A Kathy deu banho nele, ao ver que estava imundo de brincar no jardim... aquilo que não foi lavado na fonte, é claro. Espero que esteja tudo bem.

Subi o restante dos degraus.

— Certamente. Obrigada.

Ela deu um passo atrás para nos deixar entrar.

— O Beau disse que precisava que você lesse para ele antes de dormir, então, deixei-o ficar acordado até você voltar. — Seu olhar penetrou a expressão fechada de Trey. — Pela minha última conversa telefônica com o Trey, entendi que nenhum de vocês comeu. Pedi à Kathy para fazer dois pratos e deixar na estufa, caso queiram comer algo.

— Obrigada, Aimee. Deixe-me pôr o Beau na cama primeiro, desço em seguida.

Para minha surpresa, Beau abraçou Aimee, beijou seu rosto sonoramente e correu em direção às escadas. Como se fosse uma ideia tardia, ele parou no patamar e se virou de novo.

— Boa noite, Tio Trey.

Trey sorriu, a expressão se modificando.

— Boa noite, Beau. Até amanhã.

Ouvi o ruído dos pés de Beau pelo assoalho conforme ele correu pelo resto dos degraus; então, o segui, meu estômago roncando alto.

Quando voltei, o vestíbulo estava vazio, mas a porta vaivém da cozinha fora deixada aberta. Entrei e fiquei surpresa por encontrar Aimee sozinha, um copo de vinho branco em frente a ela e outro intocado na mesa da cozinha junto da qual estava. Um prato embrulhado em papel alumínio estava próximo ao copo, junto com talheres de prata e guardanapo de pano.

— Onde está o Trey? — perguntei, ao puxar a cadeira e sentar.

Aimee não respondeu logo e senti sua desaprovação.

— Ele pegou o prato dele e o levou para o escritório. Disse que precisava adiantar um trabalho, já que perdera todo o dia de hoje.

Retirei o papel alumínio e meu estômago roncou ainda mais alto quando senti o cheiro de galinha frita, milho e purê de batata cheio de molho.

— Em que o Trey trabalha? Sei que ele fez faculdade em Tulane, mas isso foi tudo que a Mônica me disse.

— Ele foi cursar direito em Tulane e depois trabalhou por um tempo na firma do meu marido, mas então montou um escritório com mais dois sócios.

Assenti, com a boca muito cheia de frango para responder naquele momento. Finalmente, perguntei:

— Como ele vai encontrar tempo para restaurar a casa em Biloxi e trabalhar?

— O Trey sempre foi bom em realizar coisas. Especialmente quando está motivado. Ele encontrará uma forma de fazê-lo o mais rápido possível, se isso significar que você irá embora após a conclusão do trabalho.

Arqueei uma sobrancelha.

— Só estou lhe contando o que ele me disse. Estou presumindo que as coisas não foram bem hoje em Biloxi.

Dei uma garfada no purê e o empurrei com um gole de vinho.

— Na verdade, a conversa com os construtores foi muito boa. Eu trouxe uma pintura que a Mônica tinha feito de River Song e eles disseram que seria necessário muito trabalho de imaginação para iniciar com base em um croqui. E, mais, eles ainda tinham as plantas da reconstrução depois do Camille, o Trey conseguiu preencher as lacunas, então eles dispõem de um bom ponto de partida. Só acho muito difícil trabalhar com alguém que não me quer aqui, e devo admitir que não facilitei as coisas para ele. Errei ao dizer-lhe que as pessoas que reconstroem nas zonas do furacão são "egoístas e míopes". — Fiz uma careta ao lembrar. — Ele não gostou da minha opinião.

Aimee se recostou na cadeira, as mãos envolvendo o fundo do copo no colo, a expressão indecifrável.

— Não, eu imagino que ele não tenha gostado.

Como ela não disse mais nada, acrescentei:

— Eles estão dizendo que poderiam ter tudo pronto de sete a nove meses, dependendo do tempo e de outros fatores que não podemos controlar. O Trey quer usar novos materiais resistentes a furacões, e não há muitos fornecedores à disposição que atendam ao cronograma deles.

Uma batida do outro lado da porta que levava ao pátio me assustou, mas Aimee já estava se levantando da cadeira.

— É apenas o Xavier passando para pegar o cheque.

Também me levantei e olhei para a porta.

Aimee pegou um envelope no balcão antes de abrir a porta. Xavier estava em pé do lado de fora e, a princípio, fora de meu campo de visão, o que me deixou relaxada. Então, Aimee o convidou para entrar na cozinha e pude ver sua face sob o brilho amarelo do candelabro. A cicatriz parecia ondulada na luz inconstante da luminária acima.

— Julie Holt, este é Xavier Williams. Você já conheceu a mãe dele, a Ray Von.

Forcei-me a fazer um movimento para a frente e mesmo estender a mão, que ele ignorou. Lentamente, baixei-a para o lado do corpo.

— Prazer em conhecer. — Ele carregava consigo o cheiro do jardim: da terra úmida e verde, de coisas crescendo. Eu não esperava aquilo.

Ele permaneceu em silêncio, o olho sadio sob uma sobrancelha grisalha, acinzentada, concentrado em mim. Aimee continuou:

— Ela era uma boa amiga da Mônica. E trouxe o Beau para nós.

Xavier assentiu conforme dobrava o envelope que Aimee lhe dera em pequenos retângulos compactos antes de colocá-lo no bolso de trás.

— Obrigado, sra. Aimee. Volto na próxima semana e começo a aprontar o jardim para o outono.

Sua voz me surpreendeu, também. Era leve e melódica, a dicção tão precisa quanto a da mãe. Com uma breve despedida, ele saiu pela porta de trás e desapareceu sem fazer ruído no pátio.

Peguei meu prato quase vazio, então o limpei na pia antes de pôr na máquina de lavar louça.

— Aparências enganam, Julie. — Olhei para Aimee conforme ela punha mais vinho nos copos. — Ele foi queimado quando rapaz, como resultado, as pessoas o evitaram por toda a vida. Isso o tornou muito desconfiado, mas é uma boa pessoa.

Sentindo-me punida, sentei-me à mesa.

— Eu sei. Desculpe-me. Após tantos anos morando na cidade, nada deveria me chocar. — Peguei meu copo e dei um gole no vinho. — A Mônica disse que a mãe dele, a Ray Von, trabalhava para você?

— Por último, sim. Ela trabalhou para minha sogra antes de ela se casar. Foi a Caroline que a educou, ensinou-a a falar como se tivesse frequentado um internato inglês. Em 1950, o Duque e a Duquesa de Windsor vieram para Nova Orleans, para o Mardi Gras, e a Caroline pensou que deveria estar na cidade para ser apresentada a eles. Contaram-me que ela e a Ray Von passaram meses treinando a pronúncia para aquilo e que a Ray Von nunca parou de praticar. Infelizmente, a Caroline não retornou a Nova Orleans até tarde naquele verão e perdeu completamente a temporada do Mardi Gras.

— Que pena, depois de todo aquele trabalho... Por que ela perdeu o evento?

Os olhos de Aimee evitaram os meus.

— O marido dela acreditava que ela ainda não estava pronta para se misturar com a sociedade. A Caroline tivera algum tipo de... imagino que você chamaria hoje em dia de colapso nervoso. Foi por isso que ela se mudou com os meninos para Atlanta. Os pais dela estavam lá, junto com os melhores médicos. — Ela sorriu. — Mas ela voltou a Nova Orleans naquele verão.

Esvaziei meu copo.

— Você disse que você e a Mônica amavam River Song, porque lhes trazia segurança. Por que vocês precisavam se sentir seguras?

Os olhos dela repousaram sobre mim.

— Está preparada para ouvir um pouco mais da história?

Assenti e olhei conforme ela esvaziava a garrafa de vinho nos copos.

Aimee

Verão de 1950

A fumaça do cigarro invadia o ar do começo da manhã quando entrei na varanda da frente de minha avó. Parecia pousar na grossa umidade, pairando sobre as árvores e os arbustos. Dirigi-me à porta seguinte, pela calçada rachada, passando por nossos jardins formais e corretos, para a casa dos Guidry. Ao empurrar o portão para abri-lo, vi aquilo que minha avó chamava de "mostruário espalhafatoso de cores". Hortênsias subiam pela treliça, de onde pendiam aleatoriamente, enquanto grandes vasos de barro exibiam exuberantes pencas de miosótis e de verbenas na sombra do chafariz. O garotinho de bronze fazia xixi alegremente no chafariz borbulhante. Uma lagartixa verde surgiu pelo cimento recém-remendado da bacia rasa e, de cabeça empinada, examinou os arredores. Deixei o portão fechar, o ferro batendo na atmosfera calma do jardim frontal. Assustado, o lagarto mergulhou em um dos vasos.

— Bom dia, Aimee.

A sra. Guidry estava sentada em uma pequena mesa de ferro batido na varanda. Ela soltava fumaça pelo nariz, a qual observei expandir-se e evaporar ao alcançar o teto. Fiquei imaginando o que vovó diria a respeito, lembrando-me de como tivera que ouvir repetidamente lições relativas aos malefícios do fumo e ao fato de que apenas uma certa classe de mulheres chegaria a pensar em fazer aquilo.

— Bom dia, sra. Guidry — disse, conforme subia os degraus. Os olhos dela estavam vermelhos e inchados de chorar com olheiras escuras, que lhe desfiguravam a pele delicada, a beleza hibernando sob a maquiagem borrada. Ela deu uma longa tragada no cigarro e fechou os olhos. Senti o cheiro de álcool impregnado no robe de seda e sua mão tremeu ao dar outra tragada. O broche de jacaré estava preso à gola do robe, o que não me surpreendia. Não creio que jamais a tivesse visto sem ele.

A sra. Guidry mudara em um curto espaço de tempo, desde que a conhecera no início do verão. O vigor rosado da pele tinha desaparecido, a postura caíra levemente, como uma daquelas flores delicadas deixadas ao sol quente por muito tempo. Mas para mim ela ainda era bonita.

Ela abriu os olhos um pouquinho e me fitou, oferecendo-me um sorriso gentil. A única vez que a vira sorrindo tinha sido ou para mim ou para um dos filhos.

— Sente-se, Aimee. Vamos ter uma conversa de meninas.

Nunca a tinha visto daquele jeito. Ela estava sempre tão arrumada e emanava uma energia vibrante. Mas ali mostrava-se desfalecida, à beira de um colapso. Sentei cuidadosamente na ponta da cadeira forrada em frente a ela, o frescor do tecido em minhas pernas expostas, devido à umidade premente. Embora tivesse levado uma reprimenda de minha avó e uma sutil repreensão do sr. Guidry em relação ao que fizera com Gary na barragem, a sra. Guidry ainda tinha algo para me dizer, e imaginei se não estivera aguardando uma oportunidade como aquela para ficar sozinha comigo. Engoli em seco e aguardei.

Ela continuou a me olhar com os olhos semicerrados.

— Considerando que você é uma menina sem mãe, esperava poder lhe alguns conselhos maternos.

Curiosa, sentei direito na cadeira, sentindo um arrepio úmido devido ao contato do ferro nos braços nus. Ela se inclinou para a frente e apagou o cigarro no cinzeiro de cristal. Seus olhos eram escuros, poças de lama, sem foco. Ela parecia enxergar através de mim, vendo algo que eu não conseguia ver. Inclinando-me, pegou minha mão. Hesitei diante daquele toque gelado.

Ela pegou minha mão e virou a palma para cima lentamente. Gary dissera que sua mãe gostava de ler a sorte das pessoas olhando na palma da mão e senti um tremor de excitação conforme ela examinava a minha. Uma unha grande e vermelha, outra coisa que eu sabia que minha avó não aprovaria, traçou as linhas da minha palma enquanto a sra. Guidry estudava minha pele pálida, em silêncio. Finalmente, ela apertou minha mão e colocou-a em meu colo.

Recostando-se, pegou a cigarreira de ouro.

Eu não pude conter minha curiosidade.

— A senhora viu algo? — minha voz parecia hesitante.

Ela bateu a ponta do cigarro contra a cigarreira fechada. Olhou para mim sem sorrir.

— Sim, vi. — Um isqueiro de ouro que fazia conjunto surgiu do bolso do robe. Os dedos compridos e elegantes o acenderam e o mantiveram na extremidade do cigarro. Ela deu uma tragada profunda e encostou a cabeça no espaldar da cadeira.

— Você tem mãos bonitas, Aimee. Delicadas, mas fortes. Como as da sua mãe. Como você. Você precisará ser forte. — A voz dela passou a um sussurro, ao erguer a cabeça e olhar para mim. — Você canta, Aimee? Sua mãe tinha uma voz maravilhosa. Ela poderia ter sido algo mais se não tivesse se casado e tido você.

Lembrei-me de minha mãe cantando. Ela cantava no jardim, na cozinha e para mim. Depois que morreu, havia na casa um silêncio que não era natural, que eu acho que irritou meu pai o suficiente para nos fazer mudar. Mesmo hoje, quando adormeço, imagino ainda poder ouvi-la cantando. Mas jamais pensara que o fato de ela ter casado com meu pai e ter me dado à luz tivesse sido sacrifício. Pisquei para a sra. Guidry, sem compreender.

De repente, ela se aprumou, apagou o cigarro no cinzeiro e se inclinou em minha direção para me pegar pelos pulsos.

— Tenha cuidado com seu coração. Você terá uma escolha a fazer, mas está destinada a amar apenas uma vez. Escolha com sabedoria. — Ela apertou meus punhos, causando dormência em meus dedos, mas a veemência em seu olhar não me deixava retirar as mãos. — Seja feliz, Aimee. Sem felicidade no coração, você não tem nada. — Seus olhos eram grandes e brilhantes, com as lágrimas se acumulando no fundo, porém sem escorrer.

Eu me inclinei para a frente. Ninguém jamais falava sobre minha mãe, era como se ela nunca tivesse existido. Como se minha lembrança do cheiro metálico do sangue e da pele fria de minha mãe fossem um pesadelo do qual eu nunca tinha acordado completamente.

— Fale-me sobre ela, sra. Guidry. Fale-me sobre minha mãe.

A porta da frente se abriu e o sr. Guidry entrou na varanda. A sra. Guidry soltou meus braços abruptamente, retraindo-se na cadeira.

Cumprimentando-me com a cabeça, o sr. Guidry se inclinou por sobre a esposa. Sua voz era doce, mas eu diria que estava zangado.

— O que está fazendo aqui? Você nem está vestida.

O queixo dela pendeu sobre o peito.

Ele se virou para mim.

— Desculpe, Aimee. Ela disse algo que a aborreceu? Ela fica confusa às vezes e diz coisas que... não fazem sentido.

Balancei a cabeça, louca para sair dali.

— Ela precisa repousar. Teve uma noite ruim. — Ele a pegou pelos cotovelos e levantou-a da cadeira. Ela parecia render-se à sustentação dele, a cabeça baixa e o cabelo escuro caindo sobre o rosto. Ele a guiou para dentro da casa sem olhar para trás.

Continuei sentada na varanda, esfregando os punhos. Um movimento na porta chamou-me a atenção; vi uma mulher de seus 30 e poucos anos olhando para mim com viva curiosidade. Sua pele era da cor de café com leite, cremosa e macia, os olhos verdes brilhantes contrastavam com o escuro da pele. Por sua expressão, parecia que sabia quem eu era. Eu tinha certeza de que nunca a vira antes. Levantei-me para ir embora quando ouvi uma voz grave vindo de dentro.

— Aimee. — Wes apareceu onde a mulher tinha estado. Eu estava embaraçada pela cena que acabara de presenciar e tentei fugir da varanda. — Não vá. Ele tocou meu cotovelo e me retirou da varanda da frente, levando-me em direção à fonte. O cabelo molhado estava penteado para trás e ele cheirava a sabonete. Paramos atrás da estátua e, de repente, lembrei que ele me vira apenas com roupa de baixo e jeans. Senti o sangue subir no rosto, então virei a cabeça, apenas para me ver encarando diretamente a parte de onde saía o xixi da pequena estátua.

Percebendo meu desconforto, ele tocou meu cotovelo de novo e me afastou pelo portão da frente. Em vez de virar à direita e ir direto para minha casa, viramos à esquerda, com um passo mais lento.

— Lamento por você ter visto minha mãe daquele jeito. Ela está... doente. Nós tínhamos esperança de que estivesse bem o suficiente para voltar para Nova Orleans, mas creio que estávamos sendo otimistas. Ela está em uma casa de repouso para mulheres fragilizadas em Atlanta... que é onde nossos avós moram. Mas ela continuava querendo voltar para Nova Orleans. Há algo neste local...

Passamos cuidadosamente por sobre as rachaduras na calçada, onde as enormes raízes dos carvalhos gigantescos se projetavam por entre o calçamento como braços de monstros subterrâneos. Esperei que continuasse, mas ele mudou de assunto.

— Espero que ela não tenha dito nada que tenha assustado você.

Balancei a cabeça.

— Não, de forma alguma. Ela leu minha mão, mas eu não diria que foi assustador.

— É mesmo? O que ela disse?

Eu parei, tentando me lembrar de todas as palavras que ela dissera.

— Ela disse que eu teria que fazer uma escolha, mas que só me apaixonaria uma vez, então, que escolhesse com sabedoria.

— Que estranho.

Nós nos encaramos e ele olhou diretamente em meus olhos. Os dele eram mais escuros que os de Gary, mais profundos. Senti a face corar e silenciosamente maldisse minha aflição.

— Por que você está ficando vermelha?

Pude sentir o rosto escurecer pelo menos mais dois tons. Fiquei olhando para baixo, sem realmente saber como responder. Ele tocou meu queixo e trouxe meu rosto de volta.

— Não fique envergonhada. A capacidade de corar é um traço admirável... eu com certeza não vejo isso com muita frequência. Você fica vermelha quando fica zangada, também, sabe.

A mão dele pendeu, e eu ri.

— É uma coisa boa, então, que eu não fique zangada com muita frequência. Não ia querer que minha cabeça explodisse ou algo assim.

Ele riu e balançou a cabeça. Virando-se, gesticulou para que o seguisse de volta à casa dele.

— Não... não ia querer que isso acontecesse com uma cabeça tão bonita. — As palavras dele eram de implicância, mas me vi tentando filtrar algo mais em sua voz.

Gary saiu do portão da frente de minha avó. Ele calçava tênis Converse brancos e calça jeans arregaçada, com a fralda da camisa xadrez engomada para fora.

— Aimee! Pensei que fôssemos dar uma volta de bicicleta.

— Espere aí, estou chegando.

Wes me deu um sorriso de lado enquanto voltávamos juntos. Então, me lembrei de algo que ele dissera. Puxei-o pela manga.

— Por que o que sua mãe me disse é estranho?

Ele olhou para mim, os olhos azuis brilhando na manhã ensolarada.

— Porque ela me disse exatamente a mesma coisa.

Antes que eu pudesse responder, ele acenou para Gary, então atravessou a frente do jardim e entrou na casa deles.

Minha atenção se voltou para Gary, que estava sentado com as mãos nos joelhos, respirando fundo.

— Merda, mal posso respirar com essa umidade.

— Você beija sua mãe com essa boca suja?

Ele deu um sorriso sem graça.

— Onde acha que aprendi isso? — Ele se levantou. — Em vez de andarmos de bicicleta, quer ir ao McKenzie? Estou louco para comer uma daquelas bombas.

— Claro. — Segui-o pela calçada em direção a Prytania, onde as mansões da revitalização grega se misturavam às novas casas vitorianas rebuscadas. Parei, sentindo os cabelos da nuca se eriçarem, e olhei para trás. Vi Tia Roseanne em nossa varanda, rígida, com a vassoura em punho.

Ela acenou para mim e gritou:

— Esteja de volta lá pelas onze, ouviu? Sua avó quer levá-la às compras.

Acenei de volta, ainda sentindo o arrepio na base da nuca. Antes de dobrar a rua, olhei para a casa dos Guidry a tempo de ver a cortina fechar em uma janela de cima, a renda ao vento balançando levemente. Virei e corri para alcançar Gary. Agarrando a mão dele, puxei-o para o outro lado da rua.

— O que foi? — Gary pegou minha mão com firmeza, os olhos dele ansiosamente buscando os meus.

Dei de ombros, sem certeza de como explicar o que acabara de acontecer.

— Fiquei assustada, só isso.

Ele continuou a segurar minha mão até chegarmos à padaria. Segurou a porta aberta e entrei na frente dele. O doce aroma de pão assando me atingiu com toda a força, deixando-me faminta na hora. Sentei na cadeira de ferro batido e puxei-a contra a mesa enquanto Gary fazia o pedido no balcão. Olhei para as prateleiras na lateral da loja lotadas de biscoitos, bolos, *brownies*, *macarons* e fatias de bolo de canela com recheio de framboesa. Meu olhar viajou das paredes para os balcões refrigerados, onde o funcionário pegava os doces para Gary com uma pinça gigante. Vi os famosos bolos

McKenzie Doberge sob a lâmpada fluorescente e pensei em Tia Roseanne, que às vezes escondia um para mim na cozinha, fora da vista de minha avó. Eu quase podia sentir o paladar das finas camadas do bolo intercaladas com outras de pudim. Lambi os beiços, aí olhei para fora da janela.

Gary voltou para a mesa, a bandeja lotada de iguarias cremosas. Sentindo-me constrangida, estendi meu guardanapo sobre as coxas.

— A vida não é justa — disse eu, tomando um gole de Coca-Cola.

— O que você quer dizer? — Gary perguntou com a boca cheia, um pouco de creme no canto dos lábios.

— Você come como um cavalo e é tão magrinho... Provavelmente, vou engordar só de olhar você comer.

Ele fez uma pausa na mastigação.

— Com certeza, não espero que isso aconteça. Não acho que seu jeans possa ficar mais apertado.

Abri a boca para reagir a respeito de não ser gorda nem meu jeans ser apertado — como se minha avó permitisse isso — quando a porta de vidro abriu, a campainha tocou alto na sala quieta. A mesma mulher que eu tinha visto atrás da porta de tela dos Guidry entrou.

Gary se virou para ver o que eu estava olhando. Ele deu um sorriso desconfiado para a mulher quando ela se encaminhou até nossa mesa, e eu percebi as outras pessoas virando para olhar. Ela andou como se fosse a dona do local; não teria me surpreendido caso se sentasse conosco à mesa.

— Garrick, você sabe que não deve comer essas coisas. — As palavras dela eram precisas e medidas, sem deixar espaço para qualquer tipo de sotaque, como se tivesse treinado repetidamente até conseguir a entonação correta. — E você esqueceu seus remédios. — Ela pôs um pequeno frasco de pílulas na frente dele.

A mancha rosada no pescoço de Gary espalhou-se pelo maxilar inferior até a testa e mesmo as pontas das orelhas foram tomadas. Ele pegou as pílulas e colocou-as no bolso da camisa.

— Vou tomá-las quando voltar para casa.

A mulher retirou o frasco de dentro do bolso dele.

— Não, seu coração precisa delas agora. — Ela abriu a tampa e duas pílulas caíram sobre a mesa, fazendo um ruído característico.

Olhei surpresa para a mulher.

— Coração?

Vi-me frente a dois olhos verdes pálidos.

— O coração dele está bem agora, porque está tomando as pílulas. Mas aqueles doutores lá de Ochsner conhecem muito bem este jovem.

Sem olhar para cima, ele pegou as pílulas e colocou-as na boca. Então, se recostou na cadeira, os braços cruzados na frente do peito magro, e colocou o último pedaço de uma bomba na boca.

A mulher se virou para mim.

— Você deve ser a neta da sra. Mercier. A menina que fez Garrick entrar no rio. — Os olhos frios dela me avaliaram e senti que me condenava.

Gary inclinou a cabeça em direção a ela.

— Esta é a Ray Von Williams. Ela ajuda a mamãe a superar os obstáculos no dia a dia.

Ray Von cruzou os braços sobre o peito e olhou para Gary.

— E a ele, também, quando é inteligente o suficiente para me deixar ajudar.

Gary encerrou o ataque aos doces, mas a reprimenda ainda estava visível no rosto dela. Ele mal me olhava.

Ray Von se voltou para mim.

— Se precisar de qualquer poção de amor ou algo parecido é só me dizer. Quando ficar mocinha, vai precisar de poções para manter todos os meninos afastados... dois em particular, eu imagino.

Senti o sangue correr pelo rosto e olhei para Gary em busca de apoio. O rosto dele estava convenientemente desviado, procurando dinheiro nos bolsos.

— Você e seus fantasmas e coisas de vodu, Ray Von. Se meu pai algum dia descobrir sobre alguma das suas feitiçarias, ele demite você na hora.

Ray Von dirigiu-lhe um olhar de superioridade.

— Você sabe tão bem quanto eu, sr. Garrick, que isso jamais acontecerá. — Ela pegou o frasco e colocou-o de volta na bolsa. — E não se esqueça de pegar suas pílulas na próxima vez. Não tenho tempo nem energia para sair caçando você por toda Nova Orleans. — A silhueta magra e alta deixou a padaria, e as cabeças se viraram para olhar. Voltei-me para Gary, que remexia nas moedas sobre a mesa.

— Gary, quem é ela na realidade?

Ele empurrou a cadeira para trás e se levantou.

— Ela trabalha para a família da mamãe desde que nasceu. A mãe da Ray Von era a cozinheira, ela cresceu sempre por perto da minha mãe. Considerando que a Ray Von é a única pessoa que sabe lidar com a mamãe, ela é quase a patroa.

— Como uma dama de companhia? — perguntei, lembrando-me do cargo de uma das heroínas dos romances que Tia Roseanne gostava de ler. Eu não sabia que tal coisa existia na vida real.

— Algo desse tipo.

Ele segurou a porta aberta para mim e eu saí pela calçada larga. Ray Von não estava à vista.

— Para onde ela foi?

Gary olhou para ambos os lados na Prytania e do outro lado até rua Primeira.

— Não sei. A Ray Von sempre faz esse tipo de coisa. Não deixe que ela preocupe você. Ela está sempre procurando por nós. E toma conta da minha mãe muito bem.

Começamos a andar pela calçada, o calor do verão diminuindo nosso passo. Conforme alcançamos a interseção da Prytania com a Primeira, estirei o braço e dei um soco no ombro dele.

— Por que não me falou sobre seu coração? Eu não contaria para ninguém se você não quisesse. — De repente, me ocorreu o motivo pelo qual ele usava uma camiseta quando íamos nadar. Ele tinha dito que era porque se queimava com facilidade, mas agora eu suspeitava que estivesse escondendo algo.

Os maxilares dele se contraíram, ele manteve o olhar fixo em frente. Andava conforme conversávamos, sem me olhar uma única vez.

— Não quero ninguém pensando que sou um doente ou qualquer outra coisa. Vejo como as pessoas tratam minha mãe e não quero que olhem para mim daquele jeito.

Puxei-o pelo braço.

— Seu irmão disse que ela esteve em uma casa para mulheres fragilizadas. O que há de errado com ela?

Ele parou tão abruptamente que quase o atropelei. O suor brotava de sua testa, e ele, irritado, o retirava com as costas da mão.

— Além do meu pai, você quer dizer? Deus sabe... ela tem muitos problemas. Mas ele é a razão para cada um deles. — Gary olhou para mim como se achasse que já tinha falado demais. — Tenho que ir. A gente se vê mais tarde.

Gary empurrou o portão de ferro preto que dava para o jardim da frente e deixou-o bater às suas costas antes de correr pela passagem e entrar na casa.

O garotinho na fonte continuava ocupado se aliviando, o único som no jardim sereno. Eu estava para me virar quando um movimento no canto do olho chamou-me a atenção. Inclinando a cabeça para trás, vi uma face em uma janela no terceiro andar. Tinha certeza de que era um menino... um pouco mais velho que eu... com uma pele marrom-clara. Um olho era fechado, o outro olhava direto para mim. Algo em relação à sua pele e a seu olho fechado não pareciam bem. Suas mãos pressionavam a vidraça, como para formar outra barreira entre mim e ele. Lentamente, ele se afastou e saiu de meu campo visual, até que a janela se pareceu de novo como um olho vazado na frente da casa.

Apesar do calor e da forte umidade, senti os braços se arrepiarem. Sem dar as costas para a casa, segui vagarosamente pelo caminho até o portão, então fugi o mais rápido que pude para a segurança da casa de minha avó.

Capítulo 9

Centro: em termos gerais, o eixo vertical de um ciclone tropical, normalmente definido pela localização do vento mínimo ou da pressão mínima.

— Centro Nacional de Furacões

Julie

Olhei para minha taça de vinho vazia, tentando imaginar quando teria sido o último gole.

— É por isso que precisavam de um lugar onde se sentissem seguras?

Aimee me olhou, com olhos cansados.

— Por causa do Xavier? — Ela meneou a cabeça e se levantou. — Não. Foi por causa da forma como minha mãe morreu e por que ninguém jamais voltou a falar sobre isso ou sobre ela.

Eu me levantei também. Senti-me meio tonta por causa do vinho que relaxara minha cerimônia habitual.

— Como sua mãe morreu?

Ela fez uma pequena pausa, inclinando-se bem sobre a mesa.

— É uma longa história e já está muito tarde para falar sobre ela agora. Outra hora, combinado?

Sem esperar por minha resposta, ela colocou a taça na pia e dirigiu-se para a porta da cozinha, segurando-a para eu passar.

— Seu quarto está pronto: é o azul, bem ao lado do do Beau, e tem um banheiro interligado no caso de ele acordar e chamar por você. Provavelmente, vai querer deixar as portas abertas. Há toalhas limpas atrás das portas e coloquei uma lâmpada noturna lá também. Por favor, me diga se há algo mais de que você esteja precisando.

— A senhora tem sido mais do que generosa comigo, sra. Aimee. Obrigada. Mas tem uma coisa... — Hesitei apenas por um momento, sem querer pedir mais nada a ela. — Há um computador que eu possa usar? Preciso entrar na internet.

Os olhos dela tornaram-se suaves, como se soubesse a razão, e eu me senti como uma criança pega com a mão dentro da lata de biscoitos.

— O Trey tem um no escritório dele; estou certa de que não vai se importar se você usá-lo. É a porta ao lado da cozinha, perto da escada. Se estiver fechada, é só bater. Do contrário, pode entrar à vontade.

Demos boa noite uma à outra e fiquei de pé no vestíbulo, observando até que ela chegasse ao topo da escada. A porta do estúdio estava aberta, mas bati mesmo assim, sem querer que Trey encontrasse mais uma razão para não gostar de mim. Era um estúdio masculino, com lambris de madeira escura e cortinas de xadrez vermelho nas janelas, com um pequeno sofá posicionado entre as janelas. Quase no meio do cômodo, uma escrivaninha com um monitor de tela plana, tomando uma de suas extremidades posteriores. Havia uma lata de lixo ao lado da mesa e reconheci por cima dela a folha de papel alumínio que cobria nosso jantar.

Duas das paredes estavam cobertas de estantes abarrotadas de livros que iam até o teto. Curiosa, cheguei mais perto para vê-los melhor. A maioria era de livros de Direito de diversos tipos. Vários deles tinham encadernações com amarração na parte superior, os cordões expostos por sobre o couro, as letras douradas da lombada praticamente sumidas. Já outros nem mesmo tinham marcas na lombada, ou por serem novos ou porque talvez jamais tivessem sido abertos.

Havia pouquíssimos livros de ficção, na maior parte romances de suspense de Nelson DeMille e Stuart Woods, deslocados ali. Mas havia ainda uma surpreendente coleção de livros de arte. Contei pelo menos cinco sobre o ceramista George Ohr e pelo menos a mesma quantidade sobre William e Ellsworth Woods e sobre a porcelana Newcomb. Eram como velhos amigos para mim e desejei poder retirá-los das prateleiras e lê-los. Decidi pegar um emprestado para ler depois de terminar a consulta no computador.

Dirigia-me à escrivaninha quando um volume fino, com uma sobrecapa vermelha, chamou minha atenção. Ele se encontrava em uma prateleira alta, bem fora de meu alcance, imprensado entre dois livros maiores. Portanto, estava quase escondido e teria assim permanecido não fora pela cor da sobrecapa. E pelo fato de eu o ter reconhecido.

No canto, havia uma escada baixa de madeira e eu a posicionei, mas ainda assim tive dificuldade para retirar o livro da prateleira. Ele se prendeu levemente à madeira e soltou uma nuvem de poeira quando o puxei, fazendo-me espirrar. *Abe Holt: o homem e o artista.* Eu possuía aquele livro, desde sua primeira edição em 1999. Não teria ficado surpresa de encontrar o volume naquelas prateleiras, levando em conta o assunto dos outros livros, a não ser por ele ser meu bisavô e autor do retrato que Mônica tinha me dado.

Desci da escada com o livro e coloquei-o sobre uma mesinha perto da porta para levá-lo comigo quando subisse. Fiquei olhando para ele por um longo tempo, um sentimento de *déjà vu* me envolvendo, antes de afastar-me dele e dirigir-me à mesa.

Sentei-me e mexi no mouse para tirar o computador do descanso de tela, e, ao parar para ver o fundo de tela do computador, meus olhos de repente se embaçaram. Era uma fotografia de duas crianças loiríssimas em uma praia, construindo um castelo de areia. Um garoto, sem dúvida Trey, com uns 10 anos de idade, parecia estar cavando um fosso, a língua presa entre os dentes, dada a concentração dele na tarefa. Mas Mônica, com 8 anos, vestia um maiô vermelho com babadinhos laterais e dispunha pequenas conchas ornamentando, qual uma renda, as bordas do parapeito do castelo e do arco do portal. A sombra do fotógrafo se projetava sobre o castelo e as crianças, enquanto Mônica olhava para a câmera num misto de surpresa e concentração. Recostei-me na cadeira e olhei para o rosto dela e para a inocência da infância, já distante à época em que a conhecera. Lembrei-me das palavras de Aimee, algo sobre verões de infância antes que o peso do crescimento se abatesse sobre eles. Olhando para a foto na tela do computador, eu sabia exatamente o que ela queria dizer.

— É a praia de Biloxi, por volta de 1990.

Eu me assustei e me sacudi na cadeira, virando-me. Trey estava atrás de mim, segurando um copo pequeno com um líquido dourado e um cubo de gelo dentro, e olhava para o monitor.

— Desculpe-me — gaguejei. — Vou levantar se precisar do computador. A Aimee me disse que poderia usá-lo caso você não estivesse aqui.

Levantei-me para sair, mas ele me reteve com a mão.

— Fique à vontade. Só estava vindo para desligá-lo. — Ele apontou para a foto. — Essa é a Mônica. Ela nunca construiria meramente um castelo. Sempre tinha que transformá-lo em uma obra de arte. E aí chorava um dia inteiro depois que a maré o levava embora.

As palavras dele quase soavam como crítica, mas a foto estava na tela de seu computador, onde podia vê-la todos os dias. Voltei a olhar para a tela.

— Quem está tirando a foto?

— A Aimee. Foi a única a tirar fotos nossas quando crianças.

Observei o rosto de Mônica de novo, desejando que tivesse uma única chance de poder falar com ela. Sem me virar, perguntei:

— Onde estavam seus pais?

Senti-o dar de ombros.

— Quem sabe? Raramente vinham a River Song. Acho que tinham um acordo recíproco com a Aimee em relação a isso.

Olhando fixo para ele, perguntei:

— Onde estão seus pais agora?

Eu sabia que eles ainda estavam vivos, pois Mônica havia me falado sobre isso, embora não se referisse a eles com frequência ou com afeto.

A voz dele pareceu indiferente, mas havia um fio de mágoa ali, também: o mesmo que eu reconhecia em Mônica quando ela contava suas histórias.

— Nossa mãe está com o quarto marido e mora na Costa Rica. Nosso pai está em algum lugar por aí. Ele é um incorporador imobiliário, então você pode imaginar o tipo de baque que levou com o Katrina. Em geral, é possível encontrá-lo no Tipitina's ou no Miss Mae's. O primeiro tem música muito boa, o segundo, cerveja barata. Ou qualquer outro que venda bebida alcoólica e que seja perto de casa o suficiente para ele voltar cambaleante até seu apartamento na Magazine. — Trey tomou um gole da bebida no copo e o gelo bateu no vidro. Ele apontou para o computador:

— Há alguma coisa que eu possa fazer para ajudá-la a navegar?

— Não consigo encontrar o ícone do Internet Explorer. Resolvido isso, posso me virar sozinha.

Por um momento, pareceu que ele ia dizer alguma coisa. Em vez disso, ele se inclinou e clicou com o mouse no canto esquerdo superior e na aba dos Favoritos e no arquivo "Mônica". As abas dentro do arquivo apareceram listadas por ordem alfabética e ele rolou até chegar a uma rotulada "FBI". Trey se aprumou, mas ficou em silêncio.

Eu engoli em seco. Então, ergui a mão e digitei a tecla *backspace* para acessar os outros favoritos do arquivo, órgãos estaduais e outros sites de pessoas desaparecidas, muitos deles os mesmos que eu utilizara na busca de Chelsea. "Todos os dias. Não se passou um dia sequer desde que ela partiu em que não tivesse procurado por ela." Lembrei-me do que Trey tinha dito e, olhando para a evidência à minha frente, finalmente acreditei que era verdade. Eu não tinha como encará-lo, receosa de que ele pudesse ver que um dia eu duvidara dele.

Depois de pigarrear, limpando a garganta, eu disse:

— Tento entrar nesses sites regularmente, de forma que, se alguém for encontrado ou desaparecer na mesma área geográfica ou mesmo tiver alguma semelhança física com a Chelsea, eu possa fazer com que o detetive responsável pelo caso dela seja informado.

— É difícil verificar todos, não?

Eu assenti.

— Quanto tempo faz? — ele perguntou.

— Dezessete anos. Ela e a Mônica estariam com a mesma idade. Há alguns anos, a polícia fez um retrato da Chelsea com progressão de idade para mostrar a aparência dela hoje. Mas eu ainda a vejo do mesmo jeito que ela era com 10 anos.

O gelo tilintou no copo novamente.

— Dezessete anos. É muito tempo.

Não respondi, sabendo que não existe forma de quantificar o tempo gasto em uma busca como se não fosse nada mais do que medir a quantidade da chuva com uma xícara.

O gelo tilintou novamente e, então, ele disse:

— Apenas desligue o computador quando tiver terminado e apague as luzes. Estarei na garagem lá atrás se precisar de mim, mas não tente abrir nenhuma das portas de saída, porque vou ativar o alarme ao passar. — Ele tomou a direção da porta.

— Trey?

Ele parou.

— Como foi que a mãe da Aimee morreu?

Trey inclinou a cabeça e me fez lembrar Beau quando se via diante de algo novo ou incompreensível para ele.

— Por que quer saber?

— Porque ela mencionou isso esta noite, como ninguém queria falar sobre a mãe dela e como ela havia morrido. No entanto, quando lhe perguntei, ela disse que era uma longa história. Pensei que talvez você soubesse.

— Ela foi morta. Assassinada. Na casa deles, a algumas quadras na direção do Coliseum.

Eu o fitei, esperando ter entendido errado.

— Assassinada?

Trey deu de ombros.

— Nunca encontraram quem fez aquilo. Nem por quê. Disseram que foi um assalto casual. O marido dela estava jantando com clientes e ao voltar para casa encontrou a filha gritando na residência às escuras e a mulher morta. Ele tinha um álibi perfeito, portanto jamais foi considerado como suspeito. Mas a única coisa roubada foi a aliança de casamento. Nada mais na casa foi tocado. Isso aconteceu em 1941, portanto havia pouco mais do que impressões digitais a considerar e o caso nunca foi solucionado.

— Como ela foi morta?

Ele fez uma pausa, os lábios apertados.

— Apunhalada. Muitas vezes. Não foi com faca, eles têm quase certeza, mas jamais conseguiram encontrar a arma do crime.

Encolhi-me, fragilizada, incapaz de conciliar a doce e delicada Aimee com uma lembrança tão brutal.

— Aimee devia ser quase um bebê na época. Que coisa horrível perder a mãe tão nova.

Trey inspirou profundamente.

— Ela estava lá quando a mãe foi morta. Ia dormir na cama dos pais quase todas as noites e a mãe deve ter se colocado ao lado dela quando foi se deitar. Provavelmente, Aimee estava dormindo quando o assassinato aconteceu. Ela era nova demais para lembrar-se de ter visto alguma coisa, mas algo desse tipo jamais se apaga.

Senti um embrulho no estômago e desejei ter sabido sobre a morte da mãe dela antes de ter perguntado a Aimee por que ela precisava de um lugar para se sentir segura. E aí me lembrei de algo que ela me havia dito.

— Trey, será que o assassinato da sua bisavó tem alguma coisa a ver com a Mônica precisar de um lugar para onde ir e se sentir segura? Essa é uma das razões pelas quais a Aimee disse que a Mônica gostava tanto de River Song... porque era como se fosse um refúgio para ela.

— Não consigo imaginar como estariam ligadas. River Song era um grande lugar para fugir do relacionamento conturbado de nossos pais, mas essa seria a única razão pela qual acho que a Mônica precisaria de um refúgio. Além disso, o assassinato aconteceu muito antes de a Mônica nascer. Ela sabia disso porque a Aimee nos contou quando éramos crianças e ela me ouviu por acaso desejando que minha mãe fosse embora de vez. Ela estava tentando nos dizer por que não devíamos considerar nossa mãe tão superficialmente. — Trey se apoiou no batente da porta e cruzou os braços. — Por que todo esse interesse por minha família?

Lancei um olhar ao tapete surrado sob meus pés.

— A Mônica me falou tanto sobre todos vocês que é como se eu já os conhecesse. E aí, ontem, a Aimee disse algo sobre repartirmos nossas histórias, que talvez agora pudéssemos juntar todas as peças. Eu estava tentando entender o que ela quis dizer.

Ergui os olhos e vi que ele tinha chegado mais perto, com aquela altura toda se projetando sobre mim. Fiquei imaginando se ele se valia da mesma técnica para intimidar testemunhas.

— Estou curioso a respeito de uma coisa, Julie. Minha irmã tinha em seu poder um retrato de nossa bisavó paterna, pintado por seu bisavô, e ainda assim você alega que ela jamais mencionou isso para você. Não acha estranho?

Ele me olhava bem de perto, avaliando minha linguagem corporal. Eu me levantei.

— Claro que achei estranho. Ela sabia que o Abe Holt era meu bisavô e, afinal, nós nos conhecemos numa exposição dele. Mesmo assim, ela nunca mencionou o fato para mim.

Ele continuou com o olhar fixo em mim, imóvel.

— Parece-me algo proposital. Como se ela quisesse conhecê-la, por estarem ligadas a ele, mas sem que você soubesse.

Engoli em seco, imaginando que ele pudesse ouvir-me no aposento silencioso. No entanto, não consegui pensar em nada para dizer, porque estivera cogitando a mesma coisa, por muitas vezes, e não chegara mais perto de uma resposta do que quando vira o retrato pela primeira vez.

Trey fitou-me por um longo tempo antes de dar um passo atrás.

— Boa noite, Julie.

Minha mente revirava com todas as incógnitas, desejando saber as perguntas a fazer, mas com a certeza de que levariam apenas a outras mais irrespondíveis. Ouvi os passos dele pelo hall antes que me lembrasse de responder:

— Boa noite, Trey.

Voltei para o computador e comecei a procurar os links familiares, os inumeráveis rostos e descrições de desaparecidos, as circunstâncias de cada desaparecimento desestruturador. No entanto, nessa noite fui distraída pela imagem de uma pequenina Aimee ao pé do corpo da mãe morta e pela pintura de uma mulher de olhos azuis felinos e um broche em feitio de jacaré que faiscava sob a luz.

As primeiras semanas que se seguiram passaram num relâmpago, enquanto Beau e eu nos instalamos no novo lar temporário. Nossos quartos eram mobiliados com arte e antiguidades caras — que se somavam ao tecido estampado de LEGO no quarto de Beau —, e a princípio fiquei muito preocupada em estragar alguma coisa para me sentir verdadeiramente confortável.

Mas quando Aimee me pegou ajeitando as almofadas na sala de estar e dizendo a Beau que levasse o leite e o prato de biscoitos para a cozinha, disse-me que a casa não era um museu e que, de vez em quando, precisava de uns farelos de biscoito ou de um pouco de leite derramado para fazer dela um lar. Ficamos mais relaxados depois disso, e eu me vi descontraindo-me o suficiente para me sentir confortável, mas não o bastante para querer ficar mais tempo e criar raízes.

O livro sobre meu bisavô ficou em cima da mesa de cabeceira, intocado. Pensava nele somente à noite, quando estava cansada demais para outra coisa que não fosse me enfiar debaixo das cobertas e cair no sono. Passava os dias com Beau e às vezes Aimee juntava-se a nós, explorando a cidade natal da mãe dele. Andamos de bonde pelas avenidas St. Charles e Carrolton e almoçamos diversas vezes no Camellia Grill — o restaurante favorito de Mônica, de acordo com Aimee. Alugamos bicicletas no Audubon Park e depois fizemos piquenique à sombra de um velho carvalho. Fizemos caminhadas longas e descontraídas pelo Garden District, quando íamos à biblioteca na St. Charles e verificávamos os livros infantis sobre a história da cidade e as origens do LEGO. Eu queria dar a Beau a liberdade de ser criança novamente, longe da doença e da incerteza.

Eu tinha ido ao centro assinar o contrato de venda na Mayer e Ryan e abri uma conta corrente no Whitney Bank para depositar a quantia apurada. Fiquei com um sentimento de orgulho ao poder assinar um cheque para cobrir minha parte do sinal para os construtores. Eu trouxera Beau comigo e mais tarde levei-o ao Aquário Audubon das Américas para passar a tarde. Vimos pinguins, tubarões e leões marinhos, mas, quando percebi que Beau parecia concentrado nas outras crianças acompanhadas de pai e mãe, decidi que era hora de ir embora.

Não via muito Trey. Aimee dissera que, além de certas obrigações sociais, ele estava se preparando para uma grande causa e passaria muito tempo em seu escritório na rua Canal, no centro. Não perguntei a ela o que seriam essas "obrigações sociais", mas me perguntei novamente sobre a capacidade dele para se concentrar em algo que fosse tão importante quanto a reconstrução de River Song. Principalmente quando, segundo ele, sua sócia no esforço de reconstrução não estava envolvida de corpo e alma na empreitada.

Minhas suspeitas se confirmaram quando Steve Kenney ligou para dizer que as plantas estavam prontas e que Trey dissera que estava ocupado demais para fazer a viagem até Biloxi para vê-las. Sentindo-me a própria mártir, prendi Beau com o cinto de segurança no banco de trás da van e segui pela autoestrada, agora familiar, dispensando o GPS para orientação.

Eu tinha decidido anteriormente que, quando fosse a Biloxi, faria uma parada para ver Ray Von de novo. Fiquei pensando sobre a conversa que tivera com Trey sobre o retrato e a ligação de minha família com ele e como Mônica tinha mantido segredo a respeito disso. Ray Von havia dito que Mônica mandara um bilhete junto com o quadro; eu sabia que, em nome de minha paz de espírito, precisava lê-lo para ver se havia algo ali que me dissesse respeito. Algum tipo de explicação.

Aimee me dera o número do telefone de Ray Von e também uma sacola com tomates recém-colhidos no jardim por Xavier. Digitei o número em meu celular por diversas vezes, mas ninguém atendeu. Eu já estava a meio caminho descendo a Beach Boulevard no sentido oeste quando decidi parar na casa dela para ver se estava lá. Fiz um retorno e parti com a van na direção da rua Bellman.

Já familiarizada agora com o trajeto que estava fazendo, prestei mais atenção à paisagem. O céu azul abrigava poucas nuvens e o sol batia direto sobre a van, fazendo-me sentir calor, apesar de o tempo estar mais fresco. Ainda não tinha visto chover e começara a imaginar se algum dia teria chovido; então, passei por outra árvore morta e me lembrei. Claro que tinha. Diminuí a marcha para examinar a árvore esculpida no formato de um bando de pelicanos, com o pescoço esticado, apontando para o céu, para o invisível. Aquilo me fez lembrar a árvore dos golfinhos e pensei sobre o que eles estariam buscando. Dirigi lentamente pelo resto da rodovia até a casa de Ray Von, a imagem da árvore dos pássaros me inquietando, levando-me a imaginar o que havia nas árvores do Katrina que me deixava tão desconfortável.

Era um dia ameno e baixei os vidros da van antes de sair. O gato preto estava encarapitado no degrau da frente, me olhando com olhos semicerrados, como se eu não fosse importante o suficiente para merecer a total atenção dele. Ao apear da van, percebi um Land Rover branco com placa do Mississippi estacionado na rua, os pneus da direita sobre a grama esparsa e arenosa do pátio da frente de Ray Von. Não parecia o tipo de veículo que Ray Von conduziria, partindo do pressuposto que uma mulher de 90 anos não dirigiria de forma alguma.

Peguei Beau no banco de trás e subi os degraus da frente antes de bater à porta. Ouvi o telefone tocando lá dentro e contei dez toques até que parou. Bati mais uma vez, sabendo que era em vão.

Lembrei-me de todas as ervas e flores secas dependuradas no teto da cozinha e imaginei que ela não teria como ouvir o telefone ou as minhas batidas se estivesse trabalhando no jardim, nos fundos da casa. Peguei Beau pela mão e caminhei pela grama alta na lateral da casa até os fundos. Parei, surpresa, e Beau me deu um encontrão. Conforme tinha pensado, havia um jardim com canteiros de plantinhas intercalados com carreiras de pedras, formando um corredor entre cada canteiro. No meio de uma das passagens, uma mulher e uma garotinha, ambas loiras e usando luvas de jardinagem de bolinhas rosa idênticas e jeans estilo capri, estavam ajoelhadas diante de um arbusto baixo e cerrado. As duas nos olharam e ficamos ali por um bom tempo, fitando-nos em uma surpresa recíproca.

Quebrei o silêncio.

— Procuro pela Ray Von Williams.

A mulher sorriu ao se levantar, trazendo a menina junto.

— Ela não está aqui. Eu a levei para a reunião de estudos bíblicos e disse que limparia o jardim dela até a hora de ir buscá-la. — Ela olhou para mim e estendeu a mão. — Não creio que já nos conheçamos. Sou Carol Sue Thibodeaux. E esta — ela empurrou a menina para a frente — é Charlotte Thibodeaux, embora a chamemos de Charlie, por causa do pai. — Ela indicou Beau com o queixo. — Ela completou 5 anos em agosto, acho que deve ser da mesma idade que seu garotinho.

As palavras dela escorreram como um xarope, num autêntico sotaque sulino, eu supus, completamente diferente daqueles que eu escutara em Nova Orleans.

Beau colou o rosto do meu lado, chupando o polegar e com o chapéu imprensado entre nós, mas com a cabeça virada de modo que pudesse enxergar. Charlie olhou para Beau com grande curiosidade, para o polegar em particular, e eu o envolvi com um braço protetor.

— Este é Beau e ele completou 5 anos no final de julho.

A mulher continuou sorrindo para mim, esperando.

— Oh, eu sou Julie Holt.

Dei um passo à frente e estendi a mão. Ela retirou a luva de jardinagem e me cumprimentou, apertando firme minha mão. Charlie se colocou na frente de Beau.

— Como é que você ainda chupa o dedo?

Os olhos de Beau encontraram os meus, e ele pareceu tão perdido, ali parado, encarando aquela menina que era uma cabeça mais baixa do que ele. Eu queria pegá-lo para que ele soubesse que estava tudo bem, que eu compreendia que aquele dedo era um consolo e que ele sentia falta da mãe e sempre sentiria.

Antes que me movesse, Charlie falou:

— Mamãe disse que meus dentes iam começar a ficar para fora, igual a um coelho, e que era melhor eu parar antes que isso acontecesse, então todo dia eu vou dormir com uma meia enfiada na mão. — Ela deu uma olhadela para a mãe e aí baixou a voz antes de prosseguir. — Mas quando tem uma tempestade eu tiro ela fora e chupo meu dedo, porque isso me faz sentir melhor.

Ela sorriu para Beau, exibindo os dentinhos de leite, pequeninos e quadrados, perfeitamente alinhados. Beau sorriu de volta, apertando meu coração.

Carol Sue olhou para mim e percebi que tínhamos mais ou menos a mesma idade, porém os olhos escuros dela pareciam ser os de outra pessoa bem mais velha, como se tivessem visto mais da vida do que deveriam. E fiquei imaginando, também, se ela estaria pensando o mesmo sobre mim.

— Então, de onde você conhece a Ray Von? — ela perguntou. — Você é membro da Ladies Auxiliary? Não acho que a tenha visto em nenhuma das reuniões.

— Ah, não. Na verdade, é uma longa história. Só estive com ela uma vez. E não a conheço, de fato. Mas sei dela por intermédio de uma amiga comum, Mônica Guidry.

O rosto de Carol Sue empalideceu de leve.

— Ah, você é aquela Julie. O Trey disse que você veio de Nova York. — Os olhos dela repousaram em Beau e ela se ajoelhou na frente dele. — Você é o filhinho da Mônica? — Ela o olhou bem de perto. — Sim, claro que é. Como eu poderia me enganar? Você é igual ao seu tio Trey, não é?

— Você conhecia a Mônica?

Tocando na bochecha de Beau, ela assentiu e levantou-se.

— Conheço os Guidry minha vida toda. Sou de Biloxi e estávamos sempre juntos no verão. A casa dos meus pais ficava a duas casas de River Song.

Lembrei-me de todos os terrenos vazios. Calmamente, perguntei:

— E ela ainda está lá?

Ela balançou a cabeça negativamente.

— Não, eu tenho uma nova moradia, algumas quadras mais para dentro. Mamãe e papai estão morando comigo desde o Katrina, o que tem sido ótimo, na verdade, ajudando-me com a Charlie.

— Com certeza — eu disse, vendo Charlie puxar Beau até um canto do jardim antes de se espichar para olhar algo no lixo. Tentei parecer condoída com ela, mas não pude evitar imaginar de que ajuda ela precisava.

— Então você e a Mônica eram amigas? — Eu estava ansiosa por informações e estava tentando lembrar se Carol Sue era um dos muitos nomes que Mônica tinha citado.

— Não exatamente. O Trey e eu somos da mesma idade, portanto a Mônica ficava muitas vezes a reboque. O Trey e eu fomos colegas de faculdade em Tulane. Chegamos a sair juntos por um tempo. Até eu encontrar o Charles. — Ela cruzou os braços na frente do corpo, agarrando os ombros enquanto algo lhe passava pelo rosto e me deixava desconfiada. — O Trey e o Charles eram colegas de alojamento na casa Sigma Chi, portanto, acho que foi o destino. — Ela me olhou de modo desconfortável. — Imagino que não houve nenhum ressentimento, uma vez que o Trey e o Charles continuaram bons amigos e até começaram a exercer a prática legal juntos.

— Não, suponho que não — eu disse, sentindo como se algo estivesse me escapando.

— O Trey disse que vocês estão reconstruindo River Song.

— Sim. — Não pude deixar de pensar sobre o que mais ele teria provavelmente dito a ela. — Era o sonho da Mônica poder levar os filhos para River Song. Achei que era a coisa certa a fazer.

Ela me observou com olhos castanhos melancólicos.

— É muito generoso da sua parte.

Minhas escolhas, de repente, me pareceram muitos egoístas, e me perguntei se ela estava percebendo isso.

— Na verdade, não estou inteiramente segura de que seja a coisa certa a fazer, mas parece-me que não tenho opção. Não sei se o Trey lhe contou, mas sou tutora do Beau. O Trey e eu precisamos de tempo para entender melhor as coisas e a reconstrução de River Song está nos proporcionando isso. Não tenho pensado em nada além disso por enquanto.

Carol Sue olhou por sobre meu ombro.

— Charlie, não faça isso, querida. Está sujando sua blusa toda.

A garotinha tinha se desfeito de algo, colocando-o nas mãos de Beau, igualmente sujas, e agora limpava as mãos dela na blusa.

Voltando a atenção para mim, ela disse:

— De fato, o Trey me falou bastante sobre sua situação e disse que ele se ofereceu para comprar sua metade de River Song. E tenho que lhe dizer que o que ele me contou me fez gostar de você antes mesmo de conhecê-la. Não é sempre que ele não consegue o que quer. — Ela me deu um meio sorriso. — Pelo que sei, além de você, são apenas três as pessoas neste mundo capazes de dizer não ao Trey e escapar impunes; e essas pessoas seriam a Aimee Guidry, o Charles e a Mônica. É um clube privado, mas necessário. Não se deve permitir que o Trey controle o mundo, embora ele pareça determinado a tentar salvá-lo.

Sorri de volta, relaxando um pouco.

— Então, você e o Charles ainda são bons amigos do Trey?

Lembrei-me do que tinha pensado primeiro, ao perceber os olhos dela, como pareciam já ter visto muito da vida, e o que se passava por trás deles fazia-me compreender agora que eu tinha tocado em algo doloroso naquela mulher que eu mal conhecia, mas com a qual parecia estar ligada de alguma forma.

— O Charles morreu há cinco anos. — Ela disse as palavras rapidamente, fosse porque desejava livrar-se delas logo ou pelos cinco anos de prática em pronunciá-las.

— Sinto muito — eu disse, meus olhos direcionando-se para Charlie ao fazer um simples cálculo. — Então...

Abaixando o tom da voz para que as crianças não ouvissem, ela disse:

— A Charlie não chegou a conhecer o pai. Ela nasceu em Hattiesburg, onde nos refugiamos durante a tempestade.

Eu olhei fixo para ela, imaginando como alguém reagiria a isso, e gaguejei:

— Sinto muito.

Ela se inclinou para recolher duas pás de jardinagem e me encarou.

— Obrigada. Mas estamos indo bem. Tenho meus pais e meus amigos e estamos conseguindo lidar com isso.

Eu deveria ter deixado as coisas nesse ponto, mas, apesar de minha criação da Nova Inglaterra, os anos passados em Nova York não me permitiriam evitar a pergunta óbvia.

— Seu marido não se refugiou com vocês?

Usando as costas da luva de jardinagem, ela começou a retirar a sujeira das pás.

— Tínhamos uma casa na parte superior de Nova Orleans, na Broadway. Eu me retirei cedo, porque a data do nascimento estava muito próxima, mas o Charles ficou por alguns dias a mais para se certificar de que a casa estava vedada, a mobília recolhida para o andar superior e para o sótão, coisas do tipo, nas quais eu não tinha como ajudá-lo.

Ela respirou profundamente e pude perceber que ela estava colocando de lado a emoção para poder me contar todos os fatos que levaram ao ponto em que sua vida mudara para sempre e inexoravelmente. Se eu houvesse sido criada como uma verdadeira sulista, é provável que tivesse pedido a ela que parasse por ali.

Carol Sue continuou.

— Em parte, o Trey e o Charles começaram seu próprio escritório de advocacia juntos porque queriam dedicar certo número de horas a trabalho voluntário. O Charles estava trabalhando com afinco em um caso de execução de hipoteca com um cliente de 90 anos de idade, na Nona Região. O velho homem morava com a neta deficiente física e os quatro filhos dela e eles se recusavam a evacuar a casa. O Charles foi até lá com nossa caminhonete no dia anterior à chegada do furacão, depois que o prefeito havia expedido uma ordem de evacuação imediata, pronto para desalojá-los ele mesmo.

— Mas eles não queriam sair? — perguntei, a garganta seca.

Carol Sue meneou a cabeça.

— Eles não iam sair. Diziam que a casa era a única coisa que tinham e que não a deixariam para trás. E não permitiram que o Charles levasse as crianças. Ele me ligou, dizendo que ficaria um pouco mais para ver se os convencia a sair e aí viria para Hattiesburg, com eles ou sem eles. — Ela fitou-me com olhos desconsolados. — Comecei a sentir as dores e disse a ele que se apressasse. — Ela mordeu o lábio. — O Charles me ligou mais uma vez para dizer que a bateria do telefone estava acabando, mas que já estava para sair, porque queria estar aqui para ver o bebê nascer. Foi a última vez que soube dele. — As mãos dela retorciam as luvas, espalhando sujeira e lama. — A princípio, não me preocupei, porque as notícias eram de que o Katrina tinha poupado Nova Orleans.

— Não entendo. O Katrina foi a grande catástrofe para Nova Orleans.

— Isto é o que a maioria das pessoas pensa. Na verdade, o Katrina passou aqui no golfo, em Waveland, a apenas alguns quilômetros deste ponto, descendo pela praia. Mas em Nova Orleans foi a cheia do Lago Pontchartrain que se seguiu e que fez transbordar as barragens, e a cidade foi inundada. Tivemos uma enchente com a tempestade, mas aqui estamos a uns 3,70 m acima do nível do mar, assim a água tinha como escoar. Nova Orleans, porém, é uma bacia abaixo do nível do mar e foi enchendo, enchendo.

A voz dela ficou muito suave. Toquei no braço dela.

— Você não precisa me contar mais nada.

Carol sorriu, agradecida.

— Então, eu perdi meu marido, o Trey perdeu seu melhor amigo e sócio no trabalho. E acho que nada foi o mesmo para nós desde então.

Olhei à volta do jardim, sentindo a quentura do sol nas costas.

— Então, por que está aqui? Pensei que você fosse querer estar o mais longe possível de uma zona de furacões.

Ela me olhou como se eu tivesse acabado de sugerir darmos uma corrida pela praia. E levou algum tempo para responder.

— Porque aqui é meu lar. — Ela esperou para ver se eu registrara as palavras dela, mas só fiz olhar de volta, sem entender nada.

Depois de respirar profundamente, ela ergueu a vista na direção de um grande carvalho, para além do jardim, com folhas ainda verdes contrastando com o céu do início de outubro e galhos agora fartos de vegetação.

— Porque a água recua, o sol nasce e as árvores voltam a crescer. Porque... — ela abriu os braços, indicando o jardim, a árvore e, imagino, toda a península de Biloxi — aprendemos que grandes tragédias são oportunidades para grandes gestos de bondade. É como se fossem lembretes necessários de que o espírito humano está vivo e bem, apesar de toda a evidência contrária. — Ela baixou as mãos. — Descobri que não tinha morrido e que, portanto, não tinha terminado.

— Tenho escutado isso bastante, ultimamente — eu disse, com um sorriso meio forçado.

Carol Sue sorriu para mim, o sol dourando seus cabelos, eu me dei conta de como deveria ter sido bonita, como ainda era bonita se não se olhasse muito perto os olhos dela.

— Não sei da sua história ainda, Julie, mas estou muito contente por você estar reconstruindo River Song. Precisamos disso. Todos nós. — Ela abriu os braços novamente e dessa vez eu estava quase certa de que se referia a Biloxi como um todo.

— Eu ainda não estou tão segura, mas agradeço seu voto de confiança. — Olhei para o relógio. — Tenho que ir. Preciso pegar as plantas e voltar para Nova Orleans. Foi muito bom conhecer você. Espero vê-la novamente em breve.

— Digo o mesmo. — Ela mostrou Beau e Charlie, que agora brincavam, pulando uma amarelinha improvisada. — E parece que as crianças se tornaram amigas. Temos que reuni-las logo, de novo, embora eu ache que vá ver você muitas vezes, enquanto River Song estiver sendo construída. Onde pretende ficar?

Olhei para ela, com um branco na mente. Era a primeira vez que eu pensava sobre a logística de supervisão da construção de uma casa. Acho que tinha imaginado ficar em Nova Orleans enquanto ela durasse, mas de repente compreendi a inviabilidade daquilo. Balancei a cabeça.

— Para ser honesta, nem pensei nisso. Acho que vou precisar de um lugar durante a semana, principalmente porque parece que o Trey fica muito ocupado em Nova Orleans e alguém tem que permanecer aqui. Vou levar o Beau de volta para Nova Orleans para ficar um tempo com a Aimee nos finais de semana. — Passei as mãos pelo rosto. Planejamento de futuro não era algo a que eu estivesse habituada. — Suponho que deveria pensar em arranjar um emprego também.

Ela caminhou até a porta dos fundos, onde a bolsa tinha ficado sobre o degrau. Carol vasculhou o interior até que tirou um cartão, que me entregou, dizendo:

— Aqui estão todas as minhas informações de contato. Sou representante autorizada da Realtor, portanto tenho muitos contatos. Tenho certeza de que posso arranjar um aluguel para você. Quanto ao emprego, aí eu não sei. O que você fazia antes de vir para cá?

— Eu era assistente executiva do diretor de uma casa de leilões. Sou formada em História da Arte e foi uma grande porta de entrada, em termos de emprego. Não sabia bem aonde ia dar, mas gostava daquilo.

— E agora você está aqui.

— E agora estou aqui.

Ela assentiu, os olhos se estreitando ao me observar.

— Já ouviu falar sobre o museu de arte Ohr-O'Keefe, tenho certeza.

— Não, na verdade, não. Onde é?

— Aqui em Biloxi. George Ohr é daqui, sabe. O museu estava quase pronto quando o Katrina o atingiu. Ele foi construído para suportar ventos de furacão de aproximadamente 120 quilômetros por hora, mas não pensaram em protegê-lo das barcaças dos cassinos, que foram o que o pôs abaixo durante a cheia da tempestade. Assim, tiveram que arrecadar todo o dinheiro novamente e está previsto para abrir em novembro. Atrasado em cinco anos, mas antes tarde do que nunca. Tenho certeza de que estão recrutando pessoas e minha mãe tem estado envolvida para valer na arrecadação de fundos. Ela poderia colocar você na direção certa.

Ela retirou outro cartão da carteira e virou-o do outro lado.

— Dê-me seu celular para eu poder achar você.

Dei a ela o número e ela anotou.

— Charlie, temos que ir apanhar a Ray Von agora. Despeça-se do Beau. — Ela se virou para mim. — Quer que eu diga à Ray Von que passou por aqui?

— Se você não se importar... E tenho aqui uma sacola com tomates do filho dela, Xavier; se puder entregar a ela, eu agradeceria. Por favor, diga-lhe que ligo mais tarde. Só preciso perguntar a ela uma coisa.

Carol Sue riu.

— Boa sorte com isso. Ela raramente atende o telefone. Acho que ela é do tipo que, quando quer falar com alguém, vai procurar pessoalmente. Então, é claro que ela também não tem celular. É por isso que cada uma de nós da Ladies Auxiliary para por aqui uma vez por dia para saber dela ou para levá-la aonde precise ir. O filho manda dinheiro, de modo que ela sempre tem com o que fazer compras, mas nunca dá para ligar para ela, marcando uma hora. Ela simplesmente está sempre pronta quando você aparece.

Ergui as sobrancelhas.

— Bom, acho que vou passar por aqui noutra hora. Ao que parece, vou estar por aqui regularmente. — Acenei com o cartão de visita. — Entro em contato para saber sobre o imóvel para alugar. E obrigada. Você foi mais do que prestativa.

Ela deu de ombros.

— É o que procuramos fazer. — Olhou para Beau e Charlie, que davam um abraço de despedida.

Fomos cada uma para seu carro e, depois de ter entregado a ela a sacola de tomates, acenamos e tomamos direções opostas. Parei no escritório da Kenney-Moise Construções na rua Reynoir para pegar as plantas. Steve e Julia Kenney se ofereceram para mostrá-las a mim em uma das grandes mesas, na sala dos fundos, mas eu recusei. Queria vê-las primeiro junto com Trey, para observá-las pelos olhos dele e de Mônica, a fim de garantir que todos os detalhes estivessem corretos.

Eram por volta de 4h30 quando nos dirigimos para a van, o sol do início de outono já começando a se recolher. Dirigi a van para a interestadual, correndo para voltar a Nova Orleans, lembrando-me da promessa de Aimee de contar-me mais sobre sua história. Enquanto a água da baía deslizava abaixo de nós, pensei nos pelicanos esculpidos na árvore morta, os pescoços esticados, como se tentando ver o céu. E fiquei imaginando por que me faziam recordar a mulher que perdera tanta coisa, mas que podia cuidar do jardim de alguém e ser capaz de lembrar que as águas da tormenta recuam e que o verde volta a crescer nas árvores desfolhadas.

Capítulo 10

Constroem muito baixo aqueles que constroem abaixo das estrelas.

— Edward Young

Aimee

1954

Pelo resto de minha adolescência, passei os outonos amarelados na Filadélfia sentindo saudades do ar sufocante da Crescent City, dos pisos que rangiam e da brisa salina de River Song. Ao longo de todos os invernos congelantes e das primaveras frias, eu ansiava pela viagem de verão rumo ao sul, para um mundo tão completamente diferente do meu que poderia ser considerado outro planeta.

Verificava a caixa de correio todos os dias depois das aulas para ver se havia alguma carta de Gary. Sempre nos correspondíamos; na verdade, ele escrevia mais do que eu. Algumas vezes, era apenas uma brincadeira de duas linhas. Em outras, era sobre o colégio e seus desejos não realizados, como a tentativa de fazer parte do time de beisebol. Eram poucas as ocasiões em que escrevia sobre a mãe, sobre como minha avó era a única vizinha que ainda falava com ela e como isso provavelmente se devia apenas à amizade que ela mantinha com o pai de Gary. A sra. Guidry se habituara a usar roupas no novo estilo "beatnik" (segundo Gary) e a convidar músicos e artistas negros para grandes festas em casa, colocando-os sentados à sua mesa de jantar, o que causava grande escândalo. O pai de Gary se ausentava notoriamente nesses eventos, por isso Gary chamava o pai de o maior dos covardes. Gary fazia pé firme para ficar no andar de baixo o máximo que a mãe permitisse, a música e as risadas continuando ainda por muito tempo depois que ele tinha ido se deitar.

Gary mencionava muito Wes e o fato de ele estar agora em Tulane, com seus planos de finalmente ingressar na faculdade de direito de lá. Ele até escrevia sobre lagartos e flores de seu jardim. Mas, à parte a covardia, ele raramente mencionava o pai.

Gary sempre ia de carro com minha avó me buscar no aeroporto e, quando finalmente permitiram que ele dirigisse, surpreendeu-me aparecendo sozinho. Ele me contou sobre as garotas e eu inventei histórias sobre meninos. Eu frequentava um colégio católico só de meninas, onde eram poucas as oportunidades de estar junto com meninos, mas eu detestava que nossas conversas sobre o sexo oposto fossem apenas unilaterais.

Perguntei-lhe certa vez sobre o menino que vira na janela do sótão. Gary me olhou de modo estranho e, então, com um sorriso forçado, disse que eu estava louca ou que devia ter visto um fantasma. Sentindo-me punida, deixei o assunto de lado e esqueci tudo sobre ele — até muito mais tarde.

Eu não via muito Wes durante minhas estadas. Ele parecia querer ficar o máximo de tempo possível fora de casa e passava a maior parte dos feriados escolares com os amigos e a família deles. Eu não o culpava. A atmosfera no ambiente doméstico dos Guidry era claustrofóbica. A sra. Guidry passava dias inteiros dentro do quarto, gritando com as pessoas por trás da porta fechada. Ray Von era a única pessoa autorizada a vê-la, levando-lhe bandejas de comida e os remédios. E era Ray Von que zelava pelos cuidados pessoais dela e fazia com que saísse do quarto, bonita e vibrante toda vez, o broche de jacaré brilhando no peito. Sempre que a via, eu me lembrava de minha mãe e do que a sra. Guidry dissera acerca dos jacarés na primeira vez em que a cumprimentara pelo broche. "Eles me fazem lembrar de mim, suponho... muitas vezes mal compreendida."

O sr. Guidry passava grande parte do tempo em seu escritório de advocacia na Poydras, mas eu sempre sabia quando ele estava em casa. A gritaria entre eles podia ser ouvida por todos os cantos da casa de minha avó. Gary jantava mais vezes em nossa casa do que na dele. Em geral, Wes ficava longe. Mesmo durante o ano escolar, de acordo com Gary, Wes morava no campus de Tulane, a poucas milhas de distância.

No verão de meu décimo sexto aniversário, Wes surpreendeu a todos, vindo passar as últimas três semanas de férias em casa. Ele estivera em Boston durante todo o verão, trabalhando em uma firma de advocacia de um amigo de seu pai. Ele passava a maior parte dos fins de semana em Cape Cod, de onde enviava cartões-postais todas as semanas para Gary, que relutantemente os compartilhava comigo, só depois de me chantagear para trazer comida escondido.

Eu estava deitada em uma espreguiçadeira no pátio lateral, tentando fazer com que minha pele conseguisse algo além de se queimar. Vovó estava jogando bridge na casa de amigas ou jamais teria permitido aquilo. Eu não sabia se ela se ofendia mais pelo bronzeado ou pelo maiô de duas peças, mas, fosse por uma coisa ou pela outra, eu estava pecando deploravelmente. Ela chamava de "rápidas" as garotas de pele bronzeada que mostravam a barriga, nome que eu quase desejava merecer.

Meu novíssimo rádio transistor estava sintonizado na WNOE e eu cantava junto com Patti Page sobre um cachorrinho na janela quando o portão de ferro rangeu. Sobressaltada, olhei por cima da revista *Seventeen*, rapidamente jogando uma toalha sobre ela no caso de ser minha avó, que insistia para que eu lesse literatura ou livros históricos para exercitar a mente durante as férias escolares.

Meus óculos escuros deslizaram para a ponta do nariz devido ao suor e eu os empurrei de volta a tempo de ver Wes caminhando em minha direção.

— Oi, Aimee. — Ele ficou de pé, perto de mim, bloqueando o sol. Sentindo-me de repente constrangida, sentei e cruzei os braços em minha frente, tentando parecer indiferente.

— Oi, Wes. Não sabia que vinha para casa.

— Nem eu mesmo sabia até dois dias atrás. Foi coisa de último minuto. — Ele vestia calça creme, mocassins e camisa xadrez azul que deixara para fora da calça. Apesar das roupas casuais e de frequentar uma escola sulista, ele parecia pertencer à Ivy League, o grupo das escolas mais tradicionais. Sentou-se na toalha extra, estendida sobre a grama, as longas pernas esticadas à frente e cruzadas nos tornozelos. Os olhos azuis sobressaíam no rosto bronzeado, os pés se deslocavam para a frente e para trás, num movimento constante. Era uma energia nervosa que muito me lembrava o irmão dele. Mas, enquanto os movimentos contínuos de Gary pareciam mais um hábito nervoso, em Wes soavam como energia contida.

Ele estendeu a mão até o rádio, no qual a música tinha virado estática.

— Por que você não está ouvindo as notícias? Little Mo deve estar ganhando em Wimbledon neste momento.

Dei de ombros, tentando parecer que sabia do que ele estava falando.

— Gosto de ouvir música. E este é o único local onde posso ouvir, já que a vovó não me deixa ouvir o rádio dentro de casa.

— Espero que não se importe por eu interromper seu banho de sol, mas eu a vi por uma das janelas de cima e queria companhia. Não há ninguém em casa. Pensei que um comitê de boas-vindas de uma só pessoa seria melhor do que uma casa vazia. — Ele sorriu para mim e senti o aperto familiar na garganta.

Além de Gary e de meu pai, jamais estivera tão próxima de alguém do sexo oposto. Senti um rubor se alastrar pelo rosto a partir do pescoço e empurrei os óculos de volta no nariz como forma de descontração.

— Então, seja bem-vindo ao lar. O Gary ficará enlouquecido com sua volta.

— Mesmo? Pelas cartas dele, pensei que o Gary estivesse feliz por não ter que dividir sua companhia comigo.

— Ah?

Ele levantou os joelhos e os abraçou.

— Você e o Gary... estão juntos, não estão?

— O quê? Você quer dizer como namorada e namorado? Não mesmo! Quero dizer, somos amigos... mas é só.

Eu esperava ter me bronzeado, porque realmente precisava de algo que escondesse o vermelho horripilante que devia ter tomado meu rosto. Ele levantou a mão e riu.

— Desculpe-me, Aimee. Não queria causar desconforto a você. É, que pelas cartas de Gary, pensei que vocês dois estivessem namorando.

Fiquei sem fala, além de embaraçada. Ele também permaneceu me olhando, e seu rosto tornou-se sério de repente.

— Ponha sua toalha, Aimee. — Ele esticou o braço por trás de mim, pegou a toalha da espreguiçadeira e me deu.

— Por quê? Não preciso dela... está quente. E o que você quis dizer sobre o Gary e eu?

— Ponha a toalha. De verdade. — Ele a jogou sobre meus ombros de modo que cobriu minha frente, tapando minha roupa de banho amarelo--clara.

O olhar constrangido em seu rosto me forçou a colaborar. Eu a pendurei por sobre os ombros, prendendo-a na frente.

— Por que estou fazendo isso?

Ele pigarreou.

— Seu sutiã... — Ele parou, como se esperando que eu concluísse a frase.

— Sim?

— Acho que você precisa consertar a alça.

Eu abri a toalha levemente e olhei para baixo, descobrindo que a alça que amarrava atrás do pescoço tinha afrouxado e caído até meus quadris, expondo todo o meu peito. Eu devo ter aberto a boca para dizer algo, mas não consegui fazer com que meus lábios enunciassem as palavras. Apertei a toalha em torno dos ombros, então, com toda a dignidade que pude reunir, entrei em casa sem olhar para trás.

Sem pretender reviver minha mortificação, planejei evitá-lo pelo resto das férias de verão e fiquei entusiasmada por ser convidada de novo para ir a River Song em Biloxi. Até descobrir que Wes também iria. Como apenas uma garota de 16 anos poderia pensar que tal coisa fosse possível, decidi que não olharia na direção de Wes por todas as três semanas em que estivéssemos lá.

Eu acompanhava Gary e seus pais a River Song todo verão desde que completara 12 anos. Sempre garantíamos estar lá na última semana de julho para celebrar o aniversário de Gary. Ele dava grande importância ao fato de o aniversário dele ser antes do meu. Eu tinha nascido em dezembro e sentia inveja de Gary por ele celebrar seu aniversário na praia, mas nunca o deixei esquecer que eu era sete meses mais velha.

Eu amava River Song. Parecia exercer um feitiço sobre todos os que dormiam sob seu teto; mesmo o sr. e sra. Guidry não ficavam imunes, e o humor deles mudava para uma quase amabilidade tão logo deixávamos os arredores de Nova Orleans. Entretanto, nunca tive certeza se para eles era meramente a fuga da cidade, não o destino, que lhes permitia deixar suas animosidades de lado. Era como se algo pairasse no ar sobre a casa deles na rua Primeira, envenenando-os.

River Song estava na família Guidry havia três gerações, uma estrutura de dois andares, de uma madeira resistente. Havia sobrevivido ao furacão da Costa do Golfo de 1947, apesar de ter perdido o telhado e quase todo o andar superior. Agarrando-se tenazmente à areia irregular das fundações, ela sobrevivera à tempestade para ser reconstruída e usada pelos futuros Guidrys. Ela se tornou minha casa fora de casa e eu ansiava pela visita, todo verão, quando podia escapar do olho atento de minha avó por várias semanas.

Para fazer a viagem, íamos em dois carros: Gary, eu no meio e Ray Von no banco de trás do Cadillac do sr. Guidry, o sr. e a sra. Guidry no assento dianteiro. Ambos olhavam somente para a frente, sem conversar entre si, mas algumas vezes eu pegava um olhar como que passando entre eles e sabia que qualquer que, fosse qual fosse a a nuvem envenenada que pairasse sobre eles em Nova Orleans, ela já se dissipara.

Wes dirigia o carro dele, um Oldsmobile 98 Fiesta cupê conversível novinho em folha, com um enfeite dourado do lado do passageiro. Lacy Bourdreaux era uma aluna do Sagrado Coração — um embrulhinho caprichado, com seus saltos agulha e o nariz perfeito. Ela fazia o tipo mignon, alegre e infinitamente irritante com seus shorts muito curtos e de barriga de fora. Odiei-a de cara. Odiei-a ainda mais quando Wes pousou o braço casualmente sobre a parte de trás do banco dela, ao emparelharem conosco na Autoestrada 90, a echarpe de chiffon de seda rosa esvoaçando atrás dela. Ray Von me pegou olhando para eles pela janela e me olhou como quem tinha entendido. Desviei a atenção para Gary e me forcei a ignorar o brilho do Oldsmobile azul e branco pelo resto da viagem.

Eu adorava viajar pela U.S. 90 ao longo da praia pela Baía de St. Louis, Pass Christian e Gulfport, a água me lembrando qual seria minha meta nas semanas à frente. As pessoas a chamavam de Rota 66 do Sul, e, embora nunca tivesse visto a Rota 66, eu vira fotos em revistas e imaginava que a sequência de restaurantes, hotéis e letreiros luminosos coloridos e brilhantes certamente a faziam parecer assim. Quando passávamos sob o imenso arco e o viaduto do Sun ' n' Sand Hotel Court, em Gulfport, já sabia que estávamos próximos e virava para Gary com um grande sorriso, surpresa ao vê-lo olhando para mim em vez de olhar a paisagem.

Nos verões anteriores, Gary e eu dormíamos em beliches no sótão dos dormitórios, com o teto inclinado e uma irregularidade acústica que permitia que alguém murmurasse algo em um canto e fosse ouvido em alto e bom som do outro lado — uma vantagem para crianças que supostamente estivessem dormindo. De alguma forma, eu sabia que as coisas estavam diferentes naquele verão. Talvez fossem os sinais físicos óbvios da maturidade. Ou talvez fosse a forma como Wes estivesse olhando para Lacy. Mas fora decidido que Lacy e eu dividiríamos um dos dois quartos em cima, e Gary e Wes, o quarto do outro lado do saguão.

Lacy imediatamente escolheu a cama mais próxima à janela e jogou a mala por cima para marcar território. Ela rebolou para tirar o short e a blusa e ficou de maiô duas-peças, remexendo na mala até encontrar o que procurava. Enfiou pela cabeça uma das camisetas da fraternidade de Wes em Tulane antes de esticar o cabelo loiro num rabo de cavalo no alto. A camiseta ia quase até os joelhos, fazendo-a parecer ainda menor e mais adorável do que o habitual. Eu a odiei ainda mais.

— Vou pegar um sol. A gente se vê por aí. — Jogando no ombro uma bolsa de praia, ela saiu do quarto, agitada e balançando o cabelo loiro.

Lentamente, vesti meu maiô inteiro — algo em que minha avó tinha insistido — e dei uma olhada em mim mesma em um espelho grande atrás da porta do closet. Diferentemente da pele morena amarelada de Lacy, minha pele era muito branca, com faixas descascadas devido às queimaduras de sol. Eu era só braços e pernas, minha honra salva pelo busto, recém-adquirido. Minha pele cor de neve brilhava sob a austeridade do maiô preto. Vesti uma das velhas camisetas de baixo de meu pai, prometendo a mim mesma não tirá-la se Lacy estivesse em algum lugar perto de mim.

A porta abriu e Gary estava de pé com o calção de banho verde escuro, uma pele tão clara quanto a minha e de camiseta branca, segurando um saco de batata chips e uma toalha de praia enrolada.

— Anda, Aimee. Você ainda não está pronta?

— Gary! Você tem que bater na porta. E se eu estivesse pelada?

Joguei o cabelo para trás dos ombros com um gemido de desgosto e coloquei o óleo infantil e a escova dentro da bolsa de praia. Olhei para cima, esperando ver Gary sorrindo para mim. Em vez disso, sua face estava com um tom incomum de rosa e sua boca aberta como um peixe na linha. De repente, me lembrei da conversa que tivera com Wes sobre Gary. Sabendo que precisava varrer tais pensamentos da cabeça dele, peguei a bolsa de praia sobre a cama e a atirei para ele.

— Pense rápido! — eu disse, vendo-o lutar com a bolsa no ar.

— Não vou levar sua bolsa — disse, devolvendo-a para mim.

— Como preferir. — Comecei a correr e disparei escada abaixo, chamando-o por cima do ombro: — Vou pegar a espreguiçadeira!

Alcancei o píer antes de perceber que ele não estava atrás de mim. Pensando que ele estivesse armando algum um truque, fui, então, na ponta dos pés até a porta da frente para olhar pela tela. Um pavor enorme tomou conta de mim quando vi Gary sentado no último degrau, com a cabeça entre os joelhos e Ray Von a seu lado. Joguei a bolsa no chão e corri para dentro.

— Gary! Você está bem?

Ele olhou para cima, o rosto branco como farinha.

— Estou bem.

Ray Von balançou a cabeça lentamente.

— Você não tomou seus remédios hoje, tomou, Garrick?

Gary enterrou ainda mais a cabeça, sem dar ouvidos à pergunta dela. Olhando direto para Ray Von, eu perguntei:

— Ele vai ficar bem?

— Ele precisa descansar imediatamente e ficar fora do sol. Vá, você. — Ela apertou os braços dele, tentando levantá-lo.

Gary soltou-se dela e ficou de pé.

— Estou bem. Vou para o píer com a Aimee.

Os joelhos dele se entortaram, ele escorregou de novo no degrau. Eu disparei na direção de Gary, segurando sua cabeça antes que batesse na parede da escada.

Ray Von olhou para mim com olhos tranquilizadores.

— Vá e chame o sr. Guidry. Preciso dele para ajudar-me a levar o Gary para o quarto. — Hesitei, sem querer deixar Gary. — Vá, menina. Ele ficará bem. Eu posso ajudá-lo. Vá buscar o sr. Guidry.

Corri de volta pelas escadas até alcançar a porta fechada dos aposentos dos Guidry. Sem pensar, abri a porta. Os corpos nus do sr. e da sra. Guidry ficaram como que paralisados na cama. A pele deles brilhava com suor escorregadio, os lençóis e a colcha amontoados pelo chão. O sr. Guidry encobria grande parte do corpo da esposa, mas pude ouvi-la gemendo como um filhote de gato.

— Saia, Aimee.

Mal reconheci a voz do sr. Guidry. Não era o mesmo homem calmo que eu conhecia. Este homem tinha endurecido, de alguma forma, como uma camada grossa sobre um pudim que tivesse ficado muito tempo exposto. Surpresa demais para ficar embaraçada, falei:

— O Gary está mal e a Ray Von precisa da sua ajuda.

Fechei a porta com uma pancada, soltando a maçaneta como se fosse queimar minha mão. Desci, então, pelos degraus da cozinha e esperei até ouvir o sr. Guidry descendo pelos degraus da frente; em seguida, passei correndo pela porta antes de ver qualquer outra pessoa.

Lacy e Wes não estavam à vista, então, andei até o final do píer e me sentei. Os pés pendurados balançavam na borda, o esmalte rosa nos dedos dos pés brilhando na pálida luz do sol. Fiquei sentada ali por muito tempo, olhando o sol sangrando no Mississippi Sound, pensando em formas de evitar o sr. e sra. Guidry pelo resto da vida. Por que ela estava chorando? O que ele fizera para machucá-la? E em algum lugar, por baixo daquela angústia de adolescente, estava minha maior preocupação: Gary. Eu vi seu rosto pálido e senti um medo real pela segunda vez na vida.

O piso rangeu atrás de mim, afastando os pensamentos da cabeça. Wes, alto e bronzeado, se aproximou pela outra extremidade do píer. Animei-me um pouco com a ideia de mergulhar na água e nadar para a praia, mas não queria chamar mais atenção para mim.

— Oi, Aimee.

Virei a cabeça, pousando meu queixo em meus joelhos levantados conforme o calor invadia meu rosto.

— Importa-se se me juntar a você?

Balancei a cabeça sem olhar para ele quando esticou as pernas a meu lado. Ficamos sentados por um tempo em silêncio, ouvindo o ronco suave de um barco a motor distante. Uma mulher vestida com um duas-peças e uma touca de banho esquiava puxada pelo barco, deixando rastros de água branca. Após um momento, ela soltou a corda, afundando-a na água com cuidado.

— Espero que você não esteja me evitando, Aimee. Não quis embaraçar você. Pensei que preferisse ouvir de mim do que do carteiro.

Mantive o queixo nos joelhos, sem olhar para ele.

— Não quero falar sobre isso, se não se incomodar. — Eu estava agradecida pelo sol enfraquecido esconder a vermelhidão em meu rosto.

— Claro. Mas você pode parar de fingir que estou com a peste agora?

Ergui a cabeça.

— Não achei que você tivesse notado. A Lacy o mantém bastante ocupado.

Ele franziu o cenho, a linha da testa formando um "V" profundo, aí jogou um graveto na água, onde bateu com um leve ruído.

— Ela bem que tenta.

Sem querer levar adiante a conversa sobre Lacy, mudei de assunto para a pessoa que estava ocupando a outra metade de minha mente.

— Wes, quão doente o Gary é?

Ele respirou fundo antes de responder.

— Ele poderia estar muito doente... mas parece que isso está sob controle. — O olhar dele analisava meu rosto como se julgando se eu estava preparada para ouvir o resto. Wes continuou. — Garrick nasceu com problemas de coração. Enquanto ele tiver cuidado e tomar os remédios, poderá levar uma vida normal, embora essa possa não ser tão longa quanto todos nós gostaríamos.

Afastei com as mãos um bando de insetos em torno de meu rosto.

— Ah. — Não sabia mais o que dizer.

Wes levantou-se de repente e ofereceu-me a mão. Puxando-me, ele disse:

— Está ficando escuro e eles devem estar nos aguardando para o jantar. Ele soltou minha mão quando fiquei de pé, então andou comigo em direção à casa.

Paramos na porta da frente.

— Tenho que pegar algo no meu carro... você entra. — Ele parou por um momento antes de acrescentar. — Estou feliz que esteja aqui. Você é diferente, Aimee. Como uma luz brilhante. Estou feliz que Gary tenha você.

Virei o rosto para dizer que Gary não me tinha, mas, ao fazer isso, ele se inclinou para me dar um beijo no rosto. Em vez disso, nossos lábios se tocaram por mais tempo que um beijo acidental duraria. Ele recuou, evitando meus olhos, então foi para a garagem.

Coloquei a mão sobre os lábios, sentindo a umidade do beijo dele. Ouvi um movimento e me virei para ver Gary pela porta de tela, o rosto clareado pela iluminação externa. Os olhos dele se estreitaram enquanto mirava para além de mim, na direção em que Wes tinha ido. O olhar voltou para mim e reconheci a expressão em seu rosto como a que ele tinha quando estava sem ar e lutando para respirar.

— Gary...

Era tarde demais. Minha voz se evaporou pelo ar do crepúsculo enquanto ele desaparecia dentro da casa.

Julie

Desci as escadas lentamente, admirando a forma como as luzes vindas da rua perpassavam o vitral da janela do patamar, fundindo luzes qual joias coloridas na escadaria. Quando alcancei o final da escada, observei que a luz da mesa do hall estava acesa, assim como a luz no estúdio de Trey.

Já era quase uma hora da manhã e, conforme andava em direção à porta, tinha esperanças de que as luzes estivessem acesas por acaso, já que estava vestida unicamente com minha camiseta comprida dos Yankees de Nova York, que batia um pouco acima do meio da coxa.

Coloquei a cabeça em torno da esquadria da porta e, para meu alívio, vi a escrivaninha vazia e o computador já desligado. Entrei e aí gelei. Trey estava de pé no lado oposto da sala, onde havia uma mesa com as plantas de River Song. De mãos cruzadas sobre a mesa, ele estudava as plantas à sua frente.

Pela primeira vez desde que o conhecera, Trey não estava imaculadamente trajado, com calças bem passadas e camisa social. Em vez disso, calçava botas de trabalho, uma bermuda cargo manchada de tinta e uma camiseta verde escura coberta com algo que parecia serragem.

Comecei a sair da sala.

— Você pode entrar. — Trey não se virou para me olhar.

— Eu não estou vestida adequadamente para acompanhá-lo.

Dessa vez ele se virou e vi que a camiseta tinha a palavra TULANE estampada em letras azul-claras na frente e que o cabelo, emaranhado, tinha suor e mais serragem. Ele estendeu os braços, os lábios retorcidos para um lado, ao ver a camiseta e as pernas de fora.

— Nem eu. — Ele se virou novamente para a mesa. — Estava imaginando o que você tinha achado das plantas da casa.

Dirigi-me à mesa, tão surpresa por ele solicitar minha opinião que nem pensei em perguntar por que estava vestido daquela forma à uma hora da manhã e nem mesmo fiquei embaraçada por trajar uma camiseta e quase nada mais. Parei perto dele e olhei para as lembranças de Mônica desenhadas em azul e branco. O bloco de notas que eu deixara próximo às impressões estava repleto de observações e comentários que eu fizera ao estudá-las, e notei que a lista continuava com uma letra masculina desconhecida.

— Não pensei que estivesse tão interessado nelas.

Ele me deu uma olhadela de lado.

— Por que pensaria isso?

— Bom, você estava ocupado demais para ir a Biloxi e examiná-las com o empreiteiro, a Aimee me disse que estaria impedido por toda a semana e que eu teria que me reunir sozinha com o construtor para quaisquer alterações que quiséssemos.

Ele mordeu os lábios.

— Tenho outros compromissos que tomam meu tempo. Desculpe-me. Reconstruir River Song não era exatamente algo que estivesse na minha agenda por agora. As coisas devem clarear em alguns meses.

— Alguns meses? — Olhei para ele, sem tentar esconder a chateação na voz.

— Sim, alguns meses. A menos que esteja pensando em operar uma escavadeira, não há muito o que você e eu possamos fazer a essa altura.

Cruzei os braços, pronta para discutir, antes de compreender que provavelmente ele estava certo. Em vez disso, voltei a atenção para as plantas da casa, lembrando, em primeiro lugar, por que eu não tinha conseguido dormir e havia descido.

— Posso mexer nisso? — perguntei, levantando a primeira folha que mostrava a elevação frontal da casa.

Trey concordou e deu um passo atrás.

Folheei as grandes plantas até que encontrei uma que mostrava os fundos da casa e aquilo que um dia fora o sótão dos dormitórios. Algo que Aimee tinha dito acabara ficando em minha cabeça, quando relembrei as histórias de Mônica sobre as noites de verão passadas com os primos, irmão e amigos no sótão, ouvindo os sapos e grilos nas árvores, as confidências sussurradas e compartilhadas apenas com os caibros elevados e as paredes de cedro.

Coloquei a tal folha por cima das outras e estiquei-a com as mãos.

— Quero que os empreiteiros saibam como recriar a anomalia acústica a que Mônica se referia. Mesmo a Aimee se lembra dela e deve ter refeito isso propositalmente depois do Camille para duplicar o efeito. Você sabe do que estou falando?

Ante o silêncio de Trey, olhei para ele e vi que estava sorrindo com ambos os lados da boca no primeiro sorriso real que vira desde que nos conhecêramos.

— Com certeza — disse, ainda sorrindo.

Desconfortável, perguntei:

— O que há de tão engraçado?

Ele balançou a cabeça, o sorriso diminuiu um pouco.

— Nada demais. Eu apenas... ah, não sei. Imagino que esteja feliz em saber que a Mônica se lembrava disso. Que ela apreciava isso o suficiente para compartilhar com alguém que nunca estivera lá, mas que se lembra de que era importante o suficiente para minha irmã garantir que seria recriado na casa para o filho dela.

Eu corei.

— Você realmente tem que agradecer à Mônica por isso. Foi a capacidade dela de criar essas cenas fortes com suas histórias a razão de eu estar aqui. Não é como se eu tivesse simplesmente pulado dentro de uma van com um menino de 5 anos em busca de aventura.

Ainda sorrindo, ele voltou às plantas.

— Não importa o que seja. Eu ainda aprecio.

Ele se inclinou, aproximando-se mais das plantas para examinar algo no croqui do teto da parte dos fundos.

— Falei com a Carol Sue hoje. Ela sugeriu que você se candidate a um emprego no museu George Ohr.

Fiquei imaginando a frequência com que se falavam, o que mais ela teria dito, e aí me repreendi por me importar com isso.

— Acho uma boa ideia. Gostaria de depositar a maior parte do dinheiro da venda do quadro em uma poupança para o Beau. Se eu arranjar um emprego, posso tentar viver do meu salário. E, se estiver trabalhando em Biloxi, estarei perto de River Song para acompanhar as coisas.

Ele olhou para mim com olhos satisfeitos, mas voltou para a mesa sem dizer nada. Desconfortável, pigarreei.

— Sinto muito pelo Charles. É duro perder um amigo.

Trey se endireitou, e os olhos escureceram ao olhar para mim, lembrando-me de como os de Mônica também traíam suas emoções.

— Sim — ele disse. — É, sim.

— E uma irmã — acrescentei, apesar de não saber por quê.

Ele concordou.

— Parece que temos muitas coisas em comum.

Dei uma risada sem graça, tentando dissipar a tensão na sala.

— E nenhuma delas boa.

Ele arqueou a sobrancelha e fiquei com a impressão de que poderia, de fato, sorrir de novo. Ele não sorriu.

— Quando pretende voltar a Biloxi?

— Provavelmente, nos próximos dias. Pensei que precisaríamos de alguns dias para olhar as plantas e ter certeza de que pensamos em tudo antes de devolvê-las. Por quê?

— A Aimee só esteve lá uma vez depois do Katrina, e ela gostaria de ver a Ray Von. Ficaria agradecido se quisesse levá-la.

— Claro. Realmente gostaria de ver Ray Von, também.

Ele ergueu as sobrancelhas.

— Não tinha me dado conta de que vocês duas se conheciam.

— Não é bem assim. A Mônica enviou o retrato de sua bisavó para a Ray Von para que ela o guardasse em segurança. Ela incluiu um bilhete para a Ray Von dizendo que eu viria buscá-lo em algum momento. Tenho a esperança de que ela tenha guardado o bilhete, de que teria algo por escrito que não faria sentido para ela, mas faria para mim.

— Boa ideia — ele disse. — Fale comigo se descobrir alguma coisa.

Hesitei em perturbar a estranha pequena trégua que parecíamos ter forjado acerca de nossa conversa sobre as plantas, mas eu sabia que precisava ser franca.

— Você compreende que estou tentando saber por que a Mônica partiu. Você pode não gostar do que vou encontrar.

A expressão era impenetrável; imaginei se eles ensinavam isso na faculdade de direito.

— As respostas que buscamos nem sempre são aquelas que desejamos, certo? Mas saber a verdade é o que nos ajuda a dormir à noite.

Pensei em minha busca por Chelsea e na dele por Mônica; sabia que ele estava certo. Apenas não conseguia reconhecer isso. Eu só queria um resultado e nunca havia parado para considerar uma verdade alternativa. Voltei à mesa, vendo as notas de Trey de novo. Lendo em voz alta, eu disse:

— "Dois ventiladores de teto e não três no sótão dos dormitórios. Teto com vigas na sala de lazer. Caminho para a praia de lajotas".

Eram pequenas mudanças, mas condizentes com a antiga River Song, e me tocou que ele se lembrasse dos detalhes assim como Mônica. Imaginei se isso lhe proporcionava o mesmo conforto que a mim.

Mudando de assunto, Trey disse:

— Em seu caminho para Biloxi, você se importaria de levar a Aimee para ver meu avô? Geralmente eu a levo algumas vezes por semana, mas tenho estado muito ocupado.

Olhei para ele, surpresa.

— Seu avô ainda é vivo? Pensei... — Calei-me, compreendendo que Aimee nunca me dissera nada a respeito.

— Sim, ele está vivo, mas em uma casa de repouso há quase dez anos. Teve um derrame que paralisou seu lado direito e o deixou sem condições de falar. Ele tem alguma demência também.

— Sinto muito. Ficaria feliz em levá-la. — Olhei para ele e meus olhos se estreitaram. — Com que irmão ela casou, o Wes ou o Gary?

Trey virou de costas para mim e começou a empilhar as plantas de forma que as bordas coincidissem.

— Acho que ela quer contar a você. — Um sorriso surgiu em suas palavras.

— Sério? A história dela me fascina, mas obtenho apenas alguns fragmentos por vez. Estou louca para saber. Eu poderia investigar pela internet e obter a resposta por mim mesma.

Ele alcançou o fio da luminária de pé ao lado da mesa e puxou-o com força, deixando as plantas da casa nas sombras.

— Você poderia. Mas não vai. — Trey ficou parado enquanto esperava que eu respondesse.

— Por que diz isso?

— Porque você é boa em esperar por respostas. Porque não tem certeza se a resposta que terá é a que deseja ouvir, então, vai esperar um pouco mais.

Um vislumbre de raiva passou por meus olhos, mas não disse nada, porque estava com medo de que o que ele tinha dito fosse verdade.

Calmamente, ele perguntou:

— Quem pagou pelo enterro da Mônica?

— Eu.

— Funerais não são baratos.

— Ela merecia um enterro decente e uma lápide. Não pensei em pedir à sua família, porque ela não fizera contato com vocês por uma década. Lembrei-me de juntar o dinheiro, vendendo minha pequena coleção de caixas de rapé de prata legítima do século 16, iniciada quando fui trabalhar pela primeira vez na casa de leilões. Eram peças bonitas, eu as adorava, mas eram tão fáceis de vender quanto de comprar, admiradas, porém não desesperadamente desejadas.

Ele assentiu com o rosto fechado.

— Dei início ao trabalho burocrático para trazer o corpo dela para casa. Espero que você esteja aqui para o funeral.

Ia perguntar por que achava que não estaria, mas parei. Eu tinha sido honesta com ele sobre minha opinião a respeito das pessoas que constroem casas em um clima estranho e supus que aquele era seu jeito de ser honesto comigo sobre sua opinião a respeito daqueles que não tinham casa ou raízes de modo algum.

— Assim espero — respondi, vendo de novo a serragem e os respingos de tinta, as botas de trabalho.

Trey arqueou as sobrancelhas ao observar minha contemplação compenetrada e esperei um momento para ele oferecer uma explicação. Ele devia ter estado esperando por minha pergunta a respeito, porque nenhum dos dois disse nada. Eu sabia que estávamos sendo tolos, mas me virei para sair.

— Boa noite, Trey.

— Boa noite, Julie. — Suas palavras definitivamente continham um sorriso, mas abaixei a cabeça e saí da sala antes que ele pudesse ver-me sorrindo de volta.

Capítulo 11

É mais fácil pôr abaixo do que construir.

— Provérbio Latino

Acordei, muitos dias depois, com o sol penetrando pelas frestas da persiana. Olhei para o relógio de cabeceira e tomei um susto ao ver que já passava das 9h. Tinha dito a Aimee na noite anterior que iríamos juntas a Biloxi e sabia que ela deveria estar esperando por mim. Ela costumava levantar cedo, preferindo visitar o jardim antes que o sol do meio-dia esquentasse demais.

Peguei minhas roupas na cômoda e no closet, joguei-as na bancada do banheiro e, então, me aproximei da porta do banheiro contíguo de modo a não acordar Beau. Espiei o quarto dele, para além do castelo de LEGO que ele e Trey estavam construindo no meio do quarto, e meu olhar estancou quando vi a cama vazia.

Pensei por um momento que ele devia estar com Aimee ou Kathy, que eu deveria seguir adiante, tomar um banho e me arrumar, mas anos de culpa não permitiriam que eu fosse a lugar algum até que soubesse onde ele estava. Vesti uma roupa de malha e desci às pressas, chamando por Beau conforme ia de sala em sala, meus passos cada vez mais rápidos ao me deparar apenas com a casa vazia.

Ao chegar à cozinha, parei um pouco, uma náusea familiar invadindo-me a garganta. O chapéu vermelho de Mônica, inseparável de Beau desde o dia do funeral, estava no meio da mesa da cozinha, aninhado entre os potes de cerâmica de sal e pimenta com formato de feijões vermelhos gigantes. Peguei o chapéu, querendo sentir nele alguma quentura, indicando que ele estava por perto, mas nada havia naquela malha tricotada vermelha que me lembrasse Beau.

Perdi algum tempo procurando o telefone para chamar 911, dando-me conta de quão irracional estaria sendo se o fizesse. Meu olhar parou na porta dos fundos que dava para o jardim e meu coração desacelerou um pouco. Com certeza. Ele estava no jardim com Aimee.

Praticamente voei pela porta e pelo jardim afora, sentindo como se de repente eu tivesse viajado no tempo para outro mundo — ou pelo menos para outra estação. Já era quase novembro, mas as cores das plantas e vasos ainda se faziam notar, e uma topiaria em miniatura de animais se enfileirava em torno do relógio solar de metal dourado incrustado no calçamento de lajotas.

Abri a boca para chamar Beau de novo, mas parei quando vi de relance um movimento perto de um pequeno barraco de ferramentas meio escondido pelos galhos pesados de uma magnólia gigante. Beau e Xavier estavam agachados, examinando diferentes ferramentas de jardinagem dispostas em uma sequência organizada sobre o calçamento de lajotas, em frente ao depósito. O chapéu de palha de Xavier encobria-lhe a maior parte do rosto, mas eu ainda podia ver a cicatriz retesada e coberta de manchas matizadas no maxilar e no pescoço. Beau conversava animadamente com ele como se não houvesse cicatriz nenhuma.

— Beau! — chamei, correndo para o lado dele. — Fiquei preocupada com você quando não o vi na cama. Você sabe que não deve ir a parte alguma sem mim.

Ambos se levantaram, Xavier olhando para mim enquanto Beau me abraçava.

— O Xavier vai me ajudar a fazer uma *topraria* de LEGO. Não é legal?

— Sim — eu disse com voz fraca de alívio. — É muito legal. Mas onde estão a sra. Aimee e a Kathy?

Xavier falou, a voz de tenor me surpreendendo de novo.

— A sra. Aimee foi fazer a caminhada matinal com a Kathy e me pediu para olhar o Beau. — O olho verde dele continuava inexpressivo, mas senti certa censura em sua voz. — Este é o neto da sra. Aimee. Não deixarei que nada aconteça com ele.

Forcei-me a sorrir.

— Sim, você está certo. Eu sei disso. É só que... Bem, fico um pouco nervosa quando não sei onde ele está, é só isso. Com todo equilíbrio emocional que pude manter, beijei a cabeça de Beau e dei um passo atrás. — Obrigada, Xavier. Se não se importar de ficar mais um pouco com ele, vou tomar um banho e me vestir para levar a sra. Aimee a Biloxi quando ela voltar da caminhada. Tudo bem?

Ele não retribuiu meu sorriso, mas continuou me olhando com aquele estranho olho verde-claro.

— Vou cuidar muito bem dele, como cuido da sra. Aimee. E não vou deixar ninguém fazer mal a ela... ou a este garotinho, porque ele é filho da srta. Mônica.

Senti a pele da nuca se contrair, olhei com atenção para ele para ver se seu rosto também transmitia a ameaça sutilmente velada que pensava ter detectado nas palavras dele.

— Obrigada — disse novamente, olhando enquanto eles se curvavam para selecionar as ferramentas antes de correr de volta para casa e tomar meu banho o mais rápido possível.

As nuvens tinham começado a se juntar quando Aimee, Beau e eu partimos para Biloxi. Após uma rápida parada na casa de repouso em Metairie, onde Beau e eu aguardamos embaixo na recepção, embiquei a van na direção da interestadual. As plantas de River Song estavam enroladas no assento traseiro perto de Beau, mas as anotações e meu currículo — a pedido de Aimee — estavam no banco da frente, de modo que ela pudesse olhá-las enquanto eu dirigia.

Ela riu e eu olhei para ela, tentando imaginar o que estaria achando de tão engraçado em algum dos documentos.

— O que há de tão engraçado? — perguntei.

Ela citou:

— "O segundo, o nono e o décimo segundo degraus rangiam quando pisávamos." — Olhou-me por cima dos óculos de leitura. — Isso é algo comum em casas velhas, sabe. Ano após ano, as pessoas pisando neles.

— Eu sei. Mas eu tinha esperanças de que o empreiteiro pudesse recriar algo parecido, de modo que não parecesse tão nova.

Ela continuou me olhando.

— Que foi?

— Você e Trey são tão parecidos. Provavelmente foi por isso que a Mônica confiou em você tão rapidamente.

Arqueei as sobrancelhas.

— Sei que ele é seu neto, não quero ofender, mas eu o acho impertinente, controlador e sempre desconfiado de que há algo errado. Como ele é parecido comigo?

Aimee jogou a cabeça para trás e riu.

— Tudo verdade... e acrescente "observador" à lista de características. Mas ele também é leal, compassivo e generoso com amigos e estranhos de igual forma. Vocês dois estão tão ocupados fingindo não ser nada dessas coisas que não as identificam em si mesmos ou um no outro.

Eu mordi o lábio inferior.

— E não acho que nenhum dos dois seja excessivamente leal, misericordioso ou generoso. Temos apenas que concordar em discordar em relação a isso, certo?

— Tudo bem, querida — ela disse quando voltou para a lista. — "Dois ventiladores de teto e não três. As janelas frontais com três vidraças em cima e três vidraças embaixo. O teto da sala de estar deve ser alto o suficiente para uma árvore de Natal de uns três metros e meio". — Ela repousou a cabeça no encosto e riu suavemente. — Vocês dois vão tentar realizar ao máximo os desejos da Mônica para que a casa fique da forma que ela amava. Ainda que Trey não tenha tempo nem interesse e que você ache que pessoas que reconstroem casas em zonas de furacão são "míopes e egoístas, de alguma forma".

Eu corei.

— Desculpe-me. Não estava me referindo a você.

— Sim, estava. Mas está tudo bem. Não vou levar isso para o lado pessoal, e certamente você não é a única pessoa no país que pensa dessa forma. Apenas prefiro imaginar que sou uma restauradora da humanidade.

De olhos semicerrados, olhei através do nevoeiro, tentando com muito empenho pensar na reconstrução de River Song como algo além da reconstrução de uma casa.

— O que quer dizer?

— Depois de um furacão, quando tudo está em tamanha desordem, você olha para o céu e vê que está tudo limpo lá, o céu azul, os pássaros abrem as asas e reconstroem seus ninhos. Cabe àqueles que conseguem suportar olhar para baixo de novo a responsabilidade de restaurar a vida. Se pudesse ver a destruição causada por um furacão, você entenderia por que tantos preferem nem olhar para baixo.

Concentrei-me na estrada à frente, achando que parte de mim entendia. Tinha passado por um tipo diferente de devastação e percebia como cada membro de minha família, exceto minha mãe e eu, se recusava a olhar para qualquer outro lugar que não fossem as ruínas. Entretanto, eu não tinha outra opção a não ser acreditar que olhar de novo para baixo também significava aceitar as próprias vulnerabilidades.

Deixamos a interestadual e tomamos o caminho para a casa de Ray Von. Eu sabia que não encontraria Carol Sue por lá, já que ela estava em Vicksburg visitando a irmã, mas tínhamos feito planos de nos vermos na semana seguinte para procurar apartamentos e reunir as crianças novamente.

O mesmo gato que eu tinha visto nas duas visitas anteriores ocupava seu posto habitual nos degraus da frente, tendo miado para nós ao nos aproximarmos e fugido em seguida. Beau voltara a se agarrar ao chapéu vermelho e segurava-o firme com uma das mãos e meu jeans com a outra. Subi os três degraus e bati na porta. Ouvi a televisão ligada no interior e, portanto, sabia que ela estava lá, embora eu não tenha ouvido o arrastar de pés até eu bater pela segunda vez.

A porta se abriu lentamente e o rosto de Ray Von apareceu, reconhecendo a mim e a Beau, primeiro, depois a Aimee. Ela segurava um lenço no nariz, fungando.

— Estou me sentindo mal hoje, senão convidaria vocês para entrar.

Aimee subiu os três degraus até a porta.

— Não vamos entrar, então. Queremos apenas dizer a você que o Xavier está bem. Ele e o Beau estão se dando bem, o Xavier está lhe ensinando tudo o que sabe sobre jardinagem. — Ela entregou a Ray Von a sacola que tínhamos trazido. — São do final da estação, mas Xavier achou que gostaria deles.

O que poderia ser considerado um sorriso passou pelo rosto de Ray Von ao pegar a sacola.

— Obrigada, sra. Aimee. Agradeço à senhora por cuidar do meu menino.

Aimee estendeu o braço e apertou a mão de Ray Von.

— Você sabe que é o mínimo que posso fazer.

Elas trocaram um olhar que não consegui decifrar antes de Ray Von se virar para Beau.

— Você está sendo um bom menino, sr. Beau, ouvindo sua avó?

Beau hesitou por um momento, então assentiu, com o polegar na boca.

— Você é a cara da sua mãe. Espero que ouça melhor do que ela.

Eu pigarreei.

— Ray Von, lembra-se de quando disse que a Mônica enviara um bilhete para você junto com a pintura? Você ainda o tem?

Ela me analisou por um longo momento.

— Acho que joguei fora. Mas já lhe disse antes, tudo o que o bilhete dizia era que você viria pegar o pacote. É isso.

Assenti, desapontada.

— Bom, se você o encontrar, por favor, poderia me avisar? Gostaria de vê-lo, apenas para o caso de você ter se esquecido de algo.

Os lábios de Ray Von se comprimiram com força.

— Farei isso. — Ela deu um passo para dentro de casa. — Obrigada pela visita — disse antes de fechar a porta gentilmente em nossa cara.

Levei Aimee e Beau de volta à van e esperei todos se acomodarem, olhando a casa recém-pintada com janelas novas e grama aparada. Ao colocar a van em movimento, perguntei:

— Como o Ray Von pôde arcar com a reconstrução da casa e cuidar tão bem da manutenção?

Aimee sorriu sem olhar para mim.

— Chamo isso de parte de seu pacote de "aposentadoria". Ela trabalhou para os Guidrys por tanto tempo que assegurar que esteja protegida na velhice é uma responsabilidade que levo muito a sério. Devemos tanto à Ray Von que tudo o que fizermos por ela sempre será pouco.

Eu estava para lhe perguntar o que queria dizer quando ela se inclinou para a frente e apontou uma rua.

— Vamos fazer um pequeno retorno. Há algo que quero lhe mostrar.

Seguindo suas orientações, dobrei à direita na Beach Boulevard e depois em outra rua logo à direita, encontrando o estacionamento na rua onde Aimee indicou. Tranquei a porta da van, aí dei o braço a Aimee, enquanto segurava Beau com a outra mão, e voltamos uma quadra em direção à praia.

Paramos do outro lado da rua de onde se via o luminoso da guitarra gigante marrom e amarela do Hard Rock Café, como se fosse um brinquedo fora do lugar. A água sob nuvens pesadas tinha agora a cor da ardósia, como se as ondas tivessem engolido todas as sombras.

— Quando eu era menina, não havia uma praia com areia como a que você vê agora. Era apenas o quebra-mar com degraus dando na água. O Gary, o Wes e eu sentávamos nos degraus e catávamos caranguejos.

— Catar caranguejos?

Beau olhou para ela, o cabelo dele, antes bem penteado, agora revolto pelo vento, e fiquei imaginando se ele se lembrava da mãe contando-lhe sobre a caça aos caranguejos com o irmão e os primos, como Trey a perseguia pela praia com o maior que pudesse encontrar.

Aimee passou o braço em torno de Beau.

— É um gosto que se adquire e tenho certeza de que você se acostumará a ele. Espero que esse vazamento de óleo seja limpo a tempo para que eu possa lhe mostrar como se faz. Eu era a melhor, sabe. Tinha "o dom". Sempre pegava mais do que os meninos.

Ela sorriu para si mesma e eu a imaginei descrevendo uma Biloxi entre furacões e antes dos vazamentos de óleo. Mas tudo o que podia enxergar à frente era uma praia vazia e a água pesada de sombras, tão sorrateira quanto um leopardo à espreita.

Viramos e passamos sob um grande arco com a palavra "Biloxi", escrita em maiúsculas acesas por cima de dois pilares de pedra. Entramos no grande espaço gramado da cidade. Bem em frente ao outro lado de onde estávamos, havia o que parecia ser um monumento com um mastro no centro, a bandeira tremulando freneticamente ao vento que parecia ser de tempestade.

— Vai chover, sra. Aimee. Quer voltar para o carro?

Ela balançou a cabeça.

— Ainda não.

Ela me levou adiante por um calçamento de lajotas, Beau correndo na frente em direção ao monumento. Grandes carvalhos, a maior parte com falhas na casca da árvore, troncos atrofiados e de crescimento irregular, pontilhavam o verde como guardiões feridos. Ao nos acercarmos do memorial, pude ver uma parede curva de cimento com um mosaico em forma de onda no centro, rolando de uma extremidade à outra. Na extremidade mais distante, ficava uma parede mais alta de granito preto, com colunas de nomes listados em letras garrafais sob a palavra KATRINA e a data de 29 de agosto de 2005. Uma vitrine cheia de objetos projetava-se a partir da parede de mármore, com a base recoberta de conchas de ostras vazias.

— O que é isso? — perguntei, inclinando-me para a frente a fim de examinar os objetos clareados pelo sol: um prato quebrado de porcelana, um anjo de cerâmica, um troféu, um distintivo de polícia, uma bandeira americana dobrada corretamente como se alheia a seu lugar sobre uma pilha de lixo.

— São escombros encontrados depois do furacão. E você vê a placa de granito branca no topo do granito preto? — Ela apontou para uma parede preta. — Tem 3,70 m, a altura alcançada pela água aqui no Town Green durante a tempestade.

Olhei em volta, estendendo mentalmente uma linha por cima de tudo o que eu podia ver: palmeiras, carvalhos danificados, grama, prédios, carros. Pessoas. Tudo aquilo na água. Toda aquela destruição. Senti-me pesada com aquele pensamento, sentindo o peso da água me empurrando para baixo.

— Por que você me trouxe aqui? — perguntei, minhas palavras fragmentadas pelo vento.

— Antes que River Song fosse reconstruída, queria que você compreendesse um pouco mais acerca das pessoas que moram em Biloxi. Este memorial foi dedicado aos cidadãos daqui, para lembrar a todos da tragédia horrorosa. Temos os nomes dos mortos escritos na parede e pertences queridos em uma vitrine. — Aimee colocou os braços em volta do peito, contra o vento gelado. — Queria que você compreendesse que continuar não significa esquecer.

Meus olhos doíam e me virei, percebendo outra árvore do Katrina próxima ao gramado. Ela tinha um tronco grande e resistente, com uma tartaruga marinha verde descendo por um lado dela e um peixe amarelo e verde subindo por outro galho. Um magnífico espadim surgia do tronco no ar, a boca aberta enquanto lutava em direção ao céu, equilibrado para sempre a ponto de atingir o que buscava.

Fitei-a por um longo tempo, esperando compreender algo que continuava a me iludir. Observei novamente os carvalhos esmagados nas proximidades e suas honrosas tentativas para florescer como se as cicatrizes não existissem.

— Por que alguns carvalhos morreram e outros sobreviveram?

Aimee ergueu um dos ombros de forma elegante.

— Por que algumas pessoas permanecem depois de um furacão e outras nunca voltam? — Ela olhou para mim, os olhos avaliando-me. — Por que algumas pessoas continuam buscando pelos desaparecidos e outras desistem? Eu não sei. Mas, às vezes, alguém tem que ser forçado a ficar sob a água para ver se vai se afogar ou nadar.

Desviei o olhar, desconfortável com a análise minuciosa.

— Vai chover logo. Devíamos ir. — Chamei Beau, que estava tentando subir na base do mastro, enquanto Aimee se ancorava em meu braço e começamos a voltar em direção ao arco.

Já havíamos praticamente alcançado o carro quando ela falou de novo.

— Não lhe agradeci por ter providenciado o enterro da Mônica, por cuidar dela durante a doença. Essas são coisas pelas quais nunca poderei recompensá-la. Por favor, nem fale em me pagar um aluguel ou pensão ou qualquer outra coisa. Vou estar sempre em débito com você.

Queria protestar, dizendo que Mônica teria feito o mesmo por mim, mas Aimee colocou a mão em meu braço.

— Não diga nada. Apenas concorde, porque não quero ouvir tudo isso de novo. — Seus olhos estavam marejados e ela piscava rapidamente. — Você tem um coração generoso, Julie. Mas não se esqueça de poupar um pouco dele para si mesma.

Abri a porta do passageiro da van para Aimee e ajudei Beau a entrar, querendo discordar, dizer que as circunstâncias tinham moldado todas as minhas escolhas, que eu não fizera nada, apenas seguido a única estrada que podia ver. Mas fiquei calada e dei partida na van, seguindo as instruções de Aimee até os escritórios do museu, para deixar meu currículo pessoalmente, dali para a rua Reynoir a fim de levar as plantas e discutir os próximos passos da ressurreição de River Song.

Steve Kenney sorriu quando viu algumas de nossas anotações, mas concordou que todas eram exequíveis e que teria as plantas revisadas até o final da semana. Quando perguntou para que número deveria ligar, eu lhe dei o meu, lembrando que Aimee havia me dito que a reconstrução de River

Song não cabia na agenda de Trey.

Quando entramos de novo na van pela última vez antes de retornar para Nova Orleans, Aimee disse:

— Vamos passar por River Song. Acho que vou aguentar revê-la agora.

Rumamos para a Beach Boulevard, passando pelos agora familiares lotes vazios, as casas recém-pintadas, outras abandonadas, as placas pintadas com spray em frente à grama arenosa e fundações de placas de cimento. Aimee baixou o vidro e nós três olhamos para o lote vazio, o carvalho em frente balançando as folhas ao vento, como se agitado com grandes expectativas.

Aimee suspirou pesadamente.

— Tantas lembranças aqui. — As articulações dos dedos dela estavam brancas onde elas as havia apoiado na porta. — Boas, na maior parte delas. — Ela apontou para o carvalho. — Lá costumava ser o deque construído em torno da árvore. Era uma daquelas varandas suspensas com degraus. Mantinha os insetos longe de você e era grande o suficiente para dançar. Acabou-se antes mesmo do tempo da Mônica, mas ela sempre quis reconstruí-lo. Agora, talvez possamos. — Ela ficou em silêncio, estudando o terreno vazio.

Lembrei-me do que Aimee tinha dito sobre a ida ali com os Guidrys e imaginei se era sobre aquilo que ela estava pensando também.

— Por que a sra. Guidry estava chorando, Aimee, quando você entrou no quarto deles? Você alguma vez descobriu?

Ela balançou a cabeça.

— Na realidade, não. Havia rumores... Bom, suponho que sempre haja rumores sobre pessoas da sociedade que não se amoldam. Mas acho que uma parte de mim não queria saber. Eu tinha drama suficiente em minha vida sem vasculhar muito a deles.

Ela continuou a olhar para o lote vazio, mas imaginei que estivesse vendo a casa branca com colunas altas e cadeiras de balanço e dois rapazes esperando dentro. Por fim, ela se recostou no assento, encerrando a discussão.

— Vamos para casa agora.

Quando saímos da Beach Boulevard em direção à interestadual, o céu mudara de cinza para negro, uma súbita transferência de energia. Observei as mãos de Aimee apertadas no colo e tirei o pé do acelerador.

— Vou dirigir mais devagar, se isso é o que a está preocupando — assegurei a ela.

Aimee balançou negativamente a cabeça, mantendo os olhos na estrada à frente.

— Não é da tempestade que estou com medo. Simplesmente não gosto do escuro. Não gosto desde que era garotinha.

Ela fez uma pausa e esperei que me dissesse por que, olhando as palmeiras ao longo da praia se curvando e balançando ao capricho do vento. Aimee continuou.

— Não é mais tão ruim, mas, em dias como hoje, quando desencavo lembranças antigas, isso volta.

Lembrei o que Trey me contara sobre a morte da mãe dela e não pude perguntar a Aimee por que o escuro guardava um terror oculto para ela, acreditando que eu já soubesse.

Sentindo que precisávamos mudar de conversa, perguntei:

— Sra. Aimee, vai me contar com que irmão se casou?

Um sorriso cansado serenou-lhe o rosto.

— Nós ainda não chegamos a essa parte, chegamos? Chegarei lá, eu prometo. — O sorriso se ampliou. — Temos uma hora e meia de carro agora. Mas primeiro vai me contar um pouco mais sobre sua vida com a Mônica em Nova York. Sobre o trabalho dela. E, então, contarei um pouco mais sobre mim.

— Trato feito — eu disse, conforme a primeira pancada de chuva atingia o para-brisa e o céu começava a chorar.

Capítulo 12

Maré de tempestade: elevação anormal do nível do mar que acompanha um furacão ou outro tipo de tormenta intensa e cuja altura é a diferença entre o nível observado da superfície marítima e o nível que seria registrado na ausência do ciclone. — Centro Nacional de Furacões

Aimee
Outono de 1955

Meus dedos vasculharam o interior da caixa de correio para recolher a única carta, lá no fundo. Não reconheci a caligrafia, mas meu coração deu um pulo quando vi o carimbo do correio de Nova Orleans.

Querida Aimee,

Espero que não se importe que eu lhe escreva. Estou aproveitando um raro momento livre nesta tarde e meus pensamentos se fixaram em você. Suponho que seja pelo fato de ter passado o dia de ontem com o Gary e ter falado a maior parte do tempo sobre você. Provavelmente eu não deveria estar estragando a surpresa, mas o Gary está planejando chamá-la para vir aqui em fevereiro para o Baile de Comus[4]*. É muito difícil conseguir os convites, mas meu pai tem uns contatos de trabalho. Não que você precise*

[4] Baile de Comus é um baile especial que ocorre na terça-feira do Carnaval de Nova Orleans (N. E.).

de um incentivo a mais para vir. Seria o máximo para o Gary — para nós — tê-la aqui, então, por favor, diga que sim.

O Gary me mostrou seu retrato de formatura. Nossa! Mal pude reconhecê-la. (Acho que não me expressei do jeito que eu queria!) Você será com certeza a estrela do baile (posso vê-la corar ao ler isto, por sinal; é seu traço mais marcante).

Acho que vamos vê-la muito mais durante os próximos quatro anos, pois o Gary me contou que você foi aceita pela Faculdade de Newcomb. Parabéns! Espero que me permita levá-la ao Commander's para almoçarmos em comemoração à sua conquista.

Tudo bem. Acho que me alonguei muito. De volta ao trabalho. Realmente, adoro pesquisar e escrever (o que é bom se desejo ser um advogado), mas há distrações em excesso quando se mora com mais três estudantes de direito. Acho que vou para a biblioteca.

Com carinho,
Wes

P.S.: Por favor, diga que sim ao Gary. Acho que eu não suportaria a decepção dele.

Fiquei olhando aquela assinatura esparramada, a palma da mão suando. Li repetidas vezes a mesma frase: "Espero que me permita levá-la ao Commander's para almoçarmos". Distraidamente, fiquei imaginando se ele incluía Lacy como uma de suas distrações.

Essa carta marcou o início de uma correspondência entre Wes e mim. À medida que a caneta deslizava sobre o papel, eu e ele acabamos por nos tornar iguais, sem barreiras de idade ou de família. No papel, eu era para ele segura como um confessionário. Conservei todas as suas cartas em uma caixa de sapatos debaixo da cama, amarrada com uma fita cor-de-rosa, e lia e relia todas elas até as dobras começarem a rasgar.

Eu não questionava as razões para ele continuar me escrevendo, receosa de que as cartas dele significassem muito mais para mim do que ele pretendia. Pela mesma razão, não perguntei se Gary estava ciente delas.

Entretanto, eu só conseguia esperar que as lembranças que ele guardava da menina da barragem, forma pela qual costumava me chamar, tivessem mudado e que ele agora me considerasse uma mulher — uma mulher que compartilhava não só o amor pela cidade natal dele, como também uma profunda solidão, invisível para os de fora, porém algo notório para aqueles que partilhassem de uma ausência semelhante.

Querida Aimee,

Foi uma agradável surpresa receber sua carta; ela iluminou meu dia. Estou eletrizado com sua vinda para o Mardi Gras. E, como um incentivo extra para segurá-la por aqui, incluí um bolo Mardi Gras King Cake do Mackenzie's. Cuidado ao mordê-lo, porque mandei que o confeiteiro colocasse um pequenino bebê de plástico em cada fatia. Se você ainda não sabe, a pessoa que achar o bebê tem que comprar o King Cake no ano seguinte e dar uma festa. Parece que você está presa a nós, Aimee.

Aquela carta continha manchas de gordura e açúcar de confeiteiro verde do King Cake por toda ela, e eu ria toda vez que lia a carta, lembrando os 16 bebezinhos retirados de dentro do bolo. Eu os guardei também, aninhados por entre as cartas.

Perdoe-me se pensar que estou querendo sabotar sua silhueta com o King Cake. Pelo que consigo me lembrar de você vestida de maiô no verão passado, sua forma está ótima. Não acho que vá precisar "arpoá-la na praia", seja lá o que for que isso signifique.

Obrigado por todos os comentários sobre meu falatório acerca da faculdade de direito. Só saber que você está aí para escutar já é de enorme ajuda para minha saúde mental. O que eu faria se não fosse você?

Ele nunca mencionava Lacy, mas eu sabia pelas cartas de Gary que eles ainda saíam juntos. O fato, porém, de Wes omiti-lo fazia-me sonhar acordada. E, nas cartas dele, eu usufruía de sua atenção exclusiva.

Já lhe disse, alguma vez, que sua caligrafia parece uma teia de aranha depois da chuvarada? Você devia ser médica; é realmente muito ruim! Para dizer a verdade, acho que não passa de outro ângulo fascinante de sua personalidade. Imagino que ela deva provocar ataques em sua avó, mas eu a adoro.

Obrigado por perguntar por minha mãe. Ela está na mesma, bebendo e fumando; e não tenta mais esconder. Acho que é um progresso, mas, segundo o Gary, nosso pai simplesmente desistiu. De acordo com ele (e com sua avó) ela se veste de forma extravagante demais e anda com gente que não deveria. Amo minha mãe, assim como o Gary, e sei que ela sente o mesmo em relação a nós, mas ela nos é inatingível. Nem sempre foi dessa maneira. Às vezes, fico desejando nunca ter voltado para Nova Orleans, mas como afirmar algo assim se isso significasse que jamais teria conhecido você?

A Ray Von está sempre ao lado da minha mãe; e dou graças a Deus por isso. Meu pai fica no escritório o máximo que pode, deixando minha mãe livre para fazer o que bem entender. Só Deus sabe o que ela estaria fazendo não fosse a Ray Von estar ali para refrear o comportamento dela.

Sei que meus pais se amam, mas não é o tipo de amor sadio que deveria haver entre um homem e uma mulher. Às vezes, fico com o sentimento de que cada um deles sabe algo sobre o outro que ninguém mais sabe, algo como um seguro mútuo de que um jamais deixará o outro. Há algo de doentio ali, Aimee, mas eles não permitirão que me aproxime para ver a realidade. Não estou certo de querer vê-la.

Eu, da mesma forma, aproveitava a oportunidade de usar nossas cartas como um confessionário e comecei a solicitar o apoio dele em relação a meus pesadelos: pesadelos de infância que, de repente, haviam ressurgido após um grande lapso. Eu nunca lembrava nada sobre eles no dia seguinte, apenas que, no sonho, e eu acordava de um sono pesado em um quarto escuro, o gosto metálico de sangue na língua, a noção perfeita e terrível de que não estava sozinha. O medo recobria minha pele como um lençol, eu acordava quase em choque com o cheiro pungente de suor e de algo muito familiar, embora sem nome, cuja identidade era efêmera como o beijo de minha mãe.

Os pesadelos trouxeram de volta lembranças dela para mim, as poucas que tinha, e comecei a me perguntar o que sabia a respeito de minha mãe e o que lembrava acerca de sua morte; perguntas que meu pai não responderia e que eu não podia responder. A lembrança que tinha da noite da morte dela era como uma caixa preta, bem fechada e trancada, com a chave escondida.

Não sei se já lhe disse alguma vez, mas me lembro da sua mãe. Eu era um garotinho, morávamos ainda com meu pai. Ela veio, certa vez, trazer uns tomates que tinha colhido no jardim. Ela era bonita. Com aquele cabelo ruivo esfuziante — bem igual ao seu, Aimee. Entretanto, acima de tudo, o que mais me lembro é da voz dela. Era doce e aguda e fazia todos sorrirem. Sentávamos no banco de igreja atrás dos seus pais na Holy Name aos domingos e a ouvíamos cantar. Minha mãe deixou de ir ao culto conosco por causa disso.

Acho que ela ficava muito aborrecida pelo fato da sua mãe ser perfeita em tudo aquilo que ela não era. Suspeito que esta seja uma das razões para que ela tenha adotado um não conformismo agora, sentindo que, por não se encaixar em nada, ela deve, em contrapartida, enfatizar o que tem de diferente.

Não sou um especialista nesse tipo de coisa, mas me vejo levado a crer que seus pesadelos acontecem pelo fato de que ninguém sabe quem matou sua mãe ou por quê. Ou por que você foi poupada. Deve ser algo inquietante e desalentador e desconfio que a incerteza esteja se manifestando em seus sonhos.

Se isso a ajudar de alguma forma, vou dar uma olhada nos relatórios da polícia referentes à noite em que sua mãe morreu, para ver se pode haver algo que tenha sido desprezado ou que deveria ser reinvestigado. Tenho ligações no sistema legal e no departamento de polícia. Vou perguntar ao meu pai também, já que ele era um bom amigo dos seus pais e ficou ao lado do seu pai durante as investigações e depois delas.

De uma forma diferente, eu também sei o que é perder a mãe. Talvez seja essa a coisa que temos em comum que parece nos manter unidos. Nunca partilhei tanta coisa pessoal com ninguém, Aimee. Quase me sinto um idiota sabendo que nunca falamos pessoalmente com essa profundidade; pelo contrário, destinamos todos os nossos pensamentos ao papel. Espero que possamos continuar com isso frente a frente quando nos encontrarmos de novo.

Falando de algo mais leve, o Gary acabou com o carro de novo. Ele está bem, mas não creio que haja recuperação para o carro. Meu pai está furioso. Lembra-se de que uma vez você nos desejou que nossas bolas caíssem na noite de núpcias? Não creio que as do Gary aguentem até lá.

Com a chegada de fevereiro, comecei os preparativos para minha viagem para Nova Orleans. Não pensava muito em Gary. Só pensava em ver Wes novamente. Eu o tinha visto no verão anterior, mas sabia que havia mudado bastante nos meses que haviam se passado. Meu pai dera para falar sobre como teria que espantar os rapazes a pauladas. Não que fossem muitas as chances de isso acontecer, uma vez que eu raramente conhecia rapazes de minha idade. Não podia esperar para ver a expressão de Wes quando me visse de novo.

De pé, de chapéu, luvas e bagagem no aeroporto Moisant Field de Nova Orleans, espichei o pescoço em busca de um rosto familiar. Minha avó estava em seu cruzeiro anual pela Europa, portanto eu ia ficar com os Guidrys. Ela tinha ficado horrorizada com a ideia, mas ao menos dessa vez meu pai interveio e resolveu tudo com a mãe dele, com o sr. e a sra. Guidry.

Presumi que Gary viria me pegar. Dobrei o porta-vestido cuidadosamente no braço, evitando amassar, torcer ou sujar de alguma forma a beleza simples de meu traje de gala. Meu pai tinha feito uma surpresa, levando-me a Nova York para comprá-lo, e nem piscara duas vezes ao ver o preço na etiqueta.

— Aimee.

Surpreendi-me, ouvindo a voz profunda e familiar. Wes estava à minha frente e facilmente ergueu a mala que estava a meu lado.

— Bem-vinda de volta.

Wes se inclinou e me beijou no rosto e aí deu um passo atrás, como se quisesse ter uma visão melhor. Senti o rubor nas faces enquanto ele me examinava. Pairava entre nós uma estranheza ao nos recordarmos dos pensamentos íntimos contidos em nossas cartas.

Ele finalmente quebrou o silêncio.

— É muito bom que você esteja corando ou eu teria que verificar a etiqueta de identificação na sua mala para me certificar de que era você!

Os olhos azuis dele brilhavam, e só o que consegui foi sorrir de volta para ele.

— Oi, Wes.

Ele vestia terno e chapéu e, por um momento, pensei que parecíamos crianças brincando de adultos. Dei uma olhadela por cima dos ombros dele.

— Onde está o Gary?

Um ligeiro tremeluzir lhe passou pelos olhos.

— Ele ficou acordado a noite toda ontem, estudando para um teste de trigonometria. Estava exausto.

Senti uma pontada de culpa por estar alegre com a ausência dele.

— Acredite-me, ele queria vir. A Ray Von quase teve que amarrá-lo à cama. — Wes nos conduziu na direção da saída da estrutura ampla, semelhante a um hangar. — Sei que prometi a você um almoço no Commander's.

Senti uma onda de prazer.

— Pensei que tivesse esquecido tudo isso.

— Claro que não. Mas você vai ter que deixar para outra oportunidade. O Gary está muito ansioso, não pode esperar mais para vê-la.

Tentei esconder minha decepção... e minha culpa. Eu quase nem pensara em Gary desde que pegara o avião. Sorri.

— Claro, eu não me importo.

Ele estendeu a mão para pegar minha frasqueira, detendo-se por um momento para olhar meu rosto, o dele sério.

— Gostei muito das suas cartas, sabe.

— Ah — eu disse.

As palavras dele me surpreenderam. Ajeitei o cabelo sob o chapéu e, então, o segui até o estacionamento. Prosseguimos por aquele mar de automóveis e nos aproximamos de um Corvette conversível vermelho e branco. Ao parar em frente a ele, perguntei:

— O que aconteceu com seu Oldsmobile? — Coloquei cuidadosamente meu porta-vestido sobre a outra valise na mala do carro.

Wes deu de ombros.

— A Lacy não gostava muito dele. Ela queria que eu tivesse um Corvette. — A voz dele soava uniforme, igualzinha à do advogado treinado para esconder as emoções em sua fala.

— Bom, *eu* adorava aquele Oldsmobile.

Ele me deu uma olhadela de lado antes de colocar os óculos escuros e sair de ré com o carro. Recostei a cabeça no assento, deixando o sol penetrar em minha pele, minha mão segurando o chapéu para que não voasse. Eu tinha visto um lenço de chiffon amarelo no porta-luvas quando Wes pegara os óculos escuros, mas sabia a quem pertencia e não ia pedir emprestado, mesmo que significasse destruir meu novo e favorito chapéu.

O tempo apresentava um calor meio fora de hora, ficando em torno dos 21ºC. O inverno tinha sido longo na Filadélfia e meu corpo clamava pela quentura ardente de Nova Orleans.

Ao rodarmos pela autoestrada, o vento forte impedia a conversa. Agarrei meu chapéu e passei o tempo examinando Wes, disfarçadamente, comparando-o ao irmão. Gary tinha me enviado o retrato de formatura do colegial e eu comentara com meu pai como ele tinha mudado pouco desde que o vira pela primeira vez.

Recostei a cabeça no apoio do assento e admirei o perfil marcante de Wes, ficando impressionada com as semelhanças entre ele e Gary. Ambos possuíam o mesmo nariz reto e afilado, as narinas perfeitamente ovaladas. A testa estreita e os ossos do rosto projetados denunciavam o parentesco entre eles, apesar das diferenças de compleição. Enquanto Wes desabrochara inteiramente para a idade adulta, as maçãs do rosto e o nariz de Gary ainda retinham traços mais arredondados. Talvez isso se devesse à magreza de Gary, mas, mesmo com 17 anos, ele parecia um pré-adolescente.

Ficamos ouvindo a batida dos DJs da WNOE pelo resto do trajeto até em casa, sem falar. Ele estacionou o carro na calçada e, lentamente, tirou a chave da ignição. Nenhum dos dois se mexeu.

— Wes — eu disse com a voz rouca e engolindo em seco.

Ele voltou-se para mim, retirou os óculos escuros e percebi as marcas avermelhadas que tinham deixado no rosto dele.

— Convide-me de novo para almoçar, está bem?

As faces de Wes enrugaram-se num sorriso. Ele ia dizer alguma coisa quando a porta da frente se abriu e Gary surgiu na soleira da porta. O rosto mostrava-se pálido com um sorriso cansado para mim, ao descer pelos degraus da frente, com a mãe logo atrás dele. Ela vestia uma calça colante e uma blusa tipo bustiê, amarrada acima da cintura, o onipresente broche de jacaré preso do lado direito do busto. O cigarro preso na piteira arrastava a fumaça atrás dela.

Desci do carro e a sra. Guidry me envolveu em um abraço perfumado e me beijou em ambas as faces, ao estilo europeu. Sinais de álcool insinuavam-se pelo ar em volta dela, sem ser completamente disfarçados pelo perfume Shalimar, que ela ainda usava.

— Aimee! Estamos muito excitados com sua presença. Não acredito que o Gary tenha pregado o olho por duas semanas!

— Mamãe! — Gary protestou, as mãos enterradas nos bolsos, os olhos mal se fixando nos meus.

Ele tinha crescido naqueles meses desde o verão anterior e estava quase tão alto quanto o irmão. Os dois se postaram a meu lado, me olhando de cima, com sorrisos idênticos.

— Oi, Gary — eu disse, sorrindo de volta para ele e insegura se deveria abraçá-lo.

Havia anos que nos cumprimentávamos depois de ausências prolongadas, e me lembro de ele ter me dado um leve soco no ombro quando tínhamos nos despedido havia apenas seis meses. Dessa vez, porém, era diferente. Tínhamos deixado a infância para trás em algum lugar, talvez na barragem acima do rio lamacento. Já havíamos atravessado a ponte para a idade adulta e ali ficamos, olhando um para o outro, procurando pelo que quer que tivesse restado do amigo de infância.

Gary se inclinou para mim, de braços abertos, e me abraçou. Eu o abracei de volta e pude sentir como as costas e os ombros tinham se alargado. Ele me apertou um pouco mais e, aí, senti o familiar estalido do elástico do sutiã.

— Gary! — eu o enxotei, rindo, e ele riu comigo, um brilho cintilante nos olhos. Aquele era o meu Gary, agora eu o reconhecia.

Wes voltou ao carro para pegar minha mala, Gary bem atrás dele. Assim que Wes a ergueu, Gary tomou-a da mão do irmão.

— Eu posso levar isto.

Ele estendeu o braço para pegar o porta-vestido que estava com Wes, mas ele o tirou do alcance de Gary.

— Peguei, Gary.

Gary saiu em disparada, agarrou-o pela lateral, puxando-o pelo envoltório delicado.

— Não, eu posso fazer isso.

Fiquei ali olhando os dois, horrorizada, enquanto brincavam de cabo de guerra com meu vestido. Eu me coloquei entre eles.

— Por favor, será que posso ficar com meu vestido antes que os dois acabem com ele?

Fomos interrompidos por um pequeno MG conversível amarelo que subia na calçada. Imediatamente, reconheci Lacy, com a coroa de cabelos loiros recoberta por um fino lenço rosa pálido, óculos escuros brancos cintilando ao sol. A mão de ossos longos acenou por detrás do volante, um bracelete de ouro brilhando no pulso. Ela parecia Grace Kelly e meu estômago se contorceu.

Gary aproveitou-se da oportunidade para pegar o porta-vestido. Não ousei me oferecer para carregar a mala, embora ele lutasse para erguê-la. Os músculos firmes surgiram nos braços, mas pude ver o esforço que foi para ele fazer uma inspiração profunda e se arrastar até os degraus da entrada. Ele titubeou um pouco no último degrau, mas conseguiu empurrar o corpo para a frente e passar pela porta.

Fiz uma pausa antes de entrar e voltei-me para ver Lacy falando com Wes. O corpo dela, pequeno e sinuoso, moldado ao dele enquanto ela se colocava na ponta dos pés para beijá-lo, as longas unhas vermelhas visíveis por entre os cabelos dele. Virando-me, dei com Ray Von no vestíbulo, olhando-me fixamente e balançando a cabeça.

Um braço envolveu meus ombros e vi o rosto da sra. Guidry. O batom vermelho vivo borrava seus lábios e os dentes, os olhos artificialmente brilhantes, fazendo lembrar um zumbi daqueles filmes de terror a que eu e Gary gostávamos de ver, como se a verdadeira pessoa dentro daquele corpo tivesse ido embora havia muito tempo, deixando apenas um invólucro para trás.

Ela me deu um aperto e guiou-me para dentro.

— Isso vai ser tão divertido, Aimee. Você precisa me mostrar seu vestido... e eu insisto em ajudá-la a se arrumar antes do baile de amanhã à noite. Não tenho filha, portanto espero que não se importe em me deixar fazer isso.

Ela parecia estar lendo um script, as palavras saindo corretamente, mas sem nenhum significado para ela.

Gary parou ao pé da escada.

— Mamãe está sendo retratada em seu vestido de baile por um pintor do norte. Ele veio para cá só para pintá-la, isso não é ótimo?

A sra. Guidry sorriu para Gary.

— Ele é um pintor muito moderno... digamos apenas que o sr. Guidry não é um fã... mas eu adoro o estilo dele e sinto-me lisonjeada que ele venha de tão longe só para me pintar. Vou inaugurar o quadro depois do baile. — Ela me apertou novamente. — Estou muito animada por ter uma filha aqui.

Ela continuou a conversar sobre os preparativos e sobre bailes anteriores. Era um discurso incoerente, com as palavras se amontoando como carros de corrida em uma disputa num parque de diversões. Gary tinha dito que havia anos ela não ia a um baile de Mardi Gras, o pai dele sempre achando que ela não estava pronta, mas este ano algo estava diferente. Eu acolhi a conversa dela enquanto tentava organizar meus sentimentos.

A porta se fechou atrás de Lacy e Wes, que entraram depois de nós, o braço dela enganchado possessivamente na dobra do cotovelo dele. Lacy trazia os óculos escuros, de um jeito atrevido, no alto da cabeça dourada e abriu um sorriso para mim.

— Olá, de novo. É a Annie, não?

Balancei a cabeça, esforçando-me conscientemente para não inclinar os ombros e assim parecer uma gigante junto à compacta estatura de Lacy.

Wes sorriu-me como se num pedido de desculpas, quando a sra. Guidry falou alto, com as cinzas do cigarro caindo pelo chão de madeira maciça:

— Não, Lacy... é Aimee. E devo dizer que ela cresceu e ficou tão bonita como o nome dela, não acha?

Um grande estrondo vindo por trás de nós desviou a atenção de mim e todos nos viramos. A copa de uma grande samambaia jazia no chão, esparramada, sobre as placas de mármore do vestíbulo, as raízes incrustadas de sujeira estendidas por entre os restos esfarelados do que fora seu antigo lar. Havia pedaços e estilhaços de terracota espalhados por todo o chão e à volta dos sapatos de um menino com a pele da cor de caramelo.

Meu olhar subiu pelo par de pernas fininhas, passando pelos joelhos cheios de nódulos e shorts improvisados, pelo pescoço quase inexistente até o rosto. Tentei não me acovardar. Metade do rosto do menino pendia e formava pregas de pele, como se alguém tivesse juntado a pele antes que secasse e deixado ficar daquela maneira. O olho esquerdo fechado descaía sobre a região da face, os cílios grudados. Só me dei conta de que era um menino poucos anos mais velho do que eu quando pude ver o lado bom do rosto dele. Do rosto destruído, um olho verde brilhante me fitava.

— Xavier!

Quando ele se virou ao ouvir a voz de Ray Von, estremeci ao ver o pequeno nódulo de pele no lugar onde antes era uma orelha.

Ray Von ajoelhou-se e começou a catar os pedaços da floreira.

— Você está bem?

Ele assentiu, com o olhar fixo em mim, enquanto Ray Von continuava recolhendo os cacos de terracota.

— Ajude-me a limpar isto aqui antes que alguém se corte.

O garoto se abaixou e pegou um grande pedaço do vaso e começou a catar os cacos e a colocá-los dentro do pedaço maior. Um corte irregular no polegar de Xavier começou a sangrar, o sangue gotejando rapidamente no chão, sem que ele percebesse e continuasse recolhendo os pedaços do vaso enquanto o sangue se espalhava, formando um desenho grotesco.

Engoli em seco, imaginando por que ele ficara me fitando e por que ninguém mais se importara com o fato de que ele estava sangrando.

— Você se cortou. — Peguei na bolsa vários lenços de papel e os dei a ele.

Ele os pegou com uma expressão passiva e deixou Ray Von envolver-lhe a mão e sair com ele da sala.

A sra. Guidry os observara, o corpo inteiramente rígido; o rosto empalidecera e, por um momento, ela pareceu estar aterrorizada. Em seguida, ela me fitou com olhos inexpressivos e sorriu.

— Veja por onde anda, Aimee. Prometi a seu pai que eu a devolveria sã e salva. — Ela se desculpou e se dirigiu para a cozinha.

Gary inclinou-se para mim.

— Aquele é o filho da Ray Von. Ele veio morar conosco. Parece assustador, mas é boa gente. Às vezes, ele vem e fica com a Ray Von durante as férias e fazemos alguma coisa juntos.

Olhei para Gary, erguendo as sobrancelhas ante a pergunta que não queria calar. Como antes, Gary sabia o que eu estava perguntando sem que eu precisasse falar.

— O pai dele o queimou quando ele era bebê. — Ele apertou meu braço. — Não se preocupe... o pai morreu há muito tempo. O Xavier estava em um colégio interno em Ocean Springs, mas ficou muito velho para continuar lá. Meu pai disse que ele poderia ficar aqui.

A sra. Guidry voltou e colocou um pano de prato em cima daquela bagunça no chão.

— Não acho que alguém vá querer olhar para isso. — Ela dirigiu os olhos furtivamente para o salão da frente, fixando-se por fim no armário das bebidas. Um sorriso nervoso retorceu-lhe os lábios.

— Vamos, Aimee. Deixe-me instalá-la em seu quarto e vamos tomar um belo drinque juntas antes do almoço.

Ela passou por nós, esvoaçante, em direção à escadaria larga, as mãos esguias segurando o corrimão de mogno escuro. Gary e eu seguimos com minhas malas e eu fiquei contente por estar longe daquelas manchas de sangue borradas e do jovem cujas cicatrizes pareciam não estar só do lado de fora.

Mais tarde, naquela noite, conforme me acomodei na cama larga com quatro hastes, pude ouvir os sons de uma velha casa, as rajadas de vento soprando por entre as frestas das janelas. Em algum lugar, uma calha solta ressoava na escuridão, produzindo um gemido artificial. Afofei os travesseiros por trás de mim e me agarrei a um romance, sem ainda estar pronta para fechar os olhos e me entregar ao sono.

Foi então que escutei um tum-tum vindo de baixo da cama. Todos os meus cabelos se eriçaram, senti a boca seca. Enrodilhei-me no meio da cama, esperando que alguma coisa agarrasse qualquer ponta que estivesse para fora. Quase imperceptivelmente, a colcha de adamascado amarelo começou a deslizar pelo pé da cama e desapareceu, devagar, pela beirada.

— Socorro — minha voz mal passava de um sussurro.

O vento e o lamento das goteiras pareciam se intensificar, quase abafando o ruído embaixo da cama.

Sentei-me ereta, sem querer ter qualquer contato com a cama. Dobrei-me sobre as pernas, tentando decifrar o som que estava ouvindo. Inclinei a cabeça, tentando imaginar por que estaria ouvindo risos. Risos abafados.

Projetei-me para a beirada da cama e vi um pé humano, indiscutivelmente grande, espreitando por sobre a poeira. Antes que eu pudesse atirar um abajur em cima dele, Gary irrompeu de debaixo da cama, o rosto contorcido pelo esforço de tentar segurar o riso.

— O que você está fazendo? — eu gritei.

Ele se ergueu do chão e sentou-se ao pé da cama, sacudindo a cabeça e esforçando-se para se controlar.

— Acha que é engraçado tentar me matar de susto? — Eu lutava para ficar zangada com ele. — E onde é que estava metido quando troquei de roupa?

Ele levantou o braço para se proteger do travesseiro que atirei na cabeça dele. Sentei como um chefe índio no meio da cama, braços e pernas cruzados, olhando-o embaixo.

— Não acha que já está bem crescidinho para esse tipo de brincadeira de mau gosto?

Enquanto os olhos escurecidos me contemplavam, os risos foram rareando e cessaram. O olhar dele desceu vagarosamente do pescoço até o decote de meu baby-doll branco. Cruzei os braços bem alto sobre o peito, percebendo que o tecido, de tão fino, beirava a transparência.

Gary passou a língua nos lábios.

— Hum, acho que tenho que ir agora. — O olhar dele relutava em sair de meu peito.

— Sim. É o que deveria fazer.

Ainda assim, ele permanecia sentado na beira da cama, a um braço de distância de mim. Ele ergueu o rosto, encarando-me, e se inclinou para mim. Fiquei imóvel.

Uma batida na porta fez que ele pulasse da cama, tropeçando em meus chinelos com a pressa. Gary se precipitou para a porta e a abriu.

— Que barulho todo é esse? — Ray Von botou a cara na porta.

Gary coçou atrás da cabeça.

— É só a Aimee sendo imatura. Vou dormir agora. Boa noite, Aimee. — Ele desapareceu no escuro sem olhar para trás nem para mim.

Ray Von entrou no quarto, os olhos dela como sombras escuras sob a luz tênue de minha lâmpada de cabeceira. Ela se aproximou da janela e desatou os prendedores das cortinas, deixando o tecido amarelo e grosso cair, juntando-se no meio.

— Esse menino não devia estar no seu quarto, sabe disso.

Recostei-me na cabeceira.

— Ele não foi convidado.

— Hummm. — Ela balançou a cabeça e foi até a outra janela e reparou na lâmpada de noite que eu havia colocado na tomada da parede. — Ainda com medo do escuro, sra. Aimee?

Acenei-lhe displicentemente, sem confessar que ainda ficava, de fato, aterrorizada com a escuridão. Que, quando as luzes se apagavam, eu era novamente aquela garotinha, sentindo o visco quente do sangue nas mãos, cheirando um suor que não era o meu.

— Não, claro que não. É só um hábito, eu acho. Levo minha lâmpada de noite comigo aonde quer que eu vá.

Uma centelha de luz pairou no ar na frente dela e Ray Von estendeu a mão, capturando-a.

— É um vagalume. Não é estranho? — A voz dela diminuiu, tornando-se um sussurro insatisfeito. — Todo esse spray contra mosquitos só fez matar todos os vagalumes. — Ela estalou a língua. — Este deve estar aqui por alguma razão.

Ela foi até o lado da cama e pegou meu copo vazio.

— Vagalumes trazem a morte para dentro de casa. — Ela indicou o copo. — Mantenha-o preso aqui até que morra e assim leve a morte com ele.

Ela tapou a boca do copo com a mão e aí colocou o copo de cabeça para baixo sobre a mesinha de cabeceira. Baixando o queixo sobre o peito, ela disse:

— Não o deixe sair, ouviu?

Em seguida, fitou-me apertando os olhos e saiu do quarto, a fechadura batendo suavemente ao cerrar a porta.

Olhei fixamente para o inseto azarado, o corpo se debatendo nas laterais do copo, o abdome reluzindo. Estiquei o braço e ergui a pequena prisão, permitindo que o cativo escapasse. Apaguei a lâmpada e deitei imóvel, ouvindo o assovio do vento e seguindo o piscar do inseto até adormecer.

Capítulo 13

O cata-vento sobre a torre da igreja, apesar de ser de ferro, logo seria quebrado pelo vento da tormenta se... não dominasse a nobre arte de girar a cada vento.
— Heinrich Heine

Julie

Sentei-me em um banco de pedra perto do chafariz do jardim, olhando Beau enquanto ele brincava com a pequena frota de veleiros de madeira que o tio lhe dera. A ligação entre eles fora repentina e surpreendente, pelo menos para mim. Ou talvez por serem homens fosse natural que encontrassem um denominador comum nos brinquedos de encaixe ou com rodas e peças removíveis.

O chapéu vermelho de Beau no banco repousava a meu lado, não muito longe dele, mas não com ele. Entendi que isso significava que a dependência dele estava diminuindo e esperei que o mesmo estivesse acontecendo com o luto. Desejei, de repente, uma River Song completa, de forma que lembranças mais novas e mais felizes começassem a preencher o espaço vazio deixado pela ausência da mãe.

— Vrum, vrum — Beau exclamava, empurrando os veleiros pela água.

Ele parecia tão entretido e feliz que não tive coragem de lhe dizer que veleiros não tinham motor. Relembrando as fileiras de barcos atracados na marina em Biloxi, imaginei que, algum dia, ele teria que aprender mais sobre a arte de navegar, mas por ora eu deixaria que sua imaginação anulasse a realidade.

Olhei em meu colo o livro sobre Abe Holt que tomara emprestado no escritório de Trey. Finalmente encontrava alguns momentos para ler. Abri a capa da frente e folheei as primeiras páginas, observando de novo a data de edição, janeiro de 1999. O ano anterior à fuga de Mônica. Abri na página de rosto e me vi olhando para uma caligrafia longa e elegante em tinta preta. "Feliz Natal, Mônica. De uma amante da arte para outra, com amor, Vovó Aimee."

Observei a assinatura por um bom tempo, imaginando por que Aimee não mencionara o livro. Mas fora dado a Mônica havia tanto tempo que provavelmente ela se esquecera. Ou talvez presumisse que Mônica o tivesse levado. Ainda assim, imaginei o que teria provocado a compra e o presente.

Conforme displicentemente dedilhava a borda das páginas lacradas, minha unha se prendeu em algo. Erguendo o livro, percebi um pequeno espaço extra entre duas páginas em algum lugar no meio. Deslizei o polegar até a borda da página para abri-la pela dobra, ganhando de brinde um corte de papel.

Suguei o corte enquanto uma brisa suave agitava uma nota fiscal retangular branca que fora usada para marcar a página. A impressão em roxo esmaecida mal expunha o nome da loja — algo do tipo "arte e artefatos" — e o ano definitivamente era 1999.

Ao retirar a nota do livro, examinei a página para ver se conseguia determinar o que estaria marcando, o coração batendo um pouco mais rápido quando reconheci a fotografia em preto e branco no canto inferior direito da página à esquerda. Era uma fotografia de Caroline Guidry, com seus olhos de gato e expressão provocativa, o broche de jacaré de olhos brilhantes quase dominando o quadro.

Apertando os olhos, trouxe o livro para mais perto do rosto para ler a legenda. "Retrato de mulher desconhecida, pintura a óleo. Nova Orleans, 1956. Coleção particular."

Mulher desconhecida? Sentei, ainda sugando o polegar, apenas a tempo de ver Trey vindo do quintal na parte de trás da casa. Ele trajava a mesma roupa com que o vira da última vez, porém o cabelo não estava suado e as meias brancas pareciam mais alvas. As botas de trabalho, a camiseta de Tulane e os shorts rasgados ainda tinham respingos de tinta, mas pareciam limpos. Ele parou ao me ver, aparentemente tão surpreso quanto eu estava por vê-lo.

— Tio Trey! — Beau tirou a mão da água e acenou freneticamente, respingando um bocado de água em mim e no livro.

— Cuidado, querido — eu disse, usando a manga do suéter de algodão para limpar a página.

Trey se aproximou, parando perto de mim e olhando para o livro.

— Desculpe-me — eu disse —, peguei emprestado no seu escritório, pensando em devolvê-lo sem quaisquer danos.

Ele se inclinou para a frente, levantando a capa para ver do que se tratava e abaixando-a de novo.

— Estava no meu escritório?

Assenti.

— Pensei que não fosse se importar.

— Não me importo. Apenas não me lembrava de tê-lo visto antes.

— Há uma dedicatória na frente datada de 1999, da Aimee desejando à Mônica um Feliz Natal.

Trey franziu o cenho.

— Ela estava com 17 anos. Um ano antes de desaparecer.

— Sim, pensei a mesma coisa. Você acha que estão relacionados de alguma forma?

Ele se sentou próximo a mim e senti o cheiro do sabonete e do detergente da lavanderia.

— Não tenho ideia. Você achou alguma coisa no livro?

— Apenas isto. — Abri o livro na página que mostrava o retrato de Caroline Guidry. — Mas veja. — Mostrei a legenda. — Aqui diz "mulher desconhecida". Alguma ideia de por que estaria escrito assim?

Ele balançou negativamente a cabeça.

— Nenhuma pista. Pelo que sei, a identidade da mulher na tela sempre foi conhecida. — Ele apontou para a fotografia. — Trata-se de uma foto antiga — é possível dizê-lo pela granulação da imagem e pelo preto e branco. Imagino que tenha sido tirada para publicidade, pouco depois de a tela ficar pronta. Provavelmente até mesmo pelo próprio autor para constar em seu portfólio. Talvez minha família não tenha dado permissão para divulgar o nome dela. A sociedade era muito diferente naquele tempo. Mulheres sulistas não deveriam chamar a atenção para si.

— Foi pintado em 1956, o ano em que a Caroline desapareceu. Talvez seja por isso que a família tenha escondido a identidade. Por causa do escândalo.

— Talvez — disse ele, tamborilando no joelho. — Nós podemos perguntar à Aimee, ver se ela sabe.

"Nós?" Concordei, ainda olhando fixamente para a fotografia do quadro, um insistente pensamento no fundo da mente.

— Será que a Aimee está com o broche de jacaré?

— Não que eu saiba. De fato, não acho que o tenha visto alguma vez. Por que pergunta?

Dei de ombros.

— Pelo que a Aimee disse, o broche era a assinatura da Caroline e ela nunca era vista sem ele. Mesmo de roupão. Fiquei pensando se estaria com ela quando desapareceu.

Ele não disse nada e, quando virei para olhá-lo, sua expressão registrava surpresa.

— Esse é um trabalho de detetive, Julie. Talvez você tenha errado de vocação.

Fechei o livro.

— Tenho lidado com detetives desde meus 12 anos, então acho que foi apenas natural que começasse a pensar como um deles.

Ele continuou a tamborilar no joelho.

— Encontrou recentemente alguma coisa na internet para enviar ao seu amigo detetive?

Balancei negativamente a cabeça.

— Não desde que cheguei aqui. Na realidade, só olhei umas duas vezes... a segunda vez esta manhã. Estava preocupada com outras coisas, como o Beau e River Song. E a Aimee. Adoro ouvir as histórias dela. Preciso retomar o foco, para não perder o fio da meada.

Ele olhou para mim por um longo momento.

— Ou talvez você precise determinar qual é o verdadeiro desvio.

— O que quer dizer?

— Bom, será que sua nova vida aqui está desviando você da busca por sua irmã ou será que sua busca está desviando você de viver a vida?

Fiquei de pé repentinamente, levando o livro comigo. Olhando para ele ainda sentado, disse:

— Você não me conhece. E o que sabe sobre ter uma vida? Você trabalha o tempo todo e ainda mora com a avó.

Por um momento pareceu que ia sorrir, mas os olhos dele permaneceram sérios.

— Você devia vir comigo agora de manhã.

— Para seu escritório? Por quê?

Dessa vez ele sorriu.

— É sábado, Julie. Apesar de já ter trabalhado aos sábados, não estou realmente indo para lá.

Olhei para o que ele estava vestindo, sabendo que não responderia se eu não perguntasse.

— Então, aonde está indo?

— Ajudar a construir uma casa no na Baixa Nona Região. Sou voluntário da Fundação Make It Right — um grupo de arquitetos, homens de negócios e pessoas comuns que tentam fazer com que os moradores voltem para seu local de residência.

Eu conhecia aquele bairro pelos rodapés das notícias que mostravam a pior parte da enchente depois do Katrina.

— Mas toda essa área não está abaixo do nível do mar?

Percebi o tique surgindo no maxilar dele.

— Sim. E muitas famílias têm vivido ali por gerações e querem voltar, mas não têm mais suas casas. O MIR está tentando preencher essa lacuna. Nova Orleans não pode reviver sem sua gente.

Olhamos um para o outro como se estivéssemos falando a mesma língua, porém com sotaques que tornavam nossas palavras indecifráveis para o outro.

— Mas o bairro ainda está abaixo do nível do mar — repeti.

Como se estivesse falando com uma criança pequena, Trey me respondeu lentamente, medindo as palavras.

— O sistema de barragens está sendo consertado. E estamos fazendo construções sustentáveis, casas resistentes a tempestades, construídas com o primeiro andar elevado. É uma situação que tem solução.

— E por que gostaria que eu fosse?

Ele também se levantou.

— Ah, não tem importância. Pensei que poderia aprender alguma coisa.

Queria perguntar a ele se esperava que minha participação me ensinasse o caminho das pedras da reconstrução de uma casa ou se pensava que a experiência pudesse me deixar desestimulada demais ante a ideia de construir algo tão permanente.

Em vez disso, perguntei:

— O que fez você se envolver no projeto?

Sem hesitação, ele disse:

— Xavier.

— Xavier?

— Sim, o Xavier — Ele usou a unha para retirar do antebraço uma placa de tinta verde que resistira à água e ao sabonete. — Poucos dias antes do Katrina, evacuamos a Aimee e a Ray Von para Jackson, mais para o interior. Assim como o Charles, eu não queria que a casa ficasse vazia por muito tempo, para se tornar um alvo, sabe? Então voltei, fazendo algumas escoras de última hora e retirando a mobília. Mas, quando chegou o momento de ir embora, não conseguia demover o Xavier. Disse que não iria porque não permitiria que nada acontecesse à casa da sra. Aimee sob sua vigilância.

Lembrei-me do que Xavier me dissera sobre como ele não deixaria nada acontecer à sra. Aimee, como se fosse seu grande protetor.

— Por que ele é tão apegado a ela?

Ele deu de ombros.

— Acho que foi devido ao carinho que ela teve por ele em uma época da vida dele em que ninguém mais tinha. Minha avó sempre teve uma queda para acolher almas perdidas.

Recusei-me a levar as palavras dele para o lado pessoal e, em vez disso, permiti que continuasse.

— Então, fiquei com o Xavier. Não sei lhe dizer se algum dia farei algo tão estúpido de novo, mas estou feliz por ter feito. Perdemos algumas árvores e parte do telhado, mas nós... mais um par de rifles de caça que eu tinha... mantivemos os saqueadores fora da nossa casa e das casas dos nossos vizinhos. E então, quando ficou claro que o Garden District tinha sido poupado em sua maior parte, deixei o Xavier vigiando a casa e rumei em direção ao centro para ver o que poderia fazer aqui. Encontrei um lugar na barcaça de um amigo e ajudei pessoas a saírem das casas inundadas.

Observávamos Beau quando ele, ainda fazendo barulho imitando motores, levantou os dois barcos no alto e os deixou cair no chafariz, espirrando água fria no rosto e na camiseta. Ele riu e então fez de novo, e eu não disse nada sobre veleiros ou motores, nem sobre ele ter se molhado quando estava friozinho do lado de fora. E eu não tinha como decidir se isso me tornava a melhor guardiã no mundo ou a pior.

Voltei-me para Trey e me lembrei de algo que Carol Sue me dissera: "Grandes tragédias são oportunidades para grandes gestos de bondade".

Ele olhou para mim de uma forma estranha.

— Sim, algo desse tipo.

Ele se virou e foi rapidamente na direção de Beau, pegando o garoto por trás e o rodopiando consigo, para deleite de Beau, que gritava de alegria. A despeito da atitude insensível de Trey em relação a mim e de sua incerteza quanto à minha presença ali, só pude me sentir aliviada por ele nunca, nem por um momento, ter duvidado de que Beau fazia parte da família.

Pondo Beau no chão, Trey passou a mão no cabelo dele.

— Tudo bem, companheiro, eu volto para o jantar e depois podemos terminar nosso castelo de LEGO, combinado?

— Combinado! — Beau gritou, pulando e tentando alcançar o cabelo de Trey como se para passar a mão no dele, também.

Trey se virou para sair, aí parou.

— A propósito, Julie, tive uma casa no bairro de Venetian Isles, no leste de Nova Orleans. Lugar encantador junto da água, mas fora da proteção das barragens. Não está mais lá. E a Aimee não queria mais viver sozinha. Por isso eu moro com minha avó.

— Ah — disse, sentindo-me adequadamente punida, mas sem querer demonstrar isso.

Ele esperou por um momento, como se para ver se eu diria alguma coisa, então acenou com a mão e saiu pelo portão.

Fiquei sentada no banco por um bom tempo depois da saída de Trey, olhando Beau se molhar no chafariz até finalmente retirar os barcos e colocá-los sobre a grama enlameada. Pensei distraidamente que deveria dar outro banho nele antes do almoço, mas não me importei. Beau estava se divertindo, e o chapéu continuava a meu lado, esquecido, pelo menos por enquanto.

Celular na mão, tamborilei com o polegar sobre a tela em branco enquanto ruminava a conversa com Trey e o que ele tinha dito sobre desvios. Ele sabia como era procurar um ente querido desaparecido. Por que não podia entender que a necessidade que eu tinha de me concentrar em encontrar Chelsea tinha que ser minha prioridade? Que meu pai e meu irmão há muito tinham desistido e que minha mãe morrera sem nunca saber? Eu não podia abandonar Chelsea agora. Já fizera isso uma vez.

Rapidamente, digitei na agenda de contatos e esperei.

— Detetive Kobylt.

— Oi, Detetive. É a Julie Holt.

— Olá, Julie. Como vai?

Foi uma das poucas vezes em que falei com ele em que a voz estava sem pressa.

— Estou bem, obrigada. E você?

— Estou bem. — Ele parou. — Acabei de descobrir que minha filha mais velha vai ter um bebê. Minha esposa e eu estamos muito felizes. Será nosso primeiro neto.

Fiquei ali, olhando para o telefone, imaginando como não sabia que ele tinha filhos, que pelo menos um deles estava provavelmente casado, que ele poderia estar feliz com a perspectiva de se tornar avô. Um tanto atrasada, acrescentei:

— Parabéns, detetive.

— Obrigado. — Ele pigarreou. — Então, o que posso fazer por você, Julie? Não me lembro de ter recebido algum e-mail seu.

— Na verdade, não tenho estado on-line por algum tempo até esta manhã e pensei em ligar. Apenas para manter o contato.

— Você encontrou algo?

— Apenas uma coisa... bastante remota, daí não ter lhe enviado logo um e-mail. Mas a garota Hilary McMahon, a que desapareceu em Hartford após o treino das líderes de torcida... acho que deve dar uma olhada no caso dela. Na foto de escola, ela parece com a Chelsea.

— Eu já estou visualizando. Vi isso também e mandei uma notificação para o detetive encarregado. Aviso você se surgir algo.

Sorri ao telefone.

— Obrigada. Ei, alguém já lhe disse que você é muito bom no seu trabalho?

Suas palavras vieram acompanhadas de um sorriso.

— Algumas vezes.

— Detetive Kobylt?

— Sim, Julie?

— Quantos filhos tem?

Ele fez uma pequena pausa antes de responder.

— Quatro. Duas meninas e dois meninos. Por que pergunta?

— É só... bom, eu só o imaginava sentado à sua mesa, solucionando crimes. Nunca o imaginara como alguém com uma família e outra vida.

Ele riu e um telefone tilintou ao fundo.

— Sim, bom, eu não poderia fazer esse trabalho se não tivesse outra vida, sabe? Todos precisamos de algo para amenizar as agruras da vida. Para nos dar equilíbrio. De outra forma, acho que ficaríamos por aí, tropeçando no escuro como almas penadas.

— Sim, bem, é melhor eu liberá-lo agora. Obrigada por conversar comigo. E parabéns por se tornar um avô.

— Obrigado, Julie. E cuide-se.

A linha ficou muda. Olhei para o celular por muito tempo antes de desligá-lo e guardá-lo no bolso. Estendi a mão para Beau.

— Venha, Beau. Eu disse para a sra. Aimee que íamos levá-la para almoçar, e você precisa de um banho primeiro.

Ele juntou os veleiros nos braços enquanto eu pegava o livro de Abe Holt e o chapéu vermelho e retornava para casa, pensando sobre almas penadas e imaginando o que acontecera com o broche de jacaré e seus olhos cintilantes de rubi.

Capítulo 14

*Paredão do olho: anel ou agrupamento organizado de nuvens carregadas de chuva (*cumulus nimbus*) no entorno do olho... de um ciclone tropical.*

— Centro Nacional de Furacões

Aimee

Fevereiro de 1956

O grito me fez pular da cama. Fiquei de pé, descalça sobre o piso de madeira, arrastando os lençóis comigo e tremendo. Pisquei, então usei a luz noturna como ponto de referência na escuridão do quarto. Desorientada e ainda meio sonolenta, tateei a mesa, derrubando o copo, e liguei a luz. Fiquei ali, encurvada, imaginando o que fazer. O grito tinha vindo de perto e, sem dúvida alguma, era feminino.

Outro grito seguido do som de vidro quebrado tirou-me da inércia. Corri para a porta e a abri para olhar o corredor escuro. A luz passava através do vão da janela atingindo a suíte principal, o vitral criando sombras turvas nas paredes e no chão, deixando, porém, os cantos em total escuridão. Os quartos dos meninos ficavam em outra área da casa, eu hesitei, imaginando se deveria ir até um deles primeiro.

Palavras enraivecidas espocavam pelo quarto do casal como estampidos. Com a curiosidade anulando o bom senso, fechei a porta do quarto atrás de mim e fui para mais perto.

A voz da sra. Guidry beirava a histeria.

— Não! Não! Não! Não vou suportar isso, está me ouvindo? Não vou suportar!

Ouvi passos aproximando-se da porta. Refugiei-me em uma sombra conforme os passos recuavam.

— Você precisa usar a razão, Caroline. — A voz do sr. Guidry soava baixa e grave, mal dava para ouvir. — Não temos escolha, temos? Você se certificou disso. Essa é a única forma... até mesmo você tem que reconhecer.

Outra explosão de vidro estilhaçou a quietude da casa. Prendi a respiração, aguardando que a porta abrisse, ou que alguém gritasse, ou que soassem passos na escada. Mas não havia nada. Deixei o ar sair dos pulmões pouco a pouco.

Foi então que passos pesados atravessaram o quarto, seguidos do som distinto de um tapa, depois pelo som de soluços femininos. Agora quase incoerente, com as palavras entrecortadas pelos soluços, ela disse:

— Não posso fazer isso! Ele é perigoso para nós dois, será que você não vê?

A voz do sr. Guidry era tão baixa que eu mal podia ouvi-la, mas mesmo assim senti o tom ameaçador.

— Eu já lhe expliquei. Ele precisa ficar aqui, eu não vou mudar de ideia. Não posso.

— Eu não vou suportar isso, está ouvindo? Não vou suportar isso. Ou ele vai embora ou vou eu. E aí direi tudo a todos os que quiserem ouvir. E talvez finalmente consiga ficar livre.

Quase não reconheci a voz da sra. Guidry. Havia nela uma profundidade, um poder e ainda um tom obscuro que eu jamais a ouvira usar antes.

Ao ruído de saltos de sapato na madeira do piso seguiu-se a batida de uma porta. Dei outro passo para trás e bati em algo macio e carnudo. Minha pele se contraiu conforme senti o cheiro do suor do corpo chegando ao nariz. Virei-me abruptamente e reconheci a face distorcida de Xavier. A claridade filtrada vinda do vão escondia muitas das cicatrizes, mas não a pele retorcida que mantinha seu olho esquerdo fechado. Um grito foi abafado em minha garganta quando ele colocou a palma da mão úmida em minha boca. Senti um gosto de sal ao olhar nos olhos dele sem ver maldade — apenas tristeza. Relaxei, então, apoiada nele.

Uma gaveta bateu por trás da porta fechada do quarto, as maçanetas de latão vibrando como o medo. As molas da cama rangeram e, então, um suspiro pesado escapou pela porta antes de tudo voltar à calma de novo. Lentamente, Xavier retirou a mão. Um pingo caiu em meu antebraço, e me dei conta de que ele estava chorando. Os Guidrys deviam estar discutindo sobre ele.

Coloquei minha mão sobre o braço dele.

— Não se preocupe, Xavier. As coisas vão se acertar.

Eu não sabia se iriam ou não, mas ele parecia tão arrasado que eu precisava dizer algo. Ele baixou a cabeça e fitou a escuridão à volta de nossos pés.

— Não, senhorita — ele sussurrou. — Ela tem medo demais para me deixar ficar mais tempo.

Senti um tremor passar por ele, antes que escapasse de meu alcance e desaparecesse pelo corredor, tão silencioso quanto um fantasma. Tateei meu caminho de volta para o quarto e fechei a porta atrás de mim, querendo ter perguntado a ele o que a sra. Guidry tanto temia.

Levantei cedo na manhã seguinte, o sol brilhante se intrometendo pelas venezianas e colorindo o quarto com um tom dourado. Tomei banho e me vesti, depois segui o cheiro de fritura que vinha da cozinha. Sorri quando vi Gary vestindo um avental vermelho vibrante. Cantarolando sozinho, mantinha uma tigela de massa próxima a seu peito enquanto mexia.

O rosto dele iluminou-se com um sorriso largo.

— Bom dia, srta. Mercier. O que gostaria para o café da manhã? Sonhos? Ou sonhos? Ou sonhos?

Fingi considerar minhas opções.

— Que tal sonhos?

Ele olhou para cima em direção ao teto, como se considerando.

— Vou ver o que posso fazer por você.

Gary continuou agitando a massa na mesa da cozinha próxima à janela. A mesa de ferro batido e as cadeiras imitavam as do lado de fora no jardim. Era quase impossível dizer se alguém estava sentado no jardim, devido ao grande número de plantas suspensas do teto da cozinha, com pé direito de quase quatro metros.

Uma pequena aranha prolongava sua teia, lançando-se para baixo da folhagem de uma samambaia. Ela parou por um momento, suspensa no ar. A teia tremulava levemente ao sol, conforme a aranha continuava sua descida até pousar na mesa em frente a mim.

— Não toque nela.

A mão marrom pegou a aranha por trás de mim e retirou-a. Virei e vi Xavier, o olho dele calmamente me observando. Com a aranha segura em uma das mãos, ele colocou o prato e os talheres em frente a mim com a outra. Suas grandes mãos pareciam incompatíveis com a delicadeza da porcelana e da prataria, mas ele colocou cada peça sem um ruído. Esperei que dissesse alguma coisa sobre a noite anterior, mas ele concluiu silenciosamente a tarefa, o rosto impassível. Serviu o café de chicória sem um respingo e saiu da sala.

Pensei em falar com Gary sobre os acontecimentos da noite anterior, mas tirei a ideia da cabeça. O relacionamento dele com o pai já era precário e a mãe estava abalada emocionalmente. Eu não compreendia nada do que se passava entre o sr. e a sra. Guidry e sabia que envolver Gary só poderia complicar uma situação já difícil. Fazendo uma retrospectiva, também fui egoísta, sem querer que qualquer coisa desagradável atrapalhasse um fim de semana pelo qual esperara havia meses. Então, ignorei meu desconforto quase da mesma forma como nunca pensara muito sobre a origem do medo que eu tinha do escuro, sabendo que havia certas coisas que nunca deveriam ser vistas sob a luz radiante do dia.

Gary se aproximou com um prato cheio de sonhos polvilhados com açúcar. Retirei um com um garfo de servir e o coloquei em meu prato. Sem uma palavra, Gary permaneceu de pé perto de minha cadeira e colocou outro em meu prato, espalhando açúcar por cima.

— Não seja tímida, Aimee. Sei que você os adora.

E eu certamente amava. Desde a primeira ida ao Café Du Monde, no Bairro Francês, amei os pequenos sonhos franceses: quentes, macios, delícias calóricas cobertas de açúcar. Fazê-los sempre foi parte do tratamento especial de Gary para mim durante minha estada.

Peguei um, segurei-o próximo ao rosto e o soprei. Uma nuvem de açúcar voou até o rosto de Gary, sujando sua blusa azul-marinho.

— Obrigado, Aimee — ele disse sorrindo, o açúcar caindo dos lábios.

Ele se levantou e voltou para a frigideira próxima ao fogão. Fechei os olhos, ouvindo o som dos sonhos e sentindo o aroma delicioso. Eu sabia que nunca seria capaz de ouvir aquele som ou cheirar aquele aroma sem pensar em Gary. Ocorreu-me uma citação e eu a recitei em voz alta.

— "Cheiros são mais precisos do que sons ou visões. Para fazer partir as cordas do coração."

Gary voltou a atenção de novo para mim, ainda com açúcar no rosto.

— O quê?

— É Kipling.

Ele balançou negativamente a cabeça.

— Não acho que tenha feito um Kipling alguma vez antes... mas gostaria de tentar.

Gary me olhou atravessado e elegeu o dispensei com um aceno, antes de voltar a atenção para o café da manhã. Afundei os dentes no sonho suave e macio enquanto olhava o jardim e localizei Xavier andando pela calçada de lajotas que conduzia à frente da casa. Ele parou e abriu a mão grande, mantendo-a aberta, os dedos grossos se ampliando ainda mais. Vi quando a pequena aranha saiu da prisão, deleitando-se com sua liberdade para uma vez mais tecer teias entre os arbustos.

A porta da frente bateu e me virei para ver Wes parando na passagem para a cozinha. Minha boca ressecou. Ele vestia uma camiseta e shorts brancos de tênis, a camisa colada no peito com o suor que secava. Dei um gole no café e deixei minha xícara bater no pires. Nem notei a quentura do líquido ao me forçar a engoli-lo.

— Bom dia, Aimee. Eu tinha esperanças de poder conversar com você um pouco em algum momento antes de você ir embora.

Ele se inclinou contra a estrutura da porta, um sorriso maroto iluminando o rosto. Jamais o vira tão atraente, e isso fez com que eu levasse um tempo para compreender o que ele queria falar comigo. Em sua última carta, dissera que tivera acesso ao arquivo de minha mãe, e eu esperava que ele tivesse alguma notícia para mim.

— Oi, Wes. Na hora que quiser. Além do baile, realmente não tenho outros planos. — Peguei um sonho para ocupar as mãos.

Uma vasilha de vidro fez ruído na pia. Gary franziu as sobrancelhas ao olhar para o irmão.

— Na verdade, tenho muitos planos que vão manter Aimee bastante ocupada. — Ele fungou de modo exagerado. — Você está fedendo. Não deveria tomar um banho?

A resposta de Wes foi interrompida por outra porta batendo.

— Alô a todos.

A mão elegante enlaçou Wes na altura do diafragma. Lacy surgiu por trás dele. O cabelo loiro comprido estava preso em um rabo de cavalo e tudo que ela vestia era uma saia curta de tênis e um top justo. Mesmo sem maquiagem e coberta de suor, ela era impressionante. Devolvi o sonho para o prato.

— Onde é o incêndio, Wes? Mal desliguei o carro e você já tinha sumido.

Um olhar de irritação passou pelo rosto dele.

— Estava pensando... acho que me esqueci de esperar. — Ele se livrou do abraço de Lacy. — Vou tomar um banho.

Lacy olhou para mim e para meu prato de sonhos e, em seguida, virou-se para acompanhá-lo para fora da sala, sem dizer qualquer outra palavra.

Sem mais apetite, virei a cabeça novamente em direção à janela.

A sra. Guidry estava agora de pé em frente a Xavier, a postura de surpresa, como se os caminhos deles tivessem se cruzado por acidente, e pensei de novo em quão apavorada ela parecia. Usava o mesmo vestido da véspera, mas agora estava amarrotado. Ela oscilou sobre os pés, o cabelo, em geral penteado, agora desfeito em mechas revoltas. Ela levou as mãos ao rosto como se estivesse chorando e eu vi Xavier se virar para ir sem dizer nada, o rosto sem expressão. A sra. Guidry tropeçou no caminho ao seguir na direção do gramado da frente.

Saí da cadeira em que estava e praticamente caí nos braços do sr. Guidry. Não sei há quanto tempo ele estava atrás de mim, mas, pelo olhar estampado no rosto, era visível que vira toda a cena.

Suas palavras foram calmas, para serem ouvidas só por mim.

— Não se envolva em coisas que não lhe dizem respeito, Aimee. Você ouviu?

Eu me desculpei, então corri para fora da cozinha para o jardim de trás. A sra. Guidry não se encontrava lá, mas Xavier estava sentado no banco do jardim, os ombros caídos, a cabeça baixa. Sentei-me perto dele e vi como se contraiu.

— Você está bem? — Soou estúpido mesmo para mim, mas não conseguia pensar em outra coisa para dizer.

Xavier ficou sem responder por muito tempo. Finalmente, ergueu a cabeça. Limpou o rosto com a parte de baixo da camiseta e disse:

— A senhorita é uma pessoa boa, srta. Aimee. Como sua mãe. Não pertence a este lugar.

Por um momento, pareceu que ele diria mais alguma coisa, mas ficou de pé. Conforme se afastou, os passos se tornaram mais lentos, mas determinados, como se tivesse tomado algum tipo de decisão.

Uma libélula veio em minha direção, as asas parecidas com um arco-íris irradiando cores. Acompanhei-a até a vista parar na janela da cozinha, onde o sr. Guidry ainda olhava para fora. O olhar dele passou por mim, duro, e voltou-se para dentro.

A manhã de terça-feira inaugurou-se cinzenta e enevoada, mas nada poderia minar meu entusiasmo em relação ao Baile de Comus naquela noite. Quase não vira Wes, exceto à mesa do jantar, com Lacy pendurada nele. Estava ansiosa para perguntar o que descobrira sobre minha mãe, mas era difícil conversar com ele com tantas pessoas em volta. Wes captava meu olhar do outro lado da mesa e me dirigia um sorriso; entretanto, todas as tentativas de conversa eram rapidamente reprimidas pelo incessante falatório de Lacy sobre seu vestido ou outro item qualquer de extrema importância.

Gary e eu fizemos uma longa caminhada até o dique, passando pelo local onde seis anos antes eu tinha jogado sua bicicleta no rio. Perguntei-lhe sobre Xavier e se ele sabia ou não sobre o que poderia ter sido o desentendimento entre ele e a sra. Guidry. Gary limitou-se a dar de ombros e continuou andando, as mãos nos bolsos, conforme ia chutando pedras espalhadas para fora do caminho.

No meio da tarde, tirei um cochilo e depois tomei um banho demorado na banheira. A sra. Guidry insistiu para que eu usasse o banheiro dela para me arrumar e me ofereceu todo tipo de óleos exóticos, loções e fragrâncias, me paparicando. Quase podia ver a nuvem de perfume a meu redor ao sair do banho e me enrolar em um dos robes de seda da sra. Guidry.

Depois de bater na porta, a sra. Guidry entrou para começar a arrumar meu cabelo. Ela havia trocado de roupa desde aquela manhã e agora trazia o cabelo preso no alto da cabeça em um elegante coque. Não mais parecia a mulher chorosa que eu vira no jardim, e senti-me aliviada ao pensar que não importava o que tivesse acontecido entre ela, o sr. Guidry e Xavier, pois aparentemente passara. Sentei-me em uma pequena cadeira em frente à penteadeira, enquanto ela ficava de pé por trás de mim.

— Você é bonita, Aimee. E vou garantir que seja a mulher mais estonteante da noite, assim como sua mãe teria feito. Provavelmente, não tão bem quanto ela, mas darei o melhor de mim. — Gentilmente, ela acrescentou: — Ela esperaria isso de mim.

Os lábios vermelhos se abriram em um sorriso e vi que ela tinha uma covinha na bochecha direita. Nunca havia notado aquilo antes, provavelmente por achar que não a tivesse visto sorrir muitas vezes. Ela era muito diferente quando a personalidade vibrante não estava mergulhada em uísque. Desejava que fosse sempre daquela forma.

A sra. Guidry não disse nada mais, mas deslizou os dedos magros por meu cabelo, prendendo as mechas rebeldes. Aquele toque me confortava. Não me lembrava do toque de minha mãe — um fato que parecia me destacar das outras meninas. Estava sempre à procura de uma mãe adotiva, e, às vezes, pensava tê-la encontrado na sra. Guidry. Mas era difícil para mim conciliar a mulher que delicadamente alisava meus cabelos com a mesma que bebia demais e gritava com o marido.

Ansiosa como estava por saber mais sobre o caso não resolvido do assassinato de minha mãe, parecia-me ainda mais urgente descobrir como ela fora em vida. Encontrei os olhos da sra. Guidry no espelho.

— A senhora acha que minha mãe gostaria do meu vestido?

As mãos dela ficaram pousadas em meu cabelo, uma sombra passou-lhe por trás dos olhos. Tinham sido amigas, e me confortava saber que ela também sentia falta de minha mãe.

— Sua mãe tinha um gosto primoroso, Aimee, você herdou isso dela. — A mão dela pousou no onipresente broche de jacaré. — Ela me deu isto, sabia? Ela conhecia minha paixão por jacarés e, quando o viu na joalheria em Nova York, decidiu que tinha que ser meu.

— A senhora me contou isso antes, quando nos encontramos pela primeira vez. Fico feliz que ainda o use.

O sorriso assimétrico refletiu-se no espelho, distorcendo-lhe o rosto. Suavemente, ela acrescentou:

— Sua mãe adoraria seu vestido não apenas pela beleza dele, mas porque você o escolheu.

Algo no tom que usou me fez olhar para cima, tentando ler seu rosto para compreender por que suas palavras soavam como se estivesse se desculpando.

Ela terminou o penteado e a maquiagem, então mandou que Ray Von fosse me ajudar a me vestir de modo que ela pudesse terminar de se arrumar. Fiquei de pé em frente ao espelho móvel do quarto, com o vestido verde-escuro à minha frente, quando a porta abriu e Ray Von entrou. Ela parou no limiar da porta antes de balançar levemente a cabeça.

— Ah, meu Deeeeeus, srta. Aimee. Você está querendo arranjar encrenca vestida assim. Com certeza, não quero estar por perto quando aqueles dois meninos começarem a brigar por sua causa.

Deixei o vestido cair e virei de frente para ela, de mãos nos quadris, com uma falsa indignação, secretamente satisfeita.

— Então, você acha que devo vestir um saco de batatas para ir o baile?

Ela cruzou os braços e fechou a porta com as costas.

— Não. Não acredito que isso vá fazer diferença. Parece-me que, não importa o que você vista, eles já se decidiram a seu respeito.

Voltei-me novamente para o espelho e estudei minha imagem refletida. A sra. Guidry tinha caprichado na maquiagem. Meus olhos azuis estavam mais escuros, as sobrancelhas finamente arqueadas com a ajuda de um lápis. Os lábios pareciam definidos com o tom que a sra. Guidry escolhera. Ela me deu um batom para levar na bolsa e retocar ao longo da noite. Piscou para mim ao dizê-lo, eu quase não compreendera o significado até então. Enrubesci ao pensar, sem estar pronta para escolher qual irmão poderia ser o responsável por tirar o batom de minha boca.

Ray Von me ajudou a entrar no vestido tomara que caia. Eu não me lembrava de tanto peito aflorando quando o comprara. Ray Von pegou o corpete do vestido sob meus braços e, com ambas as mãos, deu um puxão para trazê-lo mais para cima.

A seda pura farfalhava enquanto ia até minha mala e pegava a caixa de joias. Meu pai tinha me dado o colar de pérolas e os brincos de minha mãe para usar, e ocorreu-me uma imagem fugaz de minha mãe com eles, inclinando-se sobre minha cama para me dar o beijo de boa noite. Era como se pudesse sentir o perfume dela. Fechei os olhos rapidamente para reter aquela imagem.

Ray Von me ajudou com o fecho do colar e as luvas compridas antes de eu ficar mais uma vez em frente ao espelho. Nenhum sinal da menina que eu era poucas horas atrás. No lugar dela, uma mulher adulta, vagamente parecida comigo.

Quando desci as escadas, o sr. e a sra. Guidry e os dois rapazes já aguardavam no vestíbulo. Com a atenção voltada para a porta da frente aberta, não me ouviram descer. A sra. Guidry me viu, e, por um breve instante antes que sorrisse, pensei ter visto um lampejo de pânico em seu rosto.

— Aimee. Você está divina!

Ela cruzou o vestíbulo com os braços estendidos e aí todas as cabeças se voltaram para mim. Wes e Gary viraram e vieram em minha direção ao mesmo tempo, quase batendo um no outro. Wes parou, permitindo que Gary viesse para meu lado.

Gary se inclinou próximo a meu ouvido.

— Você está linda, Aimee. Acho que não vou puxar seu sutiã esta noite.

Encorajada pelo olhar de admiração dele, eu disse em tom malicioso:

— Ótimo. Porque estou sem.

Ele fingiu cambalear, como se os joelhos estivessem fracos, e eu ri, observando como estava bonito de smoking.

Gary colocou a echarpe por cima de meus ombros e, em seguida, me ofereceu o braço. Eu o peguei com a mão enluvada, permitindo que ele me conduzisse até à porta. Ele parou ao passarmos por Wes, como se para me exibir.

Wes pigarreou.

— Você está linda esta noite, Aimee. Tenho certeza de que terei que ajudar Gary a lutar contra todos os outros rapazes.

Gary sacudiu meu braço, me empurrando em direção à porta.

— Tenho certeza de que você vai estar bastante ocupado com sua acompanhante.

Virei para dizer algo à sra. Guidry, mas meu olhar foi capturado por duas silhuetas por trás de nós na escadaria. Ray Von e Xavier, de pé, tão próximos um do outro, quase se tocando, miravam o grupo ali reunido.

Fiz um pequeno aceno, sem conseguir pensar em nada para dizer que não soasse banal. Olhei para Xavier, mas rapidamente ele mirou seus sapatos. Sem uma palavra, virei e penetrei na noite, úmida e gloriosa.

Julie

Servi-me de outro sanduíche feito de pão de hambúrguer grande com gergelim recheado de carne e carregado de queijo e bebi um gole de Diet Coke. Estávamos no Café Maspero, no Bairro Francês, nossa mesa servindo de pequena barreira entre nós e a calçada tumultuada do lado de fora. Limpei o ketchup do queixo de Beau, enquanto olhava à volta para o ex-mercado de escravos e reduto de piratas, com piso frio e arcos de pedra aumentando meu sentimento de estar vivendo hoje mais no passado do que no presente, depois de ouvir a história de Aimee.

— Alguma vez você teve oportunidade de conversar com o Wes sobre sua mãe?

— Não, até muito mais tarde. A morte da minha mãe aconteceu muitos anos atrás, e o Wes tinha outras preocupações mais urgentes, como pode imaginar. — Ela deu um gole no copo de água. — Não que houvesse algo, realmente. O caso estava fechado... nenhuma testemunha, nenhuma evidência. Álibis para todos os membros da família. Nem mesmo a arma do crime foi encontrada. Foi difícil para a polícia lidar com o crime recém-cometido. Eles não ficaram muito satisfeitos quando o Wes trouxe o caso novamente à baila, mas permitiram que tivesse acesso aos arquivos.

— Ele encontrou algo?

Aimee baixou os olhos sobre o prato, me isolando.

— Não que tenha me contado. Apenas que havia sido um roubo e que a aliança de casamento fora a única coisa roubada.

Estava claro que Aimee não tinha mais interesse em continuar naquela linha de discussão. Mudando de assunto, perguntei:

— O quadro a que a Caroline Guidry se referia e que apresentaria depois do baile... é o retrato, não é?

Aimee assentiu delicadamente, limpando a boca com um guardanapo de papel.

— Era. Exceto que, infelizmente, ela não teve chance de revelá-lo naquela noite.

— Por quê?

Uma carruagem puxada por cavalos e cheia de turistas fez um barulho na rua, tão próximo de nós que quase podia ouvir o zunir das moscas persistentes ao redor da cabeça do cavalo.

— Porque a Caroline nunca voltou para casa. — Ela lançou um olhar para Beau, que estava ocupado desenhando figuras com o ketchup no prato com a ponta de uma batata frita. — Por que não continuamos essa história noutra hora? Não estou certa de que seja adequada para ouvidos tão jovens.

Assenti e me lembrei da conversa que tivera mais cedo com Trey.

— Quem ficou com o broche de jacaré? Perguntei ao Trey e ele disse que nunca o viu.

Aimee olhou para mim, parecendo confusa por um instante.

— Sabe, nunca mais pensei sobre aquele broche nem imaginei o que acontecera com ele. Definitivamente, ela estava com ele no vestido naquela noite, porque me lembro de tê-lo visto.

Lembrei-me da fotografia do quadro no livro.

— Ela o está usando no quadro com o vestido de baile, foi o que presumi. — Dei outro gole na bebida. — Você se lembra de ter dado à Mônica um livro sobre o Abe Holt no Natal de 1999?

— Sim, realmente. Lembro-me. Foi o último Natal da Mônica conosco.

— Você se lembra se ela o pediu ou foi apenas algo que você tinha visto e que pensou que ela poderia gostar?

Aimee assentiu com os olhos fechados.

— Ela estava tendo aulas de história da arte no colégio e pediu um livro sobre um pintor modernista. O Abe Holt não era tão conhecido quanto os outros, mas pensei que ela gostaria do fato de possuirmos um dos quadros dele. Eu não sei como aquele livro foi parar no escritório do Trey. O restante dos livros e das coisas pessoais da Mônica foram encaixotados e guardados no sótão logo depois que ela partiu.

Pensativa, tomei um gole de meu chá gelado.

— Espero que você não se importe por eu perguntar, mas por que tão rápido? Você não achou que ela poderia voltar?

Ela olhou para as mãos.

— No dia em que a Mônica se foi, meu marido teve o primeiro derrame e precisou de cuidados 24 horas por dia. Como o quarto da Mônica era contíguo ao meu, imaginamos que o mais fácil para todos seria se o transferíssemos para lá. Todos nós esperávamos que fosse temporário. — Nossos olhares se cruzaram. — Ele ficou no quarto por um ano até que compreendemos que ficaria melhor em uma casa de repouso.

— Sinto muito — disse. — As coisas da Mônica ainda estão no sótão?

— Sim, apesar de eu ter certeza de que estragaram devido à água. Você terá que perguntar ao Trey... ele tomou conta do conserto do telhado e tudo o mais após o Katrina. Ele saberá se algo foi salvo e se as coisas dela ainda estão lá em cima.

— Obrigada, vou perguntar.

Peguei o prato de Beau e o entreguei à garçonete, aí pedi a conta. Após colocar o dinheiro sobre a mesa, me levantei.

— A senhora sentiu falta da Caroline depois que ela partiu?

Foi um longo tempo até Aimee responder.

— É difícil sentir falta de alguém que a gente nunca conheceu de verdade.

Algo no tom de voz dela me perturbou, mas não tive oportunidade de pensar no porquê, enquanto recolhia minha bolsa do chão e ajudava Beau a sair da cadeira.

No caminho da saída, Aimee pegou Beau pela mão.

— Eu acho que está na hora da primeira visita do Beau ao Café Du Monde.

— Ótima ideia, sra. Aimee. Quero apenas me certificar de que a senhora é que vai tomar conta dele quando estiver com excesso de glicose.

Parei e os observei andando à minha frente. "É difícil sentir falta de alguém que a gente nunca conheceu de verdade." Suas palavras me assombraram, não por causa do que dissera, mas porque, quando olhou para mim e falou, tive certeza absoluta de que ela não se referia a Caroline Guidry.

Com a bolsa a tiracolo, corri para alcançá-los, imaginando quem mais teria se tornado um estranho na vida de Aimee Guidry.

Capítulo 15

Venha, porque a Casa da Esperança é construída sobre a areia;
traga vinho, porque o tecido da vida é tão fraco quanto o vento.

— Hāfiz

Julie

O outono na Costa do Golfo chega tarde e se prolonga pelo que eu costumava pensar serem os meses de inverno. Como tudo aquilo que já tinha visto até então pela costa, o outono mostrava-se vibrante, repentino e indefinível: brilhante, folhas caindo e se aninhando por entre os verdes permanentes das palmeiras e dos carvalhos vivos. Apesar de perder o extenso período do outono de minha Nova Inglaterra, daquele castanho-avermelhado, do amarelo-âmbar e dourado, eu saboreava a temperatura que parecia relutante em cair muito abaixo dos 15 graus, qualquer que fosse a época.

Com alguma sorte, e sem dúvida com o aval de Carol Sue e de Aimee, recebi uma oferta de trabalho como professora no museu Ohr, programada para começar no início de novembro, após a grande inauguração no dia 8. Eu teria um rápido período de treinamento devido a meu histórico de formação e de trabalho, pelo que fiquei grata, já que isso me daria mais tempo para acostumar Beau à sua nova rotina. Carol Sue tinha concordado em tomar conta dele nos três dias da semana em que eu trabalhasse

— de quinta a sábado — e, embora eu me mostrasse tão entusiasmada quanto Beau com a ideia, não estava convencida de que ele estivesse pronto para me deixar por qualquer período de tempo. Por insistência de Aimee, voltaríamos a Nova Orleans pelo resto da semana, de modo que ela tivesse condições de ficar um tempo com Beau e eu pudesse me encontrar com Trey.

Quase não vi Aimee no início do outono, devido ao grande envolvimento dela no tour de Natal pelas casas e jardins do Garden District, e eu estava ansiosa para que ela desse prosseguimento à história sobre Caroline Guidry. Quando cheguei pela primeira vez a Nova Orleans, Aimee dissera algo sobre combinarmos nossas histórias para talvez juntarmos os pedaços relativos ao desaparecimento de Mônica. E, quanto mais eu ouvia as histórias dela, mais começava a acreditar que ela estava certa.

Eu tinha esperanças de que Trey pudesse me contar para onde as coisas de Mônica tinham sido levadas após o Katrina, mas tudo que ele soube dizer foi que a maior parte tinha sido tão danificada pelo mofo que fora necessário jogar fora. Mas ele se lembrava de uma caixa que conseguira salvar e achava que a tinha guardado com o que restara da casa dele no leste de Nova Orleans, em um guarda-volumes em Metairie. Ele tinha prometido olhar tão logo tivesse tempo. Era melhor esperar sentada.

As escavadeiras tinham começado o trabalho no terreno, preparando-o para reconstruir River Song conforme os novos códigos de construção em zonas de furacão. Apesar de saber que as mudanças trariam uma significativa economia nos prêmios do seguro, assim como paz de espírito durante as tempestades, achei difícil fazer quaisquer alterações. Por fim, concordei com uma mudança significativa no projeto e observei com algum temor conforme as estacas, cravadas profundamente na areia, eram construídas para elevar a fundação da nova casa. Minha única esperança era que Mônica pudesse compreender.

Nas frequentes idas a Biloxi, eu parava para acompanhar o progresso no local, enviando fotos e quaisquer observações dos empreiteiros para Trey, cuja resposta geralmente era um simples "Ok".

A única vez que recebi algo a mais foi após o relatório que descrevia como eu entrara no canteiro de obras, acenando com os braços, quando uma escavadeira chegou muito perto do carvalho. Discuti com o operador da máquina, sem sair do lugar entre a escavadeira e a árvore, até que ele pediu auxílio pelo rádio. Após explicar calmamente que a árvore era ainda mais importante do que a casa e precisava ser tratada gentilmente, fui embora, segura de que não haveria danos à árvore de Mônica.

Dessa vez, a resposta de Trey foi uma mensagem de texto: "Bom trabalho".

Uma semana antes de eu começar a trabalhar, Carol Sue fez um tour comigo em busca de uma casa em Biloxi. Deixamos Charlie e Beau com os pais de Carol Sue no Miramar Park, um playground local, com planos de nos encontrarmos com eles por volta da hora do almoço.

Conforme me acomodei no Land Rover dela, olhei Beau correndo atrás de Charlie, o chapéu vermelho, bem seguro na mão da mãe de Carol Sue. Senti a mão de Carol Sue em meu braço.

— Ele ficará bem. Meus pais têm mais de 30 anos de experiência.

Eu ri.

— Desculpe-me. Imagino que é melhor eu me acostumar com isso, né?

Ela sorriu e deu a partida no motor.

— Sei que lhe disse que tinha uma porção de casas para lhe mostrar, mas acho que nossa busca terminará após a primeira. É um bangalô de dois quartos e dois banheiros em um bom bairro, a apenas poucas quadras do mar e a poucos minutos de carro do museu. Ele foi completamente reconstruído, você será a primeira moradora. E, o melhor de tudo, sei que a proprietária está desesperada e mais do que disposta a fazer um contrato de aluguel mês a mês.

Entramos na avenida White, uma rua de grandes carvalhos e vias de acesso de conchas partidas para carros, com casas modestas recém-pintadas e telhados novos. Gostei da rua, porque na interseção com a Beach Boulevard, próximo ao grande chafariz no canteiro central, uma árvore do Katrina fora esculpida no formato de uma grande coruja, seu olhar firme e sábio. Pensei que Beau e eu poderíamos usar sua sabedoria no dia a dia, compartilhando a mesma rua.

— O melhor de tudo... — disse Carol Sue conforme os pneus fizeram barulho na via de acesso — ... é que está muito barato. A proprietária tem mais dois imóveis como este em Ocean Springs e sei que ela gostaria de alcançar um ponto de equilíbrio no investimento.

Olhei o bege simples da fachada e poucas plantas e não senti nenhuma urgência em chamar o lugar de lar. Eu não queria nem precisava de um lar, apenas um lugar para eu e Beau vivermos. Como tudo mais em minha vida, seria temporário.

— Gostei — disse ao sair do carro.

— Ótimo. O quintal tem um tamanho decente também e, definitivamente, é grande o suficiente para colocar um balanço para o Beau se você quiser.

Segui-a até a porta da frente, onde ela destrancou uma fechadura e deu um passo atrás para me deixar entrar. Havia papel pardo fazendo o caminho por sobre a madeira de lei e toda a casa cheirava a tinta fresca e tapete novo. As portas eram de compensado e as luminárias nos banheiros e na cozinha seguiam o padrão da construtora, mas os cômodos eram grandes, claros e a conveniência e o preço eram imbatíveis.

— Vou ficar com ela — eu disse.

Carol Sue me olhou surpresa.

— Julie, eu só estava brincando sobre este ser o único local que você precisava ver. Ficarei feliz em lhe mostrar outras casas que selecionei.

— Não, na verdade não, vou ficar com ela. Mostre-me onde assino.

— Está bem, se é realmente o que quer. Vou levar você a meu escritório e poderemos assinar os papéis lá. Também ficarei feliz em ajudá-la a decorar. Nada extravagante, já que é um aluguel, mas você pode pôr cor na parede, desde que não seja algo muito doido, e instalar cortinas ou persianas nas janelas.

— Está mesmo ótima do jeito que está.

Ela olhou para mim surpresa.

— Você não morou em Nova York por um tempo? E trabalhou numa casa de leilões?

— Sim. Por quê?

— Porque pensei que poderia ter desenvolvido algum senso de requinte ou amor pelas cores e tecidos ao longo do caminho. Imagino que, por ter trabalhado o tempo todo com isso, não perderia esse gosto.

— Será que você não deveria terminar com um "Deus te abençoe" para minimizar o insulto?

Carol Sue jogou a cabeça para trás e começou a rir.

— Desculpe-me. Realmente não queria dizer isso da forma como saiu. Acho que ser uma mãe solteira e à frente de tudo por tanto tempo me deixou um pouco sincera demais. O que eu queria dizer era que o Trey falou que você é muito focada, e acho que ele não estava brincando.

— Ele disse isso como uma coisa boa ou ruim?

— Nenhum dos dois, na realidade. O Trey disse isso do jeito dele.

Ela não foi além, como se eu devesse compreender. Uma mosca zuniu à nossa volta antes de bater contra a janela por cima da pia da cozinha. Eu saí para olhar o quintal com a laje de concreto simples no pátio e a grama bem crescida. Havia uma árvore com folhas pontudas e cachos de nozes grandes e ovaladas dominando um canto do pátio.

— Que tipo de árvore é aquela?

Carol Sue se aproximou de mim.

— É uma árvore de noz-pecã. Outubro é a época da colheita e parece que você vai ter muitas nozes.

— O que devo fazer com elas?

Ela olhou para mim, levantando as sobrancelhas.

— Alguma vez você já comeu uma torta de noz-pecã?

— Não que eu saiba.

Ela revirou os olhos de modo exagerado.

— Bom, então, eu vou ter de resolver isso. Farei uma torta de noz-pecã usando os frutos da sua árvore, contanto que você os descasque primeiro. Vamos ter que trabalhar rápido, pois não acho que você possa viver no estado do Mississippi se nunca tiver comido uma torta de noz-pecã.

Ela piscou os olhos, então voltou para o balcão da cozinha e recolheu a bolsa. Eu continuei olhando para a árvore, imaginando como ela sobrevivera à tempestade ou se era uma árvore nova, polinizada ao sabor do vento, e pensando sobre o que Trey dissera sobre mim.

— A Aimee disse que o Trey e eu temos muito em comum. Embora eu não consiga enxergar isso. Ele parece ser completamente desprovido de emoção... a não ser quando está com o Beau. Nem mesmo o vi sofrer pela Mônica. Todas as energias dele parecem estar concentradas em me fazer ir embora e construir a casa de outra pessoa.

Eu me virei e vi os lábios dela se transformarem em um meio sorriso.

— Sou uma das pouquíssimas pessoas que já viram o Trey Guidry chorar, e a morte da Mônica o atingiu em cheio. Ele está lidando com isso devotando-se ao trabalho. E não posso dizer que isso seja muito diferente de dedicar toda uma vida à procura de alguém que está desaparecida há 17 anos.

Eu me virei para encará-la, boquiaberta com a surpresa.

— Ele disse isso a você?

— Não em tantas palavras. As lacunas eu completei com minhas próprias conclusões quando ele me contou sobre sua irmã.

Afastando-se de mim, ela começou lentamente a recolher as propostas de venda em uma pilha organizada no canto do balcão. Observei-a enquanto aprumava os ombros magros e falava novamente.

— Eles não encontraram o Charles por duas semanas, e me lembro de pensar que, enquanto não o encontrassem, ele ainda estaria vivo. — As mãos dela se acalmaram. — Então, sei o que é ter esperanças e rezar muito para ter certeza de que Deus responderá a suas preces só para ver se você para de pedir. — Ela virou a cabeça e sorriu, mas seus olhos estavam marejados de lágrimas. — Foram apenas duas semanas, mas eu lembro como aconteceu. — Ela juntou os papéis e os bateu contra o balcão com um ruído. — Bom, se está certa de que esta é a casa, vamos até o escritório assinar estes papéis.

Com um sorriso profissional, ela me levou para fora, trancando a fechadura atrás de nós.

Cobrimos a pequena distância até o centro em silêncio, enquanto eu olhava para fora da janela, tentando me orientar em meu novo bairro.

Ao estacionar num pequeno terreno atrás do prédio do escritório, Carol Sue disse:

— O Trey disse que você está à procura de uma caixa com as coisas da Mônica que estariam guardadas na casa da rua Primeira antes do Katrina. Ele se lembrou de ter me dado algumas caixas, mas não sabe se são as da rua Primeira ou as dele do leste de Nova Orleans. Fiquei sem espaço na minha casa, então guardei aqui no escritório. Você pode olhar as caixas à vontade enquanto estiver aqui, se quiser.

— Fala sério? Tenho pensado em como perguntar ao Trey sobre as caixas da Mônica de novo sem ser uma chata, e você está me dizendo que elas sempre estiveram com você?

— Sim, bom, o Trey não é um grande comunicador. Venha, vamos ver o que tenho.

Andamos pelo estacionamento até a porta de trás de um prédio de tijolos de dois andares que abrigava o escritório da imobiliária. Passamos por um corredor estreito com uma porta à direita do banheiro e um bebedouro do lado oposto, até uma sala maior com quatro baias dispostas em torno do perímetro. Duas delas estavam vazias, enquanto, em outra, uma mulher mais velha falava ao telefone. Ela acenou para Carol Sue ao passarmos. Consegui identificar qual mesa era de Carol Sue nas fotos de Charlie sobre a mesa e nas prateleiras. E era patente a ausência de fotos do marido falecido.

Ela deixou a bolsa na mesa dela e jogou um copo descartável de isopor no lixo.

— Vou me assegurar de que temos tudo de que precisamos e começo a tirar as cópias. Enquanto faço isso, vou deixá-la no depósito, onde estão as caixas.

Segui-a de volta ao corredor e fomos, dessa vez, em direção à frente do prédio, onde uma grande janela dominava o espaço, com o nome da empresa e o número do telefone estampados nela. Ela abriu uma porta lateral fora da área da recepção, acendeu a luz e deu um passo atrás.

— Todos os registros dos negócios da imobiliária estão marcados. O Trey tem o sobrenome escrito em vermelho. Ideia minha, é lógico, de modo que elas não se misturassem com o resto. Não deve ser difícil localizá-las. Venha para minha baia quando terminar e aí já devo estar com tudo pronto para você.

— Obrigada — eu disse, olhando a sala com pilhas de caixas, iluminadas apenas por uma única lâmpada no teto, enquanto o barulho dos saltos de Carol Sue ecoava pelo corredor.

Conforme ela afirmara, não demorou muito para que eu encontrasse as caixas de Trey. Estavam empilhadas à parte do resto, atrás da porta. Tive que tirar caixas pesadas da empresa de cima delas, então o acesso ficou livre.

As caixas estavam seladas com uma única fita adesiva ao longo da abertura no topo, como se a pessoa que as tivesse fechado, fosse quem fosse, houvesse pensado em fazê-lo como medida temporária. Havia três caixas idênticas com apenas o nome Guidry escrito no lado de cima e na lateral, que eu podia ver. Deslizei a primeira da pilha, retirando a poeira de cima, conforme ela chegou ao chão.

Consegui tirar a fita com facilidade e abri a caixa para olhar dentro. Inclinando-me para trás para iluminar melhor, vi um blusão de moletom da Tulane dobrado por cima. Colocando-o de lado, encontrei uma bola de futebol quase vazia, uma bandeirinha do Green Wave, um copo plástico cheio de colares de contas do Mardi Gras, um quadro com a fotografia de um labrador amarelo e um troféu de beisebol. No fundo da caixa, havia uma pilha de fotografias.

Sentindo-me uma invasora, inclinei-me para a frente, hesitando tocar em algo. A fotografia de cima era de uma Aimee muito mais nova com Trey e Mônica em uma manhã de Natal, uma enorme árvore de Natal iluminada por trás deles. Eles tinham por volta de 12 e 10 anos, e o cabelo de Mônica surgia longo e loiro e não parecia estar penteado. Boquiaberta, Mônica mantinha os olhos concentrados no presente em frente a ela, o que parecia uma paleta de pintor.

Imaginei Trey preparando-se para deixar sua casa, escolhendo o que seria mais valioso para ele, terminando com o conteúdo da caixa. O sentimentalismo dos itens me surpreendeu e percebi minha atitude em relação a Trey Guidry mudando levemente.

A caixa seguinte continha itens semelhantes: uma raquete de tênis, dois diplomas emoldurados da Tulane, de graduação e da faculdade de direito, mais colares de contas do Mardi Gras, um cartaz da cerveja Jax e, dentro de outro copo plástico com as letras gregas SAE estampadas, dois ingressos para o Mississippi Coast Coliseum, datados de 11 de junho de 1998. Quase ri ao ver que eram para um show dos Backstreet Boys. Se eu não soubesse que a banda era uma das preferidas de todos os tempos de Mônica, teria planejado trazer o assunto à baila com Trey só para torturá-lo.

Retirei a segunda caixa de cima da última e tirei a fita rapidamente, ansiosa para ver se eram as coisas de Mônica. Não tinha certeza do que esperava encontrar, mas, se houvesse algo que Mônica deixara para trás ao partir e que pudesse oferecer uma pista da razão de sua fuga, aquele era o único lugar onde eu saberia procurar.

Pela terceira vez, abri a caixa e olhei dentro. Dessa vez, encontrei bichos de pelúcia e ramos de flores desidratadas, as pétalas esmagadas e quebradas, espalhadas sobre outras coisas que pareciam tempero. Achei vários prêmios do departamento da faculdade de artes emoldurados e fitas, junto com uma coleira de cachorro e uma tiara de strass. Havia mais coisas, mas eu sabia que achara a caixa de que precisava, então, rapidamente a fechei de novo e voltei a empilhar as caixas de Trey atrás da porta. Apaguei a luz, ergui a caixa e voltei à baia de Carol Sue.

Ao entrar no escritório bem iluminado, parei, os braços doloridos devido ao peso da caixa. De pé, na baia com Carol Sue, estava um homem de terno, alto e de cor escura. Ele estava bem perto dela, fato com que ela não parecia se importar, já que suas mãos estavam sobre o peito dele e as faces se mostravam rosadas enquanto ela o fitava.

Sentindo como se a caixa fosse escapar de minhas mãos, rapidamente procurei uma mesa próxima e a deixei cair. O barulho fez com que Carol Sue e seu acompanhante se surpreendessem e dessem um passo atrás.

— Julie — ela disse com voz confusa. — Não ouvi você entrar.

— Desculpe — respondi, sem chegar mais perto. — Não queria interromper.

Colocando o cabelo atrás da orelha, ela veio em minha direção, com olhos brilhantes.

— Gostaria de lhe apresentar um amigo meu, Walker King. O consultório odontológico dele é aqui mesmo na rua, um pouco mais abaixo. Ele veio saber se eu tinha planos para o almoço, mas eu disse que vamos nos encontrar com a Charlie, o Beau e meus pais no parque assim que terminarmos tudo por aqui.

Olhei para Carol Sue para ver se ela se dava conta de que estava gaguejando, então estendi a mão para o dr. King. Ele a apertou bem forte.

— Prazer em conhecê-lo, doutor. Sou Julie Holt.

— Igualmente, Julie. E, por favor, me chame de Walker. — Ele tinha um jeito tranquilo, e o sorriso franco o tornava uma pessoa simpática. — Já sei que as senhoras têm negócios a resolver, então devo deixá-las. Fica para outra vez, Carol Sue?

— Com certeza — disse, dobras profundas nas bochechas, e, pela primeira vez desde que a encontrara, as sombras pareciam ter sido retiradas dos olhos dela.

Com um sorriso e um aceno, ele saiu do escritório. Carol Sue pegou uma pilha de papéis na mesa.

— Venha comigo, vamos para a sala de reuniões para colocar tudo em ordem. Você pode me dar um cheque para ser depositado mais para o final da semana. Terá até o dia primeiro do mês, assim haverá bastante tempo.

Assenti e a segui até a sala de reuniões, com um sentimento estranho, como se tivesse sido traída sem ter ideia da razão para tal.

Depois de colocar a caixa de Mônica na parte de trás da caminhonete de Carol Sue, sentamos no banco dianteiro e afivelamos os cintos de segurança. Ela ficou com a chave na ignição por muito tempo; então, olhando pelo para-brisa e sem me fitar, ela disse:

— Tem cinco anos, Julie. É muito tempo.

— Eu não disse nada.

— Você não tinha que dizer. — Ela deu a partida. — Charles será sempre meu primeiro amor e o pai da minha filha. E, se me fosse dado escolher, ficaria casada com ele pelo resto da vida e estaríamos criando um bando de filhos juntos. Mas isso não aconteceu, e aqui estou eu.

Ela deu a partida no carro e saiu do estacionamento. Ficamos em silêncio enquanto ela percorria a curta distância até a Beach Boulevard. Agora eu via a água, calma e plácida como o olho de uma criança, incutindo em mim uma impressão de falsa serenidade. Um barco de camarões solitário entrava pelo estreito, e fiquei imaginando se ele também sentia a influência silenciosa da água, como uma canção de ninar chamando o sono, apesar da ameaça de tempestade sempre à espreita.

— Você leva a Charlie à praia? — perguntei, sem conseguir parar de olhar para o mar.

— Não a levei por muito tempo, mas ela ficou me pedindo e eu acabei me rendendo. Toda vida amei o mar e a praia. Há alguma coisa ali, como um casulo, quase, de um jeito que me faz lembrar de casa. Além disso, é difícil odiar algo por muito tempo. Eu tive que me livrar do ódio ou ele teria tomado e roubado todas as boas lembranças que eu tinha. — Ela me fitou seriamente. — Você não está habituada ao mar, não é?

Balancei a cabeça, negando.

— Eu nunca morei perto do mar e fui à praia apenas uma vez quando criança.

Carol Sue sorriu de modo doce.

— Você precisa que o Trey a leve a Deer Island. É uma das ilhas entre o Mississippi Sound e o Golfo. É o lugar que ele mais ama no mundo... e a Mônica também. É a verdadeira Costa do Golfo, sem as lojas baratas para turistas ou os cassinos ou mesmo a praia. É algo sem igual. Você vai entender quando for lá. — Ela estacionou próximo ao parque e saímos do carro. — Chegamos um pouco antes, mas tenho certeza de que meus pais gostariam de um intervalo por agora.

Caminhamos calmamente até o banco, onde a mãe de Carol Sue, a sra. Wimberly, estava sentada lendo um livro. No banco ao lado dela, pilhas com casacos e suéteres de crianças, deixados de lado ao longo da manhã.

— Oi, mãe. — Carol Sue se curvou para dar um beijo no rosto da mãe. — Fico feliz em ver que as crianças não amarraram você e fizeram uma fogueira.

A sra. Wimberly sorriu.

— Oi, meninas. As crianças são uns amores. Brincam muito bem juntas e fizeram alguns amigos, também.

Coloquei a mão em concha sobre a testa, para quebrar o brilho da luz do sol, e olhei para os escorregadores de cores vibrantes e o carro de bombeiros vermelho, procurando por Beau com seu cabelo loiro quase da cor de areia.

— Onde eles estão? — perguntei, lentamente tomando a direção dos balanços.

A sra. Wimberly ergueu o rosto, olhando para o parque.

— Eles estavam com meu marido há cerca de um minuto.

A voz dela foi sumindo quando localizamos o sr. Wimberly sozinho, encostado em uma cerca, conversando com um pai mais jovem. Charlie estava ao seu lado, a mão dela enroscada na dele. Mas Beau não estava em nenhum lugar à vista.

De repente, o sol pareceu mais brilhante, a risada das crianças, mais alta e minha própria voz, desconhecida para mim. Comecei a gritar o nome de Beau. Ouvi meu nome sendo chamado, sem conseguir dizer de onde vinha. Virei a cabeça na direção dos escorregadores, dos brinquedos com escadas e a trave de equilíbrio e toda uma parede de volantes. Todas as coisas que as crianças amam. Todas as coisas que as tornam vulneráveis.

Podia afirmar que muitos rostos estavam agora voltados para mim, os balanços parando, os pais pegando os filhos para junto de si. Ouvi chamarem meu nome de novo e era Carol Sue de pé, perto de uma rede gigante laranja de onde as crianças tinham começado a descer. Mas uma criança permanecia onde estava, no topo, alheia a tudo e de cabeça para baixo, presa pelos joelhos, balançando para a frente e para trás e rindo com seu cabelo loiro ao sol.

Eu desabei, uma onda de alívio me invadindo, quase me provocando náuseas. Recorri a Carol Sue e ela colocou o braço à minha volta enquanto eu arriava no banco, me entregando.

— Ele está bem, Julie. Não se preocupe, ele está bem. — Ela bateu de leve em minhas costas como a mãe faz com o filho, me abraçando forte, e tudo que eu pude fazer foi respirar. — Sossegue — ela sussurrou em meu ouvido.

Eu a abracei de volta, sabendo o quanto ela compreendia, sabendo também que eu jamais conseguiria ser tão corajosa.

— Eu não consigo — disse suavemente.

Ela me abraçou mais apertado.

— Sossegue — ela disse de novo, como se eu não tivesse dito nada.

Estava escuro quando voltamos para Nova Orleans. Carreguei Beau dormindo até seu quarto e o coloquei na cama, então retirei a caixa de Mônica da traseira da van, antes de voltar para casa. Presumi que Aimee ainda estivesse em outra reunião sobre o tour de Natal das casas e já tinha desistido havia muito tempo de tentar rastrear as idas e vindas de Trey.

Pensando na mesa grande que Trey havia instalado no escritório dele para as plantas da casa, fui até lá e pus a caixa em cima dela, então comecei a desempacotar tudo. Coloquei sobre a mesa as molduras e fitas, bichos de pelúcia, um bebê de brinquedo e um cubo mágico. Retirei um álbum de fotografia de plástico que parecia danificado pela água nos cantos, as páginas todas coladas. Deixei-o de lado, com medo de estragar alguma das fotos. Os ramos de flores pareciam muito delicados, então deixei-os onde estavam. Mas no canto da caixa, no fundo, sob uma echarpe de tricô feita à mão, com as agulhas ainda presas a ela, havia um diário com capa de couro vermelho escuro. No topo à direita, com tinta preta grossa e caligrafia enfeitada, alguém escrevera as iniciais MMG. Mônica Mercier Guidry.

Peguei-o com cuidado e o segurei por um longo minuto antes de me forçar a abrir a capa. Dentro, em inconfundível caligrafia, Mônica escrevera: *A vida e o tempo de Mônica Guidry, 1992*. Soltei a respiração, todas as minhas expectativas se dissiparam lentamente. Mônica tinha 10 anos em 1992, eu não conseguia imaginá-la com nada de monumental para escrever além de paixões pré-adolescentes e a busca infinita de um melhor amigo.

Fui para a primeira página, datada de 1º de janeiro de 1992, e li um registro de duas linhas. *Trey me deu este diário de Natal, então imagino que eu deva escrever nele. Mas acho que, em lugar de escrever, quero desenhar.* Abaixo do texto, havia um esboço feito a lápis de um Trey jovem. Só do pescoço para cima, mas inegavelmente era ele. Olhei, porém, mais detidamente e compreendi que havia algo que eu não reconhecia nos olhos do Trey, algo de inocente e moleque, como se ele estivesse no meio de uma travessura quando a Mônica de 10 anos de idade capturara sua imagem. Para onde teria ido aquele garoto? Fiquei imaginando se ele teria ido na esteira do Katrina, como se sua inocência fosse mais uma perda, ou se ele desaparecera quando Mônica partira há dez anos.

Virei as páginas lentamente, atraída pelos esboços dos marcos turísticos de Nova Orleans: a Catedral de Saint Louis, detalhes de cercas de ferro batido, ambulantes e o Café Du Monde. Entremeados com essas imagens, havia desenhos de River Song e do seu entorno, de Trey pescando em um píer e num caiaque com outro menino, de múltiplos pares de pés e chinelos na areia, vários desenhos de Aimee com um homem mais velho sentados em cadeiras de praia em um cais, andando de mãos dadas na areia, trabalhando lado a lado no jardim como se fosse aquele Gary ou Wes. Não havia nenhum dos pais dela, e me lembrei do que Trey e Aimee tinham me contado sobre como Mônica e Trey tinham sido criados principalmente por Aimee. Isso me fez pensar em quão difícil fora a relação com os pais dela para excluí-los de sua vida tão completamente. E o que eles deviam ter feito para torná-la daquela maneira.

O meu favorito era o autorretrato de Mônica em uma rede, na varanda de River Song, com apenas o rosto e os pés descalços visíveis por cima da rede. Fiz um registro mental para providenciarmos uma rede, pronta para pendurar tão logo a casa estivesse terminada.

— Lembro-me de ter dado isso a Mônica num Natal.

Voltei-me e vi Trey atrás de mim, segurando o paletó em uma das mãos e uma maleta na outra. A gravata frouxa em torno do pescoço, as mangas arregaçadas e as olheiras sob os olhos; olhos que não mais lembravam aqueles do menino dos desenhos de Mônica.

Ele colocou o paletó e a maleta em cima da mesa e eu entreguei o diário de Mônica a ele.

— Ela realmente tinha talento, não tinha? — eu disse, olhando como ele abria a capa da frente e seu rosto de advogado se suavizava.

— Sim, ela tinha — ele disse, inclinando-se para trás contra a mesa e começando a passar os desenhos.

Voltei para a caixa.

— Peguei-a hoje com a Carol Sue. Ela me pediu para dizer a você que ainda ficaram duas caixas de pertences seus no depósito do escritório. A chefe dela tem insinuado que já é hora de tirá-las de lá.

Ele assentiu sem olhar para mim.

— Sim, ela provavelmente está certa. Agora que nosso telhado está consertado, deve haver bastante espaço no sótão.

Continuei retirando da caixa as recordações de infância de Mônica e colocando-as sobre a mesa como imaginei que um arqueólogo deveria dispor ossos antigos. Estava surpresa com a pouca quantidade de coisas que havia, considerando que tudo aquilo representava os primeiros 18 anos da vida dela, então me lembrei de que algumas de suas coisas tinham sido destruídas no sótão durante o Katrina. Eu cuidaria de preservar o que sobrara para Beau, junto com uns poucos pertences que Mônica tivera em Nova York, pelo mesmo motivo que eu ainda tinha a escova de cabelos de Chelsea, embrulhada e sempre comigo, para onde quer que eu fosse.

Alisando o cabelo do bebê de brinquedo, eu disse:

— Recebi uma ligação do Steve Kenney hoje referente a fitas para fixação de telhado em River Song. Ele encontrou um novo fornecedor... um produto melhor, um pouco mais caro. Eu disse a ele que precisava falar com você. Fico feliz em ser uma consultora quanto à estética, mas vou deixar os detalhes técnicos para você, já que tem experiência nesse departamento. Espero que esteja tudo bem.

Quando ele não respondeu, voltei-me para ele. Trey ainda estava segurando o diário de Mônica em uma das mãos e na outra um folha de papel dobrado que parecia estar em algum lugar no meio das páginas do diário. Os olhos dele encontraram os meus e algo neles me fez sentir um calafrio de medo.

— O que há de errado?

Como se eu não tivesse falado, ele perguntou:

— O nome de solteira da sua mãe era Sarah Pearson?

Senti um frio em torno de meu pescoço.

— Sim, por quê?

— E o nome do seu pai era William Holt?

— Sim — eu disse conforme me aproximava dele, as palavras saindo como um assobio. — Como sabe disso?

Sem responder, ele me deu o pedaço de papel. Reconheci a caligrafia de Mônica, elegante e concisa, similar àquela no diário, porém mais madura e mais como eu a conhecia. No topo, com um marcador preto, ela escrevera em letras de forma: Árvore Genealógica de Abe Holt.

Começava pela geração dele, com os nomes das duas esposas ramificando abaixo delas, a primeira esposa sem filhos, a segunda esposa com três caixas sob o nome dela, mostrando os dois filhos que sobreviveram e uma filha morta na infância. Meus olhos varreram a próxima linha, na qual o filho mais velho, Jeremiah Holt — meu avô —, tivera dois filhos, William e John. Fechei os olhos por um segundo e respirei; em seguida, olhei de novo para a linha seguinte. William casoara com Sarah Pearson em 1975 e tiveram três filhos, William Lloyd Holt Jr., Julie Grace e Chelsea Marie.

Minha mão tremia enquanto eu segurava o papel. Levantei os olhos para encontrar os de Trey.

— O que isto significa? — perguntei, com medo de que ele já soubesse a resposta.

— Não tenho certeza — ele disse. — Mas acho que está muito claro que a Mônica já sabia quem você era muito antes de conhecê-la em Nova York.

Balancei negativamente a cabeça, querendo acreditar que a surpresa de Mônica, ao descobrir quem eu era quando nos encontráramos na exposição de arte, fora genuína. Mas voltei a olhar para o papel e para meu nome em negrito bem forte, e finalmente compreendi o quanto estava errada.

Capítulo 16

E vocês, que viveram o golpe da Adversidade,
E curvaram-se até o chão ante sua fúria;
Para quem os Doze Meses, que acabaram de passar,
Foram tão difíceis quanto um júri corrompido,
Ainda sim, anseiem pelo Futuro! E juntem-se ao nosso carrilhão,
Enganando os lamentos das lembranças,
E tendo obtido um Novo Julgamento do Tempo,
Gritem com esperanças por outros doze mais amenos!

— Thomas Hood

Aimee

1956

Ficamos de pé, do lado de fora, no refrescante ar da noite, com os sons do Mardi Gras na cidade ecoando pelo Garden District, fazendo-me tremer de empolgação. Os desfiles do Zulu e do Rex[5] já tinham ido e vindo pela manhã, e o ápice de todas as festividades do Mardi Gras seria à noite com o desfile de Comus[6], de tochas acesas, seguido dos Bailes de Comus e de Rex no imenso Auditório Municipal, no limite do Bairro Francês.

---

[5] Zulu e Rex são agremiações que desfilam pelas ruas da cidade durante o Comus (N. E.).

[6] Um desfile de grandes carros alegóricos, que teve início em 1857 (N. E.).

Rex, o senhor da anarquia, renderia homenagem a Comus, deus da alegria e da folia, enquanto os *tableaux*[7], as danças e a farra nos conduziriam até à meia-noite, quando os sinos da igreja da cidade tocariam pelos 40 dias da Quaresma: 40 dias de penitências e sacrifícios. Olhando ali em volta para os Guidrys, enquanto esperávamos, eu só conseguia imaginar que pecados estariam desejosos de reparar e do que estavam querendo desistir.

O tema para o Baile de Comus do ano era "Nossos Primeiros Contemporâneos", mas a sra. Guidry me desviou de minhas tentativas de traduzir o que aquilo significava. Ela parecia nervosa e distraída, dedos trêmulos como traças indecisas, enquanto ficava ali me rondando, evitando o duro olhar do marido e bebericando goles furtivos de um pequeno frasco de prata guardado na bolsa.

O sr. Guidry havia alugado um carro e contratado um motorista para aquela noite, um carro grande o suficiente para levar apenas o sr. e a sra. Guidry, Lacy e eu. Wes e Gary seguiriam no Corvette de Wes. Como o Mardi Gras caiu no Dia dos Namorados, o sr. Guidry surpreendeu a todos oferecendo um buquê de duas dúzias de rosas para a esposa. Ela sorriu para ele, os olhos distantes, aí pegou uma rosa e colocou-a no elegante coque, um brilho tão vívido contrastando com o escuro do cabelo que a fazia parecer ainda mais exótica que de costume. O sorriso dele era frio ao olhar para a esposa, sem dúvida imaginando o que os demais participantes do baile estariam achando.

Eu olhava pela janela do carro, absorvendo a paisagem de uma cidade em plena folia. Naquele dia, mais cedo, Gary me levara para dar uma volta de bonde elétrico e a um passeio por Nova Orleans para ter uma primeira impressão da cidade durante o Carnaval, como o pessoal do lugar se referia ao acontecimento. A cidade fervilhava de animação, as ruas e muitos dos cidadãos fantasiados de verde, amarelo e roxo. As pessoas se amontoavam nas avenidas do Bairro Francês, o barulho da multidão misturava-se ao som dos metais do jazz. A cidade propriamente dita estava exposta, em uma estranha justaposição de elegância e decadência. Ambulantes vendendo pó de vodu e bugigangas baratas contrastavam com os prédios antigos com varandas gradeadas de ferro batido trabalhado. Os aromas picantes do jam-

[7] *Tableaux,* figurantes trajados com fantasias que posavam como se fossem parte de uma pintura (N. E.).

balaia e do *gumbo*[8] das cozinhas dos restaurantes, misturados ao cheiro de suor e de álcool fermentado. De imediato, senti atração e rejeição por tudo aquilo, lembrando-me de ter que beijar a cicatriz esponjosa no rosto de um velho e querido tio.

O cintilar dos vestidos chamou minha atenção enquanto eu descia do carro com a ajuda do sr. Guidry. Senti algo escorregar por meu pescoço, voltei-me e vi Wes rindo para mim. Olhei para baixo e vi um colar de Mardi Gras de contas iridescentes cor-de-rosa brilhando sobre o tecido verde do vestido. Segurei no colar quando ele se inclinou para falar junto à minha orelha, a ponto de ser ouvido acima do barulho da multidão.

— Pelo seu primeiro Mardi Gras, Aimee. Que possa ser tudo que você espera que seja... e mais.

Senti o cheiro suave de colônia e a maciez de sua pele quando o queixo dele roçou em meu rosto. Ele me beijou na face e se aprumou. Com um aperto no braço, Gary me fez virar e olhar para ele. Trazia as mãos cheias de longos colares de contas brancas e ele os empurrou por minha cabeça antes que eu pudesse dizer alguma coisa. Olhei para baixo, para o emaranhado de contas em meu peito, e vi uma única cor-de-rosa, brilhando em contraste com a alvura das brancas.

Wes e Gary acenavam e cumprimentavam com a cabeça os amigos e conhecidos, e as apresentações eram feitas conforme nos movíamos pela multidão até a mesa dos Guidrys. Olhei para cima, para os camarotes onde pessoas bem vestidas estavam sentadas, apontando e fazendo gestos exagerados de admiração para a multidão embaixo. Quando perguntei a Gary quem eram, ele me explicou que se tratavam de espectadores, convidados ao baile não para dançar, mas apenas para olhar. Achei um costume estranho, mas o releguei à minha lista mental de coisas que existiam apenas em Nova Orleans.

Lacy e eu fomos convidadas para a sala de "aquecimento", onde ficavam as moças selecionadas pelos membros da agremiação Krewe Comus para dançar, antes de serem chamadas para suas danças. Senti-me como Cinderela dançando com o príncipe fantasiado e mascarado, sua identidade desconhecida para mim. Ninguém parecia observar nem se importar que ainda faltassem alguns meses para minha maioridade: os garçons elegantemente vestidos me serviam taças de vinho. Não me recordo se cheguei

[8] Um guisado com vários tipos de carnes ou mariscos (N. E.).

a esvaziar por completo uma única taça, mas, lá pela meia-noite, já estava certamente sentindo o enjoo da intoxicação.

Gary e Wes dançaram alternadamente com a mãe, Lacy e eu. Gary me conduziu sem esforços num "dois pra lá, dois pra cá", os pés jamais perdendo um compasso, um senso natural de ritmo levando-nos pela música. Ele parecia mais sem ar do que o normal, e eu insistia para ele sentar e descansar durante as músicas seguintes. Surpreendentemente, ele não protestou, mesmo quando Wes apareceu para a próxima valsa.

A mão dele deslizou para minha cintura enquanto nossos dedos de entrelaçavam, minha mão livre pousada no ombro dele.

— Estou feliz por você ter vindo, Aimee.

— Eu, também — murmurei envolvida na fragrância dele, uma parte distante de mim desejando que eu pudesse me lembrar do cheiro de Gary.

— Você está se divertindo com o Gary?

— Ah, sim... muito. Ele é um bom amigo. — Desci um pouco mais a mão até pousá-la sobre o peito dele. Eu podia sentir a batida forte do coração sob a mão enluvada.

— Isso é tudo que ele é para você, um bom amigo?

Fitei os olhos azuis profundos.

— Sim... um amigo muito, muito bom. — Sem pensar, perguntei: — E você e a Lacy? Vão se casar?

Ele desviou o olhar por um momento.

— Não, acho que não.

Olhei para ele.

— Você não a ama?

Com a mão em minhas costas, ele me puxou para mais perto de si.

— Pensava que sim. Pelo menos quando era um adolescente ingênuo, eu pensava. Antes de aprender que o amor tem muitas faces. — Seu olhar se dirigiu para onde os pais dançavam, os corpos próximos, mas os rostos virados, um sem olhar para o outro. Wes olhou para mim. — Precisei receber todas as suas cartas para finalmente compreender quão cego fui. Agora sei que preciso de mais do que um rosto bonito ou uma conversa espirituosa. Preciso de força de caráter, de delicadeza na alma. Uma compreensão recíproca.

Senti um nó na garganta.

— Então, por que ainda está com a Lacy?

Ele colocou o queixo junto a meu rosto e suspirou.

— Porque ela me ama incondicionalmente. Nunca tive isso antes... certamente, não de meus pais. Isso é viciante. — Ele fechou os olhos, então encostou a testa na minha. — Lembro-me de uma vez, em uma de suas cartas, você ter mencionado que sempre quisera ter um irmão ou uma irmã. Alguém que ficaria indo atrás de você e amolando-a, mas que sempre estaria por perto. Um relacionamento consistente, você chamou assim. Isso é o tipo da coisa que a Lacy faz. Eu não preciso trabalhar a relação, ela está sempre lá, esperando por mim. — Wes suspirou de novo e pude sentir o calor da pele dele junto da minha. — Mas sei que não estou sendo justo com a Lacy. Preciso terminar. — Ele beijou minha testa, e fechei os olhos para não saber se Gary nos tinha visto.

A música acabou e de repente Lacy estava ao lado dele, puxando-o para a dança seguinte. Voltei para a mesa meio trôpega e pedi um café a um garçom. Os paletós dos smokings estavam nos encostos das cadeiras, retirados tão logo os homens tinham se sentado. Gary continuava sentado em sua cadeira, a cabeça apoiada no encosto dela, os olhos fechados.

Coloquei minha mão no braço dele e vi seus olhos se abrirem rapidamente. Ele nem mesmo tentou se levantar.

— Gary, você está bem?

Um sorriso tranquilizador se espalhou por seu rosto enquanto ele olhava para mim de canto de olho.

— Com certeza... eu estou bem. Sente-se.

Ele fez um gesto com o braço indicando a cadeira próxima a ele. Sentei-me e vi suas pálpebras se fecharem novamente.

O sr. e a sra. Guidry estavam de pé, próximos à pista de dança, conversando com outro casal. A mão dele nas costas dela, pareciam mais um casal qualquer, exceto pelo jeito como ela tentava evitar o toque dele. Vi o broche de jacaré e me lembrei de quando me contara que minha mãe o tinha dado a ela. Isso me aqueceu de alguma forma.

Olhei de novo para a pista de dança, onde Wes e Lacy dançavam ao ritmo da música, os corpos quase se tocando conforme a banda tocava *Cry me a river*. O dourado no vestido dela captava as luzes dos refletores, fazendo-o cintilar como milhares de vaga-lumes. Wes curvou-se para sussurrar algo no ouvido dela e eles pararam de dançar. Ela jogou a cabeça para trás enquanto as mãos dela escorregavam pelos braços dele, segurando-os com firmeza. Eu a percebi agarrando-se ao tecido da camisa engomada. Wes tentava tirá-la da pista, mas ela permanecia ali, segurando algo além do que uma simples camisa.

Virei a cabeça, sem querer olhar mais nada. Eu não gostava de Lacy, mas ainda assim era difícil ver como estava arrasada. Olhei para Gary, que parecia mais pálido e, de repente, me senti mal. Se fosse para eu e Wes termos um relacionamento, o que isso poderia significar para Gary? Ele ficaria feliz apenas com minha amizade? E eu poderia encarar ambos os irmãos, sabendo ser a responsável por uma briga entre eles?

Chegando mais perto, coloquei minha mão na dele.

— Gary, você precisa ir para casa? Agora você está parecendo a barriga de um peixe-gato.

Ele balançou a cabeça negativamente, erguendo o lado esquerdo do rosto num sorriso torto. Olhei para ver se via os pais dele para ter uma segunda opinião e estava quase subindo na cadeira quando desisti. O sr. e a sra. Guidry estavam de pé, fora da multidão, e, pelas expressões sérias deles, podia ver que fosse lá o que estivessem discutindo não era um assunto íntimo. De repente, a sra. Guidry se virou, acenando discretamente enquanto passava pelos membros da sociedade de Nova Orleans com cuja opinião há muito ela deixara de se importar.

O olhar atento do sr. Guidry seguiu os movimentos da esposa até que ele também saiu, andando em outra direção. Olhei de novo para a pista de dança, mas Wes e Lacy também tinham desaparecido.

Gary e eu ficamos sozinhos pelo resto da noite, sem dançar um com o outro nem com outra pessoa. Recebemos visitas esporádicas de alguns dos amigos dele, que paravam rapidamente, mas logo iam embora. Gary permaneceu sentado, a cabeça ou descansando nos braços sobre a mesa ou no encosto da cadeira. Ficou insistindo que não precisava ir embora, e eu esticando o pescoço à procura de Wes ou de seus pais para me ajudarem a levar Gary para casa. Conversamos sobre o ano escolar seguinte, quando ambos seríamos calouros em Tulane — Gary preparando-se para ser médico e eu no Newcomb College. Ele continuava se referindo a nós como um casal — como "nós" faríamos isto ou aquilo. Eu não dizia nada.

Apesar do barulho alto e da alegria, Gary adormeceu com a cabeça entre as mãos. Saí da mesa para ver se encontrava algum outro membro da família Guidry, então voltei à meia-noite quando os dois reis se saudaram e brindaram aos celebrantes. Gary se esticou e abriu os olhos, mas manteve a cabeça na mesa.

O sr. Guidry surgiu por detrás da multidão perto do cortejo real. Ele se aproximou sem sorrir.

— Onde estão o Wes e a Lacy?

Balancei negativamente a cabeça.

— Não sei. Não os vejo há algum tempo.

— Viram minha esposa? Esperava que ela já estivesse aqui a essa altura.

Gary e eu olhamos um para o outro.

— Não, não vemos ninguém já há algum tempo.

O sr. Guidry pegou o paletó do encosto da cadeira e, para minha surpresa, o vestiu. A camisa dele estava ensopada de suor e o cabelo preto pendia na testa. Ele deu uma olhada superficial ao redor da sala, parando em Gary.

— Precisamos levar você para casa — disse com voz firme e controlada enquanto ia ajudar Gary a sair da cadeira.

Gary resistiu, retirando o braço dele.

— E a mamãe? Não podemos deixá-la aqui. Vou esperar por ela.

Um olhar sombrio foi trocado entre eles enquanto Gary se inclinava pesadamente sobre a mesa.

— Olhe para você — o sr. Guidry falou contrariado. — Você deveria estar em casa, na cama. — Mais gentilmente, acrescentou: — Sua mãe vai compreender. Vou deixar o carro e o motorista aqui para ela e vou avisar nossos amigos que já fomos, então eles avisaram a ela. Vamos pegar um táxi.

De novo, Gary resistiu. Peguei-o pelo braço.

— Gary, vamos. Eu vou com você. Sua mãe está aqui com os amigos dela, o carro estará esperando por ela quando chegar a hora de ir embora. Por favor, venha... por mim?

Os olhos azul-acinzentados me fitaram com placidez. Finalmente, ele assentiu e permitiu que o levássemos para fora.

Uma batida forte na porta de meu quarto me acordou na manhã seguinte. Olhei o relógio ao lado da cama — 9h20. Sem esperar por uma resposta, Gary entrou vestindo apenas a parte de baixo do pijama. O tronco dele era firme com músculos vigorosos, a pele levemente bronzeada. Uma cicatriz com queloide no meio do peito, branca, contrastava com o bronzeado. Percebi que era a primeira vez que ele me permitia vê-lo sem camisa. O rosto estava pálido, os olhos em pânico.

— O que é, Gary? O que houve?

— É a mamãe. Ela não voltou para casa.

Sentei ereta na cama, esfregando os olhos e tentando raciocinar.

— Tem certeza? É Quarta-Feira de Cinzas. Talvez ela tenha ido à missa.

Ele balançou negativamente a cabeça.

— Meu pai disse que ela não voltou para casa mesmo; liguei para todas as amigas dela durante toda a manhã. Ninguém a viu desde ontem.

O medo se instalou pesadamente em meu estômago.

— Alguém chamou a polícia?

Ele balançou a cabeça com raiva.

— Não. Meu pai quer aguardar, mas estou preocupado. — Gary olhou para mim, os olhos implorando. — Você pode ver se consegue pôr algum juízo na cabeça dele?

A cabeça ainda confusa, esfreguei meus olhos de novo.

— Vamos. — Saí da cama e vesti o penhoar. Abri a porta e não senti o cheiro habitual do café sendo coado.

— Como sabe que ela não esteve aqui?

— Quando vi meu pai esta manhã, perguntei a ele a que horas minha mãe tinha chegado na noite anterior. — Como se previsse minha próxima pergunta, ele acrescentou: — E o Wes também não dormiu aqui.

Meu estômago se contraiu, mas tentei não ler coisa alguma naquelas palavras.

Fomos para a porta do quarto dos Guidrys. A viga da porta ainda estava escura, então eu sabia que as cortinas ainda não tinham sido abertas. Levantei a mão para bater quando a porta foi aberta. O sr. Guidry surgiu em pé na porta, vestindo o robe azul-escuro, o cabelo em desalinho e olheiras sob os olhos.

— O que é? — ele disse, com voz baixa e grave.

Gary começou a falar, mas eu o silenciei tocando-o no braço.

— Nós dois estamos preocupados com a sra. Guidry.

O sr. Guidry deu um passo à frente e parou. Como se controlando cada simples palavra, disse:

— Conforme eu disse ao Gary, a sra. Guidry não voltou para casa da festa na noite passada. Prefiro não avisar a polícia e não chamar a atenção de todos para o comportamento da minha esposa. Tenho esperanças de que dessa vez ela esteja pensando na família e aja com mais discrição.

— Como ousa? — Gary partiu para o pai, os dedos compridos agarrando o sr. Guidry pelo pescoço.

Alcancei Gary e tremi quando senti minhas unhas arranharem suas costas nuas. Ele tinha nocauteado o pai e agora estavam brigando. Gary recuou o punho e deu um soco no queixo do pai.

Corri para a escada e gritei:

— Acudam! Ray Von! Xavier! Venham rápido! — Apenas o silêncio da casa me respondia.

Gary agora estava socando o pai. O nariz do sr. Guidry sangrava. Eu estava agradecida por ser apenas Gary a desferir os socos; o sr. Guidry se limitava a erguer os braços para proteger o rosto dos socos de Gary. Mas o esforço estava tendo seu efeito em Gary. A energia dele diminuía conforme os golpes ficavam mais lentos e com menos força. Percebi que ele tentava respirar profundamente, o peito quase côncavo, mas não parecia inspirar oxigênio suficiente.

— Parem! — gritei, retirando um Gary enfraquecido de cima do pai. — Você está se matando.

Gary caiu por cima de mim com um baque, fazendo-me sentar, a cabeça aconchegada em meu colo. O pai se pôs de pé, oscilando um pouco, e limpou o rosto com a barra do robe conforme as gotas de sangue pingavam sobre a passadeira de tapete oriental. Olhei para ele, minha voz surpreendentemente firme.

— Chame a Ray Von. O Gary precisa de ajuda.

Sem uma palavra, ele cambaleou para a escada e desceu.

— Gary, por que fez isso? Olhe para você... você não devia ter feito isso. — Agora eu estava chorando, olhando para aquele rosto pálido. Peguei uma das mãos dele e comecei a chorar mais forte quando vi as articulações dos dedos ensanguentadas. — Ah, Gary. Suas mãos, tão lindas... você pode não ter mais condições de tocar piano.

Ele apertou minha mão.

— Você está... gaguejando, Aimee. Por favor... fique... calada. — Ele fechou os olhos um pouco, tentando inspirar. — Eu não tenho... tocado... piano desde meus 13 anos. — Ele fechou os olhos novamente, o esforço de falar e respirar parecia exauri-lo.

Eu ri e chorei ao mesmo tempo, aliviada por ouvir a voz de Gary, porém derramando lágrimas pelo dano irreparável causado à minha família adotiva.

A sra. Guidry não voltou para casa naquele dia. Nem no dia seguinte. Wes também tinha desaparecido, mas apenas eu e Gary parecíamos estar preocupados. Até mesmo Ray Von permaneceu indiferente, parecendo distante quando perguntamos a ela se sabia onde eles estavam ou mesmo se eles poderiam estar juntos. No terceiro dia, Gary chamou a polícia.

Um policial uniformizado apareceu para nos entrevistar, seguido logo depois por um homem atarracado com uma capa de chuva imunda. O policial se apresentou como tenente Houlihan, detetive do Departamento de Polícia de Nova Orleans. O tenente fez perguntas, anotou tudo em um bloco com capa de couro esmaecido e manchado. Gary sentou na sala de visitas para sua entrevista, de costas para o pai, ainda sem ter recuperado totalmente as forças desde o último encontro. Ele respondeu a todas as perguntas lentamente, citando cada detalhe da terça-feira anterior.

— Você acha que há qualquer motivo para que sua mãe ou seu irmão possam ter fugido?

Conforme o tenente Houlihan falava, o policial atarracado vistoriava a sala de visitas com seu revestimento de madeira escura e antiguidades caras. Gary olhou para o pai e parou, com o queixo se contraindo. Lentamente, balançou a cabeça numa negativa.

— Eles jamais me deixariam aqui sozinho. Eles não fariam isso.

Vi o olhar aguçado que o detetive lançou para o sr. Guidry, registrando a definição de Gary de "sozinho".

O sr. Guidry falava de forma entrecortada, de um jeito desdenhoso. Percebi Gary cerrando os punhos, então peguei um deles e apertei-o com firmeza. O detetive olhou para o oficial com as sobrancelhas arqueadas e continuou tomando notas. Eu pigarreei:

— Vocês falaram com a namorada de Wes, Lacy Boudreaux? Eles estavam juntos no Baile de Comus.

O detetive Houlihan assentiu.

— Sim. Ela disse que o Wes a levou mais cedo para sua residência e planejava voltar para casa. Testemunhas confirmaram a história dela. — Ele virou para o pai de Gary. — Quando o senhor viu sua esposa pela última vez, sr. Guidry?

Ele esfregou as mãos sobre o rosto, como se para despertar uma lembrança.

— Foi antes da meia-noite. Eu fui conversar com alguns amigos... os Clairbornes... e a Caroline pediu licença para ir ao toalete. Não a vi mais depois disso.

Eu desviei o olhar, sabendo que o que ele estava dizendo não era o que eu tinha visto. Mas era parcialmente verdade, e eles saíram em direções opostas. Eu permaneci em silêncio, sem querer incriminar o sr. Guidry em um assunto menor e acreditando que eu não tinha nada a acrescentar.

O som da caneta no papel ecoou pela sala silenciosa, acompanhado apenas pelo mascar de chiclete do tenente.

— Srta. Mercier, viu alguma coisa? Algo que ache ser de interesse?

Eu olhava para o policial, impressionada que uma pessoa pudesse fazer tanto barulho com um simples pedaço de chiclete. Joguei a cabeça para trás e respondi ao interrogador:

— Não. Nada.

O detetive se aproximou do sr. Guidry e seus olhos se estreitaram.

— Parece que o senhor entrou em uma briga.

O sr. Guidry cruzou os braços sobre o peito.

— Não tem nada a ver com minha esposa ou o Wes, se é isso que está pensando. — Ele parou por um momento, os lábios formando uma linha triste, os olhos evitando Gary. — Meu filho e eu tivemos um desentendimento. Isso é tudo.

O detetive olhou para Gary, o olhar notou as juntas de Gary em carne viva espalmadas sobre os joelhos como aranhas na teia. Gary não disse nada, apenas olhou para o tapete, examinando a intrincada estampa de flor-de-lis.

O detetive escreveu algo no bloco, então o colocou no bolso. Pegou o casaco e disse:

— Está bem, então. Se descobrir algo mais, ou algum deles aparecer, nos avise.

Ele sacou três cartões de visita, todos amassados como o casaco de onde tinham saído, e nos entregou. Olhei para o nome. Tenente Pierre Houlihan.

O sr. Guidry levantou-se e encaminhou-se para conduzi-lo até a porta.

— Obrigado, tenente. Tenho certeza de que minha esposa aparecerá logo. Aqui entre nós, o comportamento dela não é uma surpresa. Há muito é ridicularizada pela sociedade educada. Pensei que ela tivesse superado tudo isso, motivo pelo qual consenti que fosse ao baile. Acho que me enganei. Quanto ao Wes, presumo que esteja tendo bons momentos com amigos em algum lugar e não tinha ideia de que a mãe está desaparecida. Se o encontrar antes de mim, por favor, diga-lhe para me telefonar tão logo seja possível. Boa noite, senhores.

O sr. Guidry abriu toda a porta, deixando claro que a conversa estava encerrada. Os dois homens saíram, os saltos dos sapatos fazendo ruído no chão molhado. Conforme a porta se fechou atrás deles, lembrei-me de que também não vira Xavier desde domingo. E pensar em Xavier me fez lembrar a cena que tinha testemunhado no corredor escuro. Imaginei se esse era o tipo de coisa de que o tenente estava falando quando perguntou se eu me lembrava de qualquer outra coisa. Olhei para o rosto atormentado do sr. Guidry enquanto, rapidamente, ele se servia de um uísque duplo, e deixei meu polegar passar sobre o relevo da impressão na frente do cartão. Então, meu olhar parou em Gary, o rosto nas mãos, a nuca exposta. A pele era branca, imaculada, intocada pelo sol, e me lembrei de como sua mãe passava a mão ali para acalmá-lo após um ataque. Eu ainda via um garotinho em Gary, e senti um aperto no peito. Dobrei o cartão ao meio e enfiei-o no bolso, sem querer ser a pessoa a despertar mais um demônio naquela casa.

Capítulo 17

Aprofundamento explosivo: uma diminuição da pressão mínima do nível do mar de um ciclone tropical de 2,5 mb/h por pelo menos 12 horas ou 5 mb/h por pelo menos 6 horas.

— Centro Nacional de Furacões

Julie

Aimee e eu sentamos em um banco de pedra no jardim, bem agasalhadas devido à súbita onda de frio que se abatera sobre Nova Orleans, levando o sol embora e substituindo-o por nuvens cinzentas carregadas. Beau ficou perto de nós, vendo Xavier usar a grande tesoura de poda para cortar os galhos do canteiro de murtas crepe enfileiradas ao longo da cerca. Tinha aprendido o nome delas — junto com o de outras 12 plantas no jardim — com Beau, que se tornara um ávido aluno de Xavier.

Aimee sentou-se com a mão segurando a gola do casaco para evitar que qualquer ar frio penetrasse. Voltando-me para ela, perguntei:

— O que aconteceu à sra. Guidry e ao Wes? Eles estavam juntos?

Seus olhos pareceram confusos por um momento, como se ela estivesse tentando me situar ou lembrar por que eu estava ali. Balançando negativamente a cabeça, ela disse:

— Não, eles não estavam juntos. — Ela abaixou o braço e levantou o punho do casaco para ver o relógio. — Acho que nosso tempo acabou. Tenho uma reunião com o pessoal do tour pelas casas e jardins em meia hora, o Trey vai me levar. Acho que seria melhor entrar e passar um batom. — Ela sorriu e então se levantou, inclinando-se pesadamente sobre a bengala. Eu a vira com a bengala várias vezes, mas até então nunca ficara evidente que houvesse real necessidade dela. — Teremos de continuar mais tarde.

Eu também me levantei e ofereci o braço para ajudá-la nos degraus até a porta da frente, tentando esconder minha impaciência por ouvir mais da história. Mas compreendi, também, que recontar seu passado devia ser muito parecido com ver um filme em que sabia o que aconteceria, mas não queria olhar. Ela parecia hesitante em continuar o relato, mas eu achava que compreendia o motivo.

Para minha surpresa, ela pegou em meu braço, permitindo-me levá-la pelo caminho. Conforme andávamos lentamente, eu disse:

— Achamos uma caixa com as coisas da Mônica que estavam guardadas no sótão, antes do Katrina.

Ela se apoiou pesadamente em meu braço.

— Vocês descobriram alguma coisa?

— Não temos certeza. Encontramos dentro de um caderno de desenhos um pedaço de papel dobrado com a caligrafia dela. Era um desenho da minha árvore genealógica, começando por Abe Holt, meu bisavô.

Ela parou e olhou para mim, os olhos azuis claros por trás dos óculos.

— Por que acha que ela teria isso?

— O Trey e eu não conseguimos imaginar. Ele pensou que talvez ela fosse uma fã tão grande do Abe Holt que quisesse saber se algum dos descendentes dele também era artista. Mas então por que ela nunca mencionou isso para mim? — Uma brisa gelada soprou nas nossas costas, nos empurrando para a frente.

— Não sei. Talvez nunca saibamos. — Ela parou por um momento enquanto alcançava o degrau de cima. — Se você vir o Trey, por favor, diga-lhe que logo estarei pronta.

Caminhei de volta ao banco lentamente, com algo pequeno, porém insistente, me incomodando. Deixando isso de lado, desviei a atenção de novo para Beau e Xavier. Beau estava concentrado em recolher as folhas do chão enquanto Xavier continuava podando a fila de murtas crepe, os galhos outrora cheios de folhas e flores agora reduzidos a membros atrofiados. Eles contrastavam com o resto do jardim ainda exuberante, como um nítido lembrete da proximidade do longo sono do inverno.

— Isso faz com que cresçam melhor na primavera — disse Xavier sem se virar, e eu compreendi que devia ter ficado observando por algum tempo. — Às vezes você tem que suportar um monte de coisas feias para poder apreciar algo de belo.

— Ah, muito obrigada. Eu estava mesmo imaginando. — Olhei para os braços dele, ainda tão fortes e musculosos quanto os de um homem jovem, continuando a pegar os galhos grossos. — Foi sua mãe quem lhe ensinou isso?

Ele não se virou, mas eu vi o lado de seu rosto se abrir em um sorriso.

— Sim. Com certeza.

Olhei enquanto Beau se curvava para pegar uma única folha, pressionando-a delicadamente na outra mão, onde segurava mais folhas. O chapéu vermelho de Mônica pendia das costas de seu cinto de elástico, esquecido por agora. Conforme me virei para Xavier, um súbito pensamento me ocorreu.

— Você se lembra da mãe da sra. Aimee?

Imaginei ter visto os músculos de seu pescoço se contraírem. Ele abaixou a tesoura e olhou para mim.

— Sim, eu me lembro dela. Não muito, talvez. Eu só tinha 9 anos quando ela foi morta. Mas ela com certeza era bonita... muito parecida com a sra. Aimee quando mais jovem. E gentil também. Ela me trazia um daqueles bolos Doberge do McKenzie no meu aniversário e me tratava como se eu não tivesse esta cicatriz no meu rosto. — Ele olhou para mim, e me senti envergonhada em saber que eu fizera suposições acerca de sua aparência.

— Então, você estava morando aqui com Ray Von quando a sra. Mercier foi morta?

Ele levantou a grande tesoura de poda e pegou um galho grosso e descarnado, e eu olhei enquanto ele o puxava com mais força do que parecia necessário, soltando dúzias de folhas.

— Por um tempo, mamãe e eu vivíamos na casa de hóspedes onde o sr. Trey mora agora. O sr. Guidry disse que eu precisava estudar e me mandou para a escola não muito tempo depois do assassinato da sra. Mercier.

Relembrei a cena no corredor que Aimee havia me contado, como ela encontrara Xavier no corredor, chorando.

— O que você se lembra da sra. Guidry?

Os movimentos dele se tornaram agitados ao investir contra a árvore, o som produzido por cada galho abatido ecoando alto pelo jardim silencioso. Um pássaro gorjeou em algum lugar atrás de mim enquanto um esquilo saía em disparada de debaixo do depósito das ferramentas. Olhei de novo para Xavier e percebi que ele tinha parado.

Ele virou em minha direção. Como se não tivesse ouvido minha pergunta, disse:

— Pessoas desaparecem todo o tempo. Algumas são encontradas, outras, não. E algumas... é apenas melhor que continuem desaparecidas.

Pensei em Chelsea e em todos os outros rostos de desaparecidos que encontrara na internet desde o início da busca por minha irmã. Queria gritar para ele, dizer a ele que todos mereciam ser encontrados.

Como se estivesse lendo minha mente, ele disse:

— E há aquelas como a srta. Mônica, que continuam desaparecidas não importando o quanto a família as queira de volta. E a espera pelo seu retorno para casa é tão útil quanto ficar em casa torcendo para que o furacão passe por outro lugar.

Meus dedos pressionaram meus joelhos, as pontas dos dedos clareando.

— Sua mãe lhe disse isso, também?

Quando ele não respondeu, olhei para ele. O rosto estava sem expressão, as palavras eram a mais pura verdade.

— Não, senhora. Aprendi isso por mim mesmo. — Ele ergueu a tesoura e começou a aparar o restante das murtas crepe.

A caminhonete de Trey parou no meio-fio em frente à casa. Ele usava uma camisa amarrotada com as mangas arregaçadas, sem gravata, calça de terno e sapatos escuros. Notei como parecia mais à vontade vestindo camiseta e botas de obra. Ele entrou pelo portão e parou perto de mim.

— Parece bom, Xavier. Neste final de semana, vou ajudar você a limpar e pintar o depósito. Parece que não vai chover.

Xavier parou de podar. Virando-se lentamente, ele disse:

— Posso estar velho, mas não estou debilitado. Consigo fazer isso sozinho sem a ajuda de ninguém. Não gosto de ninguém bagunçando minhas coisas.

— É um trabalho grande, Xavier. Não me importo em ajudar.

— Eu sei disso. Mas posso fazer sozinho.

— Está bem. Só me avise se mudar de ideia.

Beau correu para mim, as mãos segurando delicadamente as folhas que selecionara com tanto cuidado.

— Julie, fiz outra coleção para você. — Muito lentamente, ele colocou cada folha em meu colo, cada uma com a borda brilhosa se encaixando na vizinha como um quebra-cabeça de outono. Foi tão inesperado e criativo, e me lembrou tanto de algo que sua mãe faria que eu me inclinei e beijei a cabeça abaixada. Ele olhou para mim com os olhos da mãe e sorriu.

— Por que fez isso?

— Porque você é incrível — eu disse sem pensar. — E porque você me lembrou de que gosto de colecionar coisas e gastou muito tempo juntando as folhas que pensou que eu gostaria. É como um presente de aniversário, mesmo que meu aniversário não seja hoje.

Trey cruzou os braços.

— Não pensei que você fosse uma colecionadora. Pensei que fosse o tipo de pessoa para quem "menos significa mais".

Olhei para baixo, para o padrão da folhagem em meu colo, os veios delicados bifurcando-se, as folhas como um mapa de estrada levando a nenhum lugar em particular.

— Imagino que herdei isso da minha mãe. Ela era o que chamamos de uma guerreira de fim de semana... indo a todas as queimas de espólio e voltando com colheres de chá, dedais ou chapéus antigos para as várias coleções que possuía. Eu ainda as tenho em um guarda-volumes em Nova Jersey.

Desacostumada a compartilhar algo pessoal, senti-me corar. Queria dizer a ele que continuava colecionando coisas após a morte de minha mãe não apenas porque me lembravam dela, mas porque elas eram algo permanente em uma vida transitória cheia de posses temporárias desprovidas de significado. Mas, quando ergui os olhos e encontrei os dele, diria que ele já sabia tudo aquilo sobre mim. Assim como durante o planejamento de River Song, eu aprendera que permanência, casa e família eram tão essenciais para ele quanto respirar.

Beau deu uma risadinha, minha atenção foi atraída pelo movimento de uma das folhas. Uma minhoca avantajada deslizava sob uma folha vermelha em formato de lágrima. Tentei muito não me encolher de medo.

— Olhe, Julie: uma minhoca!

— Eu sei — eu disse, tentando parecer entusiasmada. — Por que você não a pega e a coloca debaixo de uma árvore?

Beau balançou negativamente a cabeça.

— Não, não. Não quero tocar nela.

Olhei para Xavier, mas ele continuava de costas para nós, trabalhando na última das murtas crepe. Relutante, olhei para Trey, que ergueu as mãos.

— Não olhe para mim. Também não gosto delas.

Franzi o cenho para ele quando lembrei as histórias que Mônica contava sobre quando ele era criança e adorava persegui-la com qualquer ser rastejante de seis pernas, ou nenhuma.

— Tudo bem, então — eu disse para Beau. — Por que você não me arranja um graveto para eu pegar a minhoca com ele?

Beau saiu correndo e rapidamente encontrou um graveto com cerca de 12 centímetros de comprimento. Preferiria ter mais espaço entre minha mão e a minhoca, mas ela começou a rastejar em minha direção. Engolindo em seco, coloquei o graveto sob o corpo dela e a levantei, então tive que esperar pacientemente enquanto ela se balançava a 12 centímetros de distância de minha mão, enquanto Beau cuidadosamente recolhia as folhas de meu colo.

Depois de colocar a minhoca em sua nova casa, levantei-me e limpei as mãos quando Xavier se virou, revelando o que jurei ser um sorriso.

— Elas não são muito bonitas de se olhar, mas um jardim não pode crescer sem elas. — O sorriso dele desapareceu rapidamente, como se estivesse lembrando outros males necessários.

A porta da frente se abriu e Aimee saiu. Trey disse:

— Tenho que levar a sra. Aimee para a reunião. Beau, você e eu vamos ao Creole Creamery para um sorvete quando eu voltar, certo?

— Certo! — Beau gritou, batendo com a mãozinha aberta na mão do tio.

Cruzei os braços, Trey olhou para mim.

— Você também é bem-vinda, se quiser.

— Obrigada — eu disse. — Mas, na verdade, só quero que Beau coma algo saudável primeiro, tudo bem?

— Com certeza. — Ele balançou a cabeça. — Você é como a Mônica, sabe? Ela sempre estava preocupada com o que comíamos. Deve ter sido a primeira pessoa em Nova Orleans a comer tofu.

Sorri lembrando-me da garota tão preocupada em alimentar bem o corpo, mas que morrera jovem de qualquer maneira. Respirei fundo e falei antes mesmo de ter certeza do que ia dizer.

— Pensando bem, me apanhe quando voltar. Não tomo um sorvete há muito tempo.

— Farei isso. — Com um aceno, ele se encaminhou até a avó, tarde demais para dizer eu a ele que descobrira o que vinha me incomodando na conversa com Aimee.

Acenei de volta, aí peguei a coleção de folhas de Beau. Então, observei Trey acompanhar a avó até o carro e fiquei imaginando por que ela não se surpreendera quando lhe dissera que Mônica havia feito a árvore genealógica de minha família antes de desaparecer.

Aimee

Fevereiro de 1956

O último dia de minha estada em Nova Orleans parecia quase normal, exceto pelo silêncio que reinava na casa. Entrei na cozinha e notei que o café ainda não tinha sido feito e que a louça usada da noite anterior ainda estava na pia. Era o começo da Quaresma, e eu geralmente desistia do café, mas isso agora parecia algo muito frívolo. Talvez se fosse de Wes que eu desistisse, a sra. Guidry retornasse e tudo voltasse a ser como sempre fora.

Fechei os olhos. "Wes, onde você está?" Quando os abri de novo, meu olhar pousou no claviculário na parede e vi que as chaves do Cadilac da sra. Guidry estavam lá, o chaveiro de couro vermelho destacando-se sobre a palidez da parede creme. Lembrei-me de algo que Wes havia escrito para mim em uma de suas cartas, algo acerca de como fugia para River Song quando precisava de tempo para pensar.

Antes que pudesse afastar essa ideia da cabeça, tirei as chaves do gancho e rabisquei um bilhete para Gary dizendo que tinha pegado o carro da mãe dele, que passaria a maior parte do dia fora e que não se preocupasse. Em seguida, coloquei o bilhete sob o galheteiro de sal e pimenta na mesa.

Sem pensar duas vezes, peguei minha carteira e saí pela porta dos fundos, fechando-a silenciosamente atrás de mim.

Liguei o rádio alto enquanto seguia pela autoestrada para Biloxi, sem querer pensar sobre o que diria se encontrasse Wes ou a mãe dele. Esperava que o alívio de encontrá-los facilitasse a saída das palavras de meus lábios.

A cidade desaparecia atrás de mim à medida que a autoestrada se tornava uma faixa solitária ladeada por árvores altas. Os insetos explodiam contra o para-brisa, marcando o vidro com pontos pretos como um estampado de poás. Ao procurar pelo limpador de para-brisas, eu me distraí com os botões e mostradores no painel do carro. O som dos pneus mudou quanto entrei pelo acostamento e retomei a estrada.

River Song refletia uma pálida manhã de sol, o carvalho alto no quintal criando uma grande sombra irregular na frente da casa. O carro fez um ruído surdo sobre o caminho de conchas partidas e sacolejei para a frente e para trás no assento. Uma gaivota gritou sobre a água quando pisei no solo arenoso e bati a porta do carro. Inclinei-me contra ele e ouvi o som das cigarras nas árvores atrás da casa. Senti o coração despencar ao me dar conta de que o carro de Wes não estava em nenhum lugar à vista.

Percorri lentamente o caminho da frente e olhei pelas janelas, esperando ver um rosto ou algum sinal de gente dentro. Persianas fechadas e telas sujas me olhavam de volta. Procurei pelo vaso de plantas no degrau da frente, a planta já morta há tempos, com o caule partido, e peguei dentro dele a chave da porta em meio à sujeira. Uma sombra escura passou pela porta e virei para ver uma grande nuvem que cuidava de encobrir o sol. O horizonte distante mostrava-se escuro e indistinto, as ondas perto da praia já quebravam com força. Uma tempestade estava a caminho.

As dobradiças rangeram quando empurrei a porta para abri-la e entrar. A porta de tela bateu atrás de mim, fazendo-me saltar. Ri nervosamente e penetrei na grande sala da frente. Os tapetes tinham sido enrolados para a temporada e empurrados contra as paredes, as cortinas viradas ao contrário e presas por hastes na tentativa de evitar o acúmulo de poeira. Havia lençóis cobrindo toda a mobília, exceto o sofá. A casa era diferente sem os sons das vozes, como uma ostra vazia cujo ocupante há muito já se fora. Minhas passadas ecoaram pelo piso de madeira pura ao entrar na sala.

Um lençol floral estava embolado sob a mesa do café, a mesa propriamente dita, repleta de garrafas de cerveja. Ergui uma garrafa, virando-a. A cerveja quente caiu por minha mão, escorreu-me pelos dedos, depositando-se ao lado de uma garrafa virada. Espirrei em resposta às pequenas partículas de poeira pairando no facho de luz que entrava pela porta aberta.

O chão rangeu em cima. Gelei, pegando uma garrafa.

— Wes? Sra. Guidry?

Um vento forte soprou a chuva pela varanda e pela porta telada, salpicando o capacho. O chão rangeu de novo.

— Olá?

Voltei ao vestíbulo e olhei a escadaria, os primeiros três degraus visíveis até o quarto degrau desaparecer, virando numa quina.

— Wes?

Uma sombra surgiu na parede da escada conforme as pisadas desciam. Segurei a garrafa vazia de cerveja em minha frente enquanto andava para trás em direção à porta de tela, a outra mão procurando a maçaneta. Uma figura alta apareceu na quina da escada. A garrafa de cerveja deslizou por meus dedos, espatifando-se no chão.

— Olá, Aimee. — Wes estava de pé no primeiro degrau, descalço e sem camisa. Uma sombra escura de barba cobria seu rosto de uma forma estranhamente atraente. Os olhos afundados em olheiras escuras e o cabelo úmido e penteado para trás como se ele tivesse acabado de sair do banho.

— Onde está seu carro? — perguntei de repente, me sentindo estúpida.

— Não o encontrei... acho que foi roubado. Um amigo me deu carona.

Ele começou a sorrir, mas desistiu no meio do caminho. Tropeçando no último degrau, veio em minha direção. Recuei ao reconhecer o olhar dele... já o havia percebido muitas vezes nos olhos da mãe. Ele me alcançou e me permiti ser envolvida por seus braços.

Ficamos assim por um longo período, ouvindo o vento e a chuva bater na casa. Os respingos de água na porta telada batiam em minhas pernas sem meias, mas não me mexi. Wes começou a tremer. Percebi que estava chorando. Coloquei os braços em torno dele e o levei para o sofá.

Nós sentamos e ele se desvencilhou de mim, escondendo o rosto e esfregando os olhos com as palmas das mãos.

— Por Deus, Aimee. Não quero que me veja assim. Mas não há ninguém...

Toquei no ombro dele, sabendo que eu nada teria a dizer.

Um trovão forte fez estremecer os vidros das janelas enquanto Wes me fitava. Os olhos dele estavam escuros e perigosos, o espaço entre nós era mínimo. Ele se inclinou em minha direção e colou os lábios nos meus. Minha experiência com beijos era extremamente limitada a uns poucos garotos ousados da escola de meninos da vizinhança. Beijá-los tinha sido como beijar meu travesseiro, exceto que meu travesseiro era mais flexível. Mas Wes era diferente. Os lábios dele eram macios enquanto pressionava para abrir os meus. Ele os saboreou, mordiscando a parte inferior e indo relaxadamente para a parte superior. Lentamente, ele veio para cima de mim, me empurrando para baixo no sofá. Senti o cheiro de sabonete e de mofo do estofado, mas só conseguia pensar no intimidante peso do corpo dele sobre o meu no sofá e seus lábios quentes nos meus, o gosto de menta da pasta de dentes e de lágrimas salgadas.

Minha pele parecia se comprimir sobre meus ossos, trazendo cada extremidade de nervo para a superfície. Eu nadava debaixo d'água sem precisar de ar. Os lábios dele buscaram meus olhos, meu rosto, e aí meu pescoço, sua respiração quente causando uma erupção de arrepios ao longo de meu corpo. A chuva do lado de fora se tornou mais forte, batendo na casa.

Outra sequência de trovões se abateu sobre nós, porém eu mal ouvi. Mas Wes ouviu e parou. Ele se levantou, apoiado nas mãos, e olhou para mim, como se estivesse me vendo realmente pela primeira vez. Ele saiu de cima de mim e sentou com a cabeça entre as mãos.

— Ah, Deus, Aimee. Sinto muito. Sinto muito. Eu... Eu não queria fazer isso.

Fiquei de joelhos e me aproximei dele, minhas mãos com seu braço.

— Não se desculpe, Wes. Não há problema.

Ele olhou para mim, os olhos encobertos.

— Não... mas você ficaria chateada se... — Ele parou. — Há muito entre nós agora... coisas que precisam ser solucionadas antes que compliquemos nossas vidas ainda mais.

Respirei fundo, sentindo a pele apertar em minhas costelas.

— Está falando da sua mãe?

Ele suspirou e recostou-se no sofá, buscando por mim. Descansei em seus braços, sentindo a batida do coração sob minha mão quando ele falou.

— Sim, tem tudo a ver com minha mãe.

Sentei-me para olhar o rosto dele. Wes não conseguia olhar para mim.

— Onde ela está, Wes? Ela está bem?

Wes me trouxe de volta para si e senti seu peito subir e descer.

— Não... Quero dizer, eu não sei. — Ele deslizou por trás de mim, levantou-se e foi até a porta, as mãos pressionadas contra a tela. — Ela foi embora, Aimee. Ela não vai voltar.

Levantei e fiquei perto dele, mas ele ainda não podia me encarar. O cabelo de minha nuca se eriçou.

— O que você quer dizer, Wes? Para onde ela foi?

Gotas de chuva respingavam sobre sua pele, mas ele não piscava enquanto elas continuavam a cair. Seu queixo se contraiu.

— Ela... Eu a vi entrando em um carro com outro homem. Ela foi por vontade própria.

A sensação de pinicado me subiu pela base do pescoço. Algo estava errado. Terrivelmente errado. Toquei no braço dele, ele me encarou, mas seus olhos estavam sombrios, com segredos escondidos.

— Você tentou impedi-la?

Wes balançou a cabeça em uma negativa quase imperceptível, com voz muito suave.

— Não. Ela queria partir, e eu não seria capaz de impedi-la mesmo que quisesse.

A respiração entalou em minha garganta e não havia mais nada a dizer. Ele me levou de volta ao sofá e me puxou para seus braços enquanto ouvíamos a fúria da tempestade, nós dois como uma ilha em meio a tudo aquilo. Por fim, levantei-me para fechar a porta da frente e ligar a luz para afastar a escuridão dos cantos. Acionei o interruptor, mas nada aconteceu.

— A eletricidade e os telefones sempre param de funcionar durante tempestades... e geralmente por uns dois dias. Por aqui, ninguém nunca está com muita pressa para restaurar o serviço.

Fui até o telefone e o peguei para ouvir apenas o silêncio. Quando sentei de novo, as mãos dele imediatamente me tocaram.

— Precisamos falar com seu pai, Wes... e com o Gary. Ele está morto de preocupação. Chegamos a chamar a polícia.

Ele recostou a cabeça no sofá e cobriu os olhos.

— Imaginei isso mesmo. Fui um grande covarde, me escondendo aqui. Acho que estava tentando poupar o Gary disso. — Ele baixou as mãos e olhou para mim. — Descobrir que minha mãe nos deixou vai acabar com ele.

Segurei o rosto dele em minhas mãos e beijei seus lábios suavemente. Parecia estar tirando coragem do ar, da tempestade, da velha árvore lá fora. Respirei fundo e disse:

— Eu te amo, Wes. Desde o primeiro momento em que vi você na barragem. Não vou deixar você sozinho nisso.

Os olhos dele escureceram e ele me beijou de novo antes de me afastar de si. Deu um pulo e passou as mãos pela barba por fazer. Eu nunca o vira tão agitado. Mesmo quando sua mãe estava em uma de suas bebedeiras, Wes sempre fora muito frio e senhor da situação. Ele virou para me olhar, a expressão finalmente calma.

Sentei-me, com certa relutância. Sua voz continha novo vigor.

— Você precisa voltar a Nova Orleans antes que descubram que esteve aqui. Não a quero envolvida na investigação da polícia... já será ruim o suficiente eu, meu pai e o Gary estarmos envolvidos. Mas quero você fora disso. Vá embora agora, e eu vou mais tarde esta noite ou amanhã de manhã. Arranjo uma carona de qualquer forma. Não diga a ninguém que esteve aqui.

— Nós não podemos fazer isso juntos? Não seria mais fácil para você se eu estivesse ao seu lado quando você fosse à polícia?

Ele balançou a cabeça negativamente, a boca se contraiu.

— Não. Vai ser mais fácil para mim se eu souber que você não está envolvida. E mais fácil para o Gary, também. Você e eu... temos de esperar um pouco, está bem?

Sua boca se ergueu em um esforço para sorrir enquanto erguia a mão e tirava o cabelo de meu rosto.

— Nós vamos superar isto. Todos nós, você vai ver. Simplesmente volte para Nova Orleans como se nunca tivesse estado aqui e falado comigo. Ligo para você depois que sair da delegacia.

A claridade voltou à janela e compreendi que a tempestade tinha passado, deixando apenas o beiral pingando e a areia encharcada. Wes me levou pela porta dos fundos. Caminhamos em direção à lateral da casa com o braço dele à minha volta. Por um momento, ele pareceu chocado ao ver o carro da mãe, então compreendeu que eu o dirigira. Abriu a porta do carro e eu entrei. Inclinando-se na janela, ele me beijou. Sorri para ele e engrenei a marcha à ré. Ele ficou em pé no caminho me olhando até eu entrar na estrada, ainda de pé, observando, até que não o enxerguei mais pelo retrovisor.

Vi o carro de Lacy ao me aproximar da casa na rua Primeira. Eu estava estacionando o carro da sra. Guidry atrás da casa quando ela veio correndo pelos degraus da frente, o cabelo loiro voando.

— Onde você esteve? — ela berrou comigo enquanto eu saía do carro. Chocada demais para responder, fiquei muda. Ela se aproximou, pegou meus braços e começou a me sacudir. — Onde você estava? — ela gritou de novo, perto o suficiente para eu sentir sua respiração quente em meu rosto. Ela trincou os dentes. — Você esteve com o Wes?

Zangada, então, tirei as mãos dela de mim.

— Não é da sua conta, Lacy. Por que você está aqui?

Ela cruzou os braços.

— O sr. Guidry me chamou. O Gary está no hospital. Ele teve um ataque do coração.

Senti o ar deixar meus pulmões.

— O quê? Como é possível? Ele só tem 17 anos, pelo amor de Deus!

— Ele está em Ochsner e tem perguntado por você. O sr. Guidry me chamou para ver se eu podia encontrá-la.

— Ah, Deus — eu disse, minha mente girando, imaginando o que fazer a seguir. Sentei pesadamente no último degrau. — Preciso avisar o Wes...

— Não. Você precisa ir ao hospital. Eu aviso o Wes.

Olhei para ela, notando a perfeição de seus ossos, a transparência de seus olhos.

— Você não pode... os telefones estão quebrados.

Ela se aproximou de mim e falou calmamente.

— Então me diga onde ele está que eu vou buscá-lo.

Senti o perfume dela, almiscarado e exótico.

— Ele está em River Song.

Um olhar de triunfo passou pelo rosto de Lacy.

— Eu vou buscá-lo. Você vai para o hospital. O Gary precisa de você.

Entorpecida, eu concordei e vi-a entrar em seu carro. Com as pernas bambas, tentei colocar a chave na ignição do Cadillac e ligar o carro sem conseguir por duas vezes. Chocada demais para chorar, dei marcha a ré. Enquanto o carro se movia, percebi um movimento no jardim. Virei a cabeça para ver um rosto olhando por detrás da cerca no meio das orelhas de elefante congeladas com a geada, um olho bom olhando para mim. O rosto desapareceu conforme desci a rua correndo, vendo o sorriso de Gary e sentindo o beijo de Wes.

Capítulo 18

Viva de modo a não incitar o mar implacável,
Nem se achegue muito perto da costa hostil...
Assim, nos dias tempestuosos, tenha o coração corajoso
E, quando as ondas se acalmarem e o perigo tiver passado,
Homem sábio, ajuste as velas, quando um vento muito forte
Soprar por fora delas. — Horácio

Julie

Na semana anterior ao Dia de Ação de Graças e, como logo aprendi, na semana anterior ao término da estação de pesca, fiquei na praia em frente a River Song, com paredes agora esboçadas em dois por quatro, o teto ainda uma concha oca, permitindo que a luz do sol atingisse as fundações recém-erguidas como uma bênção. O velho carvalho no pátio da frente, exibindo orgulhosamente todas as cicatrizes, ali estava, paciente, enquanto outra casa surgia da terra arenosa. Fiquei imaginando se ele nunca se cansava de ver as pessoas tentando construir numa paisagem implacável.

Olhei para cima conforme uma brisa forte revirou meu cabelo e fez as folhas do carvalho farfalharem como mil mãos batendo palmas em aprovação. O vento me empurrou, forçando-me a olhar a casa de novo, suas colunas de apoio em uma estrutura reforçada de aço, não mais como os braços acolhedores da descrição de Mônica, mas, em vez disso, parecendo escudos desafiadores.

Inclinei a cabeça e continuei a observar a casa, imaginando como, com todo o nosso meticuloso planejamento, parecia tão diferente para mim — mas não tanto pela madeira, o cimento e a estrutura. Era quase como se a casa não mais representasse uma promessa cumprida ou mesmo a visão estreita e enlouquecida da qual eu acusara Trey por construir. Mas o que permanecia inalterado era o espírito do lugar, ali presente, mesmo antes de Aimee tê-lo conhecido: um espírito de sobrevivência que não tinha nada a ver, em absoluto, com a construção. Coloquei a mão na casca ferida da árvore como se pudesse curá-la, mas retirei-a, sabendo, de alguma forma, que eu não estava lá para fazer com que as cicatrizes desaparecessem.

Bebericando o café solúvel, virei-me e observei Aimee passeando na praia deserta com a bengala, enquanto Beau corria, mergulhava e balançava, imitando o som das gaivotas que procuravam pelo café da manhã. Ele tinha mudado muito nos três meses desde que havíamos chegado. O comportamento dependente e infantil fora aos poucos desaparecendo e ele parecia, a cada dia, mais e mais desenvolvido. Eu sabia que o amor e a atenção de Aimee eram responsáveis por muito daquilo, mas era também a influência de Trey. Ainda assim, não conseguia deixar de ver o menininho que ele fora logo após a morte da mãe, e era muito difícil desapegar-me da necessidade mútua que tínhamos ou relaxar completamente sempre que ele estava fora de meu campo visual.

O que parecia um latido de cachorro chamou minha atenção para a água, onde uma gaivota preta voava baixo por sobre as ondas, suave e rapidamente, como o peixe que caçava. Em nossas frequentes inspeções da obra, Trey tinha começado a me ensinar os nomes dos pássaros da praia e a forma de reconhecê-los. Alguns, como a grande garça azul, eram moradores permanentes da Costa do Golfo. Outros, como a andorinha real de bico laranja, eram visitantes de inverno, buscando águas mais quentes e o ar do golfo. Todas eram exóticas e bonitas para mim, e me eletrizava vê-las, a despeito da tentativa de esconder isso de Trey.

Ouvi passos se aproximarem e me virei, vendo Trey, vestido com um casaco de flanela, em pé perto de mim com seu café.

— Disseram que o derramamento de óleo poderia afastar muitas dessas aves. — Deu um gole no café. — Disseram a mesma coisa sobre o Katrina também. Acho que estavam errados.

Nossos olhos se encontraram e vi desafio nos dele. Começamos a andar lentamente pela praia em direção a Aimee e Beau. Trey continuou.

— Estive em Back Bay ontem e vi dois flamingos brancos. Já viu algum deles?

Balancei negativamente a cabeça.

— São pássaros bonitos e ficam por aqui o ano todo. O diferencial deles é nunca terem constado da lista de espécies ameaçadas de extinção.

Olhei para Trey, semicerrando os olhos no sol, sabendo que não me diria mais nada a menos que eu perguntasse.

— Por quê?

Após uma pausa expressiva, ele disse:

— Quando um antigo habitat é varrido por uma tempestade ou é coberto de óleo, eles encontram outro que seja tão bom quanto o anterior. — Tomou outro gole do café. — Acho que descobriram que valia a pena permanecer aqui, muito mais fácil do que empacotar tudo e se mudar para a Califórnia.

Protegendo os olhos do sol com as mãos, olhei para ele, imaginando se esperava que eu risse, mas vi que o rosto dele estava sério.

Como se tivesse sido chamado, um par de gaivotas mergulhou próximo à costa, gralhando alto enquanto perseguia as ondas até a praia como se para provar aos incrédulos que voltar para casa era mais que apenas instinto, mas uma necessidade de sobrevivência.

Fitamos a água e enxergamos ao longe a imagem turva de Ship Island, as ondas quebrando junto a nossos pés. Dois barcos pesqueiros de camarão faziam lentamente o percurso em direção ao golfo, manchas negras no horizonte e pelos cantos de minha memória. Essa era a hora do dia preferida de Mônica quando estava em Biloxi, um momento solitário com a água, os pássaros e os peixes, um espaço só seu, onde as brigas dos pais não tinham como alcançá-la. Respirei fundo o ar marinho, revigorante, a renovação de tudo parecendo plena de possibilidades, e achei que compreendia um pouco mais da razão pela qual ela amava tanto aquele lugar.

— Você nada?

Olhei para Trey, voltando ao presente.

— Não.

Ele ergueu as sobrancelhas e tomou outro gole de café.

— Está muito frio agora, mas, quando a água esquentar, vamos ter de resolver isso. O mesmo vale para o Beau. O filho da Mônica tem que saber nadar.

Eu me vi concordando, sem saber bem onde o medo tinha ido parar. Talvez porque tivesse certeza de que não estaria ali por tempo suficiente para mergulhar nas águas quentes, os pés descalços adentrando o desconhecido.

— Olhe — disse Trey, apontando para a praia.

Segui a direção indicada e vi quando uma grande garça-branca, balançando a cabeça emplumada altivamente ao se mover, caminhava pelo píer dilapidado como se a madeira quebrada e rachada fosse um tapete vermelho. Beau parou para olhar, ficando bem quieto como Trey ensinara. Ele olhou para Aimee e colocou o dedo nos lábios, me dando vontade de rir bem alto.

O pássaro parou e olhou para Beau como se os dois se admirassem mutuamente e, em seguida, olhou em volta, para o ambiente circundante, como um rei inspecionando seus domínios. Aí, com um rápido abano das longas e elegantes asas, alçou voo em direção ao azul do céu.

Mas meu foco era Beau, cuja cabeça continuava voltada para trás, olhando o céu, até muito depois de o pássaro ter desaparecido. Tinha as bochechas rosadas, a boca aberta de alegria e os braços bem abertos, como se para envolver os pássaros, a areia, a água, as pessoas e a casa. Eu não sentia mais o vento frio entrando pelas mangas ou desarrumando meu cabelo. Via apenas o sonho de Mônica, e, pela primeira vez desde que trouxera Beau comigo na longa viagem desde Nova York, comecei a acreditar que talvez realmente tivesse feito a coisa certa.

Uma buzina soou na estrada atrás de nós e viramos para ver Walker King em uma caminhonete prata, puxando um barco em um reboque e parando no caminho de acesso em frente a River Song. Antes de Walter abrir a porta, Charlie Thibodeaux saiu pelo lado do passageiro e correu para o acostamento da estrada, acenando loucamente para Beau. Ela esperou até Walker chegar junto dela e pegar sua mão e, então, depois de olhar ambas as pistas, transpôs a estrada, parando no meio para verificar de novo antes de atravessar para a praia.

Charlie e Beau correram um em direção ao outro, então se abraçaram como se a última vez que tivessem se visto houvesse sido há anos e não no dia anterior. Walker nos cumprimentou com um sorriso.

— A Carol Sue diz que eles já estão falando em se casar. Sugeri que devíamos encorajá-los a ir mais devagar, esperar até que tivessem ao menos saído do jardim de infância.

Walker e Trey trocaram um aperto de mão. Walker se abaixou e surpreendeu-me ao beijar Aimee nos dois lados do rosto.

— Que bom vê-la, sra. Aimee.

— Você também, Wakter. Tem cuidado direitinho da Carol Sue e da Charlie?

— Sim, senhora. Até onde elas me permitem.

— Como vão seus pais?

— Bem, sra. Aimee. Obrigado por perguntar. A mamãe continua cuidando de suas plantas no jardim. Ela diz que a senhora como é a única responsável pela restauração de metade dos jardins de Biloxi que foram arruinados pelo Katrina. Finalmente, ela agora admite que o jardim dela deve estar ainda mais bonito do que o anterior, de cinco anos atrás.

Virei-me para olhar o barco atrás da caminhonete, sentindo a primeira pontada de medo.

— Vocês quatro vão mesmo caber naquilo?

Walker tentou mostrar-se ofendido.

— Aquele barco já carregou mais peixe do que você provavelmente comeu em toda a sua vida. Sei que não é nada de especial... apenas alguns assentos e um motor, e um lugar para as varas de pescar. Já tem um isopor para os peixes que pegarmos debaixo de um dos assentos.

Franzi o cenho.

— E os coletes salva-vidas?

— Estão no chão da caminhonete. Tenho quatro... e dois deles são para crianças. Não estão no barco porque insisti que todos estivessem vestidos com eles antes de se aproximarem da água.

Tentando sorrir, eu disse:

— Desculpe, é só que...

Ele me interrompeu.

— Não precisa se desculpar. Compreendo perfeitamente. O Trey e eu tomaremos conta das crianças. Prometo. E também prometo que elas se divertirão bastante.

— Eu sei — disse, assentindo e tentando me convencer disso.

— O que tem pescado nesta temporada? — Trey perguntou.

— Ah, um bocado de truta pintada, bijupirá e cantarilho. E o Bucky Elmore pegou um linguado de quase 12 quilos perto de Gulfport Harbor. Espero que tenham deixado algo para nós, já que a temporada acaba na semana que vem.

Andamos de volta para a casa, Beau com a mão na minha, a outra segurando a de Charlie, enquanto conversava animadamente sobre entrar em um barco e como o Tio Trey o ensinaria a colocar uma isca de plástico para pegar uma truta. Eu não tinha ideia do que ele estava falando. Minha única esperança era de que, fosse lá o que fosse, não seria perigoso.

Prendemos as crianças no banco de trás da caminhonete de cabine dupla e, pouco antes de entrar, Trey apertou meu braço suavemente.

— Ele ficará bem, Julie. A Mônica adorava pescar e nunca teve vergonha de anunciar em alto e bom som que sempre pegava peixes maiores do que os meus. Estou certo de que o Beau irá adorar fazer a mesma coisa. Já disse a ele que eu gritaria como uma gaivota se ele pegasse um peixe maior que o meu. Estou pagando para ver isso acontecer.

Dei um passo atrás, conforme ele entrava na caminhonete, sentindo-me levemente melhor.

— Com certeza, vai valer a pena — eu disse, tentando não sorrir ao imaginar Trey Guidry gralhando como uma gaivota.

Aimee e eu acenamos enquanto eles partiam, confirmando a hora que deveríamos encontrá-los de volta na casa de Carol Sue para o jantar de peixe já programado.

Conforme a caminhonete sumia de vista, notei que Aimee estava segurando o chapéu vermelho de Mônica.

— Ah, não! O Beau esqueceu o chapéu. — Comecei a procurar as chaves da van na bolsa, mas parei quando Aimee colocou a mão em meu braço.

— Acho que Beau ficará bem sem ele. — O sorriso dela era reconfortante, o toque, firme.

Olhei de volta para onde a caminhonete havia desaparecido, vendo o rosto feliz de Beau, acenando. Mesmo assim, eu ainda não esquecera o menino triste e pálido que acordava toda manhã perguntando pela mãe muito tempo depois de eu ter lhe dito que ela se fora.

— Assim espero.

Ela assentiu sem falar, o olhar concentrado na casa que estava sendo erguida do chão.

— Isso — ela disse, indicando a estrutura das paredes e do teto — é uma coisa boa. Por muito tempo não pensei que pudesse acontecer. O Trey jurou que não reconstruiria nada sem a Mônica. — Os olhos dela estavam marejados quando encontraram os meus. — E eu temia que nunca fosse reconstruída. — Ela começou a andar em direção à casa, onde degraus temporários de madeira substituíam os antigos de cimento. — Chame isso de uma intuição de avó, mas eu sabia que a Mônica não voltaria. Nem sempre senti dessa forma, mas ano passado comecei a achar que ela nos deixara para sempre. Tentei dizer isso ao Trey, mas ele insistiu que, até ter certeza, não reconstruiria.

As gaivotas atrás de nós gralhavam ao mergulhar na água coberta de sol, buscando algo que somente elas podiam ver, fazendo-me lembrar da árvore do Katrina. Aimee colocou os braços em volta de si mesma, mas não me ocorreu que fosse pelo frio.

— Não sei — ela disse. — A mim, me parece que, se todos vivessem com a filosofia de que precisa haver certo conhecimento antes de agir, esta parte do mundo jamais teria sido ocupada. — Um sorriso suave tomou seus lábios quando ela olhou a estrutura do telhado, como se buscando uma resposta. — Afinal, o que são algumas poucas tempestades, epidemias e guerras? Para mim, as incertezas formam o caráter.

Abri a boca para rebater antes de compreender que eu não sabia como. Em vez disso, toquei no ombro dela.

— Vamos até a parte dos fundos. Eles já fizeram a estrutura do dormitório do sótão no segundo andar.

Conduzi-a com cuidado pelo caminho feito de compensado até o quintal. Apontei para a parte de trás do prédio.

— Parece com o que você se recorda?

— Ainda não. Mas, pelo que vejo do teto, eles estão fazendo certo até agora.

Eu sorri, satisfeita.

— O Steve Kenney me proibiu de olhar mais uma vez até que tivesse terminado o gesso acartonado. Eu fiz com que ele o mudasse pelo menos duas vezes, e o Trey, uma. Acho que é importante que fique igual. Quero que o Beau e outras crianças que venham morar em River Song acreditem que esta casa sempre esteve aqui.

Seu sorriso desapareceu, mas ela não desviou o olhar.

— O que há de errado?

Ela me encarou.

— Nada, Julie. Você e o Trey estão fazendo um trabalho maravilhoso. São apenas... lembranças. Há tantas aqui. São como fantasmas.

Eu ouvi o murmúrio distante da água e os trinados de pássaros invisíveis e achei que ela estava certa.

— Venha. Vamos ver se a Ray Von está em casa e, então, vamos cuidar dos nossos afazeres antes de irmos até a casa da Carol Sue.

Enquanto percorria a pequena distância até a casa de Ray Von, revi todas as perguntas não respondidas que as histórias de Aimee tinham trazido à tona, perguntas evitadas até então devido a nossas agendas tão ocupadas. Mas eu era uma convidada em sua casa, pelo menos em uma parte da semana, senti necessidade de lidar com isso cuidadosamente.

— Como conheceu a família do dr. King? — perguntei.

— Ah, os pais dele e eu nos conhecemos há muito tempo. Eles são naturais de Biloxi, mas o sr. King trabalhou por muito tempo em uma grande companhia de petróleo em Nova Orleans. Quando ele se aposentou, voltaram para Biloxi. Walker tinha um bom consultório odontológico no leste de Nova Orleans, mas perdeu a casa e o consultório com o Katrina. Ele decidiu voltar para cá para estar perto dos pais, o que os deixou animadíssimos. Suponho que, se ele imaginasse que teria que recomeçar, seria em Biloxi. A Mabel, a mãe do Walker, pertencia à Sociedade de Jardinagem do Garden District, que é de onde a conheço.

— Fico pensando por que ele não saiu definitivamente da área. Deve ser difícil montar um consultório odontológico com toda uma nova clientela.

— Acho que ele percebeu este lugar como seu lar.

E não disse mais nada, como se acreditasse que sua resposta tivesse explicado tudo. Mudando de assunto, comentei:

— Você não tem me falado sobre o Gary. Ele ficou bem depois do infarto?

Ela continuou a olhar pela janela, e pensei que não tivesse me ouvido. Mas então vi as mãos dela apertadas no colo e percebi que tinha escutado.

— Por um tempo, sim. Ele ficou aborrecido quando acabei não indo para o Newcomb College conforme o planejado.

— Por que você mudou de ideia?

Ela se virou para me olhar.

— Porque o Wes casou com a Lacy.

— Mas eu pensei... — não consegui terminar.

— O Wes me disse que não poderia ferir o Gary ficando comigo.

Houve um momento de silêncio enquanto eu tentava imaginar tudo.

— Esse foi o verdadeiro motivo do Wes ter desistido de você? E isso foi suficiente?

Ela balançou negativamente a cabeça.

— Com certeza, não foi suficiente. E acho que o motivo não importava para mim. O resultado final era o mesmo. — Ela abanou a mão como se estivesse espantando uma mosca. — De qualquer forma, seria muito penoso permanecer em Nova Orleans, então, em vez disso, fui para a Bryn Mawr, na Filadélfia.

— E você casou com o Gary.

Um suave sorriso alegrou-lhe os lábios.

— Sim. Mais tarde.

— O Wes e a Lacy tiveram filhos?

— O pai do Trey e da Mônica, Wesley John Guidry Segundo. Mas nós o chamamos de Johnny desde o momento em que nasceu. — Um sorriso iluminou o rosto dela. — Ele era um menino tão doce. Não pude deixar de amá-lo, mesmo sendo filho de Lacy.

— Mas a Mônica e o Trey a chamam de vovó.

Ela assentiu.

— Digamos apenas que a Lacy não era do tipo maternal. Eu praticamente criei o Johnny, então ele casou com alguém como a mãe. Aí, criei o Trey e a Mônica, também. Mas eu não me importava. Tinha sido filha única e não pude ter filhos. Eles foram minha família, construí um lar em torno deles, e isso é tudo o que importa.

Dobrei na rua de Ray Von, mas dirigi lentamente, sem querer pôr um fim na conversa.

— Mas a senhora acabou voltando para Nova Orleans. Por quê?

— Eu sentia falta. A Filadélfia nunca foi um lar para mim. E eu sentia falta do Gary. — Ela sorriu para si mesma, recordando-se de uma lembrança distante.

— O que foi? — estimulei.

— Ele me deu um anel da caixa de Cracker Jack antes de eu partir, como anel de compromisso. Eu o usei durante toda a faculdade. E as contas do Mardi Gras que o Wes me dera. — Ela apertou a mão contra o peito e fechou os olhos. — Nem sempre podemos escolher o lugar que nossos corações chamam de lar.

Reduzi a velocidade do carro ao nos aproximarmos da casa de Ray Von.

— E o Xavier? Você disse que ele desapareceu ao mesmo tempo que o Wes e a sra. Guidry após o Baile de Comus. Ele voltou?

Aimee manteve o olhar voltado para a frente.

— A Ray Von disse que ele tinha ido embora para sempre, mas eu não acreditei nela. Continuei pensando tê-lo visto no meio da multidão na rua ou saindo de um prédio onde eu acabara de estar. Como se ele estivesse me observando. Mas a Ray Von disse que eu devia estar imaginando coisas. Talvez quisesse acreditar que alguém estivesse procurando por mim. — No carro, ela se virou e me disse gentilmente: — Você compreende, não? Somente aqueles que não têm mãe compreendem quão realmente solitários nós somos.

Parei o carro no meio-fio atrás de um Lincoln azul marinho. Ray Von estava de pé na porta do carona, preparando-se para entrar. Uma mulher de meia-idade, que presumi ser outro membro da Ladies Auxiliary, estava ao volante e acenou quando saí do carro e me aproximei.

— Olá, Ray Von. Eu tinha esperanças de alcançá-la em casa. Está de saída?

— Sim. — Ela olhou quando Aimee abriu a porta do carro e apoiou-se nela. — Desculpe, não posso ficar para conversar.

— Você já teve oportunidade de procurar o bilhete?

Vi quando ela franziu as sobrancelhas como se tentasse se lembrar do que eu estava falando.

— Eu ainda não encontrei. Mas, como lhe disse antes, não há nada nele além do que lhe contei.

Aimee estava de pé ao lado do carro, sem se mover, mas observando Ray Von fixamente.

— O Xavier está trabalhando bem, Ray Von. Já está com o jardim todo pronto para o inverno.

A expressão de Ray Von não se alterou, mas seus olhos pareceram assumir um tom de verde mais escuro.

— Você já contou a ela?

Quase imperceptivelmente, Aimee balançou a cabeça, numa negativa.

— Já me contou o quê? — perguntei.

Ray Von ergueu o queixo.

— Só estou dizendo isso por causa da Mônica. Por causa do quanto ela queria saber a verdade.

— A verdade quanto a quê? — perguntei, com minha voz aumentando com a frustração.

Aimee balançou a cabeça de novo, mas Ray Von a ignorou.

— Você já contou a ela sobre o homem com quem a Caroline Guidry partiu naquela noite?

Virei a cabeça para encarar Aimee, cuja pele de repente empalidecera.

— Tenho que ir — disse Ray Von, enquanto entrava no Lincoln que a aguardava.

Dei a volta no carro e ajudei Aimee a retomar seu lugar antes de fechar a porta. Em silêncio, afivelei o cinto de segurança e dei partida no carro.

— O que ela quis dizer, sra. Aimee? O Wes conhecia o homem com quem a mãe dele partiu?

Após um momento, ela assentiu.

— Não lhe contei por causa da Mônica. Não queria que pensasse mal dela. Ela era sempre tão sensível ao menor sinal de qualquer coisa errada. Eu não queria que você soubesse... — Ela parou e respirou fundo antes de falar de novo. — Não queria que soubesse que a Mônica tinha seus próprios motivos para encontrá-la em Nova York.

Uma gota gelada escorreu por meu pescoço.

— Qual é o nome dele? — perguntei, achando que já sabia.

Calmamente, ela respondeu:

— Abe Holt.

Capítulo 19

Os teus filhos edificarão as antigas ruínas; levantarás os fundamentos de muitas gerações; e serás chamado reparador de brechas e restaurador de veredas, para que o país se torne habitável.

— Isaías 58:12

Julie

Naqueles primeiros meses que Beau e eu passamos na Costa do Golfo, aprendi a perceber a vida como uma série de antes e depois. Para mim, a linha demarcatória tinha sido o dia do desaparecimento de Chelsea, quando perdi minha infância. Durante os meses em que atuei como guia no museu e como nova moradora de Biloxi, aprendi que na Costa do Golfo a linha entre o antes e depois tornara-se o Camille, de 1969, que destruíra a costa, derrubando casas e comércios e matando 132 pessoas. Em 2005, a linha passara a ser o Furacão Katrina. Ele tirara a vida de aproximadamente 2.170 pessoas na Costa do Golfo, causando devastação bem maior do que a que pôde ver vista pelas casas em escombros e estádios inundados ou mesmo nas legendas de notícias sobre cachorros perdidos ou marcas de tinta laranja nas portas.

Entretanto, conforme começava a aprender, isso era apenas o exterior, a única parte que o resto do mundo se importava em ver. À medida que observava a abertura de novos negócios, casas sendo reconstruídas ou mesmo ruínas sendo retiradas por escavadeiras, pude espiar por baixo daquela superfície devastada para constatar uma resiliência e uma determinação que eu sabia não possuir.

A temporada dos furacões terminara em novembro, e, embora isso não fosse oficialmente reconhecido, eu imaginava ouvir um suspiro de alívio coletivo. Tinha começado o trabalho no museu, ainda que eu fizesse pouco mais do que guiar grupos escolares e orientar pessoas quanto à localização dos banheiros, e eu estava contente com essa parada temporária em minha vida. O museu em si, concebido por Frank Gehry, era um prodígio arquitetônico e, segundo as palavras do próprio arquiteto, construído como um lugar que dançaria entre as árvores. Os três prédios que compunham a primeira fase do *campus* foram criados com paredes altivas e cápsulas de metal elevadas aninhadas entre velhos carvalhos. Olhando-os à distância, de onde era difícil distingui-los como prédios, acreditei que ele cumprira sua promessa.

Trey e eu estabelecemos uma relação eficaz — eu era os olhos do projeto, enviando fotos da obra e quaisquer outros detalhes para que ele avaliasse. Nos dias em que estava em Biloxi, eu visitava o local da construção e levava lanches e água gelada para os operários. Era uma boa desculpa para ficar mais tempo por ali do que o necessário, tendo em vista que eu desejava garantir que a casa de Mônica ficasse do jeito que constava em suas recordações.

De sua parte, Trey ficava ao telefone com o construtor quase diariamente, discutindo elevações, a remessa dos apoios Hardie ou se uma resistência contra ventos de 120 quilômetros por hora seria suficiente.

Como um acordo tácito, nós nos encontrávamos em seu escritório nas noites de domingo e de quarta-feira — uma vez que eu trabalhava em Biloxi de quinta a domingo —, comparando anotações e fazendo listas. Quaisquer alterações em relação às plantas originais da casa encontravam grande objeção de minha parte, mas, em geral, eu era convencida por Trey, que me assegurava que todas as modificações eram em nome da segurança e da durabilidade.

Meio a contragosto, o respeito começou a crescer entre nós dois, conforme a desconfiança recíproca inicial foi se dissipando. Em lugar de ver um ao outro como um adversário, começamos a perceber em cada um o parceiro solidário na tarefa conjunta de concretizar o sonho daquela moça que ambos havíamos amado e perdido. Nunca mencionávamos essa conexão, mas ela estava ali enquanto as paredes subiam e o gesso era aplicado no teto de River Song, pairando sobre tudo aquilo que tocávamos ou inspecionávamos, presente como um fantasma.

Minha relação com Aimee também mudou. Não fiquei com raiva pelo fato de ela haver sonegado a informação sobre a sra. Guidry e meu bisavô. Cheguei mesmo a entender que ela procedera assim para preservar minha lembrança de Mônica. Estava adorando ouvir as histórias de Aimee sobre sua criação ao lado de Gary e Wes e os primeiros 18 anos de Mônica. No entanto, persistia uma dúvida se ela estava contando tudo, levando-me a imaginar se algum dia juntaríamos as peças, com ela mantendo tantas na manga.

Apesar das incertezas, eu adquirira o hábito de procurar Abe Holt na internet com a mesma frequência com que acessava os sites de desaparecidos, esperando encontrar alguma menção a Caroline Guidry, tal como imaginei que Mônica teria feito depois de haver conseguido descobrir a identidade da pessoa com quem Caroline tinha saído do baile. Foi uma surpresa, ainda que inevitável, encontrar meu nome e os de outros membros da família, mas nenhuma menção a Caroline ou mesmo uma sugestão quanto a uma amante, namorada ou mulher associada a Abe Holt, exceto sua primeira esposa e minha bisavó.

Eu me via num impasse, sem estar mais perto de descobrir por que Mônica tinha ido embora ou por que fizera amizade comigo, e River Song com as novas paredes e escoras de aço no telhado, ainda uma concha vazia. Não fosse pela recuperação gradual da meninice de Beau, eu quase diria que esse desvio teria sido uma tremenda perda de tempo. De modo a justificar a passagem do tempo, ampliei a pesquisa na internet na busca de Chelsea, acessando sites internacionais e tornando-me assinante de diversos jornais on-line das principais cidades do país, apenas para o caso de o detetive Kobylt ter deixado escapar alguma coisa.

Numa tarde ensolarada de domingo, no final de janeiro, Trey apareceu depois do trabalho para me pegar e nos levar, eu e Beau, de volta a Nova Orleans. A van estava com um vazamento na junta do cabeçote e ficaria na oficina mecânica até que Trey nos trouxesse de volta para Biloxi na noite de quarta-feira. Ele estava sorrindo, o que, de imediato, me deixou desconfiada. Minha curiosidade só aumentou quando reparei que não só Beau não estava na caminhonete como também Trey tinha acomodado um caiaque no bagageiro do carro.

— Onde está o Beau? — perguntei, colocando a bolsa no chão do assento do carona e subindo na caminhonete.

— Ele e a Charlie queriam assistir a um filme, então a Carol Sue os levou como recompensa pelo ótimo comportamento... o que me fez entender que devem ter rolado menos na sujeira do que de costume. Concluí que agora seria o momento ideal para mostrar a você a verdadeira Biloxi.

— Por que você chegou a essa conclusão?

— Porque na semana passada você mencionou como hoje os novos condomínios e os cassinos parecem superar em número a quantidade de residências. O que me leva a pensar que você não viu muito além da sua rua, de River Song, da casa da Carol Sue e do museu Ohr.

Não dei resposta, principalmente porque ele estava certo.

— Só espero que esse seu passeio não inclua o caiaque.

— Claro que sim. Você tem realmente que vivenciar a água, mas, já que está muito frio para nadar agora, a melhor coisa a fazer seria colocá-la num barco.

Pela janela do carro, olhei demoradamente para as águas infindáveis do estreito, interrompidas pelas ilhas que formavam uma barreira, antes de se lançarem sobre o imenso Golfo do México e o desconhecido. Aquilo me dava medo, fazia-me pensar em tudo o que eu não sabia, em todas as possibilidades que eu não podia encarar.

— Essa coisa na traseira da caminhonete não é exatamente um "barco". Além disso, tenho que voltar para Nova Orleans.

Não que eu esperasse que ele o fizesse, mas Trey não parou a caminhonete.

— Por quê? Algum encontro especial?

— Talvez.

Era difícil ficar séria. Olhei pelo para-brisa, vendo a faixa sinuosa de areia e a água ondulante ladeando a estrada, imaginando o que estaria à espreita por baixo daquelas ondas.

— Você tem duas horas pela frente até a hora de pegar o Beau, portanto é melhor que se divirta também.

Olhei para baixo, vestida de saia e blusa, vi outro jeito de escapar.

— Não estou com roupa própria para entrar num caiaque.

Ele deu uma olhada para o banco de trás.

— A Carol Sue avisou que você diria isso. Vocês vestem quase o mesmo tamanho, então ela juntou algumas coisas para você em uma bolsa. Vamos parar num McDonald's e você pode trocar de roupa no banheiro.

Resignada, suspirei longamente, um estranho traço de empolgação por entre meus medos.

— Ótimo — eu disse —, você pensou em tudo.

Forcei-me a afrouxar o maxilar, lembrando-me das vezes em que Beau saíra de barco com Trey e como já estava falando em aprender esqui aquático. E ele só tinha 5 anos de idade. De repente, senti-me velha, muito velha.

Já a havíamos praticamente ultrapassado quando percebi a aproximação de outra árvore do Katrina. Agora, eu procurava por elas, uma vez que tinham se tornado, para mim, mais do que apenas parte da paisagem desse lugar novo e estranho; eram mais como marcos. Elas estavam feridas, ainda que etéreas e cativantes, e eu sentia a necessidade de aprender com elas, de compreender seus segredos.

A caminhonete parecia estar em câmera lenta ao passarmos pela árvore. A base do tronco era curta e delgada como o pulso de uma pessoa, os ramos, qual dedos abertos da mão, cada um deles uma ave marinha diferente com o pescoço esticado, as asas para trás, mergulhando em algo fora de minha vista. Virei a cabeça ao passarmos, imaginando que árvore recuperada era aquela que fazia meu coração doer e meus dedos latejarem. Eu me remexi no assento do carro, ignorando a água tão perto de nós, e disse:

— Acho que consigo suportar qualquer coisa por duas horas.

Percebi o ar de riso na voz dele quando disse:

— Não permita que esse entusiasmo tome conta de você, Julie.

Eu sorri também, só que virei o rosto para a janela para não demonstrá-lo.

Depois de uma parada rápida para que eu trocasse de roupa, Trey estacionou o carro e o ajudei a levar o caiaque para a beira do cais perto da marina. Ele me deu um colete salva-vidas laranja-vivo e vestiu outro, mostrando-me como apertar as tiras e verificando, em seguida, se eu o havia feito corretamente.

Olhei para os dedos dele, longos e finos, como os de Mônica, e fiquei pensando se ele também tinha um coração de artista, porém, escondido por trás da máscara de advogado austero. Ergui a cabeça e me vi estudando o tom do cabelo dele, ainda queimado de sol, embora teoricamente estivéssemos no meio do inverno. As faces e o queixo exibiam uma barba loira, por fazer; a pele, um bronzeado suave. Ele olhou para cima, os olhos azul--esverdeados espantados ao me perceber observando-o. Dando um passo atrás, ele me avaliou dos pés à cabeça.

— Laranja-neon cai bem em você. Devia usá-lo mais vezes.

— Obrigada — eu disse.

Sem nenhum esforço, ele desceu e entrou no caiaque e me pediu que lhe passasse os remos. Ainda de pé no cais, eu disse:

— Por que não fico aqui, olhando você?

— Covarde — ele disse, rindo. — Agora, entre no barco.

Trey mostrou-me como e segurou firme o barco contra o píer até que eu me acomodasse com segurança na frente dele, entre suas pernas, vestidas num jeans. Algumas marolas batiam na lateral do caiaque, repletas do odor do sal, das plantas e dos peixes que eu não tinha como enxergar.

— Você sabe nadar, não sabe?

Balancei negativamente a cabeça.

— Não. Nós não morávamos perto do mar e não pertencíamos à piscina comunitária. Isso era uma coisa que meu pai sempre dizia que deveríamos fazer. Mas meus pais trabalhavam...

E parei. As lembranças de minha família eram sempre uma espécie de ferida que eu não queria tocar. Como se estivesse entendendo, Trey mudou de assunto.

— Não tenho luz no caiaque, então precisamos estar de volta antes do pôr do sol, mas deve haver tempo suficiente para ir até lá e voltar.

Protegi os olhos com a mão estendida.

— Onde exatamente é "lá"?

— Deer Island. — Ele apontou para uma massa de terra próxima, tão perto que eu podia ver as árvores. — Está a apenas cerca de meio quilômetro daqui. Havia ali uma porção de casas e um cais na ilha, mas o Camille fez uma redecoração radical. Agora, é propriedade estadual, mantida como reserva natural. As crianças costumavam nadar de Biloxi até a ilha, atravessando o estreito. Não sei se ainda fazem isso.

— E você, fazia isso? — perguntei, lembrando-me do menino travesso das histórias de Mônica, capaz de improvisar uma tirolesa com qualquer coisa que tivesse à mão para conduzi-lo até a água o mais rápido possível.

Um sorriso de moleque iluminou-lhe o rosto.

— Talvez. Contanto que a Aimee não estivesse olhando. Com certeza, ela me arrancaria o couro se me pegasse, mas sei que ela costumava fazer o mesmo, acobertada pelo Wes e pelo Gary.

Imaginei Aimee ainda menina, de cabelo ruivo flamejante e membros espichados, e pude enxergar tudo com grande nitidez. Joguei a cabeça para trás e caí na gargalhada, mas parei de repente ao perceber Trey me olhando.

— Alguma coisa errada? — perguntei.

Pegando o remo dele, balançou negativamente a cabeça.

— Nada. Só que acho que nunca a vi rir assim antes.

Eu me recompus rapidamente e peguei meu remo.

— Nunca remei num caiaque antes, portanto você vai ter que ir devagar e me explicar o que devo fazer. — Olhei para a beira do barco. — Qual a profundidade aqui, de qualquer forma?

— É fundo o suficiente — ele disse, mergulhando o remo na água e deslizando para longe do atracadouro. — Faça apenas exatamente o que eu faço com meus remos. Para ir para a esquerda, use o remo direito; para a direita, use o da esquerda. E para ir em frente, faça uma série com ambos.

— Parece bem fácil — eu disse, concentrando-me em movimentar o remo dentro da água.

— Vou perguntar a você o quanto foi fácil quando chegarmos lá — ele disse por trás de mim, e pude perceber o risinho na voz dele novamente.

Remamos em silêncio, eu concentrada no movimento, a musculatura dos braços desacostumada com qualquer tipo de exercício. Eu só queria poder erguê-los acima da cabeça no dia seguinte ou desabotoar minha blusa sem muita dor.

A superfície da água ondulava suavemente, como as penas de um passarinho, pelo que me sentia grata. Tentei não pensar demais sobre o que seria nadar sob aquele pequeno barco. A distância não era tão grande, mas, quando alcançamos a água rasa perto do litoral de Deer Island, senti como se estivesse remando há dias.

Trey parou o caiaque na praia e saltei na areia, cuidando para manter o tênis de Carol Sue o mais seco possível. Trey me seguiu e empurrou o caiaque para longe da arrebentação. Fiquei de pé, de repente, como que emergindo num mundo diferente: um lugar de quietude e sossego que eu não conhecia desde o tempo em que observava as nuvens com minha irmã e que ela desaparecera de minha vida. Virei as costas para o continente, onde os condomínios de prédios altos e os cassinos dominavam a paisagem, e encarei os altos pinheiros e a folhagem verdejante.

— Onde estão os veados? — perguntei, andando em frente, querendo capturar aquela quietude, me envolver na tranquilidade do verde.

As passadas de Trey vinham atrás de mim.

— Não há mais veados em Deer Island pelo menos há algumas centenas de anos. Chamaram-na assim quando os choctaws viviam aqui e os veados nadavam cruzando o estreito para fugir dos caçadores.

Continuei seguindo em frente, ansiosa por fazer a civilização desaparecer atrás de mim, Trey me seguindo.

— É tão silencioso.

— Porque é inverno. É a época em que mais gosto daqui. A Mônica também. Vínhamos para cá nessa ocasião e brincávamos de caubói e índio ou apenas sentávamos em alguma tora e observávamos. Nenhum grupo de turistas ou de pescadores. Só isto aqui.

Ele ergueu os braços, mostrando as pequeninas pegadas de pássaros na areia, os pinheiros altos, a tora de madeira cinzenta envelhecida com a casca desgastada pela água e pelo vento, bonita agora depois da longa jornada.

Trey continuou.

— Você tem que voltar na primavera. Há um bando de garças azuis do outro lado da ilha e uma colônia de pelicanos marrons também. Não muito longe daqui, para o leste, existe um tronco de um velho carvalho morto com um ninho de águia-pescadora na forquilha dos dois galhos. Venho aqui há muito tempo e as águias-pescadoras aparecem todos os anos.

Encostei-me ao tronco de um pinheiro e fechei os olhos, imaginando os clamores de centenas de pássaros, a revoada de tantas asas. Entretanto, o espaço à minha volta estava imerso em silêncio e eu podia escutar minha respiração, sentir o ar fresco e suave soprando no rosto. Olhei para cima, através dos galhos dos pinheiros, e vi o brilho róseo no céu, o rastro do sol nas últimas horas do dia. Algo se agitou à minha direita e observei quando uma garça azul, assustada com nossa presença, disparou em direção ao céu rosado, fazendo-me recordar os pássaros da árvore do Katrina, os longos pescoços esculpidos, esticados em uma procura infindável.

Lentamente, fui saindo do bosque e chegando de novo ao litoral arenoso, onde a vegetação marinha crescia alta e balançava no ritmo das ondas. Voltei-me e caminhei para o leste, mantendo o olhar dirigido para longe da costa e dos sinais de civilização, sem certeza de para onde estava indo. Trey me seguia, sem nada dizer. Sem me virar, eu disse:

— Você sabe fazer todo o caminho de volta?

— Não sem que seus pés se molhem. E os ventos e as ondas ficam muito bravos aqui no golfo. Sem falar das criaturas que pode encontrar. Há uma nascente bem no meio da ilha. Bonita de se ver, se estiver preparada.

— Criaturas?

— É. Jacarés, cobras, esse tipo de coisa. Tenho quase certeza de que eles hibernam durante os meses de inverno. Ainda assim, a nascente tem seu próprio ecossistema e é algo que você tem que ver. Conforme eu disse, tem que estar preparada, primeiro.

Observei um caranguejo pelejando de lado contra dunas de areia, em busca de uma moita mais densa para se esconder.

— Como ficou este lugar depois do Katrina?

— Marrom. Montes de pinheiros mortos, nenhuma fauna selvagem, qualquer que fosse o tipo. Criou-se um largo fosso no meio, recentemente preenchido graças a um projeto de restauração de 14 milhões de dólares.

Lembrei-me da garça azul, do ninho da águia-pescadora e da batida das ondas na praia.

— No entanto, todos eles voltaram.

— Sim, voltaram. Mesmo depois do derramamento de óleo. Pode ser que haja um menor número de caranguejos azuis e outros tipos de peixe, mas eles voltaram. Não é como se o golfo nunca tivesse enfrentado um furacão ou um derramamento de óleo antes.

Encarando-o, eu disse:

— Isso me faz pensar na Mônica e como ela sempre dizia que voltaria.

Trey me olhou, o rosto indecifrável.

— Ela devia estar esperando por alguma coisa. E só consigo pensar que a Aimee sabe mais do que ela própria acredita que sabe. — Ele fez uma pausa. — Estou feliz por você estar aqui para falar com a Aimee. Sei que ouvir sobre a Mônica de antes de adoecer tem sido algo realmente bom para ela. E você conseguiu descobrir muito mais do que eu nos dez anos que passei procurando por minha irmã.

Ergui as sobrancelhas, surpresa com o grau de sua abertura. Aquilo também me fez sentir que contava com um aliado.

— Obrigada — eu disse. — Tem algo que vem me incomodando e imagino se você teria como me ajudar.

— Posso tentar. O que é? — Ele se abaixou e pegou uma concha, aí usou os polegares para retirar a areia molhada incrustada na concavidade dela.

— Na última vez que falei com a Aimee, ela me contou que o Wes havia pesquisado o arquivo da mãe dela e que não tinha encontrado nada. Tenho quase certeza de que nada disso tinha a ver com a Mônica ou com meu bisavô, apenas mais uma pergunta sem resposta. Se você conhecesse alguém do Departamento de Polícia de Nova Orleans, pensei que talvez pudesse dar uma olhada. Pode ser que exista alguma evidência recolhida que as técnicas modernas possam utilizar. Acho que é um ponto de partida.

Dando um impulso com o braço, ele arremessou a concha o mais longe que pôde dentro da água, onde ela caiu com um ruído suave.

— Claro. Nenhum problema, eu acho. Penso que seria do gosto da Aimee.

Ele pegou outra concha e continuou a andar, seguindo as pegadas dos pássaros até onde elas desapareciam perto do que parecia um arbusto de flores amarelas. Era estranho ver cor no inverno, o brilho do amarelo até espalhafatoso, em contraste com os tons neutros da areia e das conchas. Meu olhar viajou até as águas rasas, perto da praia, onde pedaços de troncos de árvores se projetavam como lápides. Apontei.

— O que é aquilo?

— Amontoados de madeiras velhas de cais. Ou pinheiros. Os furacões e a erosão estão sempre brigando pela propriedade da floresta. Nunca deixo de imaginar quem será o primeiro a desistir.

Fiquei olhando para Trey, reparando como o tom azulado ainda restante no céu combinava com a parte azul dos olhos dele.

— E você, Trey? Nunca sentiu vontade de jogar a toalha? De ir embora? Depois de ter perdido River Song, sua casa e seu melhor amigo, não sentiu que já era demais?

Ele chutou um grande pedaço de madeira recolhida da água, antes de sentar nela.

— No princípio, sim. Lembro-me de ter vindo até aqui logo após o Katrina. Você não pode imaginar o que parecia. E ali estava eu, pisoteando o que restara de River Song, tentando ver se havia algo a ser resgatado e sentindo muita pena de mim mesmo. Foi então que vi uma das nossas vizinhas, a sra. Anderson, chorando enquanto catava os escombros da casa dela. Quando perguntei a ela se havia algo que eu pudesse fazer, ela me falou sobre a filha, falecida no ano anterior, e tudo o que ela queria era encontrar o retrato dela, porque não tinha mais nenhum. Todos estavam naquela casa. E algo engraçado aconteceu. Não senti mais pena de mim dali para a frente. — Ele se levantou, atirando a concha na areia de onde tinha vindo. — Alguém tem quee ficar de pé para colocar as peças no lugar novamente.

O sol começava a afundar e senti o ar mais frio na pele. Esfreguei as mãos nos braços, ouvindo velhas vozes que nunca esperara voltar a ouvir.

— Minha mãe dizia isso também. Depois que a Chelsea foi levada, meu pai não aguentou e meu irmão se retirou completamente. Ela dizia que precisava ficar firme o quanto fosse necessário até que a Chelsea voltasse para casa e pudéssemos ser uma família unida de novo. Isso era tudo o que ela queria.

Os olhos de Trey encontraram os meus.

— Aí ela morreu e você assumiu. E ainda está esperando a Chelsea voltar para casa para poder reunir a família novamente.

A voz dele soou intencional, as palavras parecendo se referir a outra pessoa.

— É bem isso. E agora estou aqui.

Continuamos a nos olhar antes que Trey desviasse a vista.

— Vamos — ele disse. — Já vai escurecer.

Eu assenti e segui-o pelo caminho por onde tínhamos vindo. Ao nos dirigirmos para o caiaque, algo volumoso e pesado destacou-se na água cinzenta à nossa frente. Ergui a vista justo no momento em que uma barbatana dorsal desapareceu sob a superfície. Parei com o coração acelerado.

— Aquilo era um tubarão?

Poderia afirmar que Trey estava tentando não rir.

— Não. Aquilo deve ter sido um golfinho.

Eu nunca tinha visto um golfinho fora de um aquário. Lembrei-me de Chelsea e eu, com os narizes colados no vidro, pensando que os golfinhos riam só para nós e querendo saber nadar para poder pular dentro da água e tocar naqueles corpos lisos e cinzentos.

— Há muitos deles no golfo? — perguntei, andando com cuidado pela beira da arrebentação, mirando o lugar onde tinha visto a nadadeira.

— Uma boa quantidade. Aqui a pesca é sempre boa para eles, mesmo no inverno.

Fiquei parada, como se permanecendo imóvel eu pudesse forçar o golfinho a surgir na superfície novamente. Então, cerca de quase cinco metros de onde o havia visto pela primeira vez, o golfinho emergiu da água, perto o suficiente para eu ver o olho dele e o sorriso permanente, a pele lustrosa e molhada, refletindo o céu rosado sem fim, antes que ele deslizasse sob as ondas pela última vez.

Coloquei a mão na boca, ainda imóvel, tentando imaginar por que queria rir e chorar ao mesmo tempo. Olhei para Trey e me dei conta de que estivera errada quanto a uma coisa: sobre eu um dia ter pensado em como Mônica e ele se pareciam. Agora, porém, percebia que, ao olhar nos olhos de Mônica, eu vira apenas o que estava perdido para ela. Os olhos de Trey ainda estavam cheios de tudo o que tinha sido perdido e mesmo assim recuperado, tudo o que era antigo, porém agora renovado. Os olhos dele eram cheios das esperanças e das possibilidades que faltavam em Mônica muito tempo antes de eu conhecê-la.

Falei baixinho, quase para o ar, para a água, o golfinho nadando nas profundezas escuras onde não podia encontrá-lo.

— Se eu tivesse conhecido este lugar, eu a teria trazido de volta.

Trey tocou meu braço.

— Eu sei. — Ele começou a me levar para o caiaque. — Vamos, Julie. O sol está se pondo.

Trey me ajudou a entrar no caiaque e então nos levou pelo estreito. Eu cavava com o remo, todo o tempo buscando as ondas reveladoras na superfície da água matizada de rosa.

— Eu a teria trazido de volta — disse novamente para ninguém, a não ser o céu vazio e as ondas silenciosas e tudo o que nadava por baixo delas, invisível.

Capítulo 20

Nunca as flores exalam fragrância tão doce e forte quanto antes de uma tormenta.
— Jean Paul Richter

Aimee
1960

Fiquei longe de Nova Orleans por quatro anos, sentindo falta daquele cheiro peculiar, dos sotaques da gente de lá, do ar pesado que sempre ondulava meus cabelos e os tornava espessos. Também sentia falta da água e imaginava se minha letargia não seria principalmente devido a isso: ter crescido em um lugar cercado de água e de sua ameaça permanente, o que parecia emprestar à cidade uma desesperada *joie de vivre.*

Conheci pessoas novas, comecei novos hobbies, mas não conseguia esquecer. Wes permaneceu em meus sonhos, nunca muito longe de mim. E toda manhã eu o tirava da mente e me atirava aos estudos, segura de novo até o cair da noite.

Gary escrevia e me ligava toda semana. Ele estava se especializando em biologia em Tulane, esperando um dia ingressar na faculdade de medicina, mas ainda encontrava tempo para ligar. Eu ouvia o leve sotaque e a risada afável e queria estar lá de novo com ele. Queria correr com ele de bicicleta pelo dique e contar histórias de fantasmas na torre alta do sótão de minha avó. Mas tínhamos deixado nossa infância para trás, o peso da vida adulta nos encontrara. Não havia volta.

Wes escrevia algumas vezes, mas eu devolvia as cartas dele sem abri-las. E, quando chegou o convite de casamento, e, um ano mais tarde, um convite para o chá de bebê de Lacy, eu os joguei fora.

Passei todos os verões e Natais com meu pai na Filadélfia, trabalhando na Wanamaker's, no centro da cidade, como vendedora no departamento de porcelanas, cristais e prataria, a fim de ganhar dinheiro para as despesas pessoais e para me distrair dos pensamentos que nunca estavam muito longe de Nova Orleans, de Wes e de Gary. Mas foi Ray Von quem, no final das contas, me atraiu de volta.

Algumas semanas antes de minha formatura pela Bryn Mawr com um diploma em inglês, recebi uma carta com o carimbo do correio de Nova Orleans, subscrita com uma caligrafia desconhecida, ainda assim distintamente feminina. Por um breve momento, achei que poderia ser da sra. Guidry e rapidamente rasguei o envelope. Não havia saudação, apenas um único parágrafo.

> *Amo Gary como se fosse meu próprio filho e esta é a razão pela qual estou lhe escrevendo. O coração dele não é forte e ele não vai viver para alcançar a velhice. Ele sente tanto sua falta que isso o torna doente, mas nunca lhe dirá isso, daí eu estar lhe escrevendo. Volte para ele. O amor tem muitas faces — não jogue isso fora por não ser o fogo de uma paixão. Algumas vezes, bastam apenas umas brasas acesas para começar o fogo.*
>
> *Ray Von Williams*

Fiquei preocupada, imaginando o que a teria levado a escrever a carta, sabendo que se, Gary tivesse estado doente, ele jamais me diria. Ray gostava de ser responsável por seus domínios sem nenhum tipo de interferência, fosse em relação a seus deveres ou à sua esfera de influência. Para ela me convocar de volta à sua periferia, era porque se tratava de algo muito sério.

Fiquei pensando na carta por uma semana, o papel macio e enrugado depois de lido muitas vezes. Então, recebi uma carta do sr. Guidry, em papel timbrado pessoal, pedindo minha ajuda para organizar uma festa pela formatura de Gary, e, de repente, me pareceu que o universo conspirava contra mim para que voltasse a um lugar que amava e odiava na mesma proporção.

Após a decisão de retornar a Nova Orleans, as coisas aconteceram muito rapidamente para mim, como a força sugadora da onda que vai varrendo tudo em seu caminho. Eu me formei, reuni meus poucos pertences e até procurei um emprego em uma loja de antiguidades na rua Conti, no Bairro. Minha avó me pareceu receptiva e mesmo animada quando falei com ela ao telefone, e planos foram feitos para mim no retorno à minha cidade natal.

Fiz o longo percurso dirigindo um Chevy Corvair vermelho que meu pai comprara para mim por ocasião de minha formatura. Cheguei no meio da tarde, depois de passar a noite em um hotel próximo a Chattanooga, no Tennessee. Minha avó tinha saído, assim, tive tempo de examinar os arredores, incluindo o quarto que sempre fora meu desde garotinha. Nada havia mudado. Comecei, então, a trazer minhas valises e caixas do porta-malas e do assento traseiro do carro em meio ao calor abafado, já tendo recusado a ajuda de Tia Roseanne, que parecia estar sofrendo ainda mais do que eu com o calor. Havia acabado de descer para fechar a mala, após levar o último volume para cima, quando ouvi meu nome.

— Aimee?

O portão da frente ressoou e me virei surpresa, limpando o suor da testa com as costas da mão.

— Gary! Você disse que ia com seus amigos passar a semana após os exames finais em River Song.

Dirigiu-me um olhar de reprovação.

— Como poderia deixar você voltar sem um comitê de recepção?

Olhei para ele, um sorriso surgindo em meu rosto. Gary tinha crescido nos últimos quatro anos; agora, parecia ter alcançado a altura de Wes e estava bem acima de 1,80. Ele também ganhara uns nove quilos muito necessários, e isso preenchera bem sua estrutura. Os cabelos estavam desgrenhados, como se ele tivesse acabado de sair da cama e vestido as roupas. Isso era o que o distinguia do irmão, sempre com uma aparência muito cuidada, e compreendi que aquela era uma das coisas que eu amava em Gary

Corri para ele e me joguei em seus braços abertos, sentindo-os apertados à minha volta quando ele me balançou num rodopio, e fiquei feliz por minha avó não estar em casa para ver.

Ele beijou meu pescoço e então fingiu que ia vomitar.

— Eca! Você está toda suada. Não podia tomar um banho primeiro antes de vir me ver?

Nossos braços ainda estavam enlaçados e meu rosto dolorido pelo sorriso largo.

— É muito bom ver você, Gary. Faz tanto tempo... — Minhas mãos desceram pelos ombros e bíceps dele e apertei-os. — Você ficou tão forte!

Ele arqueou uma sobrancelha.

— Obrigado, senhora. — Os olhos azul-acinzentados encontraram os meus e eu soube que os sentimentos dele por mim não tinham mudado.

Dei um soco de brincadeira no ombro dele.

— Você não mudou nada, Gary. Que bom.

Ele pegou minha cabeça com as mãos e me beijou, com lábios macios, demoradamente. Nós nos olhamos surpresos, sem certeza do que dizer a seguir.

Um pigarro chamou nossa atenção de volta ao portão.

— Desculpe interromper. O Gary deveria estar me ajudando com minha mudança e desapareceu. — Wes sorriu, os olhos escuros. — Seja bem-vinda de volta ao lar, Aimee.

Gary continuou com seu braço em meu ombro.

— Acho que suas bolas realmente caíram na noite de núpcias, Wes.

Wes levantou as sobrancelhas.

— O quê?

Gary olhou para mim e riu para ele, lembrando meu insulto pré-adolescente no dique, na primeira vez que vira Wes.

Gary fez sinal com o polegar na direção da casa deles, onde uma caminhonete Dodge Pioneer nova em folha estava estacionada na entrada de carros.

— Vamos lá, Wes, você não tem nem 27 anos e está dirigindo uma caminhonete dessas. Só estou presumindo que é um belo covarde sem bolas por deixá-la convencê-lo a fazer algo assim.

Wes cerrou os dentes, mas manteve o sorriso.

— Algumas vezes, é mais fácil desistir sem uma discussão. Quanto antes você compreender isso, mais feliz você será.

Relembrando o que Wes havia dito, perguntei:

— Você está se mudando para a casa do seu pai?

— Sim. A Lacy e eu decidimos que o apartamento é realmente muito pequeno para uma família de três. O papai nos convidou. Ele está um pouco solitário sem a mamãe. E a Lacy está feliz de ter a Ray Von para ajudar.

Tentei não fazer caretas enquanto Wes falava o nome de Lacy. Sua esposa. Forcei um sorriso.

— Tenho certeza de que a Ray Von vai adorar ter uma criança de novo na casa.

Gary beijou minha testa.

— Volto mais tarde para vê-la. Tenho que ajudar meu irmão mais velho. — Gary saiu do meu lado e passou por Wes. Ao passar, Wes deu um tapa no lado da cabeça dele.

— Isso é por me chamar de covarde.

Gary desferiu um soco e pegou no braço de Wes. Eles se olharam com expressões idênticas de afeto misturado com hostilidade. Eu me retirei, tentando quebrar a tensão e notando o lado criança que ainda havia dentro dos dois homens.

Praguejei em voz alta quando vi a luz azul piscando no painel do carro atrás de mim na avenida St. Charles. Imaginei por quanto tempo estivera me seguindo; isso era difícil de ver pelo vidro traseiro com balões e flores enchendo o assento.

— Você é tão estúpida — eu disse para a jovem mulher no espelho enquanto esperava o policial sair do carro e se aproximar. Eu vinha dizendo isso a ela por semanas, enquanto me concentrava em me instalar, lidar com meu novo trabalho e preparar a festa de Gary. Fui completamente ingênua, acreditando que quatro anos teriam mudado meus sentimentos por Wes ou me preparado para ser vizinha dele, da mulher e do filho de dois anos e meio, Johnny.

Despertei com a batida no vidro. Abri a janela e olhei para o homem, imaginando onde o vira antes. Ele não estava uniformizado, mas segurava um distintivo, reconheci o nome, Pierre Houlihan. Tinha sido o detetive encarregado do interrogatório na casa dos Guidrys após o desaparecimento da sra. Guidry.

— Eu não estava correndo — disse.

— Eu sei. Não foi por isso que pedi que parasse.

Olhei para o relógio. Mal tinha tempo suficiente, já que era para aprontar tudo para aquela noite. Tudo que restara de minha paciência se evaporou.

— Olhe, detetive. Você se importaria de ir adiante e me aplicar logo a multa pelo que quer que eu seja culpada? Realmente preciso ir.

Ele encostou o queixo quase inexistente no pescoço avantajado.

— Você se acha culpada de algo, srta. Mercier?

O pânico tomou conta de mim com a menção de meu nome.

— Você sabe quem sou?

Ele me olhou com seus olhos castanho-claros.

— Sim, eu sei.

Lentamente alcancei o rádio e o desliguei, o coração batendo mais forte.

— Por que estava me seguindo?

O tenente Houlihan abriu a porta de meu carro e me pediu para sair. Ele se afastou do carro e colocou as mãos para cima, as palmas em minha direção, em um gesto de paz. Estávamos próximos ao cruzamento da St. Charles com a Jackson e rezei para que nenhum conhecido me visse. Nunca soubera de alguém que tivesse sido solicitado a sair do carro.

— Srta. Mercier, não estou aqui para intimidá-la. Só queria conversar sozinho com você... longe dos amigos e da família. Apenas você e eu em uma conversa sincera. — Ele me olhou firmemente, e seus olhos sob o chapéu fedora preto não eram maus. — Não tive outra oportunidade de falar com você antes de partir e há muito tempo espero pelo seu retorno.

— Tenente Houlihan, se eu tivesse alguma coisa que quisesse lhe dizer, teria telefonado. Ainda estou com seu cartão. Em algum lugar.

Ele me deu um sorriso torto.

— Em algum lugar. Certo. — Ele parou e acendeu um cigarro. Seus movimentos eram casuais, mas precisos. — Então, me diga. Onde acha que a sra. Guidry está?

Cruzei os braços em minha frente, de repente sentindo frio, apesar do calor.

— Tudo que sei é o que todos sabem. Ela fugiu com outro homem.

Desviei o olhar, incapaz de encará-lo, e esperei que ele não notasse. Wes me contara que ela tinha fugido com o artista que pintara seu retrato, mas que seu pai não queria que as outras pessoas soubessem, como se isso fosse mais constrangedor do que a fuga com um completo estranho. Em termos das fofocas em sociedade, talvez o desconhecido fosse sempre mais romântico do que a realidade.

O detetive Houlihan deu uma longa tragada no cigarro, estudando o carro vermelho cheio de balões.

— Você consegue ver algum motivo pelo qual o Wes poderia mentir para você... ou para nós... acerca do paradeiro da mãe dele?

Ele voltou a me olhar, dessa vez frio e calculista. Esfreguei minhas mãos nos braços, para cima e para baixo.

— Claro que não! Por que ele mentiria sobre tal assunto? Ele amava a mãe dele. Daria qualquer coisa para tê-la de volta.

Olhos perspicazes me encararam.

— Qualquer coisa?

— Ele amava a mãe dele — eu repeti. — Por que está fazendo essas perguntas? Por que você acha que o Wes mentiria?

O tenente Houlihan jogou a cinza do cigarro na calçada.

— Este é o meu trabalho, srta. Mercier. Já que a sra. Guidry não está aqui para me dizer onde ela está, é meu trabalho descobrir e ter certeza de que lá é onde ela quer estar. — Ele me olhou atentamente.

Não vacilei ante o exame minucioso. Ele colocou o cigarro no canto da boca.

— E sobre o sr. Guidry? Ele amava a esposa?

Eu me lembrei dos pais de Wes, do relacionamento estranho entre eles, como os vira juntos na cama em River Song.

— Sim. Ele a amava. De certa forma.

Ele arqueou a sobrancelha.

— De que forma?

Meus olhos se recusaram a encontrar os dele.

— Ela era sensível. Imagino que fosse difícil viver com ela. Mas eu só os via durante os verões. Não sei como eram no restante do tempo.

Ele deu outra tragada no cigarro e o jogou no chão, esmagando-o com o salto do sapato.

— Sim... Bom... — Ele procurou no bolso e sacou um cartão todo amassado e me deu. Aí sorriu e apertou minha mão. — Srta. Mercier, foi um prazer. E, por favor, mande minhas recomendações ao seu pai.

Minha mão ainda estava na dele. Eu a deixei pender em seguida ao lado do corpo.

— Meu pai? Como conhece meu pai?

As mãos nos bolsos formavam pequenas bolas. Ele olhou para mim com a expressão triste.

— Eu era um dos guardas uniformizados que responderam à chamada de emergência quando sua mãe foi morta.

— Ah — eu disse, com voz baixa, de repente sentindo o cheiro de sangue e o peso da escuridão à minha volta.

Devo ter parecido estranha, porque senti a mão dele em meu braço, me segurando. A voz era solícita.

— Você está bem?

— Estou. Posso entrar no meu carro agora?

Gentilmente, ele me acompanhou para meu lado do carro e manteve a porta aberta.

— Tem certeza de que está bem? Eu poderia levá-la para casa.

— Não, estou bem, sim. — Senti-me um pouco tonta por um momento. — Deve ser o calor. Ainda não me acostumei a ele. — Minhas mãos agarraram o volante, os nós dos dedos brancos.

O tenente Houlihan cruzou os braços na porta do carro e se inclinou na janela.

— Mais uma coisa. Você sabe do Xavier Williams?

— Não, não sei. Não desde que fui embora, há quatro anos. Por quê?

Ele examinou atentamente as unhas da mão.

— Gostaríamos de interrogá-lo, mas ninguém parece saber onde ele está. — Ele ergueu os olhos para mim. — É apenas estranho que eles tenham desaparecido ao mesmo momento.

Minha cabeça latejava, mantendo o ritmo do piscar da luz da polícia.

— Desculpe-me por não poder ajudá-lo mais, tenente Houlihan. Certamente ligarei se pensar em algo. — Acenei com o cartão dele.

— Sim, faça isso. — Ele retirou os braços e levantei o vidro da janela, dando a partida no carro simultaneamente com a outra mão. Meus pneus cantaram ao retomar o trânsito e tomar o rumo de casa.

Gary e eu nos sentamos, um ao lado do outro, no banco do piano, bebericando ponche e observando as pessoas. A música suave entoada por uma banda ao vivo espalhava-se por todos os cômodos, apenas a batida ressonante perceptível acima do falatório das pessoas. Tentei comer algum dos aperitivos, mas tudo tinha um gosto insosso. Eu me vi mordiscando umas bolachas, ainda sentada no banco, com farelos se espalhando sobre meu vestido preto. Gary tinha tentado fazer com que eu escolhesse uma tonalidade mais colorida, mas fui atraída pelo preto. Quando saí do provador na Maison Blanche, Gary assobiou e senti que tinha encontrado o vestido perfeito.

Uma risada ecoou no canto do salão e nos viramos para ver Lacy, estonteante em um vestido azul-claro justo, a silhueta tão magra quanto antes de ter tido Johnny. Meu olhar ultrapassou o ombro dela e vi Wes, e nossos olhos se encontraram. Desviei o olhar, murmurei uma desculpa para Gary e fui me refugiar na cozinha.

As bandejas de comida trazidas pelo bufê estavam sobre o balcão perto do forno. Pilhas de pratos sujos raspados se acumulavam. Sentei-me à mesa da cozinha, ainda segurando o copo de ponche, e observei dois garçons que se apressavam com mais pratos e colocavam outro tabuleiro para esquentar no forno. Eles deslizaram pela porta sem uma palavra, deixando-me no silêncio, o burburinho baixo das pessoas felizmente bloqueado pela porta vaivém.

Fechei os olhos, ouvindo o murmúrio distante das vozes, até que detectei um odor ácido vindo do forno fechado. Virei a cabeça e me deparei com um rastro de fumaça escura saindo de ambos os lados da porta. Empurrei a cadeira e corri para a porta, abrindo-a. Tossi quando meu rosto e ombros foram imediatamente envolvidos pela fumaça. Sem pensar, enfiei a mão naquele caos e agarrei o tabuleiro para retirá-lo do forno. Conforme os dedos entraram em contato com o metal, gritei; mas não soltei. Era como se eu não compreendesse, a princípio, o que estava queimando meus dedos.

Finalmente soltei a bandeja, deixando-a cair sobre a tampa aberta do forno e ouvindo-a bater no chão de cerâmica, os bolinhos fofos revirando-se pelo chão como gatos gordos. Os olhos terrivelmente doloridos devido à fumaça e ao ferimento, a boca aberta num choro silencioso. A porta da cozinha se abriu e Wes estava ali de pé na porta, alto, escuro e como um anjo vingativo, com a fumaça do forno em torno dele.

— Aimee! O que aconteceu?

Olhei para minha mão, agora vermelha e brilhosa, lembrando um tomate pelado. Agarrei o punho com a outra mão e a mostrei para ele.

Wes entrou correndo no recinto, a porta vaivém fechando-se por trás dele, abanando a fumaça em porções generosas em nossa direção. Tossi e me inclinei contra o balcão, a mão latejando forte. Ele a pegou e me girou para eu ficar de frente para a pia. Ficou atrás de mim e ligou a torneira de água fria e aí, segurando minha mão na dele, colocou-a sob o fluxo refrescante.

Recolhi a mão conforme a água bateu na queimadura. Gentilmente, Wes a recolocou sob a água, usando a outra mão para suavizar o fluxo de água, esticando seus dedos sob a torneira e então deixando as gotas pingarem da sua mão para a minha.

Eu me afundei nele e ergui os olhos para a janela acima da pia. Pude ver o reflexo de seus olhos enquanto nos fitávamos. O rosto curvado e distorcido pelo vidro antigo, apenas o fantasma de um homem real. Queria alcançar e tocar o homem no vidro, mas sabia que ele ficaria gelado e sem vida em meus dedos mansos, sua pele quente inatingível para mim.

— Está doendo. — Minha voz era pouco mais que um murmúrio.

— Eu sei — ele disse, beijando-me na testa.

Fechei os olhos e me inclinei para ele, ouvindo o som da água batendo na pia de metal.

Por fim, ele fechou a torneira e me levou de volta para a mesa da cozinha. Pegou, então, uma porção de gelo de um balde deixado para trás por um dos garçons e envolveu-os com um pano de prato. Puxando uma cadeira, sentou-se em frente a mim e segurou a sacola de gelo em minha mão, as mãos grandes em torno da minha, como uma concha.

— Perdoe-me. — A voz dele falhou e percebi que não conseguia olhar para ele.

— Não foi culpa sua. Eu não tomei cuidado...

A mão dele apertou a minha, fazendo-me olhar para cima.

— Não é o que quero dizer... e você sabe disso.

Assenti.

— Eu sei. — Engoli, procurando por palavras. — Não consigo deixar de sentir o que sinto por você, Wes. Eu tento, mas não acho que vá conseguir algum dia.

Ele começou a falar, mas levantei a outra mão para silenciá-lo.

— O que mais me machuca é você ter me deixado ir embora tão facilmente.

Os olhos dele se arregalaram, chocados.

— Facilmente? Meu Deus, Aimee, foi a coisa mais difícil que já tive que fazer. — Ele se inclinou em minha direção, suas mãos agora cobrindo as minhas. — Eu nunca a deixarei para trás, Aimee. Será sempre você.

Tentei me afastar dele, lembrando o machucado e a traição, sua súbita e inexplicável mudança de ideia.

— Então, me diga por quê. Talvez aí eu possa fazer com que meu coração e minha mente compreendam.

Ele ficou em silêncio por um momento.

— Você precisa saber sobre o Gary.

Tudo estava quieto na cozinha enquanto nos contemplávamos, os sons da festa ao longe e sem consequências para nós.

— Saber o que sobre ele?

— O Gary não é tão saudável quanto ele gostaria que acreditássemos. O coração dele não é muito forte. — Ele apertou minhas mãos. — Ele ama você, Aimee. Você acha que poderia tentar amá-lo?

Antes que eu pudesse responder, a porta se abriu e Lacy chegou tranquilamente na cozinha, seguida por Gary. Gary segurou a porta com o braço enquanto Lacy ficou ali de pé, fria e triste, os braços cruzados sobre o peito. Ela olhou para mim, mas falou com Wes.

— Você está sumido já há um bom tempo. — Ela apertou os lábios, os olhos azuis movendo-se de Wes para mim, e em seguida para minha mão enfaixada, ainda na dele.

— Ela sofreu um acidente.

Wes gentilmente colocou minha mão em meu colo e empurrou a cadeira de volta. Sem uma palavra, ele se levantou e se dirigiu para Lacy, enquanto Gary se adiantou e sentou onde Wes estivera. Ele pegou minha mão e desenrolou o pano. O gelo deslizou e caiu no chão, dançando nos ladrilhos cerâmicos.

Lacy e Wes saíram do recinto, mas nem eu nem Gary nos viramos para olhar ou dizer até logo.

Gary falou com delicadeza.

— Você está bem?

Meus lábios tremeram enquanto olhava para ele.

— Não ouse ser gentil comigo agora ou vou começar a chorar de novo.

— Sem problemas — ele disse, aproximando a cadeira de modo que pudesse se encostar enquanto ainda segurava minha mão. — Seus seios estão muito grandes e praticamente saltando do vestido.

Eu sentei, chocada.

— O quê?

Ele deu o sorriso mais terno.

— Não está mais com vontade de chorar, né?

Inclinei-me para a frente e bati no ombro dele com a mão boa. Então me recostei de novo na cadeira, tomando consciência.

— Estão mesmo?

O sorriso dele agora era pura sensualidade.

— Ah, sim. Mas você jamais ouvirá quaisquer reclamações de mim.

Senti meu rosto se abrir em um sorriso.

— Não sei se devo bater em você ou abraçá-lo.

Ele colocou a mão na testa.

— Oh, querida... que tal ambos?

Dei então uma boa gargalhada, aliviada com o som dela. Não tinha certeza se ainda lembrava como rir.

Minha avó entrou na cozinha, as sobrancelhas unidas. O rosto relaxou ao me localizar.

— Aí está você, Aimee. Fiquei imaginando para onde você tinha sumido. Está negligenciando seus deveres de anfitriã.

Ela parou quando viu minha mão embrulhada.

— O que aconteceu?

— Eu me queimei. — Mostrei uma palma para ela, agora coberta com uma fina bolha aquosa.

Gary se levantou.

— Ela não está se sentindo bem. Pensei em levá-la para casa agora, se a senhora concordar.

Vovó olhou para mim. Havia compaixão em seus olhos.

— Certamente. Você parece cansada. Tenho certeza de que o pai do Gary não se importará se eu assumir o comando. — Ela se curvou e me beijou no rosto e, em seguida, saiu ao som dos saltos fortes e decididos.

Saímos pela porta de trás e andei lentamente para a casa de minha avó, parando no caminho no jardim quando uma grande barata passou na nossa frente. Eu tinha profunda aversão a insetos gigantes e Gary geralmente implicava comigo quanto a isso. Mas não nessa noite.

O jardim da sra. Guidry murchava por negligência. O vento tentava arrancar as folhas mortas das videiras, coladas tenazmente aos caules secos. Botões marrons murchos se curvavam em direção à grama cansada, retornando à terra de onde haviam brotado. Fechei o portão atrás de mim, olhando para a fonte sem vida, o garotinho imóvel e solitário no jardim destruído. Minha mão demorou-se sobre o ferro batido ao lembrar-me da mulher que um dia dera vida àquele local, e imaginei se a nova vida que ela encontrara era tão infrutífera agora quanto o jardim que deixara para trás.

— Sente um pouco comigo. — Apontei para o balanço na varanda circundante de minha avó. Gary o segurou para mim enquanto eu sentava e, aí, juntou-se a mim sob o fraco brilho da luz da varanda. Balançamos em silêncio, ouvindo os sons da noite da cidade e o rangido da corrente. Um sapo coaxou dos arbustos, com alguma sorte, comendo gordos e suculentos mosquitos. Os odores da vegetação de final do verão pairando no ar úmido nos envolviam como um cobertor. Uma brisa que anunciava tempestade trouxe o cheiro de chuva. Ela arrastou as folhas da árvore de magnólia, a luz da rua criando sombras móveis sob os grandes galhos.

Havia algo no movimento das sombras que me fez pensar em minha mãe, uma lembrança profunda que permanecia escondida e não seria desalojada. Virei para Gary.

— Você ainda pensa em sua mãe?

Ele apertou as mãos e as relaxou em seguida.

— Sim. Penso. Todo o tempo. Eu não lhe falei, mas há alguns anos contratei um detetive particular para encontrá-la. Simplesmente não podia acreditar que ela iria embora assim e nunca mais entraria em contato comigo de novo. O Wes e meu pai ficaram furiosos quando descobriram; era como se quisessem expulsá-la das nossas vidas assim como ela nos expulsou da dela. Não que isso importe de qualquer forma. O detetive nunca encontrou nada.

— Ele interrogou o Abe Holt?

— Nunca conversei com o detetive sobre isso, mas o Wes, sim. Disse que muitos desses investigadores estavam nisso pelo dinheiro, então assumiu a investigação porque sabia como lidar com ele. O Wes me disse que o DP interrogou o sr. Holt, que admitiu ter tido um caso com minha mãe, mas que ela o abandonou pouco depois de terem partido de Nova Orleans e ele não ouviu falar mais nela desde então. — Gary contraiu o maxilar. — Não a culpo, você sabe. Viver com meu pai poderia enlouquecer uma santa. Só não compreendo por que ela nunca me escreveu nem ligou.

Estendi a mão boa em direção a Gary e a coloquei sobre a dele.

— Sinto muito. — Ele virou sua cabeça levemente, sem se mover. — Como está seu coração?

Ele não olhou para mim.

— Além de estar partido em dois, você quer dizer?

Bati com o cotovelo no braço dele.

— Estou falando sério, Gary.

— Eu sei. Eu também.

Nós nos olhamos. A luz o iluminava por trás, envolvendo seu rosto na sombra.

— O que os médicos dizem sobre seu coração?

Ele deu de ombros.

— Basicamente nada. Preciso cuidar de mim e não me forçar demais. Tomar os remédios. Esse tipo de coisa. Posso viver para sempre.

— Você pode ter outro ataque do coração?

Ele assentiu.

— Sim. Se as coisas ficarem estranhas de novo, o ritmo do meu coração pode ser afetado e posso ter outro ataque. — Ele balançou negativamente cabeça. — Mas não terei. Estou sendo cuidadoso de verdade: tomando os remédios, me exercitando, realmente tendo cuidado comigo mesmo. Estou tentando manter as emoções em ordem... coisas assim.

Um mosquito pousou em meu antebraço e bati nele, criando uma mancha escura na pele.

— Estou feliz em saber. E você de fato parece mais saudável que nunca.

— É porque estou mesmo. A escola de medicina será difícil para mim, mas posso dar conta. Realmente quero ser médico. Imagino que por ter estado em torno de hospitais toda a minha vida... por que não?

Sorri, imaginando Gary de jaleco branco e com um estetoscópio.

— Sua caligrafia é ruim o suficiente para qualificá-lo.

Ele esbarrou em mim com o ombro.

— Olha quem fala. Não acho que sua caligrafia tenha mudado desde o jardim de infância.

Abri a boca para responder quando vi uma sombra do outro lado da rua.

— Shh — eu murmurei.

Gary seguiu a direção de meu olhar logo que a sombra desapareceu. Moveu-se tão rápido que não tive dúvidas de que era apenas minha imaginação.

— O que foi?

Eu me recostei.

— Pensei ter visto alguém. Mas não era nada. Provavelmente um gato perdido.

Gary se moveu para a borda do balanço, os pés plantados firmemente no chão da varanda. Também escorreguei para a beira, nossas coxas uma contra a outra. Virei a cabeça para dizer algo e percebi que seu rosto estava a apenas uma polegada no meu. Nós nos olhamos por vários momentos, sem dizer nada. E então os lábios dele tocaram os meus, de modo suave e gentil. Seu beijo não fez meu coração disparar, nem meu sangue esquentar, mas havia nele algo reconfortante, algo quente e familiar. Algo meu.

A mão dele tocou minha mão boa e percebi que os dedos dele pressionavam o anel de Jack Cracker que ele me dera quatro anos antes.

— Case comigo, Aimee. Deixe-me amá-la como você merece.

Pensei em Wes e em como ele tinha ido embora para sempre e nas palavras de Ray Von sobre as diferentes faces do amor. Eu amava Gary, talvez o suficiente para me esquecer de Wes. E talvez ainda o suficiente para fazer Gary feliz. Eu o beijei, seus braços em torno de mim, minha decisão tão firme e ajustada quanto a tampa de um pote de vagalumes.

— Sim, Gary. Vou me casar com você. — As palavras não me amedrontaram como pensei que pudessem, mas me tranquilizaram como a mão de uma mãe sobre uma testa com febre.

— Eu te amo, Aimee.

Eu sorri para ele.

— Também te amo, Gary. — Coloquei meus braços em torno dele, apertando um pouco. — Eu também te amo.

Ficamos balançando por um longo tempo, de mãos dadas, sem falar, olhando para os convidados que deixavam a casa ao lado e as nuvens pesadas a se mover languidamente por sobre a lua, escondendo-se de nossa vista. Por fim, Gary se levantou, compreendendo que, como convidado de honra, ele deveria provavelmente estar lá para se despedir dos convidados. Ele me beijou mais uma vez e foi embora.

Por fim, levantei-me e entrei na casa de minha avó. Conforme a porta se fechou, olhei pela janela de vitral e vi o balanço oscilando ao vento, sem ninguém, e os primeiros pingos de chuva começando a escurecer a passagem vazia.

Capítulo 21

A compreensão deles
Começa a se ampliar, e a maré enchente
Logo inundará as praias da razão
Que jazem agora sujas e lamacentas.

— William Shakespeare

Julie

Fiquei ali, de pé, no vestíbulo silencioso da casa na rua Primeira, e deixei a valise ao meu lado sobre o tapete. Era uma noite de quarta-feira, no final de fevereiro, e eu estava atrasada para o encontro com Trey, porque precisara deixar Beau na casa de Carol Sue. Ele e Charlie tinham sido convidados para a mesma festa de aniversário no dia seguinte. Carol Sue tinha coisas a fazer em Nova Orleans e poderia trazê-lo para casa mais tarde.

Beau me deu um abraço de despedida e saiu correndo para brincar, enquanto fiquei ali parada na cozinha de Carol Sue, arrasada. Retirei da bolsa o chapéu vermelho de Mônica e o deixei sobre a bancada da cozinha, caso ele precisasse, e, aí, me certifiquei de que ela possuía todos os números de telefone importantes de que viesse a necessitar, inclusive o do controle de intoxicações e de ambas as polícias rodoviárias, tanto do Mississippi quanto da Luisiana. Estava procurando o telefone da guarda-costeira quando Carol Sue abriu a porta e pediu que eu fosse embora.

— Aqui! — chamou Trey da sala de estar.

Trey e Aimee estavam sentados, um de frente para o outro, nos dois sofás, cada um com uma bebida na mão. Parada ali entre quadros e antiguidades, lembrei-me de que aquela era a sala na qual a jovem Aimee encontrara Gary e a sra. Guidry pela primeira vez. Imaginava se depois de tantos anos tudo permanecia igual naquele cômodo elegante, se Aimee também se recordava.

— Desculpem pelo atraso. Precisei deixar o Beau na casa da Carol Sue.

— Estamos sabendo. Ela ligou para nos avisar e para ter certeza de que haveria uma bebida pronta para quando você chegasse. — Trey se levantou e foi em direção ao carrinho de bebidas onde havia uma garrafa de vinho aberta. — Pode ser vinho ou prefere algo mais forte?

— Vinho está ótimo — eu disse, me encaminhando para os sofás.

Aimee movera-se para o meio do sofá, portanto não tive escolha senão me sentar naquele que Trey acabara de deixar. Ele voltou para o sofá e me ofereceu uma taça antes de sentar-se a meu lado, seu joelho tocando o meu. De repente, senti-me muito consciente de sua proximidade.

Bebi um gole e tentei relaxar.

— As placas de revestimento Hardie para River Song chegaram hoje. Antes mesmo do prazo esperado, o que foi bom. Eles devem começar a revestir a casa na próxima semana. — Tomei outro gole, só para parar de divagar. — Não estava nada satisfeita em não usar madeira de verdade, mas preciso admitir que esse material parece mesmo madeira de verdade. E é feito de cimento, por isso, nem os cupins nem a água vão gostar.

Trey recostou-se nas almofadas e passou o braço comprido por trás. Pude sentir as pontas dos dedos dele tocarem levemente meu ombro.

— E a placa Hardie não se despedaça em uma tempestade nem precisa de pintura todos os anos. Algo que agradaria a qualquer morador de Biloxi,

Fiquei imaginando se ele me incluía na categoria "morador de Biloxi" e o fato de me importar me surpreendeu. Ainda usava a carteira de motorista de Nova York e toda a correspondência pessoal era encaminhada para uma caixa postal em Nova Orleans. Entretanto, estava construindo uma casa em Biloxi havia quase cinco meses e trabalhava no museu Ohr, com uma casa alugada lá também. Acreditava, portanto, que tinha o direito de ser chamada de moradora. Desde a viagem com Trey para Deer Island, sentia o coração se abrandar à medida que saía da rodovia interestadual em direção à península e dirigia ao longo da Beach Boulevard, observando os barcos na marina e as sombras das ilhas distantes, pensando em meu golfinho que nadava no estreito. Vi-me por diversas vezes em pé na praia, procurando por algum sinal revelador de uma barbatana ou ondulação sobre a superfície da água.

Limpei a garganta.

— Bom, fico feliz que ele se pareça com madeira e por ter mantido o branco com venezianas pretas, não apenas porque se parece com original. É muito vivo e despojado. — Fechei os olhos, lembrando os inícios de manhãs e de noites que eu passara no local da obra. — A casa será uma bela tela para a luminosidade do entardecer e do amanhecer. — Abri os olhos e vi que Aimee e Trey me observavam.

Aimee olhou para seu copo, um pequeno sorriso iluminando-lhe o rosto.

— Mônica costumava dizer isso. Ela dizia que River Song a inspirava como artista por causa da forma como a luz brincava com ela.

Um relógio soou, lembrando-me de que passava da hora do jantar. Sabia que era o dia de folga de Kathy Wolf e não vinha nenhum cheiro de comida da cozinha. Coloquei a taça pela metade sobre a mesa, receosa de beber mais com o estômago vazio.

— Ainda não comi nada. Se algum de vocês estiver interessado, posso tentar preparar algo para o jantar.

Aimee e Trey se entreolharam e me ocorreu que talvez estivessem falando de mim antes de eu chegar.

— Alguma coisa errada?

Trey chegou para a frente e colocou a taça dele perto da minha.

— Não há nada de errado. Recebi hoje um telefonema do meu pai e ele quer conhecê-la.

— O Johnny? — As histórias que Aimee me contara tornavam impossível referir-me a ele de qualquer outra forma, embora sabendo que ele estaria agora na casa dos 50 anos e que deveria estar me referindo a ele como sr. Guidry. — Por que ele quer me conhecer?

Mais uma vez, Aimee e Trey se entreolharam.

— Ele quer agradecer-lhe por trazer o Beau de volta para casa. Mas acho que esse telefonema foi provocado por eu ter remexido naqueles arquivos policiais antigos. Alguém deve ter ligado para ele.

— Mas por quê? — perguntei, confusa.

— Porque ele tem muitos conhecidos, e velhos conhecidos se sentem obrigados a avisá-lo quando aparece alguém remexendo em assuntos relacionados à sua família. Mesmo se essa pessoa for seu filho — continuou, antecipando-se à pergunta seguinte.

Ele tomou mais um gole do drinque enquanto eu esperava impacientemente que continuasse. No entanto, Aimee falou em seguida.

— Trey ligou para um velho amigo no Departamento de Polícia de Nova Orleans para acessar os arquivos do caso da minha mãe e da Caroline. Parece que todos os arquivos foram perdidos com o Katrina. Tudo o que não foi destruído pelo vento e pela água foi eliminado mais tarde, porque tinha sido contaminado e representava risco potencial para a saúde.

— Então, não sobrou nada?

Ela balançou a cabeça negativamente.

— Não. Só se salvou aquilo que tinha sido armazenado eletronicamente. O que não foi o caso.

— Então, por que o Johnny se daria ao trabalho de telefonar se não havia nada para o Trey encontrar nos arquivos?

— Foi exatamente o que pensei, e foi por isso que concordei com esse encontro hoje à noite. Assim, podemos perguntar pessoalmente. A não ser que tenha outros planos.

Ele deu um sorriso tão malicioso que quase menti, dizendo que tinha, sim, outros planos. Porém, provavelmente navegar pela internet à procura de desaparecidos não se encaixava na definição de "outros planos" de ninguém. Eu me levantei.

— Tudo bem. Só vou trocar de roupa e colocar um vestido.

Trey se levantou também, com um enorme sorriso estampado no rosto.

— Na verdade, para o lugar aonde vamos, é melhor colocar o jeans mais velho que tiver. — E não entrou em detalhes.

— Então, vou só deixar minha bolsa lá em cima e já volto. Podemos comer alguma coisa no caminho?

— Não no Miss Mae. Eles só aceitam pagamento em dinheiro e não servem comida, mas têm a cerveja mais barata da cidade. Primeiro, podemos dar uma passada pelo Domilise e curtir uns *po' boys*.

— Você me explica o que é isso no caminho. Estou com tanta fome que, contanto que seja comida, topo qualquer coisa. Já volto. — Subi e desci logo em seguida, então entrei na caminhonete de Trey.

Ele olhou para minha blusa limpa e balançou a cabeça, desaprovando.

— Espero que você arregace essas mangas, porque comer camarão *po' boy* frito pode virar uma lambança.

— O que é *po' boy*?

— Acho que podemos dizer que se trata de um sanduíche tipo submarino, mas são muito melhores por aqui, porque gostamos de colocar coisas fritas dentro deles. Lembre-se de pedir o seu com salada, isto é, alface, tomate e maionese; se quiser picles e cebola, tem que pedir especificamente.

Recostei-me no banco do carro.

— Que tal você fazer o pedido para mim?

— Está bem. — Ele balançou a cabeça, rindo consigo mesmo.

— O que foi?

— Sinto como se tivesse voltado aos tempos da faculdade de direito. Não há nada mais econômico do que jantar no Domilise e depois tomar uns drinques no Miss Mae. Boas lembranças, essas.

— Acho que você acabou de me chamar de encontro barato.

Ele estacionou o carro em uma rua lateral e senti o rosto corar quando me dei conta de que acabara de classificar nossa saída como um encontro.

— Quero deixar bem claro que não disse isso. Para compensar, me lembre de levar você para almoçar no Galatoires e jantar no Commander's.

Pulei para fora do carro antes que ele tivesse a chance de dar a volta e me ajudar a sair.

— Sem problema. É provável que eu não tenha nenhuma roupa adequada para esse tipo de lugar.

Paramos bem embaixo de uma placa escrita à mão: DOMILISE'S PO'-BOYS & BAR, com uma pequena flor-de-lis no canto inferior esquerdo.

Trey me lançou um olhar reprovador.

— Antes de conhecer você, nunca havia encontrado uma mulher que não fosse ao menos uma compradora ocasional. Mas nunca a vi com uma sacola de compras, a não ser que fosse algo para o Beau. Não gosta das lojas que temos por aqui?

Por um momento, fiquei parada, sem palavras. Mônica também tinha percebido, mas nunca perguntara por quê. Era algo que nunca tinha parado para analisar, como as razões pelas quais guardava a escova de cabelo de Chelsea ou por que eu amontoava coleções de coisas que não tinham um verdadeiro significado para mim.

Ele segurou a porta do restaurante.

— Julie, até onde eu sei, não há problema em querer mais de uma coisa. Não há nada de errado em querer.

Um casal jovem, de mãos dadas, empurrou a porta, fazendo com que Trey e eu déssemos um passo para trás. Ele pôs a mão em minhas costas e, por um momento, tive vontade de abraçá-lo para agradecer por compreender tão bem essa parte de mim, por me fazer sentir menos sozinha. Em vez disso, apertei o passo e entrei no restaurante na frente dele.

As paredes com lambris de madeira, os pratos descartáveis, a decoração fotográfica de gosto duvidoso e o cardápio escrito à mão na parede eram definitivamente caseiros, e acho que eu jamais provara nada tão saboroso. Regamos nossos *po'boys* com cerveja preta Barq, coisas que nunca experimentara, mas com as quais poderia facilmente me acostumar. Acomodei-me satisfeita ao extremo, torcendo para que Trey me deixasse ali por mais um tempinho.

Ele se levantou, mas fez sinal para que eu aguardasse.

— Espere um pouco, quero levar algo para viagem para meu pai. Nem sempre ele se lembra de comer.

Ao sair do restaurante, uma placa retangular em neon, sobre a porta de uma casa de tijolos, do outro lado da rua, chamou minha atenção. A placa dizia Leitura de Mão — Dona Ida, só que as letras "n" e "a" estavam apagadas, então, lia-se Doida. Eu ri e Trey acompanhou meu olhar.

— Já leram a sua mão?

Fiz uma careta.

— Uma vez, na feira estadual. Eu não queria, mas a Chelsea, sim, então, fomos juntas. A mulher nos disse que ambas teríamos vidas longas e felizes, com muitos filhos. — Ri mesmo sem querer. — Nós realmente acreditamos nela.

Não contei que, muito tempo depois que Chelsea desaparecera, ainda pensava se a certeza de um futuro feliz nos tinha deixado vulneráveis e negligentes.

Trey deu uma olhada no relógio.

— Vamos. Ainda é cedo e meu pai precisa de alguns drinques antes para relaxar. Vamos nos consultar com a Dona Ida.

Recusei.

— É pura charlatanice, Trey. Ela só vai pegar nosso dinheiro e inventar uma história.

— Eu sei. Vai ser uma brincadeira boba... duas palavras que andam faltando no seu vocabulário.

— E não se esqueça da palavra compras — acrescentei enquanto ele pegava minha mão e me puxava pela rua até pararmos na porta, embaixo da placa. — É você quem paga.

Ele bateu na porta e sorriu para mim. Era como olhar para o rosto de Mônica antes de me mostrar uma nova pintura. Os olhos dela, porém, exibiam incerteza e trepidação, enquanto os de Trey demonstravam apenas confiança e convicção. Queria saber como ele conseguia manter as duas, depois de tudo o que aconteceu nos últimos cinco anos.

Uma mulher bem alta, de pele muito escura e cabelo âmbar abriu a porta. Ela usava uma saia elegante e blusa recém-saídas de uma vitrine da Talbot, e, quando sorria, mostrava dentes brancos e alinhados. Não se parecia nem um pouco com mulheres que leem mãos nos parques de diversão.

— Querem que eu leia a mão de vocês?

Trey me empurrou para a frente.

— Ela quer.

Lancei um olhar aborrecido para ele enquanto Dona Ida nos conduzia, por uma cozinha minúscula e escura, a um quarto ainda mais escuro nos fundos da casa. Parecia um escritório comum, a não ser pela presença de lençóis pendurados nas janelas e, em lugar da cama, uma mesa com cartas, coberta com uma toalha branca, no meio do quarto. Viam-se ainda duas cadeiras dobráveis puxadas para o lado e uma única cadeira virada para elas.

Diferentemente da última experiência com leitura de mãos que eu tivera, não havia bola de cristal, nem toalha de mesa de seda, nem estrelas de papelão penduradas no teto. E Dona Ida nem mesmo usava vários brincos ou pulseiras, portanto nada balançava quando ela andava.

Ela pressionou o interruptor, que acendeu uma luz fraca no teto sobre a mesa. Em seguida, nos fez sentar antes de se colocar à nossa frente. Sorriu e pareceu tão normal que eu poderia muito bem estar em um consultório médico ou em uma entrevista de emprego.

— São 25 dólares por leitura — disse ela.

Fiz aquela cara de "eu sabia" para Trey e esperei que ele tirasse o dinheiro da carteira e o deixasse sobre a mesa. Dona Ida pôs o dinheiro no canto da mesa e segurou minha mão. A mão dela parecia um couro morno.

Ela esticou meus dedos e olhou fixamente para a palma de minha mão. Fiquei esperando que ela começasse a falar bobagens. Em vez disso, ela usou uma unha curta para traçar uma linha dividindo minha palma.

— Esta é a sua linha da vida. É extensa e contínua, o que significa que terá uma vida muito longa.

Disparei o olhar "não falei?" para Trey, mas ele apenas arregalou os olhos para mim. Voltei a olhar para Dona Ida.

— E terei muitos filhos.

Seus olhos escuros encontraram os meus, mas ela limitou-se a examinar a palma de minha mão. Franziu o cenho, deixando ver uma linha sulcada entre as sobrancelhas. Revirei os olhos só esperando que me falasse sobre o desconhecido de moreno.

Quando ela falou, a voz era tão baixa que precisei chegar para a frente para ouvi-la.

— Vejo uma jornada, um caminho errante, de idas e vindas, fazendo com que retorne ao início. — Ela abanou a cabeça. — Você vem procurando há muito tempo. — Ela levantou a palma de minha mão ao recostar-se na cadeira, segurando-a no alto para que a luz pudesse iluminar a pele pálida e rosada. Devagar, ergueu os olhos para mim. — Você está perto de encontrar o que procura. — Ela inclinou-se para a frente, nossas testas quase se tocando. — Se é que já não encontrou.

Engoli um nó na garganta, torcendo para que mais ninguém dentro daquele quarto silencioso pudesse ouvir.

— Suas mãos estão sempre abertas para doar. — Pegou minha mão e segurou-a com as suas, lentamente dobrando meus dedos até fechar o punho. — Você precisa lembrar-se de receber também. — Ela apertou minha mão entre as dela antes de colocá-la gentilmente sobre a mesa, em seguida recostou-se na cadeira. — Isso é tudo que precisa saber. Obrigada por vir. E conte aos seus amigos.

Quis fazer um comentário superficial sobre como cobrar 25 dólares por cinco minutos parecia um pouco excessivo, mas as palavras não saíam de minha boca. Trey tocou em meu ombro para que saíssemos. Levantei sem me preocupar em colocar a cadeira de volta no lugar e saí logo do quarto, louca para escapar dos olhos atentos e calmos de Dona Ida. Deixei Trey se despedir e fiquei em pé, do lado de fora, na brisa fresca da noite, com a respiração forçada, engolindo o ar como se tivesse corrido mais de um quilômetro.

— Você está bem? — perguntou ele.

Assenti com a cabeça.

— Estava muito abafado lá dentro, só isso.

Ele me olhou bem de perto, com olhos acolhedores, mas não disse nada.

— Vamos, então. Vamos encontrar meu pai.

Apressei o passo em direção à caminhonete, ansiosa para deixar Dona Ida e seus olhos negros o mais longe possível.

Enquanto passávamos pela rua Annunciation, vi uma senhora passeando com três poodles, cada um com os pelos pintados com as cores verde, dourada e roxa do Mardi Gras. Voltei-me para Trey.

— Qual era o nome do seu cachorro?

— Como sabe que tive um?

— Vi uma foto dele em um porta-retrato dentro de uma de suas caixas e a Mônica tinha uma coleira. Um labrador amarelo, né?

Trey concordou.

— O nome dele era Jax, como a cerveja Jax que era fabricada aqui. O primeiro e único cachorro que tivemos. Foi presenteado a mim e à Mônica pela Aimee, mas ele tinha que morar com ela, porque nossa mãe não queria pelos de cachorro espalhados pela casa.

— E você nunca teve outro?

— Não. A Mônica ficou arrasada quando o Jax morreu, então a Aimee e eu decidimos esperar antes de comprar outro cachorro. Aí, a Mônica foi embora, e acho que fiquei esperando que ela voltasse para casa e aí pudéssemos escolher outro.

Ficamos calados por alguns instantes, ouvindo Marc Broussard cantando no rádio uma música sobre voltar para casa, para o delta.

— Estou pensando em comprar um cachorro para o Beau. A Charlie tem dois gatos e o Beau vive falando deles. Mas existe algo sobre meninos e cachorros; acho que combinam. O que você acha?

A bochecha dele se enrugou ao sorrir.

— É uma grande ideia. Ia mesmo puxar o assunto, mas mudei de ideia.

Olhei para ele dentro da cabine escura da caminhonete, seu rosto iluminado por semáforos à medida que passávamos por eles aos trancos e barrancos.

— Por que mudou de ideia?

Ele deu de ombros, mas não olhou para mim.

— Porque poderia significar que você estaria fincando raízes, e sei que não é o que quer.

Não sabia bem o que responder. Não que ele tivesse razão, mas tinha consciência de que ele também não estava errado.

— Cachorros são bastante portáteis — eu disse.

— Garotinhos também — acrescentou Trey rapidamente, enquanto estacionava o carro no meio-fio na rua Camp.

Caminhamos por um quarteirão até a esquina da Magazine com a Napoleon e ficamos parados em frente a um prédio de esquina com os dizeres The Club Miss Mae´S em neon laranja sobre a porta da frente.

Eram apenas oito horas da noite, mas havia um jovem usando topsiders e camisa polo, deitado na calçada do prédio e abraçado a uma garrafa de cerveja Dixie.

— Belo lugar — eu disse.

— Às vezes é mesmo — respondeu Trey, enquanto segurava a porta. — Especialmente se você tem um orçamento apertado e não quer pagar mais de um dólar e meio por uma bebida. Ou se está com vontade de beber às 4 da manhã. O Miss Mae fica aberto 24 horas todos os dias, o que é bom para alguém que faz direito e estuda até as 3 da manhã.

— Então, você vem sempre aqui? — perguntei e entrei naquele lugar escuro, o ar pesado com fumaça de cigarro e odor de cerveja velha.

— Não venho mais — ele disse secamente.

Olhei para ele e acompanhei seu olhar até o bar, onde um homem com jaqueta de couro estava sentado com os antebraços apoiados no balcão. Havia, na frente dele, um copo cheio com um líquido âmbar e dois copinhos vazios ao lado.

Caminhamos em direção ao bar à medida que meus olhos se ajustavam ao escuro, guiando-me pelos letreiros em neon nas paredes, a mesa de pebolim, uma vitrola mágica. O lugar estava praticamente vazio, e achei que fosse mais por estar relativamente cedo do que por ser uma noite no meio da semana.

Paramos atrás do homem no bar.

— Pai? — Trey tocou no ombro dele.

Ele se virou e seu rosto estava pálido sob as luzes fluorescentes, os cabelos escuros entremeados por fios grisalhos. Sorriu um sorriso dolorosamente conhecido enquanto deslizava do banco e tropeçava. Trey agarrou-o pelo braço e o segurou firme até que o homem lhe deu um abraço apertado. Os dois tinham quase a mesma altura e constituição; mesmo assim, Trey não teve o menor problema para sustentar o homem mais velho.

Johnny virou-se para mim, o rosto muito parecido com o de Trey, só que mais cheio, a pele enrugada com sulcos causados por mais do que apenas a idade.

— E você deve ser a garota que nos trouxe o filhinho da Mônica.

— Pai, esta é Julie Holt. Lembra-se? Ela é a responsável legal pelo Beau e proprietária de parte de River Song.

Ele acenou com a cabeça enquanto Trey o ajudava a voltar para o banco. Estendi o braço para cumprimentá-lo.

— Muito prazer, sr. Guidry.

Ele segurou minha mão, mas, em vez de apertá-la, levou-a até os lábios e a beijou. A barba de três dias no queixo fez cócegas em minha pele e seus olhos azuis brilharam enquanto me encarava.

— Pode me chamar de Johnny, todo mundo me chama assim. — Ainda segurando minha mão, olhou para Trey. — Você não me disse que ela era tão bonita.

Trey pegou meu braço, obrigando seu pai a me soltar, e me sentou em outro banco. Ele jogou a sacola da Domilise sobre o balcão do bar.

— Trouxe seu jantar porque imaginei que ainda não tinha conseguido comer. Pode ser que isso absorva um pouco da bebida.

Johnny olhou para ele, divertindo-se.

— Espero que não seja aquela porcaria frita. Você sabe como me preocupo com a saúde.

Ignorando-o, Trey perguntou:

— Como está a Deidre? — Ele puxou um terceiro banco e sentou-se entre mim e o pai.

Johnny acenou, com um anel de ouro no dedo mínimo.

— Não faço a menor ideia. Não a vejo já há alguns meses. Agora, estou saindo com a Clarissa.

Trey levantou as sobrancelhas.

— Bem, se a Deidre não se importa que saia com outras mulheres enquanto está casado com ela, continue casado. Será muito mais barato do que outro divórcio.

Johnny ergueu o copo.

— Um brinde a isso — ele disse e tomou mais um gole.

Eu olhava fascinada. Trey e Mônica não se pareciam em nada com o pai, exceto pelo cabelo grosso e ondulado e pelo nariz reto. Enquanto acompanhava a interação entre Trey e Johnny, percebi o quanto Aimee Guidry havia influenciado seus netos, quão forte ela devia ter sido para que Trey e Mônica se saíssem tão bem.

Um barman se aproximou e Trey pediu cerveja Dixie para nós dois, apesar de meu pedido por uma Coca-Cola. Ele se inclinou e, falando em voz baixa, disse:

— Você precisará da cerveja para conversar com o Johnny. Eu sempre preciso.

Levantei a sobrancelha, mas deixei para lá. Johnny chamou o barman e ele colocou um cubo de gelo dentro do copo. Em seguida, derramou mais duas doses da garrafa de Jack Daniels.

Trey tomou um gole da cerveja. Colocando a garrafa no balcão de madeira arranhada do bar, disse:

— Então, pai, o que quer me dizer pessoalmente que não pôde falar ao telefone?

— Nada de mais. Só queria conhecer a linda Julie. Pela forma como você e a Aimee a descreveram, pensei que ela teria halo e asas. — Olhou para mim e piscou. — Só não esperava que ela fosse tão maravilhosa também.

Trey inclinou-se para a frente, tirando-me do ângulo de visão de Johnny.

— Já chega, pai. Por que você não me conta por que teve vontade de nos arrastar para cá numa noite de quarta-feira?

Trey se acomodou no banco enquanto Johnny tomava um pequeno gole.

— Só queria saber o porquê desse seu interesse súbito pela história antiga da família, só isso.

Soube, pelo olhar hostil de Trey, que eu precisaria intervir. Coloquei a mão no braço dele e interrompi:

— Porque a Aimee, o Trey e eu acreditamos haver alguma relação entre a fuga da Mônica e o desaparecimento da Caroline Guidry. Sabemos que a Mônica, antes de partir, pesquisou a família do artista que pintou o retrato. O artista era meu bisavô, Abe Holt. Após o desaparecimento da Caroline, surgiram rumores de que ela fugira com o Abe Holt.

Ele assentiu devagar com a cabeça, os olhos alertas injetados de sangue.

— E a mãe da Aimee? Por que vocês estão cavando isso? Não tem nenhuma relação com a Mônica.

— É provável que não — disse Trey. — Mas, enquanto tentávamos encontrar os arquivos policiais, achamos que talvez pudéssemos achar alguma coisa. Pela Aimee. Ela passou todos esses anos sem saber e teria um pouco de paz se finalmente obtivesse uma resposta.

Johnny tomou a bebida demoradamente.

— Por que estão fazendo isso? Nada disso trará a Mônica de volta.

— Não — eu disse. — Não trará. Mas precisamos saber para compreendermos o que a afastou. O Beau vai querer saber quando estiver mais velho.

Após um longo momento, Trey falou calmamente.

— A Aimee e eu precisamos saber que não foi por nossa causa. É o que nos assombra, não sabermos isso. Estarmos sempre imaginando.

Trey deslizou a cerveja pelo balcão e pediu que o barman trouxesse mais uma. Johnny bateu com o copo no balcão.

— E, se você descobrir, saberá a quem culpar. E o que há de bom nisso?

Trey balançou a cabeça.

— Não estou procurando por culpados, só quero entender. Amava minha irmã e ela estava tentando nos dizer algo com seu desaparecimento. Quaisquer que fossem suas razões, não a culpo nem a quem quer que seja. Quero saber para poder me despedir dela.

Olhei para Trey como se o visse pela primeira vez, a pele macia sob a luz do bar, os olhos distantes, e senti um desejo estranho de abraçá-lo e apoiar minha cabeça em seu ombro para mostrar que compreendia a necessidade de saber, de entender que, nos caprichos do mundo, há momentos em que não há culpa; em seu lugar, há apenas circunstâncias e ausências inexplicáveis. Acho que ele sempre soube de tudo isso e, por essa razão, teve força para se levantar todas as manhãs.

— Então, o que você descobriu nos arquivos antigos? — perguntou Johnny.

Trey começou a descascar o rótulo da cerveja, lembrando-me de tomar um gole da minha.

— A mesma coisa que você já deve ter descoberto. Que se perdeu com o Katrina.

Johnny acenou com a cabeça, mas sem nos olhar.

— Então, é isso.

— Não exatamente. — Trey estudava seus dedos à medida que puxavam, de forma lenta e metódica, tiras do rótulo da cerveja Dixie. — Falei com a mamãe hoje, no telefonema semestral dela para saber de mim, e acabamos conversando sobre minhas tentativas de encontrar aqueles arquivos antigos. E ela me disse uma coisa muito interessante.

Franzi as sobrancelhas. Ele não me falara nada disso, e fiquei imaginando se sua intenção era fazer uma surpresa para o pai ou se não queria que eu soubesse antes.

— Filho, cuidado com o que vai dizer. Família é família.

— Eu sei. É por isso que quero falar abertamente sobre isso.

— Você quer que eu saia? — perguntei, já me levantando.

Trey tocou em meu braço.

— Não. Você é a responsável legal pelo Beau e agora faz parte desta família. A menos que queira sair.

Acomodei-me no banco, meu olhar firme quando encontrou os olhos dele.

— Não.

Vi quando começou um tique no maxilar de Johnny, igual ao de Trey quando estava zangado. Olhei para minha garrafa de cerveja quente, tentando não rir da ironia.

— Então, o que havia de tão interessante? — perguntou Johnny.

— A mamãe me disse que, depois que a Mônica foi embora, você começou a desencavar aqueles mesmos arquivos e descobriu que o arquivo da mãe da Aimee havia desaparecido e que o da Caroline possuía apenas algumas páginas sem informações relevantes. Como se tivessem sido alterados por alguém.

Johnny esvaziou o copo.

— E daí?

— Então, isso me fez pensar. Por que o desaparecimento da Mônica o levaria a procurar aqueles arquivos?

— Imagino que pela mesma razão que você. Estava curioso. Minha única filha fugiu de casa levando o quadro da minha avó. Pensei que pudesse haver alguma relação.

Trey e eu nos entreolhamos.

— Estávamos interessados devido à ligação da Julie com o artista. Não achávamos que houvesse relação com o desaparecimento da Caroline. O que levou você a pensar nisso?

Johnny balançou a cabeça devagar.

— Não faça isso, Trey. Deixe os mortos descansarem.

— Por que você fez essa conexão? — perguntou Trey mais uma vez.

Johnny girou no banco e olhou para o filho.

— Porque minha mãe me disse algo quando morreu.

— A Lacy? — perguntei.

— Sim. Minha linda mãe, a Lacy. Você sabia que eu estava no acidente de carro que a matou?

Balancei a cabeça. Trey e Mônica nunca tinham dito nada sobre Lacy. Eu nem sequer sabia que ela estava morta.

Johnny continuou.

— Eu não estava na direção. Era ela. Todos pensaram que a morte dela tinha sido instantânea, mas não foi.

Trey retesou-se no banco a meu lado e sua mão apertou a garrafa de cerveja vazia.

— Ela viveu o suficiente para me contar algo que eu não queria ouvir.

Um grupo grande de universitários adentrou o bar, mas a risada deles parecia fraca e distante, como se a única voz no recinto fosse a de Johnny.

— Pai, o que ela disse?

Johnny nos olhou, um de cada vez.

— Ela me disse para pedir ao meu pai que me contasse o porquê de ele ter se casado com ela, que me contasse tudo. E que todos os segredos são como uma maldição nesta família.

— E você pediu? — perguntei calmamente.

Ele balançou a cabeça.

— Não. — O olhar dele, penetrante, encontrou o meu. — Já aconteceu alguma vez de você querer tanto saber a verdade a ponto de ficar cego para todo o resto?

Fiquei sem ar até que a mão de Trey encontrou a minha e não a largou mais. Johnny continuou:

— Não sou tão forte assim. Eu queria saber, mas tinha medo do que poderia encontrar. — Ele levantou o copo. — O bom e velho JD garantiu que eu nunca tivesse que pensar sobre isso.

— Até a Mônica ir embora.

Ele assentiu com a cabeça.

— É. Minha única filha fugiu sem se despedir, e fui obrigado a me lembrar daquilo que minha mãe dissera sobre segredos.

— Não entendo — eu disse.

Trey levantou-se, puxando-me consigo.

— Então, quando você descobriu sobre os arquivos desaparecidos, foi procurar o Wes. Para finalmente perguntar a ele sobre o que a Lacy dissera.

— É. E foi então que vi que a pintura havia desaparecido e concluí que, fosse o que fosse que eu estivesse tentando descobrir, a Mônica já descobrira sozinha. Mas já era tarde demais para perguntar ao Wes.

— Porque ele já tinha sofrido um derrame — disse Trey.

Johnny concordou com a cabeça.

— E depois veio a demência. Às vezes, penso como ele tem sorte por não se lembrar de nenhuma das coisas ruins.

Fiquei encarando-o, confusa.

— O Wes? É o Wes que a Aimee visita na casa de repouso?

Johnny me olhou de forma estranha.

— E por que ela não o visitaria? Ele é o marido dela.

Balancei a cabeça, sem entender.

— Mas eu pensava que ela tivesse se casado com o Gary.

Trey pôs a mão no meu braço.

— Calma, Julie. A Aimee vai querer lhe contar ela mesma.

Olhei para os dois homens. De repente, estava ansiosa para ir embora.

Como que lendo meus pensamentos, Johnny pôs-se de pé, segurando-se no balcão com força para manter-se firme. Olhou para Trey.

— Filho, você é um menino esperto, tenho certeza de que pode continuar a partir daqui. Há apenas uma pergunta que você mesmo deve fazer.

Trey encarou o pai, uma pequena ruga entre as sobrancelhas. Disse, por fim:

— O Wes foi o último a ver aqueles arquivos. A Aimee nos disse que ele tinha ido ver se poderia encontrar algo e ele afirmou não haver encontrado nenhuma novidade. Não disse nada sobre o desaparecimento de um deles. Deve ter sido ele quem o pegou. Mas por quê? E o que foi que a Mônica descobriu?

Johnny bateu com as pontas dos dedos na testa, com o anel de ouro brilhando no mindinho.

— Igual ao seu velho, Trey.

Em seguida, voltou para o banco e chamou o barman de novo. Observei, entretanto, algo nos olhos dele, algo triste e desolador que contradizia sua displicência. Lembrei-me de Mônica e de como ela escondia bem sua tristeza de mim; de repente, ficou óbvio de quem ela herdara essa característica.

— A gente se vê por aí, pai. — Trey virou-se para sair.

— Adeus, Johnny — eu disse, ainda atenta àqueles olhos tristes, com Trey puxando-me em direção à porta. Estávamos quase lá quando parei. — Só um minuto. — Remexi na carteira e retirei uma foto de Beau, na qual ele usava um suéter de Thomas A Locomotiva que sua mãe encontrara em um brechó. Coloquei a foto sobre o balcão e a deslizei em direção a Johnny.

— Este aqui é Beau. Devia ir visitá-lo. Ele é a cara da Mônica e é o garotinho mais maravilhoso do mundo. Carinhoso, inteligente e engraçado... — Parei, percebendo que falava como um vendedor de carros. — Você devia ir visitá-lo — disse finalmente.

Ele segurou a fotografia e piscou rapidamente ao ver o neto pela primeira vez. Toquei no braço dele, desejando poder ter mais o que dizer.

— Eu amava minha filha, Julie. Apesar do que possa achar ou do que tenha escutado, eu a amava. E vou chorar a morte dela até o último dia da minha vida. — Olhou para mim com os olhos molhados. — Posso ficar com isto?

— Claro. — Apertei sua mão e saí, sentindo-me exausta de repente.

Deixei o bar, adentrando a noite fresca de fevereiro e engolindo ar como se estivesse estado submersa por um longo tempo. Estava desorientada e me virei até achar Trey. Ele colocou as mãos em meus ombros, mantendo-me firme.

— Obrigado por isso, Julie. Por dividir o Beau com ele. Acho que eu não conseguiria.

E então, antes de perceber o que estava acontecendo ou talvez porque desejasse que ele o fizesse, Trey inclinou-se e pressionou os lábios contra os meus. Senti como se estivesse submersa mais uma vez, mas, dessa vez, não precisava de ar para respirar nem de pernas para levantar porque eu estava rompendo a superfície, vendo os pinheiros altos e os velhos carvalhos da Deer Island. E senti o calor de Trey, fluido e insinuante, e, quando fechei os olhos novamente, vi a árvore do Katrina com o grupo de golfinhos, seus corpos firmes alongando-se para o céu.

Capítulo 22

Olho: área grosseiramente circular com ventos comparativamente mais fracos que compõe o centro de um ciclone tropical grave. O olho é circundado, de forma completa ou parcial, pela nuvem da parede do olho.

— Centro Nacional de Furacões

Julie

Nossa volta para casa pela noite de Nova Orleans foi silenciosa, pois eu estava ocupada pensando por que motivo Trey me beijara e por que eu desejara que ele o fizesse. Presumi que ele estivesse ocupado pensando sobre o que descobrira na conversa com Johnny e por que Wes escondera os arquivos. E o que acontecera para que Mônica partisse com o quadro de maneira tão repentina.

Ao estacionar a caminhonete, ele virou-se para mim.

— Gostaria de beber alguma coisa antes de deitar. E você?

— Claro — eu disse.

— Encontro você no meu escritório. Antes, quero ver como a Aimee está.

Assenti com a cabeça e me encaminhei para o escritório, feliz por ter mais tempo para me recompor. As caixas que trouxera do escritório de Carol Sue ainda estavam lá, com os objetos espalhados sobre a mesa como uma dissecação. Ao aproximar-me para examiná-los de novo, ouvi um som de metal arranhando a terra dura, vindo do jardim.

Caminhei em direção à janela e puxei a cortina para espiar lá fora. De onde estava, não tinha uma visão clara de todo o jardim, mas podia ver a garagem e metade do depósito. Xavier retirara tudo de dentro do depósito e empilhara sobre a grama. Ouvi o som de metal arranhando a terra mais uma vez e me estiquei para ver a esquina da casa.

— Não ligue para o Xavier, ele trabalha nas horas mais estranhas. Acho que tem insônia.

Assustei-me com o som da voz de Trey. Virei-me para encará-lo e estava tão desconcertada perto dele quanto uma menina de 12 anos com seu primeiro paquera.

— Acho que ele está se preparando para pintar o depósito. Parece que vai dar um trabalhão. Como ele já não é tão novo, fiquei surpresa quando ele não aceitou de cara sua ajuda.

O olhar de Trey desviou-se para o depósito.

— É, eu também. Perguntarei amanhã novamente... supondo que ele não vá passar a noite toda acordado para terminar.

Nossos olhos se encontraram mais uma vez.

— O que gostaria de beber?

— Só água — eu disse, com a cabeça ainda um pouco confusa pela bebida que tinha tomado no Miss Mae´s.

Trey se virou e caminhou em direção à porta.

— Acho que vou acompanhar você. Já volto.

Depois que ele saiu, voltei à caixa de Mônica, olhando o interior para ver o que eu deixara para trás. Descobri um pequeno álbum de fotografias de plástico com as bordas retorcidas e enroladas e o peguei. Com muito cuidado, usei o dedo mindinho para desgrudar a capa da primeira página. O plástico claro estava muito grudado, como se o houvessem colado. Consegui separá-las e me vi sorrindo ao ver as fotos de Mônica jovem com o uniforme do Sagrado Coração; estava em pé com Aimee e um homem atraente e mais velho, em frente aos degraus da casa da rua Primeira. Mônica segurava uma fita azul em uma das mãos e um quadro de uma paisagem em aquarela na outra. Faltavam dois dentes da frente no sorriso.

— Esse é o Wes — disse Trey atrás de mim, estendendo um copo d’água com uma rodela de limão.

Agradeci com a cabeça e peguei o drinque.

— E você vai mesmo me fazer esperar a Aimee contar como acabou ficando com ele?

Trey arqueou as sobrancelhas, mas não disse nada. Suspirei e voltei-me para o álbum.

— Se você não se importar, vou tentar salvar estas fotografias e colocá-las em um arquivo seguro digitalizado. Então, vou dá-lo ao Beau. Ele não tem nenhuma fotografia da mãe e acho que vai gostar.

Trey bebeu um gole da água.

— Ele se diverte com a foto da Mônica no salão. Acha engraçado ela já ter sido criança como ele.

— Eu também — eu disse suavemente, enquanto tirava da caixa a mão cheia de contas metálicas verdes, douradas e roxas. — Ela sempre decorava nosso apartamento para o Mardi Gras. Não faço ideia de onde ela encontrava as contas ou o King Cake, mas estavam sempre lá.

— Este ano, o dia do Mardi Gras será 8 de março. Talvez você e o Beau queiram assistir a um ou dois desfiles.

Acenei com a cabeça, concordando, enquanto separava as pétalas caídas de buquês ressecados.

— A Carol Sue disse que deveríamos ver o desfile do Mardi Gras em Biloxi, é menor, mas menos confuso. E ele passa bem em frente ao edifício do Walker, na avenida Howard. Podemos sentar na varanda e não terei que me preocupar muito com o Beau.

— De qualquer maneira, você não teria que se preocupar com ele. Você não é mais o único adulto que se preocupa com ele.

— Eu sei. Desculpe. Acho que minha preocupação com ele já virou um hábito.

— Você é uma boa tutora, Julie.

Abaixei a cabeça, olhando fixamente para dentro da caixa para que ele não pudesse ver meu rosto.

— E você é um bom tio. Acho que o Beau está se dando muito bem.

Ouvi os passos de Trey em direção à escrivaninha.

— Já parou para pensar no que fará com o Beau depois que River Song for concluída?

Continuei de cabeça baixa.

— Não estou acostumada a planejar nada com muita antecedência.

— Porque isso pode obrigá-la a parar e pensar um pouco sobre sua vida. — As palavras dele foram ditas com suavidade, sem nenhuma intenção de magoar. — Mas a vida não é mais só sua.

Finalmente, olhei para ele, reconhecendo que pensava o mesmo, só não tinha coragem de dizê-lo.

— No momento, o bem-estar do Beau é minha prioridade. Pensarei em todo o resto quando o momento chegar.

Voltei-me para a caixa e identifiquei algo redondo e escuro em um dos cantos. Retirei-o da caixa e fiquei olhando.

— É um coco coberto por tinta e verniz.

Trey pegou-o de minha mão e o segurou com deferência.

— Mas não é um coco qualquer. É um coco Zulu premiado, distribuído apenas no desfile Zulu, na manhã do Mardi Gras. É uma espécie de item cobiçado. — Ele brincou um pouco com ele. — Talvez possa servir como inspiração para a decoração de um dos quartos de River Song. Não teria precisão histórica, mas acho que a Mônica aprovaria, de qualquer maneira.

Encarei-o, imaginando só por um momento como seria conseguir pensar e fazer planos com antecedência, como se a vida vivida agora continuasse de forma ininterrupta, possuir o tipo de força e capacidade de lidar com a adversidade necessária para reconstruir após uma tempestade.

— Tenho que admitir que ainda não pensei no interior da casa, a não ser pelo assoalho de madeira reciclada.

— É, e essa conversa só demorou três semanas. — Trey colocou o coco sobre a mesa e voltou, inclinando-se sobre a escrivaninha.

— Queria que tudo desse certo, só isso. River Song permanecerá lá por um longo tempo, então, precisamos lutar por aquilo que queremos.

Como não disse nada, olhei para ele e vi que estava me olhando fixamente, com um sorrisinho, enrugando levemente sua face.

— O que foi? — perguntei.

— Deixe para lá. — Ele acabou de beber a água, as pedrinhas de gelo tilintando no vidro. — O que achou do meu pai?

Inclinei-me sobre a mesa, olhando meu copo.

— Ele me pareceu perdido. E acho que tem estado assim há muito tempo, pelo menos desde a morte da mãe dele.

— Nunca ouvi aquela história. Ele poderia estar inventando.

— Acho que não. Ele não teria falado sobre a Lacy se sua intenção fosse esconder qualquer coisa de nós. — Pensei por um momento. — Acha que conseguiríamos alguma resposta se visitássemos o Wes?

Trey deu de ombros.

— Não faria bem nenhum. Ele não reconhece mais ninguém, nunca falou sobre os pais antes do derrame. Só do Gary e da Aimee. Ele ficava muito agitado se alguém falava do passado.

— Acha que ele estava protegendo alguém? O pai dele? Parece que o Gary considerava o relacionamento dos pais muito ruim. Talvez o Wes tenha descoberto que o pai teve alguma ligação com desaparecimento da mãe. E o Xavier? Ele desapareceu na mesma noite que a Caroline. O detetive encarregado da investigação acreditava que ele sabia de alguma coisa.

Trey balançou o gelo no copo.

— Só não diga nada na frente da Aimee. Por alguma razão, ela o considera um grande protetor. Isso costumava irritar meu avô porque o Wes detestava Xavier, e tenho a impressão de que o sentimento era recíproco.

Pensei por um momento.

— A Ray Von me disse que o Xavier trabalha para a família desde a época do Camille. Onde ele estava entre o desaparecimento da Caroline em 1956 e o Camille em 1969?

— Segundo a Aimee, procurando se encontrar. Tudo o que sei é que foi nessa época que a Ray Von começou a se distanciar da Aimee. Como se a Aimee fosse culpada pela ausência do Xavier, na época. — Ele passou os dedos pelo cabelo, como Beau fazia. — Conforme eu disse, a Aimee não vai querer ouvir nada de ruim sobre o Xavier. Ele é, sem dúvida, muito dedicado a ela, mas nenhum dos dois gosta de falar sobre o passado.

O olhar de Trey fixou-se em mim por um longo tempo, desviei o olhar. Virando-me para o computador, perguntei:

— Importa-se se eu usá-lo agora?

Como se não tivesse escutado nada do que eu dissera, ele perguntou:

— Julie, por que você se importa? Por que se interessa por toda essa história?

Movi o mouse e o monitor se iluminou, mostrando a foto de Mônica e Trey na praia. Era um momento perfeito de uma época, um marco de uma vida feliz terminada de forma abrupta dez anos antes do último suspiro de Mônica. Vi a sombra de Aimee na fotografia, seus braços levantados para segurar a câmera, envolvendo Mônica em um abraço.

— Porque algumas coisas nunca devem ser esquecidas. Não importa se é uma lembrança que nos ensine alguma coisa ou uma lembrança de algo precioso, como um botão para rebobinar a vida. Às vezes, é só o que temos. — Parei de falar e observei a criança inocente, ainda visível, tanto em Trey quanto em Mônica.

— O Johnny chamou você de corajosa, percebeu? Porque você está preparada para encarar a verdade. Concordo com ele. Não acho que a chamaria assim quando a conheci, mas penso que ele tem razão.

Envergonhada, voltei-me para o monitor.

— Não sei mais o que sou, mas tenho certeza de que não sou corajosa. — Olhei para minhas unhas, curtas e malfeitas. — Acredito que coragem descreva pessoas que encaram a devastação, mas só conseguem ver possibilidades. Não sou nem um pouco assim.

Apertei o ícone do Internet Explorer e esperei que carregasse.

— Julie?

— O quê?

— Você se importou quando a beijei mais cedo?

Fiquei feliz por ele não poder ver meu rosto.

— Não.

— Então, não vai se importar se a beijar de novo qualquer dia desses?

Balancei a cabeça.

— Não.

— Que bom.

Mantive os olhos no monitor e esperei que se aproximasse, mas, em vez disso, ouvi passos afastando-se.

— Boa noite, Julie. Não se esqueça de ligar o alarme antes de dormir.

A porta se fechou e percebi que sorria.

Acabara de entrar no site do FBI quando ouvi um grito vindo do andar de cima. Assustada, pulei da cadeira e corri para o quarto de Aimee. Uma luz fraca brilhava por baixo da porta, e, quando bati, a porta se abriu lentamente.

A luz fraca vinha de uma luminária de flor-de-lis prateada próxima ao rodapé na parede oposta à porta. Projetava sombras alongadas sobre a cama e as paredes. As hastes altas da cama de dossel pareciam manter cativo seu ocupante.

— Aimee? — Olhei dentro do quarto e a vi apoiada sobre os travesseiros, com a pele brilhante de suor. — Você está bem?

— A luz, por favor.

Acendi o abajur de cabeceira e ela pareceu relaxar.

— Quer que eu chame a Kathy?

Ela balançou a cabeça.

— Não, estou bem. Foi só um pesadelo. Você pode, por favor, me dar um copo d'água? Está bem ali sobre o criado mudo. Eu mesma pegaria, mas a cama é tão alta que levaria 20 minutos até eu conseguir descer daqui.

Batia os dedos agitada enquanto me observava. Esperei um pouco enquanto ela bebia a água, com as mãos um pouco trêmulas. Quando terminou, me devolveu o copo e o levei de volta para a mesa.

— Quer que eu fique um pouco mais?

Ela deu de ombros levemente, mas seu rosto mostrava alívio.

— Só um pouquinho. Quero que me conte como foi sua noite.

— Sobre o encontro com o Johnny?

— Claro. — Os olhos dela brilharam.

Fiquei observando o teto enfeitado com um medalhão.

— Ele não é o que eu esperava.

— Não. Coitado do Johnny. Tentei fazer o melhor que pude, mas ele foi sempre o filho da Lacy. Ele ainda é bem carinhoso, mas a vida o deixou mais duro.

Inclinei-me em sua direção, com os cotovelos apoiados sobre os joelhos.

— Ele nos disse uma coisa. Disse que a Lacy contou-lhe algo bem antes de morrer.

Os nós das mãos de Aimee ficaram brancos à medida que apertava os lençóis, mas a expressão dela manteve-se inalterada.

— O que foi?

— Ela disse que ele deveria perguntar ao Wes a razão de ele ter se casado com ela.

Aimee inspirou profundamente, os dedos amassando a colcha.

— Todos nós pensamos que fosse porque ela estaria grávida, mas Johnny nasceu dois anos depois do casamento.

— Por que, então? Ele amava você e sabia que você o amava. Ele deve ter lhe dado uma boa explicação.

Os olhos dela ficaram sombrios.

— Ele disse que foi por causa do Gary. Que nós nunca poderíamos ficar juntos porque o Gary era frágil demais para ser magoado daquela maneira. E se o Wes não podia ficar comigo, poderia muito bem ser a Lacy.

Inclinando-me para a frente, disse:

— E descobri que é o Wes quem você visita no asilo. O que aconteceu com o Gary?

Fechou os olhos e relaxou sobre os travesseiros.

— Já chego lá. Mas, primeiro, diga-me: o que o Johnny descobriu?

— Ele só começou a procurar por uma resposta quando a Mônica desapareceu, quando já era tarde demais, porque o Wes não podia mais responder às perguntas dele. Tudo o que descobriu foi que o arquivo da sua mãe desaparecera, assim como a maior parte do da Caroline.

Os dedos mexiam nervosamente na ponta do cobertor.

— Ele nunca me disse nada. O que isso quer dizer?

— Não há como saber, já que não sabemos quem mexeu nos arquivos pela última vez. Tudo que sabemos é que o Wes viu o arquivo da sua mãe, Aimee, quando você pediu. Mas foi há quase 70 anos... eles poderiam ter desaparecido em qualquer momento nesse intervalo de tempo.

— É verdade. Poderiam, sim.

Ela parecia pálida e ofereci-lhe outro copo d'água.

— Subi porque ouvi você gritar. Foi um pesadelo?

Aimee assentiu com a cabeça.

— Já não tenho esses sonhos com tanta frequência, mas quando acontecem... — A voz falhou. — Dessa vez, não me lembro bem, exceto... exceto pelo cheiro. Acho que sempre esteve presente, mas nunca prestei muita atenção.

— Onde você está no sonho?

Seus olhos azuis encontraram os meus, pequenos e brilhando no quarto mal iluminado.

— Na cama da minha mãe.

Recostei-me na cadeira ao lado da cama.

— E que cheiro você sentiu?

— De suor. Não o meu próprio... mas é familiar. Como se conhecesse a pessoa, mas não é ninguém que me amedronte. E há outro... — A voz sumiu.

A mão pendeu aberta sobre o cobertor, querendo ar. Pus minha mão sobre a dela e a apertei.

— É o perfume da minha mãe. Sinto o cheiro do perfume dela. Lembro-me de vê-la colocá-lo naquela noite antes de sair.

Fiquei parada por um bom tempo, ouvindo a noite embrenhar-se pelas estruturas daquela casa velha.

— E isso é tudo de que você se lembra do sonho?

Aimee concordou com a cabeça.

— Acho que há algo mais, mas sempre que tento pensar a respeito, me escapa. Fico sempre com a impressão de que é importante.

— Vai acabar se lembrando. Não fique pensando muito sobre ele. Quando menos esperar, você se lembrará.

Ela recostou-se no travesseiro, soltando minha mão, observando-me atentamente.

— Preciso contar-lhe mais sobre o Gary.

Recostei-me na cadeira.

— Eu gostaria de ouvir — disse. — Se não estiver cansada demais.

Ela deu um sorriso meio torto.

— Logo, logo, terei o tempo que quiser para descansar. Mas agora, tenho coisas mais importantes a fazer.

Alcancei o copo e o enchi de novo, então esperei que Aimee me contasse mais sobre Gary e sobre por que não ficara surpresa ao saber que os dois arquivos das duas investigações independentes da família Guidry estavam desaparecidos.

Capítulo 23

O nível mais baixo da maré vazante é a virada da maré.

— Henry Wadsworth Longfellow

Aimee

1961

No dia de meu casamento, os céus enviaram à terra grossas gotas de chuva, encharcando tudo e fazendo com que os carvalhos que arborizavam a avenida St. Charles vertessem lágrimas durante o cortejo sob suas copas em direção à Catedral Holy Name. Ray Von dissera que chuva no dia de casamento era certeza de que meu casamento seria repleto de lágrimas. Ignorei-a, confiante de que o sucesso de meu casamento não teria nada a ver com o clima.

Planejamos passar a curta lua de mel em River Song e, quando chegamos a Biloxi, era pouco mais de meia-noite. Gary estava cansado demais para dirigir e logo adormecera no banco do carona. Dormia profundamente enquanto eu estacionava na entrada, e, então, decidi abrir a casa e levar as malas sem acordá-lo. Quando saía pela porta da frente, depois de deixar a última mala, olhei para além do velho carvalho e do gramado até o estreito. A lua cheia criara um caminho de luz dourada pela água e o encontro delicado das ondas na areia atraiu-me até o píer. Fiquei de pé, na beirada, envolvendo-me com meus braços no frio da noite, recordando-me dos dias quentes de verão de nosso passado. Tudo parecia muito distante.

Alguma coisa se moveu, respingando água abaixo de mim, e olhei para a água escura, sentindo os primeiros tremores de medo. A lua no alto banhava tudo com seu brilho, mas a escuridão dominava os locais que seus braços dourados não alcançavam. Estremeci e me afastei, seguindo cautelosamente para o píer, com medo de virar as costas para os locais escuros. Bati de encontro a algo sólido e gritei.

— Shhh, calma, Aimee. Sou eu.

Gary me abraçou, transferindo calor para meu corpo que tremia.

— Meu Deus, Gary. Sinto-me uma boba. É apenas o escuro...

Beijou-me na têmpora.

— Não é bobagem. — Ficou abraçado a mim por um momento, até que o tremor passasse. Então, disse: — Vamos. — E me acompanhou do píer até a casa. Fechou a porta, deixando a noite para trás, e segurou minha mão. — Vamos subir.

Soltei a mão dele com uma timidez repentina e comecei a apagar todas as luzes metodicamente.

— Isso pode esperar, Aimee. Suba comigo.

Puxou minha mão e me guiou pelos degraus estreitos e íngremes da escada até o quarto principal espaçoso. Tentei apagar todas as lembranças que tinha do sr. e da sra. Guidry naquele mesmo quarto.

O luar preencheu o espaço com um brilho indistinto, embaçando o mundo a nossa volta. Tirei os sapatos e desci as meias. O anel de ouro no dedo causava uma sensação de calor e peso em minha pele à medida que me deixei envolver nos braços dele e espalmei as mãos nas costas dele.

Ele me beijou, o sangue pulsando em minha cabeça no ritmo das ondas lá fora. Senti um puxão no zíper na parte de trás do vestido e, em seguida, uma brisa fresca acariciar minha pele nua. Segurei a parte da frente do vestido, com medo de que caísse. Gary o puxou, mas não o soltei, envergonhada de que ele me visse.

Ele colocou o vestido no lugar e fechou o zíper, antes de dizer:

— Não saia daí. Já volto.

Ouvi-o descer correndo pela escada de madeira e sair pela porta da frente. Alguns minutos depois, a porta bateu de novo e escutei seus passos apressados escada acima. Ele parou na porta segurando uma garrafa de vinho, um saca-rolhas e duas taças.

— Com os cumprimentos de sua avó — ele disse com um sorriso largo.

Sentamos na cama, bebendo vinho e conversando. Falamos sobre os verões passados, sobre aquele lugar e todas as boas lembranças que tínhamos. Gary falou sobre nossos filhos e como passaríamos todos os verões ali com eles e seus amigos até ficarmos velhinhos. Falamos também sobre os netos, como os levaríamos para pescar no píer e escutaríamos os cochichos deles na varanda sonolenta.

Essa conversa sobre crianças impeliu-me a comentar sobre algo que nunca tivera coragem de perguntar; nunca teria tanta coragem se não fosse pelo vinho.

— E seu coração, Gary? Quero dizer... — Olhei para minha taça. — Quero dizer, seus médicos dizem que não tem problema se você... você sabe...

— Ter relações sexuais? — Jogou a cabeça para trás e deu uma risada. — Meu médico disse que, se eu fosse forte o suficiente para subir correndo a escada, estaria forte o bastante para fazer sexo. E se fosse forte o suficiente para subir correndo a escada duas vezes, aí, poderia fazer sexo duas vezes.

Ri também, sentindo o efeito do álcool no vinho subir à cabeça, deixando-me relaxada. Peguei a taça da mão dele e coloquei ambas sobre a mesa de cabeceira. Em seguida, levantei e deixei o vestido cair por meus ombros. Gary levantou-se também e deslizou as alças da combinação pelos meus braços.

Ele respirou fundo.

— Aimee...

Afastei-me, preocupada com seu tom de voz.

— O que foi?

— Nada, meu amor. Só queria dizer que você seria uma péssima rainha de vodu porque seus feitiços falham solenemente.

— Como assim?

Ele me beijou devagar e disse:

— Estou feliz em informar que ambas as bolas estão aqui e em perfeita ordem.

Ri baixinho, sentindo seu hálito de champanhe, recordando um dia de verão, há muito tempo, quando dissera tanto para ele quanto para Wes o que desejava que acontecesse com eles na noite de casamento.

— Ainda bem, já que sem elas seria difícil encher esta casa de crianças.

Ele me beijou mais uma vez e nos deitamos na cama, com o luar e a água como se fossem um casulo nos envolvendo.

Acordei na manhã seguinte com o sol atravessando a cama, iluminando a cabeça de Gary e recobrindo-a com raios brilhantes. Ele estava deitado de barriga para baixo com o braço esquerdo sobre mim. Coloquei-me sobre ele, beijando seu pescoço gentilmente, sentindo seu cheiro de suor e champanhe.

Ele rolou, derrubando-me e prendendo-me embaixo dele, em meio à bagunça dos lençóis. Rosnando baixinho, ele puxou os que estavam entre nós e jogou-os no chão. Fechei os olhos, escondendo-me da intensidade de seu olhar, e senti o calor do beijo dele em minha barriga.

Fizemos amor a manhã inteira até o início da tarde, acompanhando o avançar das horas pela inclinação do sol, projetada na parede. Enfim, levantamos e preparamos algo para comer na cozinha. Estava descalça e usava apenas sua camisa enquanto preparava os sanduíches. Ele estava atrás de mim mastigando uma maçã, uma das mãos me tocando sem parar.

Mordiscou meu pescoço e puxou a camisa, expondo minha clavícula. Ele parou e falou com o hálito quente sobre minha pele:

— Você pensou em Wes quando estávamos juntos na cama?

Voltei-me para ele, afastando-o de mim, apertando minhas costas contra o balcão.

— Por que disse isso?

— Não sou cego, Aimee. Sempre percebi a maneira como você olhava para ele. E ainda olha.

Dei um passo à frente, pressionando minha testa contra o peito dele.

— Casei-me com você, Gary. Não é o bastante?

Gary apertou o corpo contra o meu, prendendo-me entre seus braços. Sua voz era baixa e sedutora, nossos lábios quase se tocavam enquanto ele falava.

— Só para ter certeza, porque quero você inteira.

Tirei o cabelo de seu rosto, deslizei as mãos e as apoiei sobre seus ombros nus.

— Você me tem, sou toda sua.

Ele riu, fazendo ruído com o peito.

— Ótimo. Será que podemos comer alguma coisa agora?

Acariciei a cabeça dele e terminei os sanduíches, olhando, vez por outra, para Gary e imaginando quanto do que tinha dito a ele era verdade.

Enquanto comíamos nossos sanduíches, Gary disse:

— O Wes me fez um pedido estranho.

Continuei mastigando o sanduíche, tentando não demonstrar muito interesse.

— Qual foi o pedido?

— Ele me pediu que mantivesse o Xavier longe de você. Acha que ele é perigoso.

De repente, senti a comida seca em minha boca.

— Por que ele disse isso? Não encontro com o Xavier desde a noite do Baile de Comus. — Baixei os olhos, lembrando-me da sensação de ter alguém me observando, me esperando.

— Ele não explicou. Mas acho que o Wes acredita que o Xavier possa ter ajudado nossa mãe a fugir com aquele artista. Quem sabe? — Ele estendeu o braço e segurou minha mão, apertando-a. — Tudo isso é passado. Só o que temos agora é nosso futuro. Juntos.

Sorri, mas não tinha mais apetite. Continuei a comer sem sentir gosto de nada, desejando que Gary estivesse certo.

Partimos três dias depois e voltamos para nossa vida em Nova Orleans. Quando saímos de carro, a tarde começava a cair, roubando a terra de suas cores. O sol emitia raios vermelhos e alaranjados, banhando a casa com uma luminosidade flamejante. Gary dirigiu, com o braço direito sobre meu ombro, e observei a casa desaparecer pelo espelho retrovisor, um símbolo para a família que viríamos a ter algum dia. Suspirei contente e me apoiei no ombro de meu marido, pronta para iniciarmos juntos nossa vida.

— Eu sento no banco da frente!

Joguei minha bolsa no chão do carro e olhei para Johnny.

— Não, senhor. O Tio Gary acha que é mais seguro para as pessoinhas sentarem no banco de trás, e acho que ele está certo.

O garotinho fez uma careta, com o lábio inferior estendendo-se o mais longe possível.

— Minha mãe deixa.

— Não sou sua mãe, e este é meu carro. Ou você senta atrás ou nós não vamos ver *Os 101 Dálmatas*.

Seus olhos se arregalaram, tentando descobrir se eu falava sério. Assenti com a cabeça e ele abriu a porta de trás do carro e entrou. Inclinei-me para o banco de trás.

— Só quero proteger você, meu querido. Beijei-o na cabeça e, em seguida, fechei a porta.

— Onde está o Tio Gary?

— Não sei, ele disse que já estava vindo. Espere um pouco que vou descobrir o que está acontecendo. — Subi correndo a escada da casa dos Guidrys, ainda sem saber ao certo se já era considerada membro da família para entrar sem cerimônias. Eu e Gary tínhamos um apartamento em Carrollton, mas ele ainda chamava esta casa de lar. Tinha minha própria chave, mas nunca a usara, desde meu casamento. Toquei a campainha e esperei que alguém atendesse.

Após alguns minutos, toquei de novo antes de abri-la eu mesma.

— Gary, por que não abriu a porta? — A porta fechou-se atrás de mim com um pequeno clique. — Gary! Vamos chegar atrasados!

Ouvi um pequeno gemido vindo do salão e entrei correndo. Gary estava deitado no sofá com o antebraço sobre o rosto.

— Estou aqui, desculpe. Não consegui chegar até a porta.

Corri na direção dele e ajoelhei ao lado do sofá.

— Gary, o que aconteceu? Preciso chamar o médico?

Ele levantou o braço.

— Não, vou ficar bem. Acabei de tomar um dos meus comprimidos, mas demora alguns minutos para fazer efeito. — Seu braço caiu sobre o rosto novamente. Sua pele estava branca como giz e manchada como os mármores dos mausoléus no cemitério. Sentei-me a seu lado e segurei a mão dele, sentindo sua maciez.

— Tem certeza de que não preciso chamar o médico?

— Só se for para consertar os ossos quebrados de minha mão. Você está apertando com muita força.

— Desculpe. — Rapidamente afrouxei a mão e passei os dedos sobre a dele. — Estou preocupada com você.

Ele mantinha os olhos fechados enquanto falava, começando a respirar devagar, e sua cor voltava ao normal.

— Vou ficar bem. Só exagerei enquanto brincava com o Johnny. Ele pode ser pequeno, mas é forte. — Ele sorriu. — Mal posso esperar para ter uma dúzia desses.

— Mal posso esperar para ver você trazendo-os ao mundo. Essas coisas que você deve estar aprendendo na faculdade de medicina. — Cutuquei-o de leve com o cotovelo.

— Ficarei feliz começando com apenas um. — Os olhos dele se abriram e ele ergueu a mão para tocar meu rosto. Segurei a outra e trouxe a palma da mão aos lábios para beijá-la.

— Acabamos de nos casar, Gary. Deveríamos esperar.

A porta da frente se abriu, seguida por um estrondo e o som de pezinhos correndo. Johnny ficou em pé na porta, cheio de energia e despenteado.

— Vamos logo! Nós vamos perder o filme!

Gary balançou a cabeça negativamente.

— Desculpe, amigão, mas não estou me sentindo muito bem. Você se importa em ir sozinho com a Tia Aimee? Ela pode ser sua namorada.

Os olhos azuis de Johnny brilharam.

— Tá bom. Mas você me leva de novo outro dia.

— Combinado, amigão. Talvez no próximo final de semana.

— Você vai ficar bem, Gary? Quer que eu o deixe em casa antes?

Ele me mandou embora.

— Só preciso descansar. Vou ficar bem.

Beijei-o carinhosamente, seus olhos já se fechando. Levantei-me e estendi a mão para Johnny.

— Vamos lá, bonitão.

Quando saímos da casa, Wes estava estacionando atrás de meu carro.

— Papai! — Johnny correu em direção ao pai, de braços abertos, e foi erguido e girado no ar.

Wes bagunçou o cabelo de Johnny.

— Como vai o meu menino favorito?

— Vou levar a Tia Aimee para sair comigo e ver *101 Dálmatas*. Quer vir?

Wes olhou para mim e dei de ombros.

— Se você não se importar, também não me importo.

Ele pareceu confuso por um momento e disse:

— Por que eu me importaria? Não vejo nenhum problema em eu e você levarmos meu filho ao cinema.

— Está bem — eu disse, olhando para todos os lugares, exceto para seu rosto. — Problema nenhum. — Pensei em Gary dormindo no sofá e imaginei se ele se importaria. — É melhor nos apressarmos se não quisermos perder o início. Sei como vocês homens são, ficam totalmente perdidos pelo resto do filme.

Wes e Johnny me deram o mesmo sorriso, me fazendo rir. Wes se encaminhou para o carro dele.

— Vamos no meu carro, já que estacionei atrás do seu.

Johnny pulou para o banco de trás sem reclamar. Sentei-me no banco do passageiro, sentindo-me uma impostora ocupando o lugar de Lacy, roubando sua família por algumas horas.

Enquanto nos dirigíamos para o cinema, Wes olhou para mim.

— Casamento combina com você, Aimee. Você está quase brilhando.

Senti aquele calor revelador no rosto.

— Obrigada. Eu e o Gary somos muito felizes.

Ficou em silêncio por um momento, mas não olhei para ele.

— Fico feliz por vocês.

Permanecemos sem dizer nada pelo resto do caminho, um silêncio interrompido apenas por uma ou outra pergunta vinda do banco de trás.

Sentamos na fila da frente na sala de cinema; Johnny sentou-se no meio com um enorme saco de pipocas. Houve um momento em que eu e Wes colocamos as mãos dentro do saco ao mesmo tempo e elas se tocaram. Recuei como se tivesse sido picada. Passei o resto do filme sentada sobre as mãos para garantir que aquilo não se repetisse.

Depois do filme, levamos Johnny para comer hambúrguer com chocolate. Ele falava sem parar, cheio de perguntas e comentários, assim, eu e Wes não precisamos puxar conversa.

Estava mordendo meu cheeseburguer quando Johnny perguntou:

— Como um bebê entra da barriga da mãe? A mãe da Donna Peacock vai ter um bebê e ela disse que foi Deus quem colocou o bebê lá dentro, mas não entendo como ele fez isso.

Wes tossiu e quase engasguei com meu sanduíche. Olhamos um para o outro e depois para Johnny.

— Pergunte para sua mãe — respondemos ao mesmo tempo... e então tivemos que abafar o riso.

Naquele momento, Johnny derramou o chocolate sobre si mesmo, no chão e em mim, o que, felizmente, nos poupou de responder sua pergunta.

Esperei do lado de fora do restaurante, na avenida Napoleon, enquanto Wes levava Johnny ao banheiro para tentar limpá-lo o máximo possível. Foi um daqueles dias perfeitos de primavera que Nova Orleans distribui com moderação, com céu azul celeste e umidade quase ausente. Meu cabelo mantinha-se levemente ondulado, caído sobre os ombros, em vez de arrepiar-se em cachos; minha pele estava macia em vez de úmida. Senti-me quase glamurosa. Sentei-me em um banco de frente para as amplas vias e trilhos de bonde da antiga linha da avenida Napoleon, já não utilizada havia quase dez anos.

— Sra. Aimee?

Virei-me, a respiração suspensa na boca. Xavier estava parado no beco ao lado do restaurante atrás de mim, o olho como um ponto solitário de luz no rosto escuro. Ele deu um passo para trás nas sombras quando me ouviu arfar.

— Não vou machucar a senhora.

Levantei-me e me aproximei dele.

— Eu sei. Você me assustou, só isso.

Ele olhava em volta, nervoso.

— Vi a senhora com aquele garotinho, o Johnny. E com o Wes. Onde está o Gary?

— Ele ficou em casa porque não estava se sentindo bem.

— Minha mãe diz que ele não tem muito tempo.

Uma mosca pousou em meu antebraço e a espantei.

— Não diga isso, Xavier. Sua mãe não é médica.

Vários pedestres paravam para me olhar conversando com um homem negro, depois seguiam em frente.

— Estou protegendo-a, sra. Aimee. A senhora não precisa mais ter medo do escuro. Estou tomando conta da senhora.

Aproximei-me.

— Você tem me seguido, Xavier?

— A senhora precisa ter cuidado. A senhora não sabe o que uma pessoa é capaz de fazer para manter um segredo.

— Que segredo?

— O sr. Guidry...

Ele começou a falar, mas recuou quando um grupo de jovens barulhentos dobrou a esquina da rua Dryades, o líder carregando uma bola de futebol e jogando-a para o grupo e agarrando-a quando ela voltava para ele. Depois que eles passaram, olhei de volta para o beco e Xavier havia desaparecido. Olhei em todas as direções à sua procura e chamei seu nome, mas ele não estava em lugar nenhum.

Johnny e Wes saíram do restaurante e sorri para eles, sentindo um arrepio na nuca enquanto caminhávamos em direção ao carro. Sentia o olhar de Xavier e imaginava como ele soubera de meu medo do escuro.

Despertei com o canto do grilo. Voltei-me para Gary, mas percebi apenas lençóis vazios e frios. Sentei-me assustada e vi uma silhueta próxima à janela. Relaxei quando a silhueta virou-se para mim e minha lâmpada iluminou o rosto de Gary.

Deslizei para fora da cama e juntei-me a ele no assento da janela. O grilo cantava por perto, seu clamor solitário não respondido. Peguei a mão de Gary, entrelaçando meus dedos aos dele. Eles estavam rígidos e implacáveis, mas não retirei a mão. Ele mal falara comigo quando voltara do cinema com Wes e Johnny.

Os olhos dele brilhavam com o reflexo do luar.

— A Ray Von diz que quando um grilo canta em uma casa é sinal de mau agouro.

— A Ray Von diz um monte de bobagens. Não presto atenção nas coisas que ela fala.

— Talvez você devesse. — Ele virou-se para a janela.

Aproximei-me dele no assento e me reposicionei para apoiar as costas em seu peito.

— Vi O Xavier ontem. Estava do lado de fora do restaurante, o Wes e o Johnny não o viram. Ele disse que estava me protegendo.

— Talvez ele tenha uma queda por você. Não parece muito incomum.

Ignorei o sarcasmo dele e disse:

— O tenente Houlihan tem procurado por ele, mas não estou certa se devo contar que o Xavier está aqui. Ele está se escondendo por alguma razão, mas não posso ajudá-lo porque ele não me conta nada. Ele mencionou seu pai, mas desapareceu antes que pudesse me contar mais alguma coisa.

Gary deu de ombros.

— O Wes e meu pai não me contam nada. Apenas que o Wes acha que o Xavier é perigoso. Talvez você deva contar ao tenente que o viu.

Fechei os olhos, ouvindo o canto do grilo, as notas estridentes perdidas na noite escura. Mudei de assunto para evitar discussão.

— Por que não está na cama?

Ele se mexeu por trás de mim.

— Não consegui dormir. Pensando demais, acho.

Aconcheguei-me a ele.

— Pensando sobre o quê?

Sua voz estava bem perto de meu ouvido, baixa e profunda.

— Sobre como eu desejo ver seu rosto se iluminar quando você me olha, da mesma maneira como ele se ilumina quando olha para o Wes.

O choro de pesar do grilo chegou mais perto dessa vez, quase no assento da janela.

— Isso não é verdade. — Estendi a mão para trás e toquei seu rosto, sentindo as pontinhas dos pelos da barba. — Esqueça isso, por favor. Não posso seguir em frente se você insiste em me puxar de volta para o passado.

Ele virou a cabeça para a palma de minha mão e a beijou, os lábios mornos e molhados. Não disse nada, mas, com um suspiro, virou-se para a janela mais uma vez.

Levantei-me e estendi a mão para ele.

— Venha para a cama comigo.

Ele olhou para cima, com os olhos escondidos nas sombras escuras. Em um movimento suave, levantou-se e puxou-me para o chão com ele. Suas carícias eram ásperas e ternas ao mesmo tempo, dolorosas e provocantes. Senti a força de seu amor por mim, o que tocou minha alma e apagou todos os pensamentos sobre Wes de minha mente por mais uma noite. Adormeci nos braços de Gary, ouvindo o canto solitário do grilo à medida que a noite negra se transformava em uma manhã púrpura.

Capítulo 24

A ondulação de uma tempestade é uma grande cúpula de água, muitas vezes com 80 a 160 quilômetros de largura, que varre a costa perto do landfall *de um furacão.*

— Serviço Nacional de Meteorologia

Julie

Sonhei que dormia na varanda de River Song, tal como era antes do furacão que a destruiu, deixando para trás apenas lembranças e um velho carvalho cheio de cicatrizes. Olhava para o lado e via minha irmã, Chelsea, sorrindo para mim. Era aquela menina de 9 anos que eu conhecia; porém, seus olhos eram mais velhos e mais sábios, e, quando olhei mais de perto, percebi que eram os de Mônica.

A corda grosseira da rede roçava minhas pernas e os ganchos de metal rangiam enquanto Chelsea e eu nos balançávamos, para a frente e para trás, mantendo o ritmo com o som das ondas.

— Olhe! — disse ela apontando para Deer Island, coberta de árvores marrons e mortas.

Fechei os olhos, sem querer ver, quando escutei a voz de Trey me dizendo para abri-los novamente. E, então, estava deitada de costas na areia, com Chelsea a meu lado, as árvores verdes de novo, balançando ao sabor da brisa fresca. O som e o cheiro do mar estavam mais fortes agora e, quando olhamos para cima, o céu era de um azul cristalino, salpicado de nuvens.

— Olhe! — disse ela de novo, e vasculhei o céu para poder ver o que ela via.

Sorri ao identificar a nuvem dela, um nariz comprido e uma barbatana formando um golfinho a flutuar em sua graça infinita, prestes a mergulhar na superfície da água.

— Estou vendo — eu disse, rindo de como aquilo era óbvio e tentando entender por que nunca identificara as nuvens de Chelsea antes. — Estou vendo — disse mais uma vez para Chelsea, que se levantara e caminhava para a beira do mar. Olhou-me pela última vez, acenou e mergulhou nas profundezas da água escura, até desaparecer.

Chamei pelo nome dela, mas o tom de minha voz não era de aflição, como se eu, no sonho, soubesse que Chelsea estava por perto, mesmo sem conseguir vê-la. Senti o peso de minha própria solidão, causada mais do que pela simples ausência dela, a consciência de tudo aquilo fora de meu alcance.

Alguma coisa respingou por perto, batendo com força; levantei-me alarmada da cama e me deparei com o rosto de Beau muito próximo ao meu, os olhos de sua mãe fixos nos meus. Ele segurava o chapéu vermelho, mas não chupava o dedo. De repente, me dei conta de que não o via fazer isso já há algum tempo.

— Quem é Chelsea?

Sentei e acendi o abajur. Em seguida, olhei para o relógio com o mostrador das horas brilhando sobre a mesa de cabeceira.

— Beau, são quatro horas da manhã. O que está fazendo fora da cama?

— Você estava falando com alguém chamado Chelsea.

Tirei o cabelo do rosto, com a sensação de poder ainda ouvir o barulho do mar e sentir o cheiro de sal no ar.

— A Chelsea era minha irmã.

— Ela não é mais sua irmã?

Pisquei os olhos devagar, a princípio sem entender.

— É. Claro que é. Só que... ela não está mais por aqui.

— Como a mamãe?

Ajeitei o cabelo dele caído sobre a testa, notando como crescera e como estava mais claro de tanto ficar ao ar livre, brincando com Charlie e Trey.

Imaginava o cabelo de Mônica assim também, até ela se mudar para a cidade, para o apartamento abafado, alimentando-se das lembranças do sol brilhante e do movimento das ondas. "Mônica, o que aconteceu? O que levou você para longe daqui?"

— *É, Beau. Assim como sua mãe* vai ser sempre sua mãe.

— E como a Chelsea vai ser sempre sua irmã. — Ele fechou a mão, pressionando-a contra meu peito em cima do coração, da mesma forma como eu tinha feito com ele no dia em que a mãe fora enterrada. — Ela vai estar sempre aqui, mesmo que você não possa ver.

Olhei para ele por um longo tempo, pensando em como ele amadurecera. Então, inclinei-me para a frente e beijei-o na testa. Beau sorriu para mim.

— Você está pensando de novo em como eu sou maravilhoso?

Ri e, em seguida, brinquei com seu cabelo.

— Estou, sim, e em como você é inteligente também. Acho que você vai estar pronto para ir para o jardim de infância no outono.

Ele revirou os olhos.

— Já sei ler. Não sei por que preciso ir para a escola, se sou tão inteligente.

Foi bem difícil conter o riso. Fomos distraídos pelo som de algo sendo arrastado pela grama, embaixo da janela. Saí da cama e segui Beau para olhar lá fora.

Xavier colocara um holofote para iluminar um dos lados do depósito e estava removendo do caminho o conteúdo dele, empilhado tudo do lado de fora, para que pudesse pintar. Uma torção na mão e depois o mau tempo tinham adiado a pintura do depósito e, aparentemente, Xavier decidira que o trabalho já estava demorando tempo demais. Latas de tinta, uma delas aberta, estavam sobre a grama, com um pincel grande sobre uma das que estavam fechadas. Vários metros adiante havia uma pá virada para baixo e imaginei se o que me despertara fora o som da pá caindo e batendo na lata.

— Não é mais fácil pintar durante o dia, quando a gente enxerga melhor?

Olhei para Beau.

— Esqueça o jardim de infância. Acho que você já está pronto para o segundo grau. — Olhei pela janela lá fora de novo. — Vou lá perguntar a ele. Mas, primeiro, quero que volte para a cama. A Charlie e a mãe dela querem estar no consultório do dr. King o mais cedo possível, antes do desfile do Mardi Gras, e não quero que você seja o sr. Reclamão por estar com sono. A sra. Aimee vai conosco e, provavelmente, já vai estar no carro às oito, buzinando para nos apressar.

Ele sorriu ao imaginar a cena, porém, os olhos dele eram sérios.

— Tá, vou tentar, mas estou aceso demais para dormir. — Abraçou-me e correu de volta para o quarto dele, passando pelo banheiro, que ligava nossos quartos.

Depois que ele saiu, voltei-me para a cama e percebi que ele deixara o chapéu vermelho. Peguei-o e fui em direção ao quarto dele para devolvê-lo, mas resolvi deixá-lo sobre minha mesa de cabeceira, onde estaria, caso ele voltasse para pegá-lo.

Valendo-me da claridade das lâmpadas noturnas dispostas estrategicamente pelo corredor, cheguei até a cozinha. Desativei o alarme e saí para o jardim. O odor de tinta e de terra revolvida, misturado ao cheiro estranho, decadente e doce de Nova Orleans à noite, atingiu-me em cheio.

Encontrei Xavier encarapitado no topo da escada, aplicando pinceladas de tinta branca, metodicamente, na lateral do depósito. Ficou paralisado, com a mão erguida segurando o pincel, quando chamei seu nome baixinho.

— Você deveria estar na cama dormindo, como as pessoas normais — ele disse asperamente.

Cruzei os braços e disse:

— Poderia dizer o mesmo a você.

Cuidadosamente, ele colocou o pincel apoiado sobre a lata e desceu da escada.

— Não consigo dormir. Acho melhor fazer algo útil em lugar de perder tempo na frente da televisão.

— Mas pintar? Não é meio difícil pintar à noite?

Ele deu de ombros.

— Faço isso de olhos fechados. Assim, pela manhã, a tinta vai estar seca o suficiente e posso levar tudo de volta para dentro.

Assenti com a cabeça, observando todas as caixas e equipamentos pesados empilhados do lado de fora.

— Xavier, quantos anos você tem? Setenta e cinco, setenta e seis?

— Por aí.

— Estou impressionada. Acho que eu não conseguiria fazer tudo isso sozinha.

— Srta. Julie, quer me perguntar alguma coisa? Tenho que trabalhar.

Hesitei por apenas um momento, sem saber se teria outra oportunidade ou coragem para questioná-lo de novo.

— Na noite em que a sra. Guidry desapareceu, o mesmo aconteceu com você. Sei que o Wes Guidry pensou que você a teria ajudado a fugir com meu bisavô. Havia rumores de que teriam fugido juntos, mas não encontramos nenhum sinal de que isso tenha realmente acontecido. Pensei que talvez soubesse de alguma coisa e gostaria de saber se a Mônica chegou a lhe fazer essa pergunta também.

Xavier não se moveu, mas seu olho brilhou à luz dos holofotes.

— O que vai trazer de bom desencavar essa história antiga? Não fez nenhum bem à srta. Mônica, não foi?

Fiquei quieta e sabia que ele queria que eu parasse, que ele achava que trazer de volta o fantasma de Mônica me faria parar de perguntar. Mas eu era bastante experiente com respostas evasivas.

— Então, ela perguntou, não foi?

Ele não respondeu imediatamente e ficamos em silêncio, um de frente para o outro, quando algo escuro e pequeno disparou para fora do beiral da casa antiga, as asas se agitando como uma corrente de ar. Por fim, ele disse:

— Ela perguntou. Estava bem aí onde você está agora e fez a mesma pergunta. — Deu as costas para mim e subiu a escada. — Disse a ela que perguntasse ao avô. Disse que, se havia alguém capaz de responder *às* perguntas dela, esse alguém era ele.

Observei enquanto ele mergulhava o pincel na lata e o passava de um lado para o outro sobre as tábuas do galpão.

— E ela foi? Ela foi questioná-lo?

O cheiro de tinta sufocou o de terra recém-revolvida, um cheiro que destoava de um jardim à noite. A tinta molhada brilhava com a luz, um ponto de luminosidade no meio de tanta escuridão. Era como estar em um sonho onde pisar fora do círculo significaria acordar.

Ele parou de mover o braço por um momento.

— Não sei. Logo em seguida, soube que a srta. Mônica fora embora e que, depois, o sr. Wes sofrera um derrame.

Fiquei olhando para as costas dele, remoendo suas palavras e tentando descobrir o que eu estava deixando passar.

— Ele sofreu o derrame no mesmo dia?

Xavier assentiu com a cabeça.

— Creio que sim. Não vi a srta. Mônica partir. A única coisa que sei é que minha mãe saiu da casa gritando que o sr. Wes tinha caído no quarto e que precisava da minha ajuda para levá-lo para o sofá enquanto esperávamos pela ambulância.

— Então, você esteve com ele logo após o derrame? Ele lhe disse alguma coisa, algo sobre a Mônica e por que ela teria partido de forma tão repentina?

Xavier virou a cabeça lentamente, com seu único olho brilhando na escuridão do rosto.

— Ele não me disse nada. — Aí, parou por um instante, como se tivesse algo a dizer, mas, em seguida, voltou a pintar. — Está tarde, srta. Julie. Precisa entrar e dormir um pouco.

Percebi que ele não me diria mais nada, dei boa-noite e voltei para casa pela porta da cozinha. Hesitei à porta, vendo que esta estava aberta, com todas as luzes acesas. Empurrei a porta devagar e ouvi o bipe do micro-ondas antes de ver Aimee colocar uma colherada de chocolate em pó em duas canecas. Ela virou-se e sorriu quando entrei na cozinha, em seguida abriu a porta do micro-ondas e retirou uma jarra de leite fervendo.

— Não consegui dormir, então, preparei um pouco de chocolate e, quando ouvi você conversando lá fora com o Xavier, achei que poderia querer também.

Sentei-me em uma das cadeiras em volta da mesa.

— Obrigada. Eu adoraria.

Ela ergueu uma embalagem plástica.

— Marshmallow?

— Por favor.

Ela deixou cair dois marshmallows grandes dentro de cada caneca antes de despejar o leite fervendo sobre eles. Colocou as colheres dentro das canecas e levou-as para a mesa.

— Imagino que o Xavier tenha acordado você também.

Mexi devagar, esperando os marshmallows derreterem.

— Acordou, sim. O Beau também, mas espero que ele já esteja dormindo. Vai ter um dia cheio pela frente.

Aimee assentiu com a cabeça.

— Ele vai ter mesmo. A Mônica transformava o Mardi Gras em um grande acontecimento. Ela decorava River Song com flâmulas e guirlandas e com qualquer outra coisa que pudesse encontrar com as cores do Carnaval. Sempre teve esperança de tornar-se, algum dia, Rainha Ixolib.

— O quê? — Soprei a caneca, observando o vapor subir.

— Biloxi escrito ao contrário, e ela é a rainha do Mardi Gras de Biloxi. Imagine só que, no próximo Mardi Gras, vamos poder decorar River Song de novo.

Pensei na casa recém-erguida com o quintal deserto e janelas desprovidas de venezianas e tentei imaginar o que aconteceria depois que estivesse finalizada, mas não consegui. Estava quase pronta, e com a nova elevação tinha-se, da varanda da frente, ainda sem balanços ou redes, uma visão panorâmica do estreito. Ainda assim, quando imaginava a casa em minha mente, via apenas um terreno vazio e um carvalho cheio de cicatrizes, de pé como uma sentinela no gramado da frente.

Aimee me encarava através do vapor que subia da caneca e os olhos dela eram gentis.

— Seu pensamento ainda não chegou tão longe, não é verdade?

Balancei a cabeça, concordando.

— Não. Embora já tenha começado a pesquisar escolas para o Beau na área de Biloxi. Independentemente de onde eu ou ele estejamos, ele vai ter que entrar na escola no outono. — Admiti para mim mesma, pela primeira vez, que Beau e eu poderíamos acabar em dois lugares completamente diferentes. Dei um golinho em meu chocolate quente, queimei a língua e mal percebi.

Ela ergueu as sobrancelhas e continuei a falar para impedi-la de dizer mais alguma coisa.

— Na verdade, já dei até uma olhada na St. Martin, em Ocean Springs. Ainda é um internato, mas eles também têm alunos de meio-período. Não foi essa a escola que o Xavier frequentou?

— Foi, sim. Costumava ser uma escola particular só para negros durante a época de segregação. Até mesmo naquela época, já era bem conceituada. Uma das únicas escolas preparatórias para faculdade só para negros.

Olhei para meu chocolate, franzindo a testa, e observei o reflexo das luzes do teto na superfície lisa.

— Fiquei impressionada com o preço. Sempre foi cara assim?

— Não sei, embora acredite que sim, devido à reputação que tinha. Por quê?

— Bom, só fiquei pensando em como a Ray Von pôde arcar com as despesas mandando-o para lá. Você sabe por quanto tempo ele estudou ali?

Ela ficou em silêncio por um momento.

— Não exatamente, mas sei que ele foi enviado para lá logo depois da morte da minha mãe. Só me lembro disso pelo que o Gary me contava, quando costumava atormentá-lo com perguntas sobre suas lembranças a respeito do assassinato da minha mãe. O Xavier tinha cerca de 9 anos de idade e, pelo que disseram, ele achava que minha mãe era um anjo porque era gentil com ele. Talvez tenha sido por isso que ele foi mandado para o internato depois que ela morreu. Não sei. De qualquer maneira, acho que o Xavier terminou o Ensino Médio lá por volta do início da década de 1950, depois voltou para Nova Orleans para morar com a Ray Von e fazer "bicos" para o sr. Guidry.

— Até o Baile de Comus, quando a sra. Guidry desapareceu e ele sumiu de vista também.

Ela balançou a cabeça, segurando a caneca entre as mãos.

— Não completamente. Ele acreditava que eu precisava de proteção, embora nunca tivesse me dito de quem. Mesmo hoje, se eu perguntasse, ele diria que está me protegendo porque minha mãe não está aqui para fazê-lo. Acho que isso vem da devoção dele por ela.

— Depois, ele reapareceu após o Camille e tem trabalhado para os Guidrys desde então.

Aimee assentiu e colocou a colher na caneca vazia.

— O Wes o contratou. O Wes foi ferido durante o Camille, já lhe contei isso? E o Xavier o salvou. De qualquer modo, o Wes havia dito que precisaria de ajuda com a casa e contratou o Xavier. A Ray Von se aposentou e compramos para ela aquela casa em Biloxi. E tem sido assim há muito tempo.

Levantei-me e peguei a caneca dela.

— Quer mais um pouco?

Ela concordou e coloquei mais leite na jarra para esquentar.

— Você não contou o que aconteceu durante o furacão Camille nem como acabou ficando com o Wes.

Ambas viramos com o som da escada sendo retirada. Enquanto falava, Aimee continuava a olhar para a porta da cozinha que dava para o jardim.

— Não, não contei. Mas acho que já está na hora de continuar a contar minha história. Acho que estamos chegando perto.

— Perto?

— Perto de descobrirmos o que a Mônica sabia e que nós não conseguimos enxergar. Eu lhe disse, quando você chegou aqui, que, assim que juntássemos nossas histórias, nós descobriríamos.

Abri a porta do micro-ondas.

— Mas parece que temos mais perguntas agora do que quando começamos.

— A vida é assim mesmo, Julie. O fato de termos perguntas não significa que já não saibamos algumas respostas. — Os olhos azuis dela me encaravam fixamente e percebi que já não falava mais de Mônica.

Servi o leite fervendo sobre o chocolate e o marshmallow nas canecas e as coloquei sobre a mesa. Em seguida, sentei-me em frente a Aimee e me preparei para ouvi-la.

Capítulo 25

Ainda que a noite seja longa, o dia há de raiar.

— Provérbio Africano

Aimee

1962

Às altas temperaturas da primavera seguiu-se um verão escaldante em que a densa e incômoda umidade do ar penetrava pelas finas frestas das persianas, sob as portas e através das roupas leves de algodão que eu usava para trabalhar na galeria de arte. O odor desagradável do rio Mississippi envolvia toda a cidade, qual uma enorme serpente, enlaçando-a com o cheiro característico de lama.

Gary havia concluído o primeiro ano da faculdade de medicina com boas notas, mas ainda não estava de férias. Ele trabalhava em uma pesquisa de verão no laboratório do centro médico, com os mesmos esforços e carga horária do período de aulas da faculdade. À noite, chegava em casa exausto. O máximo que conseguia fazer era comer algo no jantar e assistir a um de nossos programas favoritos na televisão. Na maioria das noites, ele pegava no sono no sofá. Eu o deixava ali mesmo, coberto com uma manta, e ia para nossa cama dormir sozinha.

No final de julho, era o aniversário dele. Pedi a meu supervisor que me liberasse do trabalho naquele fim de semana para fazer uma surpresa a

Gary: uma viagem a River Song. No intervalo da hora do almoço, fui à seção de lingerie na Maison Blanche. Queria encontrar algo provocante para usar, de modo que Gary revivesse o clima de nossa lua de mel.

Como parte do presente, tive ainda outra ideia. Lembrei-me do retrato pintado da sra. Guidry, em que ela usava um vestido de gala em uma festa do Baile de Comus, aquele que o sr. Guidry havia relegado ao sótão da casa. Nunca perguntei o motivo, apenas presumia que era doloroso demais para ele olhar a pintura. Entretanto, como Gary tinha sido muito próximo da mãe, pensei em pendurá-lo na parede de nosso apartamento. Eu tinha certeza de que poderia convencer o pai dele a nos ceder o retrato.

Sabendo que quarta-feira era o dia de folga da ajuda doméstica, usei, dessa vez, minha própria chave, sem tocar a campainha. Colocando a cabeça pela porta entreaberta, disse:

— Olá! É a Aimee. Tem alguém em casa?

Na verdade, eu não esperava por resposta alguma. Os homens deveriam estar no trabalho e Lacy raramente ficava em casa. Em meio às partículas de pó que se movimentavam no feixe de luz visível, entrei e fechei a porta.

— Olá! — perguntei de novo, sem obter resposta.

Subi, então, até o topo da escada e me vi adiante da porta do sótão. Então, o telefone tocou e instintivamente me dirigi ao quarto mais próximo para atendê-lo. Porém, depois de um único toque, ele parou de chamar. Recoloquei o fone no aparelho e olhei à minha volta, percebendo que devia estar no quarto de Wes e Lacy. Uma grande cama de quatro hastes com dossel, no meio do quarto, chamou minha atenção. A colcha que a cobria era repleta de flores silvestres e trepadeiras. Confesso que estranhei aquele excesso de feminilidade, imaginando como Wes suportava aquilo. Amontoadas no chão junto à cama, uma camiseta e meias masculinas. Nesse aspecto, os dois irmãos eram bem parecidos.

Virei a cabeça e vi uma mesa de trabalho e uma cadeira. Ao pegar a cadeira para levá-la comigo até o hall, notei que a mesa estava repleta de fotos de Lacy e Wes. Havia algumas de Johnny, tiradas por profissionais, mas a maioria era de meros registros dos pais em diversas atividades. Os dois formavam um belo casal, mas não havia como não notar que Lacy parecia estar sempre agarrada a Wes, com as unhas vermelhas segurando a jaqueta dele, como se quisesse impedi-lo de fugir. Um leve sorriso e os olhos inexpressivos dele pareciam sempre os mesmos; à exceção de uma única foto. Nela, Wes estava segurando o filho recém-nascido e era nítida a alegria estampada em seu rosto. Toquei na moldura, mas senti apenas o vidro frio nos dedos.

Levei a cadeira até o corredor e com ela escorei a porta de acesso ao sótão. Eu sabia que aquela porta tendia a se fechar sozinha e a trancar pelo lado de fora. Não tinha a mínima intenção de ficar presa no sótão até que alguém me encontrasse. Uma luminosidade fraca entrava pela janela, alcançando apenas o topo da escada, de modo que subi cuidadosamente cada um dos degraus íngremes e estreitos.

O calor era intenso na área reclusa, parecendo algo com vida própria, cuja força atingia meu rosto quando cheguei ao último degrau. Quase não reconheci o sótão. Parecia completamente mudado desde a última vez em que estivera ali. A maior parte das caixas e dos móveis tinha sido deslocada para um dos lados do aposento, deixando um amplo espaço vazio em frente à janela. Um travesseiro e algumas cobertas estavam empilhados junto à parede e os painéis da janela estavam limpos.

Olhei à minha volta, imaginando onde o retrato poderia estar. Vi um armário antigo e verifiquei que a gaveta de cima estava quebrada. Curiosa, me dirigi até ela e tentei puxá-la. Uma lanterna com uma luz amarela brilhante rolou em minha direção. Apanhei-a, surpresa com a intensidade da radiação brilhante na parede.

Após recolocar a lanterna no lugar, continuei olhando tudo o que havia no sótão. Talvez houvesse algo, entre as coisas descartadas por ali, que Gary e eu pudéssemos usar em nosso apartamento. A mãe de Gary havia tentado redecorar algumas partes da casa com um estilo mais moderno, com cores brilhantes e cromados, tendo guardado no sótão antiguidades preciosas. Registrei mentalmente que perguntaria a meu sogro sobre algumas das peças que estavam ali só para juntar poeira.

Percorri o entorno do aposento, tentando encontrar, entre as várias obras penduradas nas paredes e por cima dos móveis, a que eu procurava. Estava quase desistindo quando vi uma mesa velha no canto, com um tapete enrolado em frente a ela. Depois de tirar o tapete, passei a abrir as gavetas, onde havia muitos papéis e fotos antigas. Quando tentei verificar o que havia na gaveta maior da parte inferior, alguma coisa a travou, impedindo-me de abri-la. Ao estender a mão, encontrei algo com uma cantoneira, parecendo uma moldura de madeira. Animada, ajeitei e pressionei cuidadosamente a borda, de modo que consegui puxar a gaveta.

Meu coração bateu mais forte ao me deparar com o rosto de Caroline Guidry, exatamente da mesma maneira quando, quase sete anos antes, eu a vira pela primeira vez. O broche de jacaré que ela ostentava no peito chamava muito a atenção, quase conseguindo ser o foco do retrato. Mas, observando os olhos de Caroline, me convenci de que ela jamais teria se permitido ser ofuscada.

Ao ouvir o som de passos na escada, voltei-me e me deparei com o sr. Guidry, com um sorriso nos lábios.

— Aimee, mas que surpresa agradável encontrá-la aqui! Desde que você e Gary se mudaram, dificilmente vemos vocês. — Mas, ao notar o retrato em minhas mãos, seu sorriso foi diminuindo e me perguntou: — O que é isso?

Embora eu tivesse conhecido meu sogro ao longo de toda a minha vida, sem contar o fato de ser esposa do filho dele, senti-me constrangida diante da situação, como se tivesse acordado de manhã e me desse conta de que havia dormido na cama errada.

— Eu estava pensando em dar um presente de aniversário para o Gary. Lembrei-me desse retrato da mãe dele e, caso ele se interessasse, eu pediria sua permissão para colocá-lo na parede do nosso apartamento.

Ele olhou o quadro e não fez menção de tirá-lo de mim quando disse:

— Eu deveria ter destruído isso há anos. Não sei o que me fez guardá-lo.

— Fico feliz por não ter feito isso. Acho que o Gary gostaria de ficar com ele.

Ele me deu as costas, caminhou até a janela e, olhando para fora, argumentou:

— Desculpe, Aimee, mas essa não é uma boa ideia. É claro que você percebe o quanto a saúde do Gary é delicada. Ver esse retrato e lembrar que ela o abandonou seria uma pressão muito forte para ele. Ele não deve se estressar agora. — Então, olhando-me novamente com expressão sombria, completou: — Estou certo de que você me entende.

Desconcertada e sentindo o ar opressivo que me fazia suar, dei um sorriso forçado e esbocei:

— Eu realmente não acho que...

— Pai, você está aí em cima?

Nós dois nos viramos ao ouvir a voz de Wes atrás de nós.

— Olá, Aimee. Vi seu carro lá fora e sabia que estaria em algum lugar. — O olhar dele era suave quando me viu, e eu esperei que o sr. Guidry não tivesse notado.

— Olá, Wes — respondi, sorrindo.

Ele olhou então para o retrato em minhas mãos e imediatamente franziu o cenho:

— O que está fazendo com isso?

Surpresa diante de sua reação, respondi:

— Pensei que o Gary gostaria de ganhar como presente de aniversário.

Mas, antes mesmo que eu pudesse terminar de falar, ele estava balançando a cabeça em sinal de desaprovação:

— Isso está fora de cogitação!

Então, o sr. Guidry adiantou-se e me tomou o retrato. Até quis resistir, mas percebi que meus esforços seriam em vão.

— Era o que eu estava tentando dizer a ela. Quanto seria prejudicial que o Gary lembrasse que a mãe o abandonou, cada vez que olhasse para o quadro. — Dizendo isso, trocou um olhar com Wes, cujo significado não pude decifrar.

— Ele está certo, Aimee — concordou Wes. — Temos que pensar no Gary. — E tomando-me pelo braço, foi me levando em direção à escada. — Vamos descer. O Gary mencionou quanto seria útil ter uma nova mochila para levar às aulas. As tiras da que está usando atualmente estão completamente desgastadas.

Vendo que não poderia argumentar mais nada com ambos, desisti de tentar convencê-los.

Nesse momento, o sr. Guidry, que estava ao lado da mesa onde encontrei o retrato, me perguntou:

— Você achou mais alguma coisa? Algo mais que tenha pertencido à minha esposa?

Balancei a cabeça negativamente, dizendo:

— Não, o senhor está procurando alguma coisa em especial?

— Não. Eu apenas queria me certificar de que o Gary não terá que se deparar com lembranças desagradáveis da mãe. É melhor que a esqueça.

Aliás, é melhor que todos nós a esqueçamos.

Então ele guardou o retrato na gaveta e pude rever, de relance, os olhos dela azuis, como os de um gato. Continuei a descer a escada, alheia à mão de Wes em minhas costas ou a qualquer outra coisa que não fossem as razões pelas quais pai e filho queriam esquecer Caroline Guidry.

— Feliz aniversário, bonitão!

Eu me debrucei sobre Gary, que ainda estava dormindo, e beijei seus lábios.

Ele reclamou um pouco, enquanto, com o lençol, protegia os olhos da claridade da janela aberta.

— É hora de se levantar e comemorar! Temos planos para seu aniversário.

Subitamente, ele estendeu os braços e me puxou de volta para a cama.

— Eu também, sra. Guidry, eu também! — disse, enquanto acariciava meu pescoço, e senti seu corpo sonolento e quente.

— Mas eu já estou vestida — retruquei.

Ele deu uma risada enquanto mordiscava meu queixo.

— Isso pode ser resolvido rapidamente.

Ele deslizou a mão até o zíper de minha saia, mas de repente parou.

— Ai! — gemeu. E, esfregando o braço, se sentou na cama. — Meu braço está me matando. Mal posso movê-lo.

Alarmada, também me sentei e perguntei:

— O que há de errado com ele?

Ele continuou a esfregar o braço e a amassá-lo com os dedos, sem resposta aos estímulos.

— Não é nada. Engraçado, devo ter dormido por cima dele. Vai passar. — Ele pôs as pernas para fora da cama e se levantou, esquecendo-se completamente de que estava me despindo. — Vou tomar um banho.

— E eu vou fazer um café da manhã de arrasar para você.

Ele arqueou uma sobrancelha e disse:

— Você sempre está querendo me seduzir, não é?

Joguei então o travesseiro nele e fiquei admirando-o por trás enquanto ele caminhava em direção ao banheiro, ainda esfregando o braço.

Tomou o café da manhã, mas mal tocou nos grelhados e grãos e nos outros mimos que eu tinha cuidadosamente preparado para ele. Depois, pediu licença para ir se deitar um pouco mais enquanto eu colocava as coisas no carro.

Eu estava à porta, com as chaves do carro na mão, quando percebi que ele não tinha forças para sair do sofá.

— Gary, qual foi a última vez que você consultou o cardiologista?

Ele me olhou como se pedisse desculpas.

— Tenho andado tão ocupado ultimamente que acabei faltando a algumas consultas agendadas. Prometo que vou ligar marcando para a semana que vem.

— Acho melhor não irmos longe neste final de semana. Existe alguma possibilidade de marcar essa consulta para hoje?

Ele se apoiou no braço da poltrona e levantou-se, um pouco trêmulo.

— Não, não há. Às sextas-feiras, eles saem para jogar golfe — ele disse, aproximando e beijando meu rosto. — Olhe, eu tenho remédio para passar o final de semana. Esses poucos dias de descanso e relaxamento são provavelmente aquilo de que preciso. De qualquer maneira, prometo que vou marcar a consulta na segunda-feira. Estou bem. De verdade.

Novamente, ele me beijou, mas dessa vez nos lábios, e fomos até o carro. Ele se sentou no banco do passageiro e eu dirigi durante uma hora e meia até Biloxi. Passamos o resto do dia deitados em redes na varanda da frente da casa, jogando cartas. Vez por outra, eu me levantava para encher os copos de bebida ou buscar algum lanche na cozinha, mas ficávamos principalmente em nosso casulo na ampla varanda da frente, avistando o estreito e vendo as gaivotas brancas e os mergulhões.

Nem vi quando a noite chegou. Quando me levantei, Gary também se levantou. Uma brisa fresca bailava pelo estreito e valseava com os arbustos que batiam na casa.

— Vamos — ele me disse, puxando-me para junto de si.

Andamos de mãos dadas, atravessando o caminho de areia. Olhei para a lua enevoada, imaginando que, se essa luz se extinguisse, ficaríamos na mais completa escuridão.

Gary parou na orla da praia, então se deitou ali junto ao movimento das águas que tocavam seus pés. Hesitante, deitei-me ao lado dele, sem me importar com a areia molhada nos cabelos. A água estava morna em nossos pés e, sedutora, ela acariciava nossa pele e nos acalentava qual uma canção de ninar.

— Sabe o que os esquimós dizem das estrelas? — ele me perguntou, olhando para mim, e eu fiz que não com a cabeça. — Eles dizem que são aberturas para o céu. O amor dos nossos entes perdidos é derramado por essas aberturas e brilha sobre nós para que possamos saber que estão felizes.

Peguei a mão dele, cheia de areia e umidade, e apertei-a.

— Gosto disso. Isso me faz pensar na minha mãe, que ela não está realmente perdida para mim.

Ele não respondeu, mas virou o rosto para o céu.

Depois de um tempo, me disse:

— O Wes ainda ama você, Aimee.

Eu me apoiei num cotovelo enquanto observava o cenário azul de sua pele como um flanco de nuvem em destaque na frente da lua.

— Por favor, não, Gary.

Como se não tivesse me ouvido, ele continuou:

— Creio que ele sabe que o maior erro que cometeu nessa vida foi deixá-la ir. Ainda não sei o motivo. Tenho pensado muito nisso e até agora não consigo entender.

— Não quero falar sobre isso. Nada disso importa mais.

Então, ele se sentou, me encarou e disse:

— Mas é preciso, Aimee. Importa bastante. Você e o Wes se sacrificaram muito pela felicidade dos outros, inclusive a minha. Espero que chegue um tempo em que vocês dois possam colocar o que desejam em primeiro lugar.

— Você está me assustando, Gary. O que está dizendo? Que não deveria ter se casado comigo?

Ele acariciou meu rosto com dedos suaves como uma brisa cálida.

— Ah, não. Estar casado com você é a melhor parte da minha vida — ele disse. Olhou para o estreito por um momento, então voltou-se para mim. — Só quero que esteja preparada. Se algo acontecer, quero que vá atrás do que *você* deseja, para variar.

— Mas é você quem eu quero. Lembre-se de que nos casamos. Até que a morte nos separe e tudo mais. Não vou deixar você nunca!

Não pude decifrar a expressão de seu rosto, mas ele se inclinou e me beijou.

— Vamos nos sentar no cais — ele disse.

Enquanto caminhávamos até o cais, ele esfregou o braço de novo. A madeira seca e os gravetos estalavam sob meus pés descalços.

Na beira do cais, nós nos sentamos nas cadeiras de jardim à beira do cais, com as mãos entrelaçadas. Vimos a lua pairar no horizonte e subir lentamente no céu durante a noite.

Com voz baixa e um pouco tensa, ele disse:

— Estou com sede.

— Vou pegar um chá quente com limão e já volto.

Já estava indo quando sua mão me segurou. A lua iluminava seu sorriso.

— Não vai me dar um beijo de despedida?

Quando me inclinei para lhe dar um beijo rápido, ele segurou minha cabeça, me dando um beijo mais longo e ardente ,ao qual retribuí; ele então me deixou ir.

— Vou bem rápido — eu disse.

Desci do cais e ouvi a voz dele atrás de mim dizendo:

— Eu te amo, Aimee.

Parei um instante para me virar e dizer:

— Também te amo. — Acenei e dei uma corrida pelo caminho até a casa.

Na cozinha aconchegante, passei a preparar rapidamente a bandeja de chá.

Enchi a chaleira de água e a coloquei no fogo. Em seguida, preparei um prato com alguns biscoitos.

A água parecia não ferver nunca e eu me lembrei de um velho ditado que dizia que, quando a gente olha a água ferver na chaleira, ela nunca ferve. Então, para ganhar tempo, subi para o andar superior e comecei a desfazer as malas. Fui colocando as peças de roupa cuidadosamente dobradas nas gavetas e os itens de higiene pessoal no banheiro, com as escovas de dente no porta-escovas. Estava me sentindo tão romântica que desenhei, com a pasta de dentes, um coração no espelho com as iniciais de nossos nomes dentro dele.

Desci a escada, surpresa por não ter ouvido a chaleira avisar que a água havia fervido. Notei então que a água até já havia derramado no fogão, sem que a chaleira apitasse. Com um pano, coloquei a chaleira no meio da bandeja e duas xícaras com os pires. Tentando me equilibrar e tomando muito cuidado, abri a porta com uma das mãos e fui caminhando pela grama até o cais.

Ao chegar no píer do cais, gritei:

— Estou de volta, Gary! Pode me dar uma mão? Desculpe a demora, mas acho que o botãozinho da chaleira enguiçou e eu me distraí enquanto a esperava apitar.

Ele não se virou. Parei e o chamei novamente:

— Gary!

Seu nome simplesmente evaporou no ar da noite, como gotículas de uma onda se quebrando. A água batia no cais, num ritmo suave sob meus pés inquietos. Via a brisa movendo seus cabelos ligeiramente. A mão que até pouco tempo eu estava segurando jazia imóvel ao lado dele.

— Gary, preciso de uma ajuda aqui...

Minha respiração ficou suspensa enquanto algo em relação ao céu e às estrelas me vinha à mente.

Meu grito ecoou para além da água, pela escuridão afora, sob o píer e em toda a minha volta. A bandeja caiu de minhas mãos, a porcelana se espatifou em mil pedaços e a chaleira saltou no cais, respingando água fervente em minhas pernas. Pisei na louça quebrada enquanto corria em direção a ele. Os cacos afiados cortaram a pele fina de meus pés, mas eu nada senti, exceto o frio e a escuridão profunda que cobriu com seu manto negro tudo o que havia a meu redor, me consumindo completamente.

Capítulo 26

Alerta: para qualquer área especificada, um alerta de furacão ocorre quando essa área se encontra no raio de abrangência do furacão, que corresponde a 125 milhas marítimas de diâmetro, a partir de 12,5 milhas marítimas[9] à direita do centro do furacão.

— Centro Nacional de Furacões

Julie

Trey foi guiando até Biloxi com Aimee ao lado e eu no banco de trás com Beau, que, exultante, pulava sem parar em seu assento. Não o havia levado a nenhum dos desfiles de Carnaval de Nova Orleans, tão preocupada estava com a possibilidade de perdê-lo no meio da multidão. Beau tinha implorado para estar ali no ano seguinte. Tentei me esquivar do apelo, porque me parecia impensável estar ali ou em qualquer outro lugar dali a um ano e minha expectativa era a de que assistir ao desfile do espaço limitado da varanda de Walker King seria mais do que suficiente.

Trey precisava levar um compressor de ar que tinha sido consertado até a obra em que estava trabalhando, no bairro da Nona Região, ao sairmos da área urbana. Enquanto o carro circulava pela cidade, as atrações me pareciam de certa forma familiares, embora fossem novas para mim. No tempo que passara ali, eu tinha descoberto que Nova Orleans era uma cidade de

[9] Respectivamente 231,5 km e 23,15 km (N. E.).

contrastes: de decadência e efervescência, de tradições e de inesperados. Era uma cidade europeia com um clima tropical, com jardins em estilo inglês, mas repletos de bananeiras e rosas. Quanto mais conhecia essa cidade do Carnaval e das inundações, do *gumbo* e dos *sazeracs*[10], rainhas debutantes e travestis, mais eu percebia que as histórias que Mônica me contava deixavam de ser dela e se tornavam minhas também.

Enquanto esperávamos na van até que Trey e outros dois homens carregassem o compressor de ar para uma obra em frente, observei o bairro que tinha recebido tanta atenção depois do Katrina. Lembrei-me um pouco do que presenciara em Biloxi: terrenos vazios, lajes de concreto, casas com remendos, portas ainda marcadas de tinta na cor laranja. Mas agora, como em Biloxi, havia sinais de recuperação — construção de casas novas com jardins gramados, varandas com cadeiras de balanço e brinquedos de criança, árvores que cresciam, ainda com galhos finos, espichados e magros qual adolescentes. O som de batidas de martelo e o cheiro de madeira fresca pairando no ar me fizeram lembrar de River Song e de como ela ressurgiu da grama arenosa, como uma fênix.

Trey acenou para mim ao se aproximar com uma atraente mulher negra. Ela devia ter pouco menos de 30 anos e vestia uma camiseta com os dizeres "MAKE IT RIGHT" sobre um número nove estampado. Saí do carro ao mesmo tempo em que Aimee abriu a janela e falou:

— Bom dia, sra. LeBlanc. Vocês estão progredindo muito!

Ela se referia à estrutura da casa à nossa frente. A fundação tinha sido erguida sobre altos pilares, visão recorrente que eu começava a identificar ao longo da Costa do Golfo.

— Sim, senhora — disse a jovem com um sorriso largo, exibindo os dentes brancos. — Minha irmã e o marido dela têm trabalhado arduamente na casa tanto quanto eu. Acho que já devem estar cansados de ver meus filhos e eu acampados na sala de visitas deles.

Ela deu uma boa gargalhada, o que nos contagiou e fez que ríssemos junto.

Trey, então, nos apresentou:

— Carmen, quero que conheça a Julie Holt. Ela é quem orienta os operários na casa de Biloxi e eu tenho tentado trazê-la para cá para nos dar uma mão. Julie, esta é Carmen, veterana da Guerra do Iraque. Quando

[10] Um drinque típico de Nova Orleans (N. E.).

voltou para casa, imagine a surpresa. A casa dela teve que ser demolida por conta dos estragos do alagamento.

— Por sorte, meus filhos estavam morando com os tios em Metairie, enquanto eu estava engajada. Perdemos tudo, enfim, mas eles foram salvos. — Ela riu de novo. A alegria dela era autêntica, sem qualquer traço de amargura. — Às vezes, acho que precisamos perder tudo para perceber o que realmente é importante. Na verdade, minha mãe diz que foi uma bênção.

Revirou os olhos, mais parecendo uma adolescente do que uma veterana de guerra, e não pude deixar de sorrir. Apertou, então, minha mão com firmeza e continuou:

— É um prazer conhecê-la. Da próxima vez que eu for a Biloxi, quero ver sua casa, embora sinta que já a conheça de tanto o Trey falar dela e de você também. Aliás, este homem conta sempre como você salvou a casa da irmã dele e a lição que deu sobre o que é dedicação — disse, balançando a cabeça em sinal de aprovação e respeito. — Afinal, uma coisa é reconstruir uma casa e trabalhar duro para conseguir isso, mas é necessário um tipo diferente de fé para reconstruí-la, mesmo imaginando que pode ser um abrigo temporário e que talvez dure só até a próxima tempestade.

Trey e eu evitamos nos olhar, de modo que eu não saberia determinar quem estava mais constrangido. Observei à minha volta, olhando para os vários rostos orgulhosos e repletos de esperança ao verem erguidos os pilares de suas casas, e percebi que era impossível pensar nas pessoas que ali estavam, morando e reconstruindo, como egoístas ou míopes. Havia pais e mães de família, filhos e filhas, famílias que lá estavam para recuperar mais do que móveis, roupas ou fotos antigas. A palavra que mais bem se encaixaria naquele momento, pensei comigo mesma, era "desafiadora". Porque só mesmo uma pessoa desafiadora para estar ali em meio aos destroços de sua vida e pegar o martelo e pôr mãos à obra.

Nós nos despedimos e retomamos a viagem. Ao entrarmos na rodovia interestadual, lembrei-me do álbum de fotografias de Mônica que estava na bolsa. Passei-o para Aimee, no banco da frente, dizendo:

— Você queria ver como ela estava, então trouxe comigo essas fotos. Não tive oportunidade de verificar quais delas eu deveria escolher, então peço que veja quais são suas favoritas e eu começaria por elas. Gostaria de organizar um álbum decorado até o aniversário do Beau.

Pegando o álbum, ela agradeceu:

— Obrigada, Julie. Acho que será fácil selecioná-las agora.

De pronto, ela abriu o álbum e o aproximou do rosto para poder olhar as fotos com atenção. Reparei quando seus dedos deslizaram delicadamente para retirar uma foto da capinha de proteção de plástico que recobria cada uma delas.

— Julie, por que não tivemos neve neste inverno? — Beau perguntou de repente.

As perguntas de Beau me distraíram durante todo o percurso, de modo que logo me esqueci do álbum e até me surpreendi quando Trey parou a van. Aimee, Beau e eu desembarcamos o mais próximo possível da avenida Howard, e ele foi estacionar na garagem de minha pequenina casa. Foi então que percebi que Aimee estava estranha; parecia desconfortável, embora insistisse em afirmar que se sentia bem e que estava ansiosa para ver o desfile. Pensei comigo mesma se o fato de ver as fotos de Mônica a teria deixado melancólica, mas esperava ter agido corretamente ao mostrá-las a ela.

Havia uma multidão de pessoas no percurso do desfile. Vi muitas crianças, um bocado de rostos pintados, e a maioria vestia fantasias com as três cores tradicionais do Mardi Gras: roxo, dourado e verde. Nunca tinha pensado nessa combinação de cores antes, mas agora não conseguia nem imaginar uma sem as outras.

Passamos perto de uma família vestida como os Simpsons, do seriado da TV, e quase tropecei em três cães cobertos de acessórios, incluindo máscaras cheias de penas presas às orelhas.

Ao chegarmos à porta dos fundos do consultório de Walker, nós a abrimos e subimos uma escada que dava direto para um depósito. Encontramos várias caixas empilhadas junto a uma das paredes de uma ampla sala limpa, onde um carpete cobria a parte central do piso. Do outro lado da sala, fora montado um bar improvisado com grandes bacias repletas de água mineral, caixas de suco e refrigerantes para os mais novos e um barril e um *cooler* com vinho para os adultos. De um modelo antigo de rádio portátil, colocado em uma mesa de jogo na varanda, vinha o som de uma música em meio ao burburinho das vozes dos ocupantes da ampla varanda que se projetava sobre toda a frente do prédio.

Aimee foi ao encontro dos pais de Carol Sue quando ela e Charlie se aproximaram, acompanhados de um casal de idosos, para nos dar as boas--vindas.

— Julie, quero muito que conheça a Sandra e o Ted Davis. A casa deles ficava a duas quadras de River Song e, na mesma proporção que era linda, ficou horrível com a passagem do Katrina, que não deixou uma árvore sequer de pé. Eles viram o que você e o Trey estão fazendo com sua casa e se motivaram a reconstruir a deles também.

Estava prestes a abanar a cabeça em sinal de protesto e dizer que não se tratava bem de "minha" casa, mas parei a meio caminho. Pensei novamente em Carmen LeBlanc, em sua esperança e empolgação para vencer o desafio e encarar a realidade com coragem para enfrentar mudanças. Olhei para os rostos amigáveis dos Davis e fiquei com a mesma boa impressão que tivera ao conhecer Carmen e Carol Sue, assim como todas as outras pessoas que conhecera desde que chegara ali. Era a expressão familiar daqueles que estão à procura de algo que se perdeu, à procura de seu lugar neste mundo, que se entranhara em seus ossos como um velho amigo. Também era essa a expressão de Mônica, na primeira vez que a vi. De modo que, em vez de retrucar, disse:

— Muito obrigada, embora o mérito não seja meu. — E após uma breve pausa: — Minha inspiração veio da Mônica.

Trey se juntou a nós, trazendo nas mãos uma tigela descartável de isopor em que fumegava uma espécie de ensopado com arroz, que ele me serviu, com uma colher de plástico, dizendo:

— Não se esqueça de que aqui as pessoas são meio míopes...

Esse comentário me fez corar, pois me lembrei de que tinha dito isso mesmo na primeira vez em que ele me levara a Biloxi. Não sabendo como me justificar, apenas olhei para a vasilha e perguntei:

— O que é isso?

— É *gumbo*, é feito com quiabo. A Susan Sands é a vizinha que costuma fazer este prato especial todos os anos para a festa de Carnaval do Walker. — Trey mostrou uma moça loira com dentes perfeitos. — O marido dela também é dentista, sócio do Walker no consultório.

Provei um pedaço com os olhos fechados para apreciar melhor o sabor de todos os ingredientes. Um deles era bem picante e quase fez meu coração saltar pela boca:

— Isso é maravilhoso! Vou ter que pedir a receita — concluí.

— Felizmente, ela tem boa memória, pois perdeu todas as receitas na inundação após o Katrina. Entretanto, nem isso impediu que fizesse o *gumbo* em seu trailer no desfile de 2006. — Dizendo isso, ergueu uma garrafa de cerveja na direção de Susan, fazendo um brinde.

— Fico feliz. Seria terrível se ela tivesse se esquecido — disse, entre uma colherada e outra.

De repente, alguém me chamou:

— Julie, venha ver!

Voltei a atenção para a varanda onde avistei Charlie e Beau com Walker, Aimee e vários outros adultos. Dei um jeito de chegar até a grade e, por trás deles, pude ver uma ala de carros alegóricos passando lentamente em carreata pela avenida. Conforme iam passando, a multidão estendia as mãos para pegar as guloseimas que eram atiradas dos carros, o movimento dela parecendo a formação de uma onda gigante.

— Quantos carros alegóricos! — disse Trey às minhas costas. — Nunca imaginei que o desfile fosse tão longo. Acho que estamos quase chegando à quantidade de carros existentes antes do Katrina... eram uns 20 e poucos. Metade deles foi destruída pela tempestade. O sujeito que faz esses carros nunca está desocupado. Ele diz que não poderia assistir a um desfile com carros que não tivessem sido montados por ele. — E, após um gole de cerveja, completou: — O número de espectadores ainda é baixo, mas cresce a cada ano. Se houver muitos carros alegóricos que prometam distribuir esses brindes ao público, com certeza virá muito mais gente.

Trey retirou de minhas mãos a tigela vazia e desapareceu por alguns instantes. Quando retornou, me entregou uma cerveja e algumas caixinhas de suco que dei para Charlie e Beau. Eles estavam de pé em cima de dois bancos colocados junto à grade da sacada, altos o suficiente para que pudessem ver o desfile, mas com total segurança para que não caíssem, embora eu, volta e meia, verificasse se estava tudo bem. Eles acenaram as caixinhas de suco para os carros alegóricos, enquanto viam a multidão de pessoas na calçada de mãos abertas para receberem copos, colares e contas que lhes eram atirados dos carros. De repente, Beau me perguntou:

— Por que tudo é roxo, dourado e verde? Eu não gosto de roxo.

Lembrei-me de ter feito a mesma pergunta a Mônica e então repeti exatamente o que ela me explicara:

— O roxo é a realeza, o ouro é o poder e o verde, a fé. Essa festa de Carnaval simboliza os reis, as rainhas e suas cortes anunciando que daqui a 40 dias será a Páscoa. Você não acha que faz sentido?

Ele refletiu por um momento e acabou concordando:

— Acho que o roxo está certo.

Quando ele se virou de novo para ver o desfile, vi que não estava totalmente convencido e tive que esconder um sorriso.

Perguntei baixinho no ouvido de Trey:

— Existe algum truque para pegar as coisas legais, tipo camisetas e alguns bichinhos de pelúcia?

Ele deu uma boa risada, antes de demonstrar que eu estava fazendo essa pergunta a um profissional do ramo e, como tal, eu podia confiar.

— Bom, conseguir esses brindes melhores requer velocidade, inteligência e perfeita aptidão motora. Não importa muito ser alto, mas, pela minha experiência... — olhou de relance para as duas crianças — ... quem mais pega essas coisas são os pequenos, crianças com ar inocente que usam o tamanho e a agilidade para passar a perna em nós, os mais velhos, e nos fazer sentir como pobres sedentários.

Notei que Beau estava contrariado e praticamente previ a pergunta que veio em seguida:

— Como vamos apanhar alguma coisa daqui de cima? Eles nunca vão nos ver.

— Na verdade, você tem que ser direto. Tem que se inclinar um pouco e gritar: "Moço, jogue alguma coisa para mim!".

Walker, que estava atrás de nós, cutucou Trey e disse:

— Em Nova Orleans, as mulheres têm um modo todo especial de conseguir um monte de coisas boas, mas esse é um desfile familiar.

— O que você quer dizer? — perguntei.

Trey e Walker trocaram um olhar significativo. Depois de pigarrear, Trey disse:

— Digamos apenas que, embora provavelmente apreciássemos a vista, seria aconselhável manter a blusa por dentro da calça, combinado?

— Não me digam que elas vão... — olhei incrédula para eles.

— Sim, vão — Walker e Trey confirmaram em uníssono, antes de cada um tomar um bom gole de cerveja, para não precisarem dizer mais nada.

Na sacada, olhei rapidamente para Beau e Charlie para me certificar de que eles não estavam pulando muito alto nos bancos. De onde estava, vi os integrantes da banda do Colégio Biloxi passarem com uniforme vermelho e branco, ostentando orgulhosamente um estandarte com a figura do mascote deles, um cacique. Algumas meninas desfilavam balançando bandeiras à frente dos integrantes da banda, que marchavam ao som de uma versão alegre da música *When the saints go marching in*, tocada por trombones, trompetes e tubas em alto e bom som.

Estiquei, então, o pescoço para ver o que viria em seguida. Em cima de um bugre de areia pintado com as três cores tradicionais do Mardi Gras, havia uma grande bandeira tremulando na parte de trás, anunciando a passagem da personalidade escolhida como destaque do ano. Grandes bandeiras tricolores esvoaçavam na parte de trás do carro, e em toda parte as cores roxo e verde vibravam entre as fitas douradas. Uma mulher e um homem idosos, vestindo camisetas pretas, estavam sentados nas duas poltronas mais altas à frente, com os braços repletos de pulseiras de contas que tiravam uma a uma para jogar para o público.

Em dado momento, vi que o homem se abaixou e pegou uma caixa que estava a seus pés, de onde tirou dois colares com grandes contas peroladas. O carro se movimentava lentamente junto à nossa varanda e ninguém prestava atenção às duas crianças que estavam acima deles.

De repente, fiz algo que eu tinha dito explicitamente para eles não fazerem. Subi no primeiro degrau do parapeito da bancada, me inclinei o quanto pude e gritei:

— Jogue alguma coisa aqui, moço!

O homem, então, me olhou e eu mostrei as duas crianças. Ele fez um leve aceno com a cabeça e lançou os dois colares em nossa direção. As crianças tentaram pegá-los através das grades, mas os braços eram curtos. Sem refletir, eu me inclinei para não deixar os colares se perderem e, então, senti dois braços fortes segurando meus quadris para que eu não caísse da varanda.

Dei um passo para trás, segurando os presentes.

— Consegui pegá-los!

O rosto de Trey estava bem próximo ao meu quando disse:

— Fico feliz, porque odiaria ver você cair e morrer por nada.

— Eu também — disse calmamente, antes de dar os colares às crianças, pensando que tinha sido muito bom eu ter pego logo os dois, pois assim não teria que repetir aquela cena.

De repente, senti o celular vibrando no bolso de trás de meu jeans. O barulho que as pessoas próximas e as da rua faziam não me deixava ouvir além de um ruído distante, mas, quando vi o número familiar que estava na tela, o sol que brilhava lá fora foi diminuindo.

— Aconteceu alguma coisa?

Ao ouvir a voz de Trey a meu lado, disse:

— Você pode olhar as crianças um pouco? Preciso atender esta ligação.

Ele disse que sim, então fui correndo em direção à escada. Fechei a porta, sentei-me no último degrau e atendi o telefone:

— Alô?

— Alô, Julie. É o detetive Kobylt.

— Eu sei — minha voz soou estranhamente calma a meus ouvidos. — O que houve?

Por um breve momento, imaginei se ele não poderia estar ligando para me dizer que a filha tinha dado à luz ao primeiro neto dele.

— Tenho notícias para você.

O barulho da festa e do desfile estava bastante alto, mesmo com a porta fechada. Algumas vezes, cheguei a imaginar que receberia aquele telefonema, mas nunca em um cenário daqueles.

— Estou ouvindo — eu disse, com uma voz que parecia de outra pessoa.

Comecei a me lembrar da vez em que fora a uma vidente que lia a mão e a minha começou a tremer. "Você está perto de encontrar o que está buscando."

— Encontramos algo.

Após uma pausa, perguntei:

— Um corpo?

— Encontramos partes de um corpo cujos laudos preliminares indicam ser de uma menina com idade entre 9 e 15 anos. São apenas partes de um esqueleto que nos levam a pensar que estiveram soterradas por muito tempo.

— Dezessete anos? — perguntei quase num sussurro.

— Pode ser. Mas ainda é muito cedo para termos essa certeza.

— Onde encontraram... a garota? — Eu não podia imaginar chamar um monte de ossos espalhados por algum nome. Eram apenas ossos.

— Olhe, Julie. Sei quanto tudo isso é difícil para você e não gostaria de falar por telefone.

— Sim, está certo, detetive. Sei, que se eu morasse mais perto, o senhor estaria na porta de minha casa agora. Mas preciso saber. Preciso que me diga em detalhes o que encontrou.

Percebi que ele estava com a voz embargada quando prosseguiu:

— Em Oakham State Forest, a cerca de 40 quilômetros da casa de seus pais. Houve vários deslizamentos de terra ultimamente por causa das chuvas abundantes. Uma mulher que passeava com o cachorro encontrou um osso.

"Não, não, não, não! A Chelsea, não. Não sozinha dessa forma, no meio do mato. Ela deve ter ficado tão assustada." Tentando dominar o pânico, fiz de tudo para minha voz voltar ao normal.

— Há algo mais que possa identificar o corpo?

— É por isso que estou ligando. Você tem condições de pegar um avião e vir até aqui? Há amostras de tecido de roupa que podem ser recuperadas, mas não imediatamente reconhecíveis, assim como qualquer roupa ou algo mais que sua irmã pudesse estar usando. Talvez se você visse pessoalmente, em vez de fotos, tivéssemos mais chances de identificar algumas dessas amostras.

— E quanto aos registros da arcada dentária? O senhor está com os da Chelsea, não? — perguntei.

Após uma longa pausa, ouvi:

— O crânio não foi encontrado. Pode ter sido levado em algum momento antes de o corpo ter sido soterrado... ou talvez tenha sido algum animal. Não temos como saber. Sinto muito, Julie, mas você é nossa última esperança para identificar esses restos mortais. Ainda estamos tentando ver se encontramos algum traço de DNA, mas o tempo e a exposição à natureza praticamente tornaram isso impossível.

Então, deixei de hesitar:

— Eu vou. No primeiro voo que tiver. Ligo para avisar você. Acredito que não seja antes de amanhã de manhã.

— Está bem. Vou apanhá-la no aeroporto, caso seja preciso.

— Obrigada — e então me despedi, desliguei e fechei os olhos à espera das lágrimas que, entretanto, não vieram.

Não saberia dizer quanto tempo permaneci ainda ali, sentada, até que senti a porta se abrir atrás de mim. Era Trey. Ele se sentou no degrau perto de mim.

— Aconteceu alguma coisa? Comecei a ficar preocupado, imaginando se de repente você teria se aborrecido com os desfiles ou algo assim. O Beau acabou pegando um copo de plástico e está ansioso para lhe mostrar.

Olhei para ele, então, e disse:

— Preciso ir a Massachusetts. Parece que encontraram a Chelsea. — Minha voz estava firme, mas as mãos tremiam tanto que deixei o celular cair.

Trey apanhou o aparelho e o colocou no degrau detrás. Segurou minhas mãos entre as dele e falou:

— Vou com você.

Ele fazia questão de ir. Eu me senti reconfortada e muito grata por saber que, se eu desmoronasse, não estaria sozinha na viagem.

— Obrigada — foi tudo o que consegui dizer.

Fomos ao encontro de Carol Sue e explicamos a situação. Nem precisamos pedir para que cuidasse de Beau, pois ela logo se adiantou, dizendo que não me preocupasse com nada, que tudo estaria sendo bem cuidado ali.

Em seguida, fui procurar Aimee. Estava sozinha, discretamente sentada em uma cadeira reclinável na varanda, com as pernas cruzadas na altura dos tornozelos e as mãos pousadas no colo, de frente para o desfile ao qual nitidamente nem assistia. Seu olhar estava distante dali. Era como se o barulho e as cores abaixo na rua não existissem.

— Sra. Aimee?

Ela me fitou por um longo momento até que finalmente pareceu me reconhecer.

— A senhora está bem? — perguntei.

— Sim, é claro. É Mardi Gras. Sempre amei os desfiles — respondeu, com um leve sorriso.

— Tem certeza? Aqui não está muito quente?

— Não, querida. Está tudo bem.

Sentei na cadeira vazia ao lado dela e contei meus planos.

— Tenho que pegar um avião para Massachusetts. Encontraram restos mortais que podem ser da minha irmã. O Trey vai comigo, vocês vão com a Carol Sue para a casa dos pais dela e em seguida ela vai leva-los de carro para casa, amanhã, caso não haja imprevistos.

Aimee colocou as mãos em meus ombros e me olhou agradecida, embora ainda um pouco distante.

— Vá e não se preocupe comigo nem com o Beau. Faça o que tem que fazer. Estaremos aqui quando voltar.

— Obrigada. — Eu me inclinei para lhe dar um beijo no rosto e em seguida me levantei.

— Julie, você é mais forte do que pensa — disse, segurando minha mão. — Qualquer que seja a confirmação, será difícil, mas você saberá lidar bem com a situação. Sempre soube.

Tentei sorrir quando disse:

— Gostaria de poder acreditar nisso.

Quando nos despedimos, Carol Sue me deu um abraço bem apertado.

— Tão logo souber de alguma coisa, me ligue. A qualquer hora do dia ou da noite, vou atender assim que o telefone tocar.

Retribuindo o abraço, me senti incapaz de pronunciar alguma outra palavra.

Trey e eu também nos despedimos de Beau e o vimos, em seguida, caminhar em silêncio na rua em meio à multidão que estava se dispersando, chutando embalagens e latas descartadas pelo público. Resisti ao impulso de catar algumas contas que estavam caídas no chão sem muita certeza de que ainda gostava de colecionar coisas.

Quando me preparava para ocupar o banco do carona, vi o álbum de fotografias que dera a Aimee e notei que duas delas estavam soltas. Eram justamente as que ela procurara retirar da capinha de plástico das páginas do álbum.

A primeira delas, logo reconheci: Mônica dava uma cambalhota na praia. A segunda, que Aimee estivera tentando retirar do álbum e que parecia estar presa pelas bordas, eu não tinha visto.

Quando já estava devidamente ajeitada no banco, coloquei as fotos no colo e soltei o cinto de segurança, que imediatamente passou por minha cabeça, mas eu mal percebi quando fez um barulho forte dentro do carro. Eu estava com o firme propósito de descobrir qual seria a outra foto que Aimee tinha separado. Era uma fotografia antiga que a própria Mônica havia tirado de si mesma no espelho do hall, que reconheci pelo vestíbulo, da casa na rua Primeira.

Ela vestia o mesmo casaco vermelho da época em que a conheci e um relógio de pulso de prata que Aimee lhe dera de presente de aniversário ao completar 18 anos. Ela segurava a máquina fotográfica com o dedo indicador e o polegar da mão esquerda e os outros dedos estavam desajeitadamente abertos, talvez porque ela quisesse exibir o grande anel de ouro no dedo médio. Mas, ali, do lado esquerdo do casaco, via-se o verde-escuro do broche, como se fosse uma mancha no meio do casaco vermelho: era o broche de jacaré de Caroline Guidry, com os olhos de rubi faiscando sob a luz do flash da máquina fotográfica.

Capítulo 27

Caminhei à noite à beira-mar
E sonhei o que não podia sonhar.
As ondas na praia, cada vez mais,
Diziam apenas: "Sonhador, não sonhe mais".

— George William Curtis

Aimee

Gary foi enterrado na quinta-feira. Não lembro se o dia estava ensolarado ou nublado. Não me importava se o sol nasceria todos os dias ou não; simplesmente considerava uma afronta pessoal isso acontecer.

O velório, em casa, ocorrera na noite anterior. Em certo sentido, fiquei contente por Gary, com o número considerável de pessoas presentes. Os homens de terno escuro e as mulheres usando véus e luvas. Ele era uma pessoa com vida social intensa, parecia apropriado que os amigos se reunissem em torno dele na hora da morte.

Eu me sentia sem energia. Ajoelhei-me e tentei fazer uma oração por ele, mas nenhuma palavra ainda por dizer ocorreu-me na hora. Fiquei, então, de pé, com as mãos nos bolsos. Encontrei aquele anel de plástico do biscoito Cracker Jack. Coloquei o anel no caixão, enquanto alisava o paletó de lã do terno preto de Gary. Retirei um fiapo de linha da lapela e ajeitei a gravata. A luz tênue vinda dos castiçais refletia as contas negras do rosário pesado e imóvel entre os dedos cruzados dele. O caixão de carvalho envernizado reluzia em tons dourados e o cheiro de cera e lustrador pairava pesadamente no ar. Coloquei um pouco de lado o véu que estava usando e beijei Gary na testa, sentindo a pele fria e rígida em meus lábios. "Adeus, Gary. Você sabe o quanto o amei. Realmente, eu o amei!"

A missa do funeral fora rezada na Catedral Holy Name , o mesmo lugar onde, pouco tempo antes, tínhamos ficado juntos no altar e feito nossos votos de amor até que a morte nos separasse.

Em seguida, ele foi sepultado no túmulo da família Guidry, no Cemitério Lafayette nº 1. Ao olhar o túmulo aberto, lembrei-me de quando Gary e eu tínhamos estado ali muito tempo atrás. Ele me disse que imaginava que, quando seus restos mortais fossem parar ali, ele cheiraria como carne de porco assada no túmulo quente sob o sol da Luisiana. Se pretendia me deixar chocada, conseguira, mas, quando me dei conta, estava sorrindo. Só ele fazia algo tão terrível se tornar engraçado.

Ao erguer os olhos, vi Wes me observando com um leve sorriso no rosto. Eu sabia que ambos estávamos pensando em Gary e como ele sabia nos fazer rir.

As pessoas da família ficaram juntas ao lado do caixão, no momento em que o padre aspergiu água benta sobre o túmulo. Johnny segurou minha mão enquanto os pés dele patinavam um pouco na grama. Fiquei me perguntando se a mãe dele teria se lembrado de levá-lo ao banheiro. Rezamos três Ave-Marias e três Pai-Nossos; nossas palavras se uniam umas às outras no ar úmido e nos esforçávamos para que as orações seguissem em uníssono. A voz do padre elevou-se quando dissemos a última oração:

— Senhor, conceda-lhe o descanso eterno e deixe brilhar a luz perpétua sobre ele. Que sua alma e todas as almas dos defuntos fiéis, com toda a misericórdia de Deus, descansem em paz. Amém.

Desviei o olhar para o túmulo ao lado dos Guidrys e vi o epitáfio de um jovem morto havia um século. Tive certa dificuldade para ler as palavras que estavam desgastadas pelo tempo:

As luzes de outrora se apagaram
E todas as glórias passaram;
Mas sob as asas sombrias da tristeza escura
A esperança sempre vívida perdura.

Meus joelhos tremeram levemente e, quando consegui me controlar, a visão turvou-se. Algo leve flutuava no ar e estendi as mãos para apanhá-lo. Era uma borboleta já sem vida, de asas em um tom de amarelo claro quase transparente, pousada em minhas mãos. Soprei suavemente, observando a vibração daquelas asas tão frágeis e agora inertes. Era algo bonito de ver, mesmo com a morte. Eu não queria deixá-la ir. Quando levantei os olhos, vi que várias pessoas me observavam. Levantei a mão e assoprei com força, até as asas se erguerem e ela subir. Virei a cabeça antes que ela tornasse a cair, como se o fato de não vê-la em queda pudesse fazê-la voar para sempre e nunca tocar o chão.

De repente, alguém tocou meu braço e vi que era meu pai me convidando para ir embora com ele.

— Ainda não estou pronta para ir. Pode me dar mais uns minutinhos, por favor? — pedi.

Com um sorriso compreensivo, ele me abraçou levemente e se afastou. Wes deu o braço para a avó, Lacy e Johnny os seguiram. Fui caminhando na mesma direção de todos, em silêncio. Passei por túmulos quase demolidos, que, com os revestimentos de cimento danificados pela ação do tempo, deixavam à mostra os tijolos por baixo. Mas, ao ver uma grande estrutura clássica e branca, erguida pela Societé Hospitalière, me detive por alguns momentos. A figura de um anjo segurando uma cruz no topo erguia-se acima do cemitério, parecendo observar tudo à volta.

— Sra. Aimee?

Ao me virar, vi que era Xavier. O rosto dele estava molhado de suor e lágrimas, o olho arruinado vermelho. Tal como eu, ele estava sofrendo por causa de Gary e me senti reconfortada por poder dividir aquela dor. Antes que ele se mexesse, eu o abracei. Senti que ele, num primeiro momento, não retribuiu imediatamente, mas em seguida também me abraçou com bastante força. De repente, se afastou.

— Não fica bem eu ser visto junto com a senhora. Eu só queria ter a certeza de que está bem, já que o Gary não está mais aqui para protegê-la.

— Estou bem, Xavier. Ou melhor, vou ficar bem. — Olhei para ele e para as roupas sujas e imaginei onde estaria dormindo. — Está tão quente aqui. Por que não vai para casa? Pode ver sua mãe e podemos conversar um pouco.

Ele não respondeu de pronto. Foi então que me lembrei do sótão totalmente limpo, a pilha de cobertores dobrados, a lanterna.

— Você esteve morando no sótão dos Guidrys, não é? — Nem esperei pela resposta. — Por quê?

O olhar de Xavier se desviou do meu.

— Tenho que ir embora agora.

— De quem está se escondendo?

Ele estava sério e os olhos verdes me olharam friamente quando respondeu:

— Eu estava lá quando sua mãe morreu.

Eu me lembrei do cheiro de suor na sala, que eu sabia não ser meu nem de minha mãe, mas que me era familiar. O sol pareceu ainda mais quente, o ar pesado tornou difícil respirar.

— Então, você viu...

Mas ele negou com a cabeça:

— Não. Estava escuro e fiquei escondido debaixo da cama.

Tentei repetir a pergunta, sentindo os lábios secos se racharem, mas Xavier continuou.

— Eu estava morando com a mamãe na casa de hóspedes e não tínhamos gelo. Fazia muito calor, tudo o que eu queria era beber água gelada. Estava na cozinha, na casa grande, pegando um copo com gelo quando ouvi sua mãe e a sra. Guidry gritando uma com a outra na sala. Senti medo e sabia que teria problemas caso me encontrassem ali. Fiquei impressionado, também, porque nunca tinha ouvido sua mãe levantar a voz antes.

Ele olhou à volta para ter certeza de que estávamos sozinhos naquele momento. Enxugou o rosto com a fralda da camisa suja e manchada e continuou:

— Ouvi, então, alguém levar um tapa e sua mãe foi deixando a casa, caminhando sozinha. Ela sempre foi boa comigo, achei que não era seguro ela andar sozinha à noite, então a segui até em casa. Mas o fato é que o tempo todo eu sentia que alguém estava atrás de nós, nos seguindo, embora não pudesse ver ninguém. Eu tinha só 9 anos e não sabia o que fazer. Então, fui em direção à porta de trás que sua avó deixava sempre destrancada, pois, quando estava tomando conta de você, ela saía para fumar um cigarro ao ar livre. Vi que ela estava dormindo no sofá da sala, então fui para cima olhar se tudo estava bem. Você não estava no seu quarto.

Senti um aperto no coração e me senti sufocar.

— Estava no quarto dos meus pais. Eu sempre dormia lá, quando meu pai estava fora... — Minha voz estava calma, mas as palavras pesavam no ar como chumbo.

— Vi quando sua mãe saiu do quarto de vestir e, então, rastejei para debaixo da cama para que ela não me visse.

— E você estava lá quando... — Não pude terminar.

Xavier concordou com a cabeça.

— Não vi nada, acabei dormindo debaixo da cama. Mas alguém acha que eu vi.

— Quem, Xavier? Quem acha que viu?

Mas, em vez de me responder, disse:

— Pergunte ao sr. Guidry por que ele me mandou para aquela escola cara, srta. Aimee. Mas esteja pronta para ouvir a resposta. Às vezes, nem é bom saber.

— O anel de casamento da minha mãe foi levado por alguém naquela noite. Você se lembra de tê-lo visto em algum lugar durante o tempo em que ficou ali?

Quando ouvimos passos pisando no cascalho, Xavier rapidamente saiu na direção contrária, desaparecendo entre os túmulos em ruínas.

Os passos eram de Wes, que surgiu segurando o paletó por cima do ombro com um dedo e com a camisa molhada de suor.

— Aimee, você está pronta para ir agora? Estamos todos à sua espera.

Fiz que sim com a cabeça, ainda abalada pelo que ouvira de Xavier. Mas não tinha forças para acolher a morte de minha mãe, devido à dor avassaladora que sentia pela morte de Gary, e tentei deixar de lado as palavras de Xavier. Assim, segurei o braço de Wes na altura do cotovelo e me deixei conduzir para fora do cemitério, perguntando a mim mesma o que mais Xavier não tinha me contado.

Os automóveis estavam alinhados em ambos os lados da rua e a limusine que nos conduzia foi estacionada bem em frente à casa dos Guidrys. Uma grande coroa de flores enfeitada com faixas pretas ornamentava a porta da frente. Eu tinha me sentado atrás entre a avó e o pai de Gary, e

Wes e Lacy ficaram à nossa frente. Johnny saltitava de um lado para o outro durante o percurso, excitado com a ideia de andar em um carro tão grande.

Havia diversos tipos de comida em vários lugares da sala. Nunca entendi muito bem essa tradição social nos enterros, pois dificilmente ficar com a barriga cheia minimizaria a dor nessas ocasiões. Os cheiros misturados de comida me causaram enjoo, então procurei um lugar onde pudesse me sentar longe de qualquer prato. Enfim, Wes surgiu com Johnny, parecendo um tanto desorientado. Deixei que Johnny sentasse em meu colo e o abracei, vendo novamente a semelhança marcante com o tio. Abracei o menino ainda mais e beijei o topo de sua cabeça.

— Como está se sentindo no meio disso tudo? — Ouvi Wes dizer e, quando o encarei, percebi as olheiras profundas em seu rosto.

— Acredito que da mesma forma que você. — Fechei os olhos e continuei balançando Johnny. Quando os reabri, não contive as lágrimas. — Você sabia que algumas das últimas palavras do Gary foram sobre você?

Ele ergueu a cabeça com os olhos molhados.

— Ele disse que... — Desviei o olhar e percebi que não poderia repetir aquelas palavras. Seria muito incriminador.

Fomos, então, interrompidos por alguns amigos de Gary que me procuravam para dar os pêsames. Johnny estava exausto. Seus olhos já estavam se fechando quando se virou para mim e perguntou:

— O Tio Gary está no céu?

Sem responder de imediato, disse:

— Quero lhe mostrar uma coisa.

Levantei com Johnny no colo. Ele era forte e pesado, mas atravessei a sala com ele nos braços e fomos até o jardim. Wes, que vinha atrás, fechou a porta. Sentamos no banco do jardim. As estrelas começavam a nos espreitar em meio aos tons lilás e rosa do pôr do sol.

— Você sabe o que seu Tio Gary me disse? — perguntei.

Ele fez um não com a cabeça.

— Ele me disse que as estrelas são aberturas para o céu e que a luz delas é o amor das pessoas que vivem no céu brilhando sobre nós.

Ele olhou para cima e com o dedo gorducho apontou o céu.

— Você acha que o Tio Gary está olhando para nós agora?

— Sim, Johnny, ele está. — Dei um beijinho na testa dele. — Sei que ele está.

Após a morte de Gary, os meses foram passando e fui aos poucos retomando o ritmo de minha vida. Voltei a morar na casa de minha avó, porque não me sentia capaz de viver no mesmo apartamento que dividia com ele. Eu guardava minha angústia em um pequeno compartimento em meu coração para conseguir ir ao trabalho e parecer uma pessoa normal. Mas, à noite, eu dava um beijo de boa-noite em minha avó e me recolhia em silêncio para desmoronar onde ninguém pudesse me ver. A dor ia sendo administrada, mas ainda persistia a culpa. Quando finalmente conseguia dormir, com o rosto molhado encostado no travesseiro, Gary se recusava a vir me visitar em meus sonhos.

Com a proximidade do outono, os dias se tornavam mais curtos e as noites, mais longas. Finalmente podíamos descansar do calor exaustivo do verão. As folhagens verdes e as cores vibrantes da estação foram se transformando em tons de marrom e bege como os das flores secas dos jardins que o vento levava e se esparramavam pelo chão. O Halloween estava se aproximando e Johnny vinha todos os dias me visitar, depois que eu chegava do trabalho, para ver como estava ficando a roupa de tubarão que eu estava preparando para ele. Antes da morte de Gary, eu havia lhe prometido que faria essa fantasia e ele se apegara à ideia. De qualquer maneira, isso me deixava feliz, pois era algo com que ocupar meus pensamentos e, além disso, eu podia ver Johnny com regularidade.

Por outro lado, não tornei a ver Xavier. Quando decidi checar se ele estava lá no sótão da casa dos Guidrys, tudo estava mudado e os cobertores tinham sumido, como se ele nunca tivesse estado ali. Ray Von disse desconhecer totalmente seu paradeiro e afirmou, inclusive, que se ele havia mesmo vivido ali por um tempo, ela não sabia. Não acreditei em suas palavras e não acho que ela esperasse que eu o fizesse. Sua presença me deixava constrangida, pois parecia me observar atentamente, esperando alguma reação minha. Ou, enfim, se eu descobriria alguma coisa que pairava no ar.

Ainda não tinha conversado com o sr. Guidry sobre o que Xavier me contara a respeito da noite da morte de minha mãe. "Às vezes, não saber é melhor." Mas melhor em relação a quê? A saber a verdade? Não sei se seria forte o suficiente para lidar com uma verdade ruim. Foi essa dúvida que me fez hesitar e evitar a conversa.

Na noite de Halloween, pequenas cabeças e esqueletos de caveiras brancas penduradas se misturavam com o verde musgo nas decorações das grades de ferro e varandas das casas em nossa rua, revivendo cenários antigos dos gregos e da era vitoriana numa iluminação mais forte do que a habitual. Grupos de crianças fantasiadas começavam a andar pelas redondezas quando me dirigi à casa de Johnny a fim de buscá-lo para que entrasse nas brincadeiras de "gostosuras ou travessuras". Os pais dele iriam a uma festa e eu, como de costume, não tinha nenhum compromisso à noite.

Quando bati na porta, Wes me atendeu segurando a capa de tubarão em uma das mãos.

— Graças a Deus, você chegou — disse ele, me conduzindo para dentro da casa. — Não consigo imaginar como colocar isto nele.

Johnny estava no meio do corredor da entrada, emburrado.

— Bom, se isso ficar para trás, vestirá melhor. Você não sabia que a barbatana do tubarão fica atrás?

Wes deu um sorriso meio sem graça.

— Ah, acho que está certa. — Agachou-se e disse: — Venha, Johnny, vamos arrumar isso.

Johnny tirou a roupa e Wes recolocou-a da maneira correta, mas me passou a parte da cabeça, dizendo:

— Ele não quer que eu coloque isto.

Fui para perto do menino e me ajoelhei na frente dele:

— Por que não quer usá-lo? Você não gostou?

Ele olhou para os pés dele calçados com nadadeiras.

— Não quero que as pessoas riam de mim.

— Rir de você? Essa coisa é tão amedrontadora que todos vão correr de você. Talvez se assustá-los bastante eles deixem cair os doces que carregam e você possa pegá-los. — Coloquei então o capuz em mim e os dentes do tubarão ficaram pendurados na frente de meu rosto.

Johnny riu, arrancou o capuz de minha cabeça e o colocou na dele. Wes e eu fingimos estar com medo, mas tive que colocar a mão na boca para esconder o riso.

Dei a mão para Johnny e perguntei:

— Está pronto para estragar os dentes?

Wes pegou o paletó que estava na cadeira e abriu a porta. Olhei para ele, surpresa:

— Você e a Lacy não iam a uma festa esta noite?

— Era uma festa de um dos amigos da Lacy — disse simplesmente. — Achei que seria mais divertido brincar de gostosuras ou travessuras com o Johnny.

Uma sensação de mal-estar foi tomando conta de mim. Olhei para Johnny e disse:

— Bom, creio que não há necessidade de irmos os dois para acompanhá-lo.

Johnny ficou bravo e uma das nadadeiras caiu.

— Ah, não, Tia Aimee. Você prometeu.

— Eu sei, prometi porque seus pais iam sair. Mas se seu pai está aqui e...

— Nããããããão!!!

Ele se atirou de forma teatral sobre o tapete persa, debatendo-se freneticamente, o que fez a cabeça de tubarão sair. Wes ficou de quatro e engatinhou até o filho. Com voz firme, disse:

— Se você parar de chorar e se acalmar, talvez se você pedir com jeitinho, talvez a Tia Aimee diga sim.

Johnny se aquietou, virou-se de lado e ficou de frente para a parede, com a barbatana do tubarão saindo de suas costas arqueadas. Depois de algum tempo, com uma voz um pouco abafada e triste, disse:

— Tia Aimee, será que você podia, por favor, me levar para as gostosuras ou travessuras junto com o papai?

Olhei para Wes e ele deu de ombros, como se dizendo que seria eu quem deveria resolver. Fui até onde estava Johnny e ajudei-o a se levantar do chão.

— Está bem, parceiro. Vamos os dois, mas, no primeiro choramingo, eu volto para casa.

De repente, me dei conta de que estava chamando Johnny da mesma maneira que Gary o chamava. Ele pareceu nem notar.

Lá fora, as luzes estavam diminuindo e o início da noite fez surgir muitas crianças para as gostosuras ou travessuras. Pequenos bruxos e duendes, aqui e acolá uma princesa ou um anjo, corriam pela rua sacudindo suas sacolas e pedindo doces. Wes e eu ficamos na calçada e deixamos Johnny bater nas portas das casas junto com uma multidão de crianças.

— Você nunca me contou o que o Gary disse naquela noite... em que morreu. Você disse que ele falou de mim.

Olhei para o céu escuro e observei os galhos de um velho carvalho avermelhado que pareciam braços a enlaçar a noite.

— Não creio que realmente queira ouvir.

— É sério? Foi algo ruim?

Criei coragem e disse, olhando em seus olhos:

— Não. Mas era sobre nós: você e eu.

Ele perguntou com voz branda:

— O que ele disse?

Olhei para meus pés, indecisa se deveria contar ou não. Delicadamente, ele comentou:

— Seja lá o que for, Aimee, eu gostaria de saber. Ele era meu irmão e eu o amava. Gostaria de saber por onde andavam os pensamentos dele naquela noite.

Olhei-o diretamente nos olhos:

— Ele disse que você ainda me amava.

Naquele momento, Johnny veio até nós, gritando na calçada.

— Olhe, é de cereja! O meu preferido! — Ele nos mostrou um pirulito de cereja enquanto corria pela calçada até a próxima casa.

Comecei a ir atrás dele quando Wes segurou meu braço e perguntou:

— E o que foi que você disse?

Parei por um momento, tentando imaginar o que estaria passando pela cabeça dele.

— Disse que isso não importava mais.

Ele olhou para mim durante um longo tempo antes que Johnny passasse novamente por nós e tivéssemos que correr para alcançá-lo. Quando chegamos à casa seguinte, ansiosa para mudar de assunto, disse:

— Preciso perguntar uma coisa a você.

Os postes de luz refletiam a expectativa em seu olhar.

— Vi o Xavier no funeral do Gary.

Imediatamente ele se mostrou contrariado, mas eu continuei:

— Ele me contou que estava no quarto da minha mãe quando ela morreu. O Xavier não viu nada, mas disse que alguém pensa que ele viu e que, se eu quisesse saber mais, precisaria perguntar ao seu pai por que motivo ele pagou os estudos dele na escola em St. Martin. Isso faz algum sentido para você?

Mas, em vez de me responder, ele perguntou:

— Você já conversou com meu pai sobre isso?

Acenei a cabeça, mostrando que não.

— Eu não queria falar sobre a morte da minha mãe logo após a morte do Gary. Mas conversar sobre isso com você é mais fácil. — Senti que ficava vermelha e fiquei contente por estarmos no escuro.

Wes respirou fundo.

— Tem certeza de que quer ouvir isso? Não tem nada a ver com a morte da sua mãe. Não sei por que o Xavier quer que você pense que isso é necessário. — Wes enfiou as mãos nos bolsos enquanto seguíamos Johnny até a próxima casa. — O Xavier descobriu há muito tempo que compartilhamos o mesmo pai. É por isso que ele foi mandado para aquela escola.

Com certeza, deixei transparecer no rosto meu estado de choque.

— Quer dizer que seu pai e a Ray Von...

— Essa é uma das razões pelas quais minha mãe abandonou o Gary e eu todos esses anos. Creio que ela tentou negar por muito tempo, mas no fim decidiu que não poderia viver com um marido infiel e o filho bastardo dele. Só fiquei sabendo disso recentemente, após o desaparecimento da minha mãe. Meu pai disse que estava na hora de me contar. Isso faz sentido, porque o Xavier quer ser parte da família, ser seu protetor. É por isso que achamos que ele ajudou minha mãe a fugir com o artista... pois assim a Ray Von poderia tomar o lugar dela.

— Seu pai e a Ray Von ainda estão envolvidos? — Senti um arrepio involuntário.

Ele balançou negativamente a cabeça.

— Ah, não. Não existe nada há anos. Realmente, nem sei por que ela ainda está com a gente, principalmente agora que o Xavier não está mais por perto para lembrar meu pai das obrigações dele para com ela.

De repente, parei de andar e falei de modo um tanto áspero:

— Ele é seu meio-irmão e está morando no sótão e nas ruas e quem sabe onde mais. Você não sente que tem nenhum deve para com ele?

De novo, Johnny reapareceu e interrompeu nossa conversa. Tivemos que andar rapidamente para poder acompanhá-lo, vendo a barbatana balançar enquanto ele corria. Quando paramos na casa seguinte, Wes respondeu à minha pergunta:

— Não tenho nenhum dever com o Xavier, porque ele traiu nossa confiança. Ele foi o responsável por tirar nossa mãe de mim e do Gary. Você sabe o que é perder a mãe. Se encontrasse alguém que conhecesse e fosse o culpado pelo desaparecimento da sua mãe, você perdoaria essa pessoa?

Os olhos dele brilhavam com o reflexo da iluminação da rua e a voz era grave, como se não estivesse tratando de uma hipótese. Pensei em todos os anos sem minha mãe, no luto de meu pai e em como eu me lembrava dela, principalmente pelo cheiro de seu perfume, o mesmo que estava em seu quarto e que permanecia ainda em minhas lembranças. Lembrei-me também do medo que sentia quando ficava no escuro e de todas as coisas que ali ficavam à espreita.

O ódio que poderia sentir por uma pessoa cujo rosto eu desconhecia me oprimia.

— Eu não perdoaria — concordei.

Então, ele me olhou fixamente:

— Você entende agora por que quero que fique longe do Xavier? Você disse ao tenente que o viu?

— Não. Não posso acreditar que o Xavier seja culpado de alguma coisa apenas pela forma como age. Sei que ele tem um bom coração, Wes. Não creio que esteja envolvido no desaparecimento da sua mãe.

— Acho que você está enganada em relação a ele. Só o fato de ele se manter escondido por aí, não querendo que saibam onde está, para mim já significa que está tramando alguma coisa, que pode até ser perigoso. Se ele ajudou minha mãe a nos deixar, quem sabe do que seria capaz para nos fazer aceitá-lo como parte da família? — Após uma pausa, concluiu: — Estou contente por você não ter avisado a polícia que o viu. Não gostaria que ele falasse com os policiais.

Minha cabeça rodava quando segurei a mão de Johnny e atravessamos a rua. Enquanto ele pulava até chegar à porta da próxima casa, voltei a conversar com Wes.

— Mas por que você não quer que ele fale com a polícia?

Ao mesmo tempo que observava Johnny segurar a sacola quando a porta da casa se abriu, ele respondeu:

— Acho que essa família já teve escândalo suficiente. O reconhecimento dessa paternidade seria motivo de especulação durante meses. A melhor coisa é deixar que o Xavier tome o rumo dele. E, se ele aparecer, diga que não quer mais vê-lo.

Não quis mais discutir, sabendo que, em relação a Xavier, jamais chegaríamos a um acordo. Entretanto, eu tinha dúvidas em relação a Ray Von.

— O que aconteceu com o rosto dele? Eu achava que tinha sido o pai dele quem tinha feito aquilo.

— Segundo meu pai, a Ray Von foi embora depois de descobrir que estava grávida e se casou com um estivador. Ele era um bom homem quando sóbrio, mas perverso quando bêbado, e na maior parte do tempo estava bêbado. Acabou morrendo no incêndio que causou na casa deles, enquanto a Ray Von e o Xavier estavam dormindo. Então a Ray Von pediu ajuda ao meu pai e ela voltou a morar conosco. — Colocou as mãos nos bolsos das calças. — Não tenho ideia de como minha mãe pôde aguentar tão bem por tanto tempo.

— Não acho que ela tenha realmente conseguido. Eu mesma ouvi uma discussão entre ela e seu pai na noite que antecedeu a festa do Baile de Comus, quando estava hospedada na sua casa.

Nesse momento, um cachorro latiu nas proximidades e o ar frio do outono fez que soasse de modo estridente.

— Bom, isso poderia explicar por que ela quis ir embora — Wes disse com um leve suspiro. — Eu gostaria que o Gary tivesse sabido disso também. Poderia ter sido melhor para ele saber que havia um motivo que não tinha nada a ver com ele.

Não disse mais nada até chegarmos à casa seguinte, vendo Johnny um pouco menos exaltado, pois a sacola de doces já estava pesada, a ponto de se arrastar pelo chão ao lado dele. Enquanto o acompanhávamos, eu me voltei para Wes. A escuridão, de qualquer maneira, tornava mais fácil colocar em palavras os pensamentos inquietantes que não me deixavam descansar.

— Wes, o Xavier disse também que viu nossas mães brigarem na noite da morte da minha mãe. Você sabe de alguma desavença que as duas tenham tido?

Primeiro, ele negou com a cabeça. Depois, completou:

— De acordo com meu pai e até onde me lembro, elas eram muito amigas ou, ao menos, eu diria que se admiravam mutuamente. Sua mãe apreciava o intelecto e o estilo da minha e a minha, por sua vez, gostava de tudo o que representava sua mãe: tinha uma família feliz, um jardim lindo, a voz dela, essas coisas que minha mãe nunca conseguiu ter na vida. Ela fingia não sentir nada além de desprezo por mulheres assim, mas acho que no fundo tinha inveja. Por isso, ela vivia à margem da sociedade a que pertencia. Sua mãe, entretanto, era gentil com ela e parecia realmente apreciar sua singularidade. Acho que é por isso que elas eram tão amigas, mesmo sendo completamente diferentes.

— O broche de jacaré que a Caroline costumava usar sempre foi um presente da minha mãe, como sabe. Agrada-me pensar que elas eram amigas de verdade. — Dizendo isso, me adiantei um pouco para pegar a mão de Johnny e perguntei: — Podemos ir para casa agora? Acho que você já tem doces suficientes para apodrecer todos os seus dentes, mesmo esses longos e afiados — disse, mexendo nos dentes de tubarão da fantasia.

Ele riu e fez um pedido:

— Você pode me carregar no colo?

— É claro, parceiro. — Levantei o garoto e entreguei a Wes os doces e a cabeça do tubarão.

Uma voz sonolenta do menino com o rosto recostado em meu ombro disse:

— O Tio Gary costumava me chamar de parceiro. Eu gosto.

— Eu também — comentei.

Ao chegarmos à casa dos Guidrys, coloquei-o no chão. Wes se esticou para abrir a porta e disse casualmente:

— Ainda é cedo. Não quer entrar um pouco? Poderíamos ajudar o Johnny a contar quantos doces conseguiu ganhar. Ele só sabe contar até dezoito.

Quis aceitar o convite, lembrando-me da sala vazia da casa de minha avó à minha espera, mas me contive.

— Eu adoraria, mas não posso. É melhor ir para casa.

Os olhos dele estavam um tanto sombrios quando perguntou:

— Vai fazer o que em casa, Aimee?

Ele notou que fiquei um pouco irritada com a verdade das palavras dele e se desculpou:

— Desculpe, não quis dizer da forma como soou. Por favor, entre. O Johnny e eu gostaríamos de desfrutar da sua companhia.

Eu me virei, porque não queria que ele visse em meus olhos o pânico que tomava conta de mim.

— Não posso, Wes. Realmente não posso.

— Está bem, você venceu. — E, entregando a Johnny o saco de doces, disse: — Entre, filho. Vou caminhar com a Tia Aimee até a casa dela.

Johnny me deu um beijo rápido no rosto e em seguida correu para dentro de casa com as mãos mexendo nos doces na sacola.

— Isso realmente não é necessário. — Minha voz soou mais alta do que o normal. — Posso perfeitamente caminhar sozinha pela rua. Indiquei a calçada vazia.

— Não agora que sei que o Xavier tem seguido você. Eu me sentiria melhor se a deixasse em casa.

— Wes, já lhe disse antes. Não tenho medo do Xavier e posso muito bem ir para casa sozinha. — E, com um sorriso um tanto forçado, me despedi. — Boa noite.

Segui caminhando pela calçada, mas ele segurou meu braço e me deteve. O rosto dele estava muito próximo do meu quando perguntou:

— Aimee, por que você me evita? Foi por causa do que o Gary disse?

— Não. — Soltei meu braço. Ele se afastou um pouco, mas me segurou com ambas as mãos.

— Então, o que acontece? Você bem sabe que também estou de luto pela morte dele.

Comecei a chorar. Tinha vergonha dessas lágrimas, me questionando se não seria por estar me sentindo muito culpada. Suas mãos me levaram para bem perto dele e, com uma voz séria, perguntou:

— Talvez fosse mais fácil enfrentarmos o sofrimento juntos, não acha?

— Não! — disse, tentando afastá-lo.

— Por que não?

Tentei afastá-lo empurrando-o com as duas mãos em seu peito:

— Por favor, não me faça dizer nada.

Ele levantou meu rosto e vi que estava zangado.

— Aimee, o Gary está morto. Nada pode ser pior do que isso.

Então, eu o empurrei, com os punhos cerrados, e ele cambaleou para trás.

— Sim, pode, sim.

Bati nele novamente. Quase não via nada, um pouco pela escuridão da noite e outro tanto pelas minhas lágrimas. Eu estava gritando, porque queria compartilhar minha dor com a única pessoa que poderia me entender.

— Tenho que viver com o fato de que nunca amei o Gary como amo você. Não posso me perdoar por isso. Não vou me perdoar nunca.

E então nos olhamos. Estávamos atordoados, conscientes do imenso peso do que eu acabava de dizer. Uma folha morta caiu de uma árvore e veio flutuando lentamente até o chão.

Então dei as costas para Wes e corri pela calçada deserta, sem parar, até a avenida St. Charles. Não precisei olhar para trás para ter a certeza de que ele não estava me seguindo.

Naquela noite, quando finalmente consegui dormir, sonhei com o broche de jacaré com olhos de rubi e senti o perfume Shalimar misturado ao cheiro acre de sangue.

Capítulo 28

No meio do caminho em nossa vida, eu me encontrei dentro de uma selva escura porque a via direita estava perdida.

— Dante Alighieri

Julie

Enquanto passávamos pelas ruas de minha velha cidade natal na Nova Inglaterra, eu via, pela janela do carro que tínhamos alugado, ambientes familiares para mim, como a mercearia, a escola primária, a Igreja Presbiteriana totalmente branca com a torre levemente inclinada devido a uma tempestade ocorrida havia aproximadamente um século. Chelsea dizia que isso era um bom sinal, como se Deus estivesse nos mostrando que aceitava as imperfeições humanas. Eu percebia isso mais como o dedo vingador Dele, aproximando-se da Terra.

Entretanto, aquele lugar de céu carregado de nuvens e ruas de asfalto liso me era estranho agora, e me vi tentando escutar o gralhar dos bicos-de-tesoura e o incessante quebrar das ondas e os leves sotaques, com consoantes marcadas, que eu começara a acolher como coisas familiares.

Consultei o relógio:

— Temos um tempinho ainda. Vire à direita na próxima rua. Quero ver nossa antiga casa.

Trey atendeu a meu pedido, perguntando:

— Estava no escritório ontem à noite e vi você conversando pelo telefone com a Aimee. Sobre o que falavam?

Contei a ele o que Aimee me relatara sobre a morte e o funeral de Gary, sobre Xavier estar no quarto quando a mãe dela tinha sido morta e também o que Wes dissera a respeito da relação entre Xavier e o pai dele.

Trey balançou a cabeça e disse:

— Então, o Xavier é meu tio-avô. Não acredito que ele nunca me disse isso. Acho que podemos perguntar a ele ou à Ray Von se o Wes estava dizendo a verdade. Sem contar que isso não é tão difícil de provar. — Ele balançou a cabeça novamente, acrescentando:

— Ele jamais mencionou nada a respeito de ter testemunhado um assassinato.

— Talvez conste de algum relatório policial, mas creio que jamais saberemos.

Trey tamborilou com os dedos no volante.

— Estive pensando na foto da Mônica com o broche da Caroline.

— Eu também. Gostaria de ter perguntado à Aimee a respeito disso ontem, mas ela parecia querer tanto falar do Gary que achei melhor conversar com ela em outro momento. Mas admito ter ficado intrigada com o tal broche. Supunha-se que a Caroline o tivesse levado quando foi embora, mas o que a Mônica estava fazendo com ele? Durante todos aqueles anos em que a conheci, nunca vi o broche. E por que não o encontrei quando arrumei os pertences dela depois que ela morreu? A menos que o tenha vendido em algum momento, coisa de que duvido. Mas por que ela venderia o broche e não o retrato?

Trey acionou o pisca-pisca e virou.

— Gostaria de saber é onde ele está agora.

— Estava pensando a mesma coisa.

Apesar da baixa temperatura, desci o vidro da janela para observar melhor a casa em desnível dos anos 1960, que eu chamara de lar durante os primeiros 12 anos de minha vida. A pequena muda de bordo que meu pai tinha plantado dominava agora o pátio lateral e as persianas das janelas tinham sido pintadas de vermelho em lugar de marrom. Um automóvel desconhecido tipo *off road* estava estacionado no acesso à garagem e havia algumas bicicletas espalhadas pelo caminho que levava à porta principal da casa.

Durante muito tempo, havia imaginado que, quando encontrássemos Chelsea, nós a levaríamos de volta para aquela casa. Enquanto eu continuava observando, sentada dentro do carro, uma mulher apareceu à porta da casa com uma criança pequena no colo e caminhou em direção ao automóvel estacionado. O ar de minha boca saía em nuvens de fumaça branca, como nos antigos sonhos. Aquela não era mais a *nossa* casa. Outra família morava ali agora, com suas vidas e, imaginei, com pequenos dramas que se desenvolviam, semelhantes aos que tínhamos vivido ali em outra época.

Vendo a mulher afivelar o cinto no assento da criança no carro, percebi que sempre me lembrava da casa do nosso jeito, com nossos móveis e bicicletas, com nossa minivan na garagem. O tempo avançara implacavelmente e a casa tinha mudado. Nós tínhamos mudado. Mas, mesmo assim, sonhara que ela estaria à nossa espera. À espera, na verdade, de uma família que não mais existia.

Trey tocou meu rosto e, quando olhei para os dedos dele, fiquei surpresa ao notar que estavam molhados.

— Você está bem? — perguntou.

A mulher ligou o carro e deu marcha à ré até tirá-lo da garagem. Olhei para Trey, incerta do que responderia. Eu estava bem, estava sentada ao lado dele, respirando e tudo o mais. Mas alguma coisa tinha me abalado, e era grande demais a dor por ver o fato consumado. Consegui gesticular que estava bem e apertei os punhos contra o peito como se pudesse dessa maneira conter a tristeza que estava guardada ali, recôndita, em um sonho de uma casa e de uma família que tinham desaparecido com Chelsea havia tantos e tantos anos.

Apesar de meus protestos, Trey estacionou o carro e me alcançou, envolvendo-me em um abraço apertado, confortando-me. Ele não disse nada e fiquei contente porque sabia que entendia a jornada como um todo, que a estrada para encontrar desaparecidos nunca era suave ou bem definida e não tinha um destino claro.

Quando nos separamos, ele me deu um beijo na testa e perguntou:

— Está pronta agora?

Sequei o rosto com a manga do casaco, assentindo. Disse a ele por onde prosseguir e recostei a cabeça no banco com os olhos fechados, me esforçando para ouvir o som dos bicos-de-tesoura e dos pelicanos marrons.

A delegacia de polícia ficava no prédio do antigo Tribunal, beirando o espaço verde da cidade. O Tribunal datava da metade do século e era de uma modernidade grotesca com janelas diminutas, destoando do passado elegante, com janelas enviesadas que davam para a delegacia e pareciam prontas para brigar. Ao menos era assim que Chelsea o descrevia e eu concordava, embora nunca tivesse lhe dito.

Deixamos o carro no estacionamento atrás do prédio alto e azulejado, com beirais góticos. Eu estava entretida olhando um frontão quebrado na entrada dos fundos quando Trey abriu a porta para mim.

— Pronta?

Assentindo, desci do carro.

No interior do prédio, tudo estava exatamente igual. Os mesmos aquecedores de ar de metal emitiam ar quente pelas paredes, criando uma atmosfera aconchegante no amplo saguão da recepção. Os bancos estofados, revestidos com o mesmo plástico que não parecia ter sido trocado desde a primeira vez em que me sentara neles, havia 17 anos, continuavam ali, dispostos em L, de chintz xadrez azul-claro e bege. Um painel com cartazes dos "mais procurados" pela polícia ficava à direita das duas portas duplas frontais. Um conjunto de rostos sérios de uma nova geração me encarava. Uma mulher idosa, de óculos, com uma corrente em volta do pescoço, ergueu a cabeça ao entrarmos.

— Posso ajudá-los?

Pelo modo como pronunciou as vogais, notei o sotaque da Região Nordeste e pensei, por um momento, que talvez precisasse traduzir o que ela estava me dizendo como se fosse uma língua estrangeira.

— Viemos falar com o detetive Kobylt.

— Um momento — disse, apertando um botão. — Detetive, você tem visitas.

— Já estou indo.

Ouvir a voz dele do outro lado da linha me acalmou. Sabia que, com ele e Trey, qualquer que fosse o resultado daquela visita, tudo daria certo.

Quando ele entrou na sala, a princípio não o identifiquei. Imaginava-o parecido com o detetive Johnson, o primeiro a se encarregar de nosso caso, um homem já idoso, com cabelos e barba grisalhos. Assim, fiquei surpresa quando surgiu um homem loiro, barbeado e bem vestido, com seus 50 e tantos anos, sem um único fio de cabelo branco.

Quando ia estender a mão para cumprimentá-lo, parei o movimento ao vê-lo se aproximar de braços abertos. Então, nos abraçamos como se fôssemos velhos amigos. Após apresentá-lo a Trey, trocamos algumas palavras, deixando pairar no ar o motivo de minha visita. Finalmente, o detetive tocou no assunto:

— Tenho uma sala de interrogatórios reservada para nós. A caixa com os objetos já se encontra lá. Quando estiver pronta, podemos ir.

Senti a mão de Trey em meu ombro.

— Estou pronta. — Fiquei surpresa ao notar que minha voz soou forte.

Subimos uma escada de madeira pintada com a mesma cor verde menta que eu lembrava e que dava para um grande salão de onde saíam vários cubículos. A única diferença desde a última vez em que estivera ali era, na verdade, a existência de um grande número de computadores de mesa. O detetive Kobylt nos encaminhou para um corredor pequeno no fundo do salão, onde três portas se alinhavam no lado direito. Então, atenciosamente, ele se adiantou, abriu a terceira porta e em seguida recuou para que entrássemos primeiro.

A sala era espaçosa, com uma mesa quadrada de madeira envernizada no centro e duas cadeiras de cada lado. Havia uma caixa de papelão branco tampada sobre a mesa. Lembrei-me das histórias de Mônica a respeito das relíquias sagradas guardadas nos altares das igrejas. Eu imaginava uma caixa maior, grande o suficiente para caber todos os anos que haviam se passado de então até hoje. No entanto, era apenas uma caixa usada para armazenar resmas de papel e não os pertences de uma garota deixada em um parque estadual havia mais de uma década.

O detetive Kobylt puxou duas cadeiras para sentarmos. Então, lentamente, abriu a tampa da caixa, dizendo:

— Já recolhemos as provas forenses de que precisamos. Portanto, caso queira mexer em algo que esteja aqui, fique à vontade.

Muito lentamente, ele começou a retirar algumas peças de dentro da caixa e a dispô-las sobre a mesa diante de nós. Tive uma tontura; parecia que estava vendo tudo de muito longe, do teto ou do espelho de dupla face que estava no fundo da sala. Era como se aquela jovem mulher contida que via o detetive retirar coisas da caixa fosse outra pessoa; como se tudo isso estivesse acontecendo com qualquer um, menos comigo.

A primeira amostra que ele colocou em minha frente foi um quadrado de tecido que mais parecia ser o de um suéter com listras largas em tom pastel. Ao lado dele, o detetive colocou um pedaço de cadarço em tons do arco-íris, com um nó apertado em uma extremidade com uma crosta de lama seca. Havia uma pequena bolsa de verniz vermelha com uma alça de mão de metal dourado e uma meia soquete de renda com um laço murcho e marrom.

Peguei nas mãos todos aqueles objetos. Os materiais estavam endurecidos, à exceção da suavidade do couro da bolsa. Eu olhava para os restos de alguém à espera de serem reconhecidos. Chelsea usava meu moletom cinza favorito do time de futebol de Harvard quando desaparecera. Ela poderia estar vestindo um suéter por baixo, mas não tinha nenhum com listras em tons pastel. Eu tinha certeza disso, porque Chelsea aproveitava todas as minhas roupas usadas e odiava listras.

Além disso, Chelsea nunca tivera bolsas de mão nem usaria meias soquete de renda. Minha irmã amava ciências, matemática e pintura. Aquelas coisas não eram dela, nunca poderiam ser. Quando recoloquei o cadarço na mesa, com os dedos trêmulos, não tinha certeza se deveria estar aliviada ou frustrada. Os dois homens me observavam. Balancei negativamente a cabeça.

— Esses pertences não são da Chelsea.

Expliquei os motivos e vi os ombros do detetive abaixarem. Eu me levantei e peguei na mão dele.

— Não são da Chelsea, mas são de alguém. Espero que descubra de quem são e que a família tome conhecimento.

O detetive Kolbit balançou a cabeça e disse:

— Eu tinha tanta certeza... — Respirou profundamente. — E aqui está você, tentando fazer com que eu me sinta melhor.

Ele, então, me deu um forte abraço. Meu mundo parecia voltar a fazer sentido. Gentilmente, ele se afastou e afirmou:

— Essas coisas não são da sua irmã, Julie. Mas talvez se trate de uma pista para encontrá-la. Essa vítima e a Chelsea têm praticamente a mesma idade. Uma delas foi encontrada e a outra desapareceu na mesma área geográfica. Ao menos, isso já é alguma coisa. — Olhou para mim e para Trey e se desculpou: — Sinto muito por ter feito vocês virem até aqui.

— Estou feliz por ter vindo. Sabemos com certeza agora que não era a Chelsea e finalmente tive o prazer de conhecê-lo.

Ele sorriu com certa tristeza e disse:

— Ainda assim...

— Eu faria tudo isso novamente. Tudo para ajudar, certo? Não hesite em me chamar se precisar que eu volte.

Ele confirmou com a cabeça e nos reconduziu até a área da recepção. Minhas mãos estavam úmidas de suor e tremendo quando ele as tomou nas dele.

— Não vou me esquecer da Chelsea. Vou continuar procurando.

— Sei disso. Obrigada.

Novamente nos abraçamos e, por fim, nos despedimos. Saímos pela porta dos fundos, encarando aquele dia carregado de pesadas nuvens cinzentas, e uma chuva gelada começou a cair. Todavia, virei meu rosto para cima, tentando sentir o sol por trás das nuvens. Senti uma leveza que não experimentava havia muito tempo. Enquanto caminhávamos em direção ao carro, apertei minhas mãos contra o peito novamente. Senti como se houvesse um buraco ali dentro. Não se tratava simplesmente de um vazio por ter tirado um fardo de dentro do peito, mas a abertura de um vazio existencial à espera de algo que pudesse preenchê-lo.

Assim que nos acomodamos no carro, Trey perguntou antes de ligar a ignição:

— Você está bem?

Respirei fundo. De repente, meus pulmões pareciam precisar de mais ar para se expandir. Depois, respirando lentamente, pude ver que as nuvens estavam mais claras.

— Não sei, realmente não sei. Mas estou feliz porque você veio comigo.

— Eu também. — Trey se inclinou em minha direção, me beijou levemente e só então deu a partida no carro.

O telefone tocou e o visor mostrou que era uma chamada de casa em Nova Orleans. Atendi e, surpresa, ouvi a voz de Aimee.

— Julie?

— Sim, Aimee, sou eu.

Olhei o relógio e calculei que horas seriam em Nova Orleans.

— São apenas duas horas da tarde. Não esperava que a Carol Sue a levasse para casa tão cedo. A não ser que ninguém tivesse sentido os efeitos da festa na noite anterior e todos tivessem ido para a cama bem cedo.

— Eu precisava chegar logo em casa. Tenho coisas para fazer que não podem esperar — disse com voz agitada e confusa.

— O Beau veio com você?

— Não, ele ficou com a Carol Sue. — Houve uma longa pausa e comecei a me perguntar se Aimee estava se lembrando de que tinha sido ela quem ligara para mim. — A foto da Mônica. Deixei-a no carro do Trey.

— Sim, eu a encontrei.

— Você viu?

— O broche?

— Sim. — Ouvi um suspiro do outro lado. — E o anel. O anel da minha mãe que foi retirado quando a mataram.

— Eu me lembro. — Eu me mexi no banco, ansiosa. — E sabe por que estavam com a Mônica?

Ela não respondeu imediatamente à pergunta, mas disse:

— Preciso contar-lhe minha história sobre a noite em que o furacão Camille atingiu Biloxi.

Tive que respirar profundamente para conter minha impaciência.

— Mas isso ocorreu bem antes da época da Mônica.

— Sim, foi — disse ela devagar, como se já estivesse pensando no verão de 1969. — Mas acho que descobri onde a joia esteve durante esse tempo todo.

— Está certo — eu disse.

Recostei-me, então, no banco e comecei a ouvi-la.

Capítulo 29

Com seu manto cor de açafrão, das marés dos oceanos surgiu a manhã para iluminar deuses e homens. — Homero

Aimee

1969

Minha vida adquiriu uma linearidade, uma rotina aparentemente reconfortante. Acreditava que uma vida externa tranquila poderia suavizar as rugas de minha consciência e fazê-las desaparecer. O que nunca aconteceu.

Quando meu pai morreu, fui à Filadélfia para o funeral e organizar seus poucos pertences. A foto de casamento de meus pais, que durante tantos anos esteve sobre a mesa de cabeceira dele, hoje está sobre a minha.

Encontrava os Guidrys com frequência, especialmente o sr. Guidry, que parecia me ver como uma última conexão com Gary, o que me emocionava profundamente. O relacionamento de Gary com o pai nunca tinha sido muito afetuoso, mesmo assim sentia algum conforto em saber que o sr. Guidry sofria pela perda do filho mais novo. Ele fez uma busca no sótão para encontrar fotos de Gary ainda bebê e as deu para mim. Conservo-as comigo como se fossem um tesouro, assim como a aliança de casamento, que uso até hoje.

Johnny tornou-se o filho que desejei e não tive. Menino inteligente e meigo, ele se divertia fazendo construções com blocos de montar para depois derrubar tudo com chutes rápidos e fortes. Achava isso natural para uma criança com a curiosidade inata de querer saber como as coisas funcionavam, mas a mãe parecia mais interessada em representar socialmente um papel e o pai passava mais tempo no escritório do que em casa. Quase todos os dias, Johnny aparecia em casa depois da escola e eu lhe preparava um lanche, enquanto conversávamos, construíamos casas de blocos ou apenas sentávamos na varanda da frente, aproveitando os dias quentes. Ele precisava de companhia quase tanto quanto eu.

Wes e eu evitávamos um ao outro, embora fosse ele quem passasse em casa para levar Johnny nos dias de folga de Ray Von. Conversávamos normalmente, mas nunca entramos no campo delicado de nossos pensamentos e sentimentos. Esperava ter uma conversa a sós com ele, mas sempre era adiada para a próxima vez que ele viesse até a casa de minha avó buscar o filho.

Não tornei a rever Xavier. Ray Von disse que ele estava trabalhando em uma barcaça de transporte de madeira no rio Mississippi e ganhava muito bem. Ela parecia aliviada com o fato de ele estar longe e mostrava-se menos hostil comigo. Mas quando pedia a ela para mandar a Xavier lembranças minhas e votos de que estivesse bem, a expressão dela ficava mais dura e, então, aprendi a parar de perguntar sobre ele.

Durante todos aqueles anos, nunca estive em River Song. As lembranças eram muito dolorosas. Entretanto, sabia que Wes, Lacy e Johnny iam lá muitas vezes, sempre com grandes grupos de amigos e seus filhos, como se precisassem da companhia de outras pessoas para se distraírem. Ficava feliz por Johnny. A praia e a linda casa proporcionavam muitas possibilidades para um garotinho como ele: um refúgio junto da água, onde os dias pareciam mais longos e as estrelas à noite brilhavam mais.

Continuava trabalhando na mesma galeria na rua Royal, onde fui promovida a gerente. Essa posição me permitia viajar para comprar obras de arte em diversos leilões. Adorava meu trabalho e era uma boa profissional, mas ele nunca poderia preencher completamente o meu vazio. Olhando para trás, percebia que minha vida se tornara semelhante ao vento quente do deserto do Saara, soprando para o Atlântico: enganoso em sua obscuridade, mas espalhando as sementes de uma grande tempestade a mais de mil e quinhentos quilômetros de sua origem.

Em meados de agosto, numa manhã de sábado, acordei com o céu em tons avermelhados, o que me fez recordar de outra manhã e de algo relacionado ao céu matizado de vermelho, com marinheiros em estado de atenção. Não obstante, me vesti para ir ao trabalho. Enquanto dirigia até o centro da cidade, o sol passou a brilhar no céu totalmente azul e as folhas das árvores se moveriam com a brisa suave. Se em algum lugar uma tempestade tinha se formado, a tranquilidade que pairava nas casas e nas pessoas que passavam por mim demonstrava que ninguém tinha conhecimento ou preocupação com tal ocorrência.

O tráfego convergia para o Lee Circle e, em certo momento, tive que frear o carro repentinamente para evitar uma colisão com um velho automóvel sedã com um punhado de contas do Mardi Gras penduradas no espelho retrovisor. Liguei o rádio e ouvi a previsão do tempo. Uma tempestade tropical chamada Camille tinha ocorrido em Cuba. Havia a expectativa de que ela se encaminhasse para o Golfo do México, ganhando força quando desviasse em direção ao *panhandle* da Flórida[11]. Considerei que poderíamos ter algum vento e chuva por causa do Camille, mas o *pandhandle* estava longe o suficiente de Nova Orleans para ser motivo de muita preocupação.

No início da estação dos furacões em junho, minha avó e eu tínhamos assistido a uma missa para pedir a Nossa Senhora do Perpétuo Socorro, como faziam os nativos de Nova Orleans, que nos protegesse de furacões. Quase três meses depois da temporada dos furacões, senti-me aliviada ao lembrar que metade do período já havia passado.

Novamente, notei o movimento melodioso das folhas das árvores e mudei a estação do rádio para outra em que pudesse ouvir música, em vez de ter que prestar atenção à tagarelice infindável sobre a tempestade. Mesmo assim, pensei comigo mesma que seria bom fechar as venezianas da casa e tirar os móveis da área externa quando chegasse em casa, depois do trabalho. Minha avó tinha ido fazer o cruzeiro anual com as amigas e Tia Roseanne estava de férias, então eu mesma teria que me certificar de que a casa estivesse protegida da tempestade.

Por volta do meio-dia, o proprietário da galeria apareceu em minha sala no escritório.

---

[11] O *panhandle* da Flórida é a região do estado mais a oeste. É uma tira estreita em forma de cabo de frigideira (N. E.).

— Aimee, você ouviu a previsão do tempo?

Descansei o lápis que estava usando para fazer uma planilha e respondi afirmativamente.

— O Camille está no golfo. O Centro Nacional de Furacões emitiu um comunicado sobre todo o seu percurso desde Biloxi a St. Marks, na Flórida. Você tem uma casa em Biloxi, não é? Disseram também que a tempestade deve atingir o *panhandle*. Mas já vou encerrar o expediente na galeria para que todos possam abastecer os carros com combustível, juntar-se aos demais da cidade para fazer compras de pão e leite nos supermercados e ficar a postos para a passagem do furacão.

Pensei em River Song e na última vez em que estivera ali com Gary. Sempre pensara naquele lugar como um refúgio, mas percebia agora o quanto era vulnerável em virtude da proximidade das águas e da fachada brilhante da casa branca, tão delicada quanto uma concha.

— Você não acha realmente que precisamos ficar alarmados, não é? Temos avisos desse tipo o tempo todo, mas sempre ocorre algum desvio e ele se dirige para outro lugar.

Ele pareceu estar em dúvida.

— Nem sempre. — E rapidamente desapareceu.

Antes que pudesse colocar a ponta do lápis no papel novamente, o telefone tocou.

— Olá, Aimee. É o Wes. — Fez uma pausa e eu pude escutar minha respiração no aparelho. — Você ouviu o noticiário?

— Não, mas, se você está se referindo ao furacão, estou a par do que está ocorrendo. Estamos encerrando o expediente da galeria, vou para casa assim que terminar um trabalho que estou fazendo.

— Ótimo. Vou ajudá-la a proteger as venezianas. Depois, quero que venha à nossa casa para enfrentar a tempestade.

— Você acha que é mesmo necessário? — Senti uma pontada desagradável na boca do estômago.

— Creio que sim. A situação não está boa. As coisas estão criando forma no golfo e dizem que os ventos já estão aproximadamente a 120 quilômetros por hora. Caso sejamos atingidos, estaremos em apuros. Mas, mesmo se não nos atingirem diretamente, vamos ter ventos muito fortes e muita água que talvez esta cidade não tenha capacidade de suportar. Eles não pretendem evacuar Nova Orleans, mas preciso saber se você vai estar a salvo.

— Está bem. Ao chegar, ligarei para você. Quando você estará na sua casa?

Ouvi um telefone tocar ao fundo.

— Vou pegar o Johnny antes na escola. Depois, dependendo do trânsito, chego lá por volta das três horas.

— Está certo. Vejo você mais tarde.

— Aimee...

— Sim?

Ele esperou um momento e disse:

— Não é nada, não... Conversamos mais tarde.

Dei um pigarro, olhei para minha aliança no dedo e me despedi novamente:

— Tudo bem, então. Até mais tarde.

Desliguei o telefone e quase pude ouvir as batidas fortes de meu coração.

O trânsito estava congestionado. Isso era um indício de que as pessoas estavam indo para casa se preparar para o pior. Uma hora e meia depois, eu subia os degraus da escada da casa de minha avó. Na porta vizinha, na casa dos Guidrys, as venezianas altas, decorativas em outras partes do mundo, tinham sido fechadas sobre as grandes e antigas janelas de vidro e protegidas com madeira e pregos.

Rapidamente, troquei a roupa por uma calça jeans e uma blusa e liguei para a outra casa, esperando que Wes atendesse. Porém, ele não estava.

— Olá, Lacy. É a Aimee. O Wes disse para eu ligar para ele vir me ajudar a vedar minhas janelas. Ele já está em casa?

Após uma pausa, ouvi-a responder:

— Ele foi buscar o Johnny na escola e ainda não voltou. — Ela não se ofereceu para anotar algum recado, nem perguntou se eu queria que ele me telefonasse.

— Bom, então não tem importância. É que ele me disse para eu ficar na casa de vocês até a tempestade passar, mas acho que estarei bem aqui.

Olhei pela janela e vi as nuvens pesadas tomando conta do céu azul.

— Sim, acho que você tem razão. Até logo, Aimee.

Ouvi o telefone ser desligado e, em seguida, o tom para nova discagem antes de recolocar o fone na base.

Passei o restante da tarde fazendo arrumações na casa e jantei, com a TV ligada, assistindo aos noticiários. O Camille estava naquele momento apenas 320 quilômetros ao sul do rio Mississippi e o alerta para o furacão fora atualizado, ampliando-o para toda a Costa do Golfo. Eles aconselhavam a evacuação nas áreas mais baixas.

Liguei novamente para a casa ao lado para checar se eles haviam avisado um vizinho de Biloxi para que levasse todos os móveis para os andares mais altos. Tentei ligar mais três vezes durante a noite, mas só ouvia o sinal de ocupado. Talvez Lacy tivesse colocado o fone fora do gancho como uma maneira de fingir que eu não havia ligado antes para Wes e falado com ela, o que seria uma explicação para o fato de ele não ter tentado me ligar.

A chuva caiu durante toda aquela noite em que fiquei recolhida. Quando acordei no domingo de manhã, o céu se apresentava cinza, carregado de nuvens. A terra estava encharcada e o ar, úmido. Tentei fazer uma nova ligação, mas desliguei antes de discar. Se houvesse alguma emergência, eu sempre poderia ir até a porta ao lado.

Fui à missa e verifiquei que a igreja estava tão cheia quanto na Páscoa e no Natal. Sempre me lembrava de que muitas pessoas iam à missa apenas nos dias santos, tais como os alunos que estudam somente para o exame final. Um dia de furacão, supus, não era uma situação diferente.

Passei o dia ora movendo os objetos de valor para o andar de cima da casa de minha avó, ora assistindo ao noticiário. As estradas que saíam da Costa do Golfo estavam congestionadas por pretensos turistas e trailers repletos de malas amarradas em cima, automóveis de passeio e caminhonetes, todos saindo da zona que os meteorologistas diziam que poderia ser alvo direto do avanço ao longo da costa. Por volta das cinco horas da tarde, as fotos do furacão se aproximando me fizeram pensar no telefone novamente.

Entretanto, ele tocou antes que eu pudesse discar.

— Alô?

— Onde ele está? — Lacy gritava ao telefone. — Está com você?

— O Wes? Não. Não falo com ele desde a manhã de ontem. Por quê?

Ela chorava tanto que tudo parecia incoerente.

— Porque ele saiu! Já faz uma hora, sem me dizer para onde ia, e não voltou. O carro dele também não está aqui.

— Lacy, fique calma. Perguntou ao sr. Guidry? Ele deve saber.

— Ele também não está aqui. Uma senhora, viúva de um cliente dele, que mora perto do rio, precisou da ajuda dele para proteger as janelas, então ele saiu há mais ou menos duas horas. A Ray Von também se foi. A primeira coisa que ela fez hoje foi partir para a casa da irmã em Chalmette.

O tom dela estava aumentando de novo e eu mantive a tranquilidade na voz.

— E o Johnny? Está com você?

— Sim, só nós dois, eu não sei o que fazer. — Ela fungava alto do outro lado da linha.

— Lacy, sua casa está bem protegida e Garden District fica em um plano mais elevado. Você e o Johnny devem estar seguros. Vou fazer alguns telefonemas para ver se consigo localizar o Wes, então vou para aí e podemos enfrentar a tempestade juntos, está bem?

Ela não hesitou:

— Sim. — E, depois de uma pausa, disse apenas: — Obrigada.

Desliguei o telefone, peguei minha agenda e comecei a ligar para alguns números. No escritório dele, ninguém atendeu. As poucas pessoas que estavam em suas casas não tinham notícias dele. Liguei para Lacy para ver se ela se recordava do nome do cliente cuja viúva tinha chamado o sr. Guidry, mas ela não conseguia se lembrar. Esperava que pelo menos ele pudesse saber onde Wes tinha ido.

Desliguei a televisão, porque tinha necessidade do silêncio para poder pensar. A chuva batia nas janelas e no telhado e um vento forte vergava as árvores no jardim, tirando as pétalas das flores. Já havia pego o telefone, me preparando para ligar para Lacy e dizer que estava indo até lá e que levava comigo minha chave, mas parei. A última vez que Wes desaparecera fora após a festa do Baile de Comus. Tinha ido para River Song. Naquela época, entretanto, buscava escapar da turbulência que se seguira ao desaparecimento da mãe dele. Dessa vez, ele estaria indo em direção à fonte da turbulência e confusão, e senti um medo enorme pesar sobre meus ombros.

Peguei o aparelho e disquei o número de River Song. Deixei tocar dez vezes antes de desligar e tentar novamente. Dessa vez, Wes atendeu no segundo toque:

— Wes? Graças a Deus! A Lacy e eu estamos mortas de preocupação. Por que não quis dizer a ninguém para onde estava indo?

— Porque não queria que ninguém me detivesse. Alguém tinha que vir aqui e deixar tudo ajeitado para a tempestade. Tenho que correr para a mercearia ainda e comprar alguns suprimentos e comida para o caso de ter que ficar aqui por enquanto. A coisa vai ser feia.

Fechei os olhos, ouvindo rajadas de chuva bater nas janelas.

— Você não deveria estar aí. Eles estão evacuando a área.

— Eu sei. Mas há providências que precisam ser tomadas por aqui. Coisas que ninguém mais sabe fazer.

A voz dele soava estranha a meus ouvidos e imaginei que a causa pudesse ser por problemas na linha telefônica.

— Você está bem, Wes? Sua voz está... diferente.

— Você falou com a Lacy?

— Sobre o quê? — Estava quase gritando ao telefone. Queria dizer a ele que voltasse para Nova Orleans em lugar de ficar me perguntando sobre a esposa.

— Não posso conversar agora, Aimee. Tenho que ajeitar as coisas. — Fez uma pausa por alguns instantes. — No final, toda a verdade acaba vindo à tona.

— Do que está falando? — Notei que eu estava apertando o aparelho de telefone. — Há um furacão indo em direção a Biloxi. Você precisa sair daí *agora*.

— Não posso. Vá ficar com a Lacy e o Johnny, para garantir que todos estejam em segurança.

Pela segunda vez em dois dias, ouvi a ligação ser cortada e depois o ruído de linha ocupada. Tentei várias vezes chamar o mesmo número. Tinha a impressão de que, a cada vez, a ligação demorava mais até ser completada e persistira o sinal de ocupado. Fiquei tentando religar até que não ouvi mais nenhum ruído do outro lado. Se a linha telefônica já tinha sido interrompida, provavelmente em breve a transmissão de energia elétrica também seria.

Telefonei então para Lacy.

— Alô? É a Aimee. Encontrei o Wes. Está em River Song, ajeitando as coisas por causa do furacão. — Fiz uma pausa. — Vocês discutiram antes que ele saísse?

Ela começou a chorar baixinho, mas, quando falou, estava áspera.

— Digamos que sim.

— Nem parecia que era ele ao telefone. Estou preocupada.

Inesperadamente, ela deu uma risadinha e disse:

— Você não faz ideia de como deveria estar preocupada. Você é tão ingênua, Aimee. — Assoou o nariz e insistiu: — Você não faz ideia.

— Isso não faz sentido, Lacy.

A chuva batia com força na lateral da casa. Olhei à volta, para as salas quase vazias de móveis e quadros, que eu levara para o andar de cima. Minha solidão ressoava pelas paredes, fazendo eco a cada gota de água da chuva que caía.

— Aimee? — tornei a ouvir a voz rouca de Lacy. — Você está aí? Está vindo para cá?

"Espero que chegue um tempo em que vocês dois possam colocar o que desejam em primeiro lugar." Essas palavras de Gary voltaram à minha mente com tanta clareza que imaginei que o mundo a meu redor tivesse se tornado mais brilhante. Não havia nada para mim ali, naquela casa, naquela cidade. Tudo o que eu amava estava em River Song, com Wes.

— Ele não deveria estar sozinho — disse com voz firme, tentando convencer nós duas. — Vou de carro até Biloxi ver se consigo levá-lo para um abrigo.

— Não — resmungou Lacy —, eu ainda sou a mulher dele, eu é que deveria estar com ele.

— Lacy, você tem um filho e precisa ficar com ele. Espere aqui com o Johnny. Tomara que o sr. Guidry volte logo para casa. Em todo caso, você está segura aí.

— Por favor, não vá.

Ela agora implorava, mas eu não tinha certeza se ela não queria que eu fosse porque eu ia me encontrar com Wes ou porque tivesse medo de ficar sozinha.

— Prometo entrar em contato assim que encontrarmos um telefone que funcione. Fique com o Johnny. Ele precisa de você.

Sem me despedir, desliguei o telefone. Peguei uma capa e o guarda--chuva, corri para o carro sob a chuva abundante e fui guiando em direção à rodovia. Apesar de a estrada não estar interditada, não conseguia ir tão rápido quanto desejava. O asfalto estava escorregadio e o vento, muito forte. Fui cautelosa, pois não tinha a intenção de sair fora da pista.

O trânsito no sentido oposto estava congestionado, fluindo devagar. Imaginava que a maioria dos moradores oficiais da costa permanecesse em casa por uma questão de honra. Como Biloxi se encontrava 365 metros acima do nível do mar, as pessoas consideravam-se seguras desde que vedassem as janelas. Minha esperança era a de que muitas delas tivessem assistido às previsões sobre a intensidade dessa tempestade e seguido o aviso para evacuarem a área. No entanto, mesmo eu, que não era nascida ali, mas tinha aprendido a amar aquela região, teria que ser convencida de um perigo iminente para deixá-la.

A Beach Boulevard tinha sido fechada e tive que pegar algumas estradas alternativas para evitar as barreiras e chegar a River Song pelo outro lado. Estacionei na rua lateral que dava acesso à casa e abri a porta do carro. O vento tirou-a de minha mão e, por um momento, pensei que ela seria arrancada com dobradiças e tudo, mas consegui enfrentar o vento e fechá-la. Eu tinha deixado a capa e o guarda-chuva no carro. De qualquer maneira, eles seriam inúteis em virtude das rajadas de vento com chuva que pareciam inundar tudo o que estava à minha volta.

Atravessei o quintal e caminhei até a frente da casa, com meus pés afundando na areia e na grama. Meus sapatos estavam encharcados. Vi o carro de Wes na garagem e corri para a varanda vazia, sem as habituais cadeiras de balanço e redes. Uma pá novinha em folha, ainda com a etiqueta adesiva à mostra no cabo de madeira brilhante, estava encostada perto da porta.

A chuva me atingia pelas costas enquanto batia sem parar na porta. Mas consegui empurrar a tela e abri a porta da frente. Entrei rapidamente, fechei a porta atrás de mim e me encostei nela. Do lado de fora, o vento uivava, quase bloqueando o som de minha cabeça que latejava.

Alguma coisa rangeu no lado da casa com a parte de madeira rebaixada e me assustou. As venezianas balançavam como se fossem um bando de bêbados se batendo contra as janelas de modo desordenado. As luzes piscaram e eu receava pelo momento em que elas se apagariam de vez.

— Wes, é a Aimee!

Ouvi passos na escada. Quando ele surgiu no último degrau, seus olhos se arregalaram.

— O que diabos está fazendo aqui? Não lhe disse para ficar em Nova Orleans?

— Estava preocupada com você. Você estava tão estranho quando nos falamos pelo telefone... E depois não consegui mais completar a ligação.

— Os telefones estão mudos.

— Eu disse à Lacy que levaria você para um abrigo. Não deveria estar aqui. Aliás, nós não deveríamos estar aqui. — E pensei comigo mesma: "Mas por outros motivos, não só por causa de um simples furacão".

A porta da frente rangeu, pressionando as dobradiças para a frente.

— Não há mais tempo. — Ele segurou minha mão, mas não senti calor na dele. — Precisamos terminar de fechar as venezianas de modo seguro. Com o vento e a chuva, estou levando cinco vezes mais tempo para conseguir fazer isso em cada uma delas.

Ele me conduziu até a escada e subi atrás dele. O quarto onde Gary e eu costumávamos ficar estava escuro, com as janelas já bem fechadas. Felizmente, eu não teria que ir lá.

— Venha cá — Wes me chamou para ir ao outro quarto de dormir em que havia a bancada e eu prontamente o segui.

Eu queria falar com ele, perguntar o que pretendera dizer com a frase sobre a verdade vir à tona. Queria saber se tinha alguma coisa a ver comigo, quando nos falamos ao telefone mais cedo. Entretanto, a escuridão tomou conta de tudo enquanto o vento e a chuva aumentavam sua fúria, apagando qualquer pensamento de minha cabeça que não tivesse relação com a sobrevivência.

Lutamos com cada uma das janelas. Mesmo com a chuva torrencial arremetendo contra elas, tínhamos que abri-las para protegê-las com as venezianas vedadas. Era uma batalha entre o vento e nossos esforços que, às vezes, vencíamos ao conseguir puxá-las, fechá-las e pregá-las por dentro, por sobre as janelas. Tínhamos conseguido isso com as quatro janelas da varanda e havíamos ido para o quarto da frente quando vi faróis se movendo no gramado.

Ambos fomos até a janela, enquanto as lâmpadas no teto piscaram mais duas vezes.

A porta do motorista se abriu e uma mulher desceu do carro.

— É a Lacy — disse Wes, nitidamente contrariado.

Em seguida, Johnny pulou pela porta do passageiro, lutando contra o vento para fechá-la. Como não tinha força suficiente, correu para a varanda. A mãe, então, fechou-a atrás dele.

— Meu Deus! — disse Wes.

Enquanto ele se dirigia para a escada, as luzes se apagaram, lançando--nos todos em um abismo negro.

Lutei para encontrar a lanterna que Wes tinha me dado pouco antes e que ficara presa no cós da calça jeans. Meus dedos estavam escorregadios e frios e se atrapalharam na hora de acionar o botão para ligá-la. Quando consegui, fui escada abaixo atrás de Wes, com a mão tremendo tanto que fazia o foco de luz dançar na escuridão.

Ambos direcionamos os focos de luz das lanternas para as duas figuras encharcadas que estavam paradas na porta da frente. Johnny correu em minha direção assim que me viu e eu o abracei, sentindo seus ombros trêmulos.

Wes, sacudindo a cabeça para Lacy, disse:

— O que está fazendo aqui? E por que trouxe o Johnny? Para que trazer nosso filho aqui?

A raiva que sentia era visível sob a água que escorria em sua pele.

Lacy tirou os cabelos molhados do rosto e encarou Wes:

— Vim porque não queria que você ficasse aqui sozinho com ela. E eu não sabia o que você faria com... — Ela parou de falar de repente e olhou para mim.

"No final, toda a verdade acaba vindo à tona."

Olhei para Lacy, que estava com os cabelos ensopados, mas não senti pena dela. "Ela sabe", eu pensei. O que quer que tivesse levado Wes até River Song, Lacy sabia o que era.

As paredes da casa rangeram e estremeceram com o vento gritando.

— O furacão está fazendo a maré subir. Vamos para cima! Não temos muito tempo! — Wes alertou.

Levando Johnny à minha frente, corri para a escada e Lacy veio imediatamente atrás. Quando cheguei ao topo e olhei para baixo, Wes estava parado antes do primeiro degrau.

— Wes, você também tem que vir!

Balançando negativamente a cabeça, ele disse:

— Entrem no banheiro e fiquem dentro da banheira. Tenho que fazer uma coisa antes.

— Não! — Lacy gritou — Não vale a pena!

Ela começou a descer a escada, mas eu a segurei pela blusa.

— Você não pode ir, Lacy! — gritei mais alto do que o som da tempestade. — Não faça isso com o Johnny.

Ela tinha o maxilar enrijecido, demonstrando a tensão em que se encontrava. Porém, quando olhou para o filho, a expressão de seu rosto se suavizou. Olhou para Wes mais uma vez, pegou o braço de Johnny e tornou a fazer o percurso da escada apressadamente.

Eu estava no topo da escada, dividida entre nossa segurança e Wes. Então, perguntei:

— Aonde você vai?

— Só vou fazer algo que preciso fazer. Só assim poderei dormir à noite. Então... — ele interrompeu a frase na metade e pediu: — Cuide-se, Aimee. — Ele deu um passo para trás e confessou: — Eu amo você, Aimee. Nunca deixei de amar você.

Eu estava nervosa demais para comentar alguma coisa, com muito medo da escuridão por todos os lados, só o feixe de luz de minha lanterna para iluminar tudo que se escondia pelos cantos. Fiquei parada onde estava por tempo suficiente para vê-lo desaparecer de meu campo de visão e ouvir quanto teve que lutar assim que abriu a porta para poder fechá-la novamente. Vi pela janela quando ele se curvou e apanhou alguma coisa antes de sumir.

Tornei a subir a escada de dois em dois degraus e perdi um pé de meus sapatos, mas nem tentei recuperá-lo, para não perder tempo. A porta do banheiro estava fechada e, quando tentei abri-la, vi que estava trancada. Bati com força e gritei:

— Lacy, deixe-me entrar! — Bati novamente, já imaginando se haveria alguma possibilidade de procurar um quarto alternativo sem janela numa casa de praia construída para desfrutar a vista para o estreito.

Depois de alguns instantes, a porta se abriu e entrei no pequeno banheiro. Lacy, com os cabelos escorridos e sem maquiagem, parecia uma criança que tinha acabado de perder a boneca preferida.

— Desculpe, Aimee. Pensei que você tinha ido com o Wes.

Fechei a porta e tranquei-a novamente, mas fiquei na dúvida se no fundo não queria ter permanecido do lado de fora.

Johnny, que com 11 anos já tinha quase minha altura, estava sentado na banheira vazia com os braços em torno dos joelhos. Ele me olhava como se esperasse de mim todas as respostas do mundo. A banheira era pequena para os três, então eu disse para Lacy:

— Fique com o Johnny aí dentro que vou me sentar aqui no chão e esperar.

— Para sermos resgatados?

Olhei para ela, resistindo ao impulso de sacudi-la. Tudo que ela pudesse ter aprendido na vida de nada poderia ajudar naquele momento, ilhados como estávamos no meio de um furacão. Coloquei a cabeça sobre a superfície fria da louça da banheira, sentindo-me despreparada para defender alguém.

— O que faremos agora?

Coloquei a mão no braço de Johnny e tentei acalmá-lo.

— Vamos aguardar e rezar. Nada mais podemos fazer neste momento. Se a água chegar até o segundo piso, nós subiremos no telhado. Vamos esperar que seu pai volte logo e assim possa nos ajudar.

Enquanto isso, Lacy soluçava baixinho. Eu tinha vontade de dizer para ela parar, pois estava assustando Johnny e não ajudava em nada. Mas, em vez disso, pousei a mão em seu ombro e a deixei ali, consolando-a por alguns momentos.

— Esta casa já resistiu a tempestades terríveis antes. Não há razão para pensar que isso não ocorrerá novamente.

Ambos me fitaram com a mesma expressão de esperança matizada de percepção e tive que desviar o olhar. O feixe de luz que emanava de minha lanterna estava ficando mais fraco. Eu sabia que as pilhas sobressalentes se encontravam na cozinha, mas não me arriscaria a sair do banheiro. Então, disse:

— Temos que economizar as pilhas da lanterna. Vou desligá-la, para o caso de realmente precisarmos de iluminação. — Assim que acionei o botão com o polegar, ficamos na mais profunda escuridão. Ouvíamos desse nosso abrigo improvisado o barulho de coisas batendo contra a casa e as paredes resistindo. De repente, houve um ruído forte de alguma coisa se partindo lá fora, sob a fúria da ventania. Em seguida, algo muito pesado desabou, provocando tal estrondo que fez estremecer o chão abaixo de nós. Estava congelada de medo, enquanto escutava as paredes gemerem e aguardava a voz de Wes. Ao mesmo tempo, ficava imaginando se a noite não estaria me reservando algo terrível.

Ninguém falava e pensei por um momento que Lacy e Johnny deviam estar dormindo. Mas logo senti uma mão com um anel no dedo do meio procurando a minha.

— Obrigada — Lacy disse apenas isso antes de soltar minha mão em meio à escuridão.

Não tinha certeza se ela estava me agradecendo por estar ali ou por não ter acompanhado o marido lá fora.

Um grito atravessou a noite e apurei os ouvidos, pensando se teria sido minha imaginação. Fiquei atenta, sentindo que Lacy e Johnny estavam olhando em minha direção. Ouvi de novo aquele ruído, mais próximo dessa vez, e acionei a lanterna.

— Ouviram isso?

Ambos acenaram que sim.

— Ouvi alguém gritar. Deve ser o Wes. Talvez precise de ajuda.

Johnny se levantou, mas o fiz parar onde estava.

— Não, vocês dois fiquem aqui. Verei o que está acontecendo.

Nem esperei para ouvir algum protesto. Destranquei a porta e fui até o hall da entrada do piso superior. Uma tábua de vedação da veneziana tinha se desprendido na varanda e o vento e a chuva penetravam pelo vidro quebrado. Da escada, olhei para baixo e nesse exato momento Xavier correu em minha direção, meio carregando e meio arrastando Wes. A luz da lanterna iluminou um corte com uma linha irregular vermelha vinda da cabeça e da testa de Wes, com o sangue escorrendo por um dos lados do rosto.

Não havia tempo para pensar nem para demonstrar surpresa. Dei um passo atrás e abri a porta do banheiro.

— Coloque-o no chão. Vou envolver a cabeça dele com toalhas.

Lacy colocou as mãos na boca, em estado de choque. Johnny alcançou uma das prateleiras do armário, de onde retirou algumas toalhas de praia. Fez uma espécie de travesseiro e o pôs sob a cabeça do pai, enquanto Xavier ajeitava Wes no chão junto ao pé da pia.

Apanhei uma toalha de mão e me sentei ao lado dele, pressionando o corte na cabeça de Wes para estancar o sangue. Ele parecia estar inconsciente, o que provavelmente era um bom sinal. Uma aspirina que porventura estivesse guardada no banheiro não seria suficiente para a dor.

— O que aconteceu, Xavier? — indaguei.

A calça jeans, na altura dos joelhos, tanto quanto toda a parte da frente da camisa dele, estava coberta de lama. Direcionando a luz para Wes, vi que ele também estava sujo. As mãos e as unhas estavam escuras, repletas de lama grossa.

— O que está fazendo aqui?

Ele olhou para Wes e disse:

— Quando minha mãe disse que ele estava vindo para cá, eu sabia que a situação poderia se complicar. Então, vim também e o encontrei lá fora. Um dos galhos do carvalho da frente se partiu e atingiu a cabeça dele. Ainda bem que o encontrei.

Ele parou de falar e se dirigiu para a porta. A mão dele estava bem fechada; com certeza, segurava algo dentro dela.

— Acho que está tudo bem agora. Não preciso mais fugir.

Colocou, então, a mão no trinco da porta para abri-la.

— Não, Xavier. Você não pode ir. Seria um suicídio.

— Não se preocupe comigo, sra. Aimee. Tenho que ir a um lugar.

— Deixe que vá, Aimee. Deixe que vá. Ele sabe o que está fazendo.

Voltei-me para Lacy, que estava de pé na banheira, encostada na parede. Alguma coisa se passava entre eles que eu não conseguia decifrar. "No final, toda a verdade acaba vindo à tona."

— Alguém pode me explicar, por favor, o que está acontecendo aqui?

Mas Xavier já tinha saído e fechado a porta atrás de si, enquanto Lacy retomava a antiga posição dentro da banheira, junto com o filho.

O terror foi tomando conta de mim. Senti um frio na barriga enquanto o barulho ensurdecedor do vento esparramando destroços da casa tomava conta de meus ouvidos. Fiz o que podia ser feito por Wes naquela hora, trocando as toalhas da cabeça assim que ficavam ensopadas de sangue. Ele começou a recobrar a consciência e pediu água. Abri as torneiras, mas nada saiu. Parecia uma piada: com tanta chuva lá fora e dentro de casa não havia uma gota sequer de água para beber.

Lacy perguntava sobre o estado de Wes, mas permanecia na banheira. De qualquer forma, não havia espaço para ela se mover naquele cômodo da casa e eu quis ficar com minha mão no peito dele para ter a certeza de que o coração ainda batia. Nunca estive imersa em tamanha escuridão: não havia luz na rua, nem luar; nada a não ser a escuridão naquele lugar sem janelas. Começamos a rezar em voz alta quando ouvimos um barulho que soava como um trem se aproximando. Seguiu-se o barulho de madeira sendo arremessada e vidros se despedaçando. Wes respirava sob minha mão e Lacy chorava, mas Johnny e eu ficamos em silêncio, deduzindo que nossos gritos não poderiam ser ouvidos.

O vento aumentava de força e volume em meio ao barulho de coisas quebradas sob a porta e em nosso entorno. Deduzi que outra janela havia sido quebrada.

Uma calmaria enganosa se seguiu após a passagem do olho do furacão sobre nós. Tive que conter Lacy, pressionando-a de volta à banheira para que ela não saísse do cômodo.

Por fim, a chuva forte parou e o vento diminuiu de intensidade. Lacy e Johnny adormeceram, mas me senti forçada a permanecer alerta, apertando minha mão no peito de Wes para sentir alguma reação que indicasse que a crise tinha sido superada.

Soube que estava amanhecendo pela luz acinzentada que transparecia pelas frestas do contorno da porta. Wes ainda não despertara, mas havia sobrevido àquela noite. Fiquei de pé e senti minha cabeça e meus ombros rígidos por ter ficado horas e horas sentada no chão, apoiada na pia.

— Estamos seguros? — A voz de Johnny surgiu de sua boca seca.

Eu não sabia como responder àquela pergunta, dada a incerteza para julgar se estávamos ou não em segurança novamente.

As palavras de Johnny fizeram com que a mãe dele acordasse. Ela então se sentou e verificou onde estava. Sua atenção, então, se voltou para o marido:

— Ele está...?

— Ele está bem agora. O sangue estancou e ele voltou a pedir água há 20 minutos. Mas precisamos levá-lo ao hospital assim que for possível.

Os dois permaneceram na banheira olhando para mim enquanto me dirigia até a porta. Hesitei um instante. Girei o trinco e, quando a abri, me deparei com o céu do alvorecer sob o que antes tinha sido um telhado.

Uma luz acinzentada mostrava as paredes remanescentes e as árvores lá fora, enquanto, com os braços e mãos estendidos, íamos caminhando no meio termo entre escuridão e claridade. Ray Von tinha uma definição para esta semiescuridão: *entre chien et loup*, uma luz sob a qual não daria para distinguir um cão de um lobo.

Entretanto, a claridade foi gradualmente ficando mais forte, enquanto, parada ali, pensava na sorte que tivéramos. O telhado tinha caído na maior parte da casa, sendo que apenas o do banheiro e o da sala de vestir estavam intactos, agarrando-se às paredes feito ramos de musgo. Olhando para trás, disse:

— Lacy, fique com o Wes. Johnny, venha comigo buscar ajuda.

Continuei descendo a escada e encontrei o sapato que havia caído. Já o sofá em que costumávamos nos sentar na sala de estar fora levado pelo vento e atravessara a janela do lado direito e agora, com todas as suas almofadas intactas, estava solenemente instalado no meio do jardim frontal como se aquele tivesse sido sempre seu lugar.

Vi o carvalho e seus galhos desfolhados, com uma parte branca aparecendo em um dos lados, onde a casca tinha sido arrancada. O carro de Lacy estava estacionado na vaga da garagem ao lado, em meio a vigas do telhado, um gato morto e galhos de árvores espalhados. Mas eu tinha sobrevivido. Nós todos tínhamos sobrevivido. Não seríamos nunca mais os mesmos, mas tínhamos sobrevivido.

O sol surgia no horizonte, iluminando um límpido céu azul e estranhamente sem nuvens nem pássaros. Ao descermos a escada, nos deparamos com um mundo em ruínas. River Song, ainda que abalada e desgastada, estava de pé. O que sobrara das paredes brancas brilhava à luz do sol como um farol de esperança. Uma rajada de vento soprou com força e admirei sua tenacidade.

— Olhe para cima — disse a Johnny, e ele ficou boquiaberto. — Lembre-se disso, certo? Quanto pensar que já viu tudo, olhe para cima e veja que o céu está claro e saiba que tudo vai ficar bem.

Peguei a mão dele e fomos andando cautelosamente até a praia repleta de escombros, começando a correr na direção do som das sirenes e observando o sol nascer novamente num novo dia sobre a terra e o ar que tinham sido completamente varridos. E mais uma vez me peguei imaginando o que Wes teria ido fazer embaixo dos três carvalhos, mas logo pensei que isso não importava. Que nada mais importava, exceto que tínhamos sobrevivido à tempestade.

Capítulo 30

Para aquele que espera, todas as coisas se revelam, contanto que tenha a coragem de não negar, na escuridão, aquilo que viu na luz.

— Coventry Patmore

Julie

Uma vez embarcados no avião de volta a Nova Orleans, sucumbi à exaustão e adormeci no ombro de Trey. Sonhei que estava em River Song de novo, mas dessa vez eu me encontrava de pé no píer, olhando a casa de longe. Havia pessoas por toda parte no gramado e elas celebravam algo, mas eu não conseguia dizer o quê. A casa erguia-se orgulhosamente em novas pilastras; o velho carvalho, envolto por uma crosta, brilhava resplandecente com folhas verdes, seus braços oferecendo uma sombra fresca às pessoas embaixo dele, sobre a grama arenosa.

Chelsea estava nos degraus da frente, me chamando. Eu a segui pela porta frontal, mas não estava mais em Biloxi; estava, sim, de pé, sozinha, no vestíbulo da casa na rua Primeira. O cheiro enjoativo de perfume enchia minhas narinas, tomava-me todos os sentidos.

Escutei, então, o cântico da arruinada tribo pascagoula, enquanto eles marchavam rio adentro, passando pela árvore esculpida do Katrina com os golfinhos nadando, e abri os olhos bem a tempo de ouvir o piloto anunciar a aterrissagem em Nova Orleans.

Colei a testa na janela, observando os edifícios altos ao longe ficarem maiores, com o estranho sentimento de voltar para casa ocupando temporariamente o coração, como se eu o estivesse experimentando como se fosse um casaco novo.

Fechando os olhos novamente, tentei invocar Chelsea, mas tudo que conseguia ver eram as árvores mortas renascendo como peixes-espada, pelicanos e golfinhos, com olhos sorridentes que me observavam, esperando que eu os compreendesse. No momento em que o avião tocou o solo, ainda estava me perguntando o que tentavam me dizer.

Era quase meia-noite quando Trey estacionou a caminhonete diante da casa na rua Primeira. Kathy Wolf nos encontrou nos degraus da frente, torcendo as mãos, a testa franzida de preocupação. Subimos correndo os degraus para encontrá-la.

— O que houve de errado? — Trey perguntou.

— Tudo está bem agora. Ela me disse para não ligar para você, ou eu teria...

— O que aconteceu? — ele perguntou, interrompendo-a.

— Ela sofreu um acidente de carro. Está bem agora... só um pouco abalada, fez um arranhão feio na testa devido ao airbag.

— Ela estava dirigindo? — eu perguntei. — No que ela bateu?

— Apenas em uma caixa de correio, graças a Deus — Kathy disse. — Nenhum outro veículo foi envolvido. Mas o carro dela teve que ser rebocado. — Ela sacudiu a cabeça com agitação. — A sra. Aimee pegou as chaves do carro na minha bolsa. Nunca tinha me ocorrido que precisasse escondê-las.

Trey moveu-se para passar por ela, mas Kathy o impediu.

— Ela está descansando agora, Trey. O médico me deu algo para ministrar a ela para que pudesse dormir uma noite inteira.

— Ela disse a você aonde estava indo? — perguntei, a mente cambaleando com todas as perguntas ali amontoadas como escombros de tempestade.

Kathy apertou os lábios.

— Ela queria o Wes. Disse que precisava mostrar algo a ele. Argumentei que era muito tarde, que por causa do feriado os horários de visita eram limitados e que a levaria amanhã. Ela saiu enquanto eu estava na lavanderia e não podia ouvi-la.

Trey e eu olhamos um para o outro, a mesma pergunta na mente.

— Kathy, alguma ideia do que ela queria mostrar ao Wes?

Deixei minha bolsa de viagem, arrumada caso eu precisasse passar a noite em Massachusetts, escorregar para o chão da varanda. Ela balançou negativamente a cabeça.

— Conforme eu disse, ela saiu meio escondida, então não tenho ideia do que poderia ter levado para mostrar a ele.

— Você sabe para onde rebocaram o carro dela? — Trey perguntou.

Kate assentiu.

— Sim. Eles o levaram para a concessionária na Airline Highway. Não foi perda total, mas levará algumas semanas para consertarem.

— Você por acaso tem uma chave-reserva? — Trey perguntou. — Quero olhar dentro do carro e no porta-malas.

— Na verdade — Kathy disse —, o Billy Crandall, da concessionária, foi bastante gentil, encaixotando tudo e deixando aqui. Está na despensa.

Eu estava quase sem ar ao seguir Trey pelas escadas acima rumo ao segundo andar e ao final do corredor. Ele escancarou a porta e acendeu a luz, iluminando um pequeno quarto com uma grande máquina de lavar e uma secadora, um varal de secar, um conjunto de armários em cima dos aparelhos e uma larga tábua de passar encostada na parede oposta. Em cima da máquina de lavar estava uma caixa de papelão, a parte de trás dela dobrada por cima.

Com um movimento firme, ele abriu a caixa. Dispersos dentro dela estavam os objetos pessoais geralmente encontrados em um carro: uma caixa de Kleenex, um mapa das estradas da Luisiana, um rosário, um par de sapatos confortáveis — para os momentos em que Aimee precisasse tirar os saltos apertados, suponho. Mas escorado contra o fundo da caixa para que não fosse danificado estava um pacote embrulhado frouxamente, do mesmo tamanho e forma do retrato de Caroline Guidry.

Trey tirou o pacote e desembrulhou-o, revelando os olhos azuis felinos de Caroline Guidry e o broche de crocodilo com a cauda pontuda e os olhos de rubi.

Meu olhar encontrou o de Trey.

— Suponho que a Aimee seja minha compradora anônima. — Balancei a cabeça. — Mas por que o estaria levando para mostrar ao Wes?

Ele olhou de volta para o retrato, um vinco entre as sobrancelhas. Ficou calado por um momento.

— Pela mesma razão que a Mônica. Para confrontá-lo. Porque as duas descobriram algo que as convenceu de que o Wes sabia algo sobre o desaparecimento da Caroline. E talvez mais.

Eu encarei firme o retrato, meus pensamentos chacoalhando.

— Aquela foto da Mônica usando a aliança de ouro e o broche... foi aquilo que a fez ir ver o Wes. A Aimee estava agindo de forma estranha quando falei com ela na casa do Walker, aquilo foi logo após ela ter visto a fotografia. — Eu me inclinei sobre Trey, baixando a voz. — A Aimee sabe que a única coisa que estava faltando na cena do assassinato era a aliança de casamento da mãe dela. Foi por isso que eles acharam que tinha sido um assalto.

Trey sacudiu a cabeça lentamente, negando.

— Não foi um assalto, se essa era a única coisa que faltava. — Nossos olhares se cruzaram. — Isso é coisa pessoal. — Um tique havia começado no maxilar dele.

— No que está pensando?

— Que a Mônica descobriu algo terrível, algo com o qual ela não poderia conviver. Algo com que ela deve ter confrontado o Wes. E que ela não confiou a mim. Simplesmente, foi embora sem nenhuma explicação. Como se não confiasse em mim para repartir o segredo.

Pensei na Mônica que tinha conhecido, a mulher para quem verdade e justiça regravam tudo o que fazia. A mulher leal e confiável ao extremo. Balancei negativamente a cabeça.

— Não, Trey. Não foi porque ela não confiava em você. Ela fez o que fez para protegê-lo. E a Aimee também. Seja o que for que tenha descoberto, a Mônica sabia que machucaria você e a Aimee de um modo pessoal. A única maneira que ela encontrou para protegê-los e preservar a integridade dela foi partir.

Trey colocou o retrato no alto da máquina de lavar, os olhos pensativos.

— Meu avô não reconhece nenhum de nós há anos, tem sido basicamente indiferente a qualquer tipo de diálogo. Estou achando que a Aimee só desejava extrair algum tipo de resposta mostrando o retrato a ele. — Ele fez uma pausa. — Estou achando que ela sempre soube de algo. Ela manteve aquele maldito retrato no corredor por todos aqueles anos mesmo sabendo que o marido o odiava.

Delicadamente, eu disse:

— Acho que ela e o Wes tinham uma política própria de "não pergunte, não conte" em relação a verdades desagradáveis. Ela o amava, não queria perdê-lo como já havia perdido o Gary; não depois de quase terem perdido um ao outro durante o Camille. Mas o anel e o broche na fotografia da Mônica revelaram-se, de alguma forma, as provas de que o Wes fora cúmplice em alguma coisa. E talvez tenha sido responsável pela partida de Mônica. Depois de todo esse tempo, a Aimee estava pronta para saber a verdade.

Eu continuei:

— E se o Wes tivesse o anel e o broche? Podemos supor que eles estavam escondidos juntos, porque foi assim que foram encontrados. Lembra-se de quando a Aimee encontrou o Wes em River Song após o desaparecimento da mãe? E se ele os escondeu depois? Isso explicaria por que o Wes foi a River Song para desenterrar algo antes do Camille, percebendo como a tempestade seria intensa e querendo ter certeza de que seu segredo continuaria a salvo.

Delicadamente, Trey disse:

— Se ele estava tão desesperado para esconder o broche, então eu seria levado a pensar que a Caroline não o deu a ele voluntariamente. Que ele o tinha porque ela fora incapaz de resistir.

— Mas por que tomá-lo dela, afinal?

A voz dele foi dura ao responder:

— Porque teria sido identificável. Onde quer que Caroline Guidry aparecesse, viva ou morta, ela seria notada ou reconhecida por causa daquele broche.

Pensei por um momento, lembrando-me do relato de Aimee sobre o furacão, quase sentindo a chuva cortante sobre o rosto.

— O Xavier deve ter levado o anel e o broche quando encontrou o Wes. A Aimee disse que o Xavier estava segurando algo quando os deixou depois de ter trazido o Wes para cima durante a tempestade. Algo que ele disse que o deixaria a salvo.

Trey assentiu.

— Como um seguro. E ele os escondeu por todos esses anos. Até que a Mônica os encontrou de alguma forma e soube o que eles eram e o que significavam para a família dela. O porquê de terem sido escondidos.

Eu quase podia escutar as peças do quebra-cabeça se encaixando nos lugares certos — todas elas, exceto a parte que explicaria o porquê.

— Então, ela foi até o Wes para confrontá-lo, provavelmente para fazê-lo contar a ela a verdade sobre o que havia acontecido à mãe dele, para convencê-lo a contar à Aimee e talvez até à polícia... porque esse era o tipo de pessoa que ela era. Ela deve ter dado o anel e o broche a ele ou ele os tomou dela.

— Mas ela levou o retrato porque estava pendurado no corredor do lado de fora do quarto dele. Era um tipo de prova de que o broche havia pertencido à Caroline e que ela provavelmente o estaria usando na noite em que desapareceu.

Pensei na garota afável que eu havia conhecido sendo forçada a encarar o fato desagradável de que aqueles que ela amava haviam sido cúmplices em algo tão perverso quanto um assassinato. Um possível matricídio. Toquei o braço de Trey, sem estar certa de quem precisava mais de consolo.

— Sendo a Mônica quem era, ela manteve a esperança de que estivesse errada. Ela me achou, ansiando pela oportunidade de descobrir que a bisavó dela realmente havia ido embora com o pintor. Que eu saberia de algo que confirmasse a presença da Caroline na vida de Abe pela história da minha família.

Os olhos de Trey estavam escuros enquanto me fitavam.

— O que você não fez, mas foi como um golpe de sorte para a Mônica, de qualquer forma, já que uniu vocês duas.

— Um de seus poucos — eu disse.

Olhei para Trey, sem enxergá-lo, mas, sim, vendo uma noite de verão no jardim e sentindo o cheiro de tinta fresca. Agarrei o braço dele.

— O Xavier disse que foi ele quem acudiu o Wes após o derrame, enquanto a Ray Von ligava para a ambulância. Se o Wes tivesse ficado com as joias depois da discussão com a Mônica, o Xavier pode então ter pegado de volta o anel e o broche e voltado com eles para o esconderijo.

Foi a vez de Trey me seguir pela casa enquanto eu corria escadas abaixo para a cozinha, saindo pela porta dos fundos. Paramos em frente ao depósito, a tinta nova brilhando na luz sombria.

— A Aimee me disse que Mônica adorava fazer jardinagem, passava horas aqui fora com o Xavier, como o Beau faz.

Bati num mosquito sem olhar, um novo instinto afiado.

— Ninguém entra nesse depósito a não ser o Xavier. Quando ele o pintou, teve que tirar tudo de dentro e encontrar um novo esconderijo. E lembra-se de como ele não queria que você o ajudasse? — Eu me afastei para permitir que a luz fraca iluminasse a grama ao lado do depósito. — Ele ficava cavando à noite... nós o ouvimos, lembra-se? E eu e o Beau também ouvimos.

Fiquei de quatro e comecei a sentir o chão, procurando por algum calombo ou monte de terra sem grama.

— Aqui — Trey disse, indicando algo com a ponta do sapato. Eu me levantei e caminhei para o canto de trás do depósito. Um pequeno buraco aberto no chão escuro e um monte de terra ao lado.

Ambos ajoelhamos diante do buraco vazio

— Você sabe onde o Xavier mora? — perguntei.

Ele ficou de pé e estendeu o braço para me levantar.

— Não precisamos saber. Não acho que ele tenha desenterrado uma coisa para escondê-la de novo.

Pela terceira vez, Trey e eu caminhamos pela casa principal e escadas acima, nossos passos mais lentos dessa vez, como se os dois entendessem que descobrir o que Mônica queria manter escondido para proteger aqueles que ela amava nunca a traria de volta.

A porta do quarto de Aimee estava aberta, sua cama desfeita e vazia. Fiquei paralisada por um pânico crescente, algo que eu imaginava que sempre sentiria quando não encontrasse alguém no lugar que esperava encontrar. Recuei, Trey atrás de mim.

— Sra. Aimee? — chamei, olhando pelo corredor e notando que a porta do sótão estava entreaberta.

Caminhamos até ela rapidamente e a abrimos. Xavier estava sentado no degrau; um facho do crepúsculo passava pela janela atrás dele, criando uma auréola ao redor da cabeça. O rosto dele, arruinado, brilhava molhado.

— Ela sabe — ele disse com uma voz tão branda que tive que me inclinar para a frente para escutar. — Todos esses anos, eu tentei protegê-la. Mas hoje ela me disse que era hora de saber a verdade.

Trey saiu de trás de mim. Gentilmente, ele perguntou:

— O que você disse a ela?

— Ninguém mais deveria ter que ver o que eu vi. — Ele pôs a cabeça entre as mãos. — Eu menti. Eu menti quando disse que não tinha visto nada na noite em que a mãe dela foi assassinada. Eu não fiquei na cozinha dos Guidrys conforme disse. Eu vi a sra. Guidry... Ela tentou beijar a sra. Mercier, mas não da maneira como uma mulher beija uma amiga, entende?

Ele olhou para cima e sentei-me ao lado dele, colocando minha mão em seu ombro. Fitei Trey, me perguntando se ele conseguia sentir o cheiro também: o inesperado odor forte e avassalador de perfume, de Shalimar.

Xavier continuou.

— A sra. Mercier bateu nela, forte. Sei que foi forte porque pude ver a marca de mão vermelha no rosto dela. E então a sra. Mercier foi embora. Eu a segui até a casa dela, me escondi embaixo da cama como eu disse à sra. Aimee, e eu não menti... não vi nada. Mas escutei alguém entrar e alguém parando ao lado da cama, mas juro que não vi quem a matou. Estava muito escuro. Mas... — Ele soltou um sopro profundo e estremecido.

— Mas o quê, Xavier? — Trey incitou-o.

Seu olhar se deslocou de mim para Trey.

— Escutei algo cair no chão e rolar para baixo da cama.

— A aliança de casamento — eu disse, alfinetadas de eletricidade estática começando a formigar por meus braços, o aroma do perfume forte demais me dando náuseas.

— Eu não tinha certeza, mas coloquei no bolso, então esperei até que estivesse sozinho e aí fui embora. Estava com tanto medo de ser pego que não olhei para a cama quando rastejei para fora e não parei de correr até voltar para casa. Eu não soube que a sra. Mercier estava morta até o dia seguinte, quando a polícia veio até a casa dos Guidrys. Eu não queria arrumar problemas com a polícia, então entreguei o anel ao sr. Guidry para que ele pudesse falar com eles. Estava muito assustado, pensando que a polícia acharia que eu a tivesse matado, já que estava lá. Em vez disso, o sr. Guidry me mandou para a escola distante, como minha mãe queria, e porque eu era parente de sangue dele. Achei que fosse porque ele estava tentando me proteger.

— Não — sussurrei. — Foi porque ele pensou que você soubesse de algo e tentou comprar seu silêncio.

Trey olhou para mim com uma pergunta, mas os pensamentos rodopiando por minha cabeça não paravam para que eu tivesse tempo de dar uma resposta. Ele assentiu.

— Até aquela noite no baile. O sr. e a sra. Guidry voltaram para casa mais cedo com o Wes no carro dele. Acho que ele já tinha deixado a srta. Lacy em casa, porque ela não estava com eles. Eles gritavam um com o outro. Eu estava na cozinha esperando até que todos voltassem para casa para trancá-la. Geralmente todos bebiam, então alguém tinha que se lembrar de trancar.

"A sra. Guidry dizia ao marido que ia deixá-lo, que contaria a todos a verdade sobre como era culpa dele ela gostar de mulheres do jeito que gostava. E o Wes implorava a ela que não fosse embora, que o Gary morreria se ela fosse embora, mas ela nem sequer parecia ouvi-lo. Era como se estivesse fora de si. E, então, ela saiu correndo de casa e eu fui para o jardim para ver.

"Ela estava descendo a rua no vestido de festa. Era noite de Mardi Gras e não havia mais ninguém por perto, apenas ela no meio da rua. E, então, o Wes..."

Trey limpou a garganta, como se não tivesse certeza de que poderia inspirar ar o suficiente para formar palavras.

— O que o Wes fez então, Xavier?

— O Wes entrou no carro e começou a seguir a mãe, tentando convencê-la a entrar no carro e ir para casa e deixar de dizer loucuras. E, então, ela parou de andar e se virou e se deteve bem na frente do carro. Ela disse algo a ele e o sr. Guidry estava vindo da casa para dizer a ela para ficar quieta, mas não adiantou. Ela estava fora de si por causa da bebida e da loucura, falando sobre como estava cansada de segredos e que queria que todos soubessem a verdade. E então ela gritou algo para o Wes, algo que eu não pude entender. E então ele... — Ele engoliu em seco, sacudindo a cabeça. — Eu escutei o barulho do motor, e, então, vi a sra. Guidry embaixo do carro.

Fechei os olhos, assistindo a tudo mentalmente, escutando o som de metal amassando e de um corpo batendo no asfalto.

— O que ela disse a ele?

Xavier sacudiu a cabeça.

— Eu não sei. Mas foi o suficiente para deixá-lo louco também.

Ficamos todos em silêncio por um momento; então, Trey perguntou:

— O que fizeram com o corpo dela?

— O sr. Guidry... ele me viu e disse que eu tinha que ajudá-los ou seria preso. Isso foi antes de os negros terem qualquer direito, e ele não precisava me dizer que eu estaria bem encrencado. Então eu fiz o que ele mandou. E o sr. Guidry deu algo em uma bolsinha para o Wes e disse a ele para esconder junto com aquele broche de crocodilo que ela sempre usava em algum lugar onde ninguém jamais encontrasse. Nós a colocamos no porta-malas do carro e dirigimos para o Mississippi. Então, a jogamos em um pântano entre aqui e Biloxi, e pensei que ele também fosse jogar a tal bolsinha e o broche. Mas não jogou.

— E aí você o deixou em River Song e levou o carro para que a polícia não pudesse encontrá-lo e ver o estrago nele. E depois você desapareceu. — A voz de Trey soava monocórdia, como se ele estivesse recitando um discurso previamente escrito.

— Abandonei o carro no Alabama, certifiquei-me de que ninguém nunca o encontrasse. O Wes me deu dinheiro para sumir, mas não fui muito longe. Temia pela srta. Aimee. Temia que ela descobrisse tudo e que pudesse se machucar se isso acontecesse. Eu vi o que aqueles dois fizeram, sabe? Vi e estava com medo por ela; com o que eles podiam fazer com ela.

— Mas o Wes amava a Aimee — eu disse.

O olho verde de Xavier fitou-me como gelo duro.

— Ele amava a mãe dele também.

Permaneci em silêncio por um momento, tentando afastar a mágoa que parecia passar através das paredes.

— Foi por isso que sua mãe escreveu para a Aimee quando ela estava na Pensilvânia, para convencê-la a retornar para que você voltasse. Ela sabia que você tinha partido por causa dela.

Xavier assentiu.

— E eu nunca pude dizer a ela. Imaginei que, quanto menos pessoas soubessem da verdade, mais seguras elas estariam. Mas aí veio o Camille, e eu peguei o anel e o broche, porque eu sabia que isso os deixaria com medo de que eu entregasse as evidências para a polícia. Eu não entreguei. Eles eram meus parentes de sangue. Então, fiquei e comecei a trabalhar para eles, e o sr. Guidry faleceu. E tudo ficou bem de novo.

— Até que a Mônica encontrou o anel e o broche de crocodilo.

A cabeça dele pendeu e vi suas mãos, ainda entrelaçadas em frente a ele.

— Deveria tê-los jogado no pântano. Teria jogado se soubesse o que aconteceria. Minha mãe sempre me disse que todas as verdades acabam vindo à tona em algum momento.

Olhei para Trey, lembrando-me de Johnny e do que sua mãe havia dito a ele antes de morrer.

— A Lacy deve ter visto a sra. Guidry morrer. Ela deve ter retornado à casa dos Guidrys para falar com o Wes, para tentar reatar o namoro com ele. E ela o viu matar a mãe. Foi por isso que ele se casou com ela e não com a Aimee. Porque ele tinha medo de que ela contasse.

— Mas quem matou a mãe da Aimee? — Trey perguntou.

— Eu não sei. Mas acho que a resposta tem que estar aqui.

Xavier abriu as mãos e eu me vi paralisada, enfeitiçada pelos olhos vermelho-sangue no broche de crocodilo e o anel de ouro aninhado nele, nas palmas das mãos calejadas de Xavier. A luz fez os olhos vermelhos brilharem, mas tudo o que eu conseguia ver era a cauda pontuda do réptil, afiada o bastante para furar a pele, e senti o perfume inconfundível de Shalimar.

Abri as mãos em cuia e Xavier deixou os dois objetos caírem dentro delas lentamente. Soltei um rápido suspiro, minha descoberta como um soco no peito.

— Onde está a Aimee?

Xavier virou a cabeça, indicando o topo das escadas do sótão e o quarto adiante com uma única lâmpada pendurada no teto iluminando o espaço. Olhei para Trey.

— Fique aqui. Preciso falar com a Aimee. Acho que seria mais fácil para ela se fossemos só nós duas agora.

Lentamente, subi as escadas, incerta do que estava para ver. Encontrei Aimee sentada em uma poltrona coberta por um lençol, um vestido branco de seda espalhado sobre as pernas e caindo pelo chão. Ao lado dela, um baú com a tampa aberta.

— Aimee?

Ela olhava para fora, pela janela, para o céu enegrecido e não se virou ao dizer:

— Esse foi o vestido de casamento da minha mãe. Esperava que um dia a Mônica o usasse.

Aproximei-me e suavemente fechei a tampa do baú antes de sentar sobre ele. Ela finalmente olhou para mim, os olhos maiores e mais azuis abaixo do curativo branco na testa.

Aimee sorriu.

— Você está aqui para descobrir o que aconteceu depois do furacão?

— Você se casou com o Wes — eu disse.

— Sim. Ele pediu o divórcio a Lacy, imaginando que Johnny fosse uma garantia, que a Lacy jamais deixaria que se soubesse que o Wes era um assassino porque isso afetaria o filho dela e a posição deles na sociedade. Era isso que ele queria me dizer quando nos falamos pelo telefone naquela manhã. Foi por isso que ela o perseguiu até River Song com o Johnny, para tentar reverter a decisão. — Ela deu de ombros. — O Camille o fez mudar de ideia, suponho. A proximidade da morte faz isso com as pessoas.

Aimee olhou novamente pela janela, as luzes da cidade moldando o céu distante em roxo.

— Fomos muito felizes nos anos em que estivemos juntos. Tivemos nossas dificuldades, é claro... todas as famílias têm, mas vivemos uma boa vida. Tivemos o Johnny, depois os filhos dele, e pensei que, se pudéssemos apenas continuar olhando para o futuro, não precisaríamos viver no passado. — Ela sorriu suavemente para si mesma. — Então, dei aquele livro do Abe Holt para a Mônica e contei a ela o velho boato sobre como Caroline havia fugido com o artista. A Mônica era tão romântica, pensei que ela se divertiria contando aos amigos sobre a conexão entre as famílias.

Com delicadeza, concluí:

— Mas, sendo a Mônica quem era, ela tinha que ir até o final, descobrir a verdade completa sobre o que acontecera, e ficou curiosa quando não conseguiu encontrar nada que confirmasse o boato.

Aimee assentiu.

— Somente depois de você ter chegado aqui e de eu saber que a Mônica tinha lhe dado o retrato é que comecei a juntar algumas das peças. Percebi que a Mônica devia ter chegado a um beco sem saída procurando pela Caroline até que encontrou o broche e o anel e confrontou o Wes. Ele deve ter contado a ela a história inteira, esperando que entendesse por que não podiam contar a mais ninguém. O que, conhecendo a Mônica, ele deveria saber que não daria certo com ela. Foi por isso que a Mônica sentiu que precisava partir. Ela não conseguiria viver consigo mesma e manter o segredo, mesmo querendo proteger sua família de uma verdade tão abominável.

— Quando você soube que a Caroline Guidry assassinou sua mãe?

Os olhos dela encontraram os meus.

— Eu não sabia. Até hoje, quando o Xavier me mostrou o broche de crocodilo e a aliança de casamento. Foi quando me lembrei de que minha mãe não era a única que usava Shalimar. — Ela engoliu em seco. — Deve ter sido o que a Caroline gritou para o Wes antes de ele a matar. Foi a única coisa que consegui pensar que o deixaria cego de raiva.

Abri as mãos, os dois objetos inanimados nas palmas, mais poderosos do que se estivessem respirando. Observei a cauda pontuda nas costas rugosas do crocodilo, me perguntando se já teriam se passado muitos anos para descobrir evidências de DNA neles. Lágrimas brotaram-me nos olhos.

— A Mônica era otimista. Apesar de todas as evidências que encontrou, ela pegou o retrato e me encontrou, na esperança de que eu tivesse alguma informação a respeito da Caroline estar com o Abe, vivendo com minha família. Esperando descobrir que ela estava errada. Que a família dela não era aquilo que descobrira. E que o avô dela não havia mantido um segredo por todos esses anos.

Aimee ficou em silêncio por um longo tempo enquanto observávamos uma borboleta amarela pousar no vidro da janela, as asas batendo em câmera lenta, fazendo-me perguntar por que estaria ali fora à noite.

— Às vezes, mentimos para nós mesmos e para aqueles que amamos por acharmos que isso vai protegê-los. Assim como eu fiz e o Wes também. — Virou-se para me olhar, os olhos azuis escurecidos. — Assim como sua mãe fez.

Comecei a me afastar, mas ela colocou a mão em meu braço.

— Seu pai e seu irmão escolheram acreditar que a Chelsea não voltaria para casa. Sua mãe, porém, escolheu acreditar que ela voltaria, e ela lhe ensinou a acreditar também. Isso conferiu um propósito para sua vida, um motivo para continuar. Trouxe-a para aqui e para River Song. Para nós. — Ela passou as mãos pelo cetim creme do vestido, as veias azuladas das mãos como flechas afiadas. — Às vezes, Julie, procuramos e procuramos por algo que tem estado bem à nossa frente o tempo todo.

Esperei que a dor e a raiva me arrebatassem, que as negativas saltassem de minha boca. Mas o peso que havia começado a ser remexido enquanto estava na delegacia de polícia em Massachusetts moveu-se mais, abrindo um espaço maior dentro de meu peito. Queria chorar e gargalhar e gritar, tudo ao mesmo tempo, mas não conseguia. Em vez disso, respirei profundamente, enchendo os pulmões, sentindo-me mais leve ainda assim.

— Obrigada — sussurrei então, sem certeza se ela tinha me ouvido, mas sabendo que entendera.

Aimee tocou minha mão.

— Dê isso ao Trey. Ele saberá o que fazer com eles, por mim está tudo bem. Mesmo se o Wes for julgado culpado, não há realmente nada que possam fazer com ele.

Assenti e me levantei, sentindo a necessidade dela de ficar sozinha por mais um tempo.

— Obrigada — eu disse novamente, mais alto desta vez, para que Mônica, Chelsea, minha mãe e todos aqueles que haviam me levado para aquele lugar pudessem ouvir.

Algo bateu no vidro, e nós duas olhamos para a janela, assistindo enquanto um bando de borboletas amarelas pairava, parecendo suspensas, por pura força de vontade, na noite escura. E, então, tão rápido quanto haviam aparecido, voaram para longe, deixando apenas a visão do céu negro e a lembrança de que sempre tinham estado por ali.

Capítulo 31

É apenas na tristeza que o mau tempo nos domina; na alegria, enfrentamos a tormenta e a desafiamos.

— Amelia Barr

Julie

A morte e a perda nos devastam. Assim como as lembranças. As lembranças que tenho da irmã que perdi e de Mônica ainda são vívidas — plenas e maduras como fruto de verão. Imagino que sempre serão. Agora, no entanto, há espaço em meu coração para mais lembranças, esculpidas por um desapego que pude descobrir apenas encontrando um lar em um lugar onde nunca havia estado. Acho que Mônica sabia disso, e foi por essa razão que ela me trouxe aqui. Incapaz de curar a si mesma, ela escolheu em vez disso curar-me.

No caminho de volta das compras para a festa de inauguração da casa, sigo para aquele que se tornou meu trecho favorito na Beach Boulevard, os longos quarteirões entre as avenidas Gill e Rodenberg onde se encontram três árvores do Katrina, intercaladas com carvalhos altos e folhosos.

Há uma garça, um golfinho e um pelicano: todas estátuas solitárias com expressões decididas, entalhadas em madeira maciça. Algumas vezes, estaciono o carro para dar uma olhada melhor nelas, para tocá-las e aí talvez entender por que sinto tanta afinidade com elas. Não estou com pressa para descobrir. Decidi que Beau e eu ficaremos em Biloxi, em River Song, e é difícil imaginar um tempo em que tenha duvidado desse desfecho.

Comecei a aceitar naturalmente as linhas do Katrina pintadas de azul nos postes telefônicos ao redor da cidade, mostrando as diferentes alturas dos níveis atingidos durante a tempestade, e nomes como Tchoutacabouffa, Atchafalaya e Bogafalaya, agora, saem facilmente de minha boca, como se eu os tivesse pronunciado a vida toda. E o assobio do trem das 17h tornou-se familiar como usar bermudas em fevereiro e o som de água correndo em direção ao litoral. Sinto que isso é bom.

Ao entrar pelo acesso à garagem, Trey sai para o gramado extenso em frente a River Song, e a casa branca com venezianas pretas ergue-se agora sobre novas estacas. Há um balanço preso ao velho carvalho em frente ao jardim e, na varanda extensa, redes e cadeiras de balanço rangem ao sabor da brisa. Se Mônica chegasse aqui agora, ela reconheceria sua adorada casa, nova e antiga ao mesmo tempo, como se a história dos anos e as lembranças fossem destrinchadas e alojadas dentro das novas traves e vigas de madeira, assim preservadas por mais gerações.

Trey me beija e em seguida pega as sacolas na parte detrás da van. Sinto o cheiro da fumaça de lenha da churrasqueira no quintal, um leitão inteiro girando lentamente num espeto. Convidamos todos os que conhecemos para comemorar a ressurreição de River Song, a construção do que havia sido destruído, a restauração da esperança onde só existiam lembranças fragmentadas. Dentre os mais ou menos duzentos convidados, Carol Sue e Walker King, que noivaram recentemente, estarão aqui, e Kathy Wolf virá com Aimee e Xavier. Até Ray Von prometeu vir. Teremos uma minicerimônia de corte da fita inaugural, oficializada por Steve e Julia Kenney, da Kenney-Moise Construções. Não sei se Mônica gostaria de toda essa pompa, mas há tanto a celebrar...

No dia em que o último equipamento de construção foi embora, Ray Von veio me ver para me entregar o bilhete que Mônica tinha incluído no retrato de Caroline Guidry.

— Ela enfiou isso junto com o bilhete para mim, dizendo para entregar-lhe apenas quando achasse que você havia decidido ficar. E acho que esta é uma hora tão boa quanto qualquer outra. — Sem mais explicações, ela me entregou o bilhete e me observou enquanto eu lia.

Querida Julie,

Por favor, diga a Aimee e a Trey que eu sinto muito e que nunca deixei de amá-los. Olhando para trás, percebi que poderia ter confiado mais neles. Mas eu era nova e cabeça-dura e fiz minha escolha. Ao acolher você e Beau e deixá-los entrar na vida deles, sei que me perdoaram.

Estou oferecendo a você meus dois pertences mais preciosos — Beau e River Song — porque sei que você será mais do que apenas uma cuidadora. Se tivesse lhe dito antes o que queria que fizesse após a minha morte, você teria pensado em ficar fora de tudo isso. Perdoe-me e saiba que amo você como a irmã que nunca tive.

Sobrevivência é como um muro de pedra, e a bondade é uma porta. Você me ensinou isso.

MMG

Trago o bilhete guardado dentro da bolsa, quase ilegível agora, de tão amassado. Porém, continuo abrindo-o, tentando entender o que ela estava tentando me dizer. "Sobrevivência é como um muro de pedra, e a bondade é uma porta. Você me ensinou isso."

Johnny também está vindo para o churrasco hoje. Até Trey concordou com a presença dele aqui. Antes do pôr do sol, um pequeno grupo de nós irá de caiaque até Deer Island e levará as cinzas de Mônica para serem espalhadas no estreito. Será uma espécie de regresso, um retorno a um lugar que ela nunca deixou completamente. Espero que a presença de Johnny aqui seja a formação de novos laços entre o filho e o neto. Mônica teria desejado isso, e não consigo deixar de pensar que ela planejou isso o tempo todo.

Trey está trabalhando na defesa de Wes para que ele seja declarado incapaz de ir a julgamento, mas conseguimos manter tudo fora da mídia e a promotoria está fazendo um progresso muito lento no caso. Johnny não admitiu, mas não duvido nada de que ele possa ter tido um dedo nisso. Todos nós esperamos que a preparação para o caso supere o número de meses que Wes ainda tem.

Trey pega minha mão, deixando as sacolas na mesa da cozinha, onde uma equipe organizada de cozinheiros já está no comando.

— Quero lhe mostrar uma coisa.

Ele me leva para o andar de cima, para o dormitório no sótão, onde tudo está cheirando a novo. Há sinais da presença de Beau e de Charlie em todo o lugar, com sandálias jogadas, brinquedos de areia e pijamas espalhados pelo chão. Deixo tudo como está, pensando que a presença de crianças faz de River Song o lar que Mônica sempre imaginou que deveria ser.

Trey me leva até a última cama de solteiro contra a parede.

— Deite-se aqui e olhe para o teto.

Olho para ele, perplexa, mas me deito mesmo assim. Observo-o ir até a cama mais distante contra a parede oposta e se deitar também.

E então, como se estivesse deitado a meu lado e sussurrando a meu ouvido, ouço:

— Eu gosto muito de você, Julie Holt.

Viro minha cabeça para ele, surpresa e encantada com a fantástica acústica que o pessoal da Kenney-Moise foi capaz de recriar do jeito que Aimee e Mônica se lembravam. E, aparentemente, Trey.

— Eu gosto muito de você também, Wesley John Guidry Terceiro — sussurro, virando a cabeça para olhar Trey enquanto um sorriso lento se espalha pelo rosto dele. Olhamos um para o outro através da sala e para as três camas entre nós, imaginando os anos de segredos infantis guardados que parecem ainda viver no quarto comprido, cheio de janelas, na parte de trás da casa.

A porta de tela da frente bate e o som de pés de crianças dispara pelas escadas. Ouço o ranger no segundo, no nono e no décimo segundo degraus e imagino Mônica rindo de minha atenção a esse detalhe. Charlie e Beau aparecem, já vestidos em seus trajes de banho, e Carol Sue, por fim, surgindo em um ritmo menos acelerado. Jax II, o novo cachorrinho de Beau, sai correndo de trás dela e pula em cima de mim, lambendo meu rosto com a língua rosa.

No dia em que Beau naturalmente enfiou o chapéu vermelho da mãe no fundo da gaveta do armário para "guardar para depois", eu chorei, encantada com aquela criança que havia sofrido tanta perda, mas que conseguia entender como às vezes é preciso deixar coisas para trás caso se pretenda seguir em frente. No dia seguinte, trouxe Jax II para casa.

Eu o adotei de um abrigo, pensando que ele seria um bom cão de caça para Beau quando ambos fossem crescidos o suficiente para sair com Trey.

Trey foi gentil ao me dizer que uma mistura de cocker spaniel com poodle não daria necessariamente um bom cão de caça, mas com certeza seria uma boa companhia para um menino. E Jax II nunca deixa de demonstrar sua gratidão toda vez que me vê.

Beau pega o cachorrinho no colo e começa a balançar na cama.

— Você disse que poderíamos ir nadar quando voltasse. Podemos ir agora? Hein? Podemos ir agora?

Sento-me lentamente, resignada a cumprir a promessa feita sob coação enquanto empacotava nossas coisas da casa de aluguel. Na época, tinha parecido algo tão distante no futuro que prometer ir nadar com Beau assim que nos estabelecêssemos em River Song soara como uma coisa pequena.

Com um suspiro, levanto-me e vou para meu quarto na parte da frente da casa e pego meu novo traje de banho — comprado durante uma viagem forçada com Carol Sue até Nova Orleans. Eu não tinha um desses desde que era criança e Carol Sue achou que era hora, agora que eu tinha decidido fixar residência em Biloxi.

Esperamos por Trey, enquanto ele troca de roupa, então carregamos o depósito de bebidas e as cadeiras até a praia, onde me preparo para sentar e tomar conta das crianças, para ter certeza de que não vão muito para o fundo no mar. Não confio nas boias de braço infláveis laranja para mantê-las seguras. Até Jax II tem um colete salva-vidas, a pedido meu. Talvez com o tempo eu me torne menos protetora em relação aos que estão sob meus cuidados, mas velhos hábitos dificilmente acabam.

Trey está de pé, em minha frente, a mão estendida.

— É sua vez — ele diz, puxando-me para cima.

— De quê?

— De ir nadar. Você não pode ter uma casa na praia e não nadar. Isso é simplesmente errado.

— Eu não possuo esta casa por inteiro — digo com ar petulante, um sorriso forçando meus lábios.

Carol Sue e as crianças observam enquanto Trey me leva até a arrebentação, e resisto ao impulso de recuar quando a água toca meus dedos. Ficamos ali por um momento até que Trey agarra minha mão de novo.

— Você está pronta?

Fito os olhos dele, sorridentes, e concordo; então, ele me leva um pouco mais longe até que a água esteja bem acima de meus joelhos. Ela tem a cor de chá gelado, mas posso ver a areia e meus dedos no fundo lodoso, a água morna nas pernas.

— Está raso o suficiente, então ficaremos aqui na sua primeira vez, tudo bem? Mas você precisa molhar o cabelo para contar.

Olho para ele com uma interrogação e ele se aproxima.

— Dê-me suas mãos e incline-se para trás, e quando estiver pronta me avise; vou soltar você. Tudo que precisa fazer é prender a respiração e fechar os olhos. Eu estarei aqui o tempo todo.

Ficamos daquele jeito por bastante tempo, o sol batendo em nós, os gritos de alegria e os latidos do cachorro soando bem longe. Percebendo que ele não vai me soltar até que eu o avise, faço um sinal e seus dedos escorregam pelos meus e caio para trás.

Depois do mergulho inicial, vejo-me cercada por um silêncio absoluto, exceto pelo som de água invadindo meus ouvidos. Abro os olhos, vendo um sol escuro e a sombra de Trey, e me sinto confortada. É um pouco como se estivesse morrendo, os pensamentos claros, conversas antigas repassando pela cabeça. "Seguir em frente não significa esquecer", lembro-me de Aimee dizer, enquanto olhávamos para o monumento do Katrina, e compreendo. Finalmente compreendo.

Volto à superfície, de repente sei o que Mônica quis dizer, o que as árvores do Katrina têm dito para mim: que nossas vidas são passadas procurando por aquilo que nos faz completos, pelas coisas que fazem a sobrevivência valer a pena. Fico parada na arrebentação e olho para a casa de Mônica — minha casa agora — e para o velho carvalho em frente, tronco e hastes arranhados e retorcidos, mas os galhos cheios de folhas novas. Somos como velhos amigos, a árvore e eu: sobreviventes das tormentas.

Caio de novo na água, um sorriso nos lábios enquanto afundo mais uma vez, os braços líquidos segurando-me. E, então, as mãos de Trey me encontram e ele me puxa para cima, e sinto o cheiro de sal no ar e vejo River Song e Beau e sei que estou completa novamente.

Entrevista com Karen White

P. Após a tempestade *aborda eventos reais, como o furacão Katrina e o derramamento de óleo da BP. Foi difícil equilibrar os detalhes da devastação causada por esses eventos com a narrativa fictícia que você estava criando? Quanto da tragédia ocorrida com os personagens fictícios foi baseado nos acontecimentos reais, e quanto dela você criou?*

R. Há muitos paralelos entre a devastação da Costa do Golfo e a vida da protagonista Julie Holt. Foi necessário um aprofundamento na realidade do desespero enfrentado por aqueles que perderam tanto. Quando entramos em contato com Julie pela primeira vez, a vida dela está tão devastada e tão desolada quanto as praias de Biloxi, varridas. Ela acredita haver perdido tudo aquilo que tinha valor, assim como os sobreviventes de furacões costumam sentir, até que conhece sobreviventes do Katrina e começa a aprender que grandes perdas não significam necessariamente o fim.

Todas as histórias pessoais dos personagens foram extraídas de composições das histórias de sobreviventes. Passei dias debruçada sobre relatos em primeira mão, sobre os furacões Katrina e Camille, para dar a meus personagens fictícios reações e emoções reais.

P. Como você ficou sabendo sobre a arte das árvores do Katrina? Você já teve chance de vê-las pessoalmente?

R. A título de pesquisa, sou assinante de um serviço de arquivo de um jornal, muito útil para descobrir fatos sobre um cenário em particular. Li muitas histórias sobre essas árvores, fiquei assombrada com fotos que encontrei em livros e na internet. Existe uma citação maravilhosa do prefeito de Biloxi sobre como as árvores eram o mesmo que fazer dos limões uma limonada. Foi essa percepção de fora de tantos sobreviventes que tentei recriar no livro.

Ainda não vi as árvores do Katrina pessoalmente, mas planejo visitá-las em breve.

P. O que fez você decidir usar a Costa do Golfo como cenário para Após a tempestade?

R. Morei em Nova Orleans por quatro anos durante a faculdade (sou formada pela Tulane University) e me apaixonei pela cidade, sem contar que meu pai é de Biloxi (turma de 1950 da Biloxi High School). Então, não foi um esforço tão grande construir um cenário. Na primavera de 2005, eu tinha, na verdade, começado um livro contextualizado em Nova Orleans, então o Katrina chegou — fazendo-me mudar o cenário para Charleston. (Aquele livro se tornou *The House on Tradd Street.*) O Katrina foi algo tão incrível que eu sabia que valeria um livro, e *The House on Coliseum* (o título original) não tinha espaço para isso, então esperei até que o livro certo chegasse.

A história de Aimee, no entanto, foi retirada de um livro que escrevi há muito tempo e nunca publiquei. É passado em Nova Orleans, na década de 1980 (bastante familiar para mim), então tive que reescrever a maior parte dele, e fico muito satisfeita por ter encontrado um livro no qual pude contar a história de Aimee.

P. Existem dois narradores em primeira pessoa diferentes em Após a tempestade. *Foi difícil para você ficar indo e vindo entre Julie e Aimee e suas histórias?*

R. Já escrevi livros usando esse método algumas vezes e descobri que gosto dele. Ele me permite entrar na cabeça dos dois protagonistas, deixando-me ver onde as linhas das duas histórias se cruzam. Adoro as surpresas inesperadas que elas sempre guardam para mim. Julie e Aimee são tão diferentes que nunca tive dificuldade em saber dentro de que cabeça eu estava. Além disso, por serem de gerações diferentes, seus pensamentos e experiências eram completamente distintos, o que ajudou muito.

P. Entre as duas, você teve uma narradora e uma linha de história favorita? Quem foi seu personagem predileto no livro inteiro?

R. É difícil escolher entre Aimee e Julie, mas teria que escolher Julie, apenas por ela ter percorrido um caminho muito longo desde quando a conhecemos até o final do livro. Ela aprendeu muito sobre desapego e eu admiro sua força e tenacidade. Mas não acho que ela teria conseguido fazer nada disso sem Aimee como mentora.

Quanto a meu personagem favorito, escolheria Carol Sue. Ela é como a irmã que nunca tive — uma ótima mentora contemporânea e amiga de Julie. Não tendo crescido com uma irmã, sinto necessidade de criá-las como protagonistas em minha ficção.

Questões para discussão

1. Por que você acha que Mônica deixou tudo, incluindo Beau e sua adorada casa de praia, River Song, para Julie — especialmente considerando que ainda tinha família viva? Quais eram suas intenções e o que estava tentando dizer? Quais as repercussões para Julie?

2. Como o desaparecimento de Chelsea Holt molda a vida de Julie? Que emoções ainda a assombram, mesmo depois de quase 20 anos?

3. Qual significado o retrato de Caroline Guidry, com o broche de crocodilo, tem sobre cada membro de sua família? Os sentimentos são diferentes? Que pistas ele guarda dentro de si?

4. Os flashbacks de Aimee nos oferecem uma história objetiva sobre as famílias Guidry e Mercier e seu entrelaçamento? Que pistas críticas Julie coletou sobre elas para avançar em suas investigações?

5. Como a busca pelo passado — e pelas pessoas amadas, incluindo Caroline, Mônica, Chelsea e a mãe de Aimee — influencia na trajetória da vida dos personagens, na psicologia deles e em seus relacionamentos? Como os segredos vêm para definir e assombrar os Guidrys?

6. O que motiva Julie a procurar em arquivos antigos e objetos para ligar os pontos entre as duas famílias? Você acha que ela foi tola em não ter deixado tudo como estava? Você desejaria saber a verdade, especialmente se fosse desagradável? Essa obstinação é uma característica boa ou há preços para Julie? Como ela acaba desvendando o mistério?

7. Por que você acha que os moradores da Costa do Golfo continuam a reconstruir depois de tantas tragédias — as mais recentes sendo o Camille, o Katrina e o derramamento de óleo da BP — nos mesmos pedaços de terra que continuam altamente vulneráveis? O que os ligaria a esse lugar? Qual o significado de reconstruir?

8. Como a vida de Julie espelha a de Aimee? Ambas assumiram uma forma de tutoria — de Johnny e de Beau — e ambas procuram respostas para as tragédias inexplicáveis na vida de cada uma, mas o que as diferencia? O que elas oferecem uma à outra?

9. Você acha que Aimee e Wes fizeram a coisa certa ao se amarem um ao outro de longe, mantendo os sentimentos escondidos para poupar o coração de Gary? Quais foram as consequências?

10. O que você acha que aconteceu a Caroline? E quem você acha que matou a mãe de Aimee? Você ficou chocado com as revelações? O que manteve os segredos escondidos por tanto tempo; e o que entra em jogo no momento em que eles não são mais mantidos?

11. Quais foram os papéis de Ray Von e Xavier Williams nos acontecimentos escandalosos? Você acha que Xavier fez a coisa certa e necessária? Acha que ele foi bem-sucedido em proteger Aimee?

12. O que você acha que o próximo capítulo em River Song aguarda para Julie, Trey, Beau e o resto da família Guidry?